S0-ABZ-290

PICASSO
CREADOR Y DESTRUCTOR

De la misma autora

THE FEMALE WOMAN *(La mujer hembra)*
AFTER REASON *(Después de la razón)*
MARIA CALLAS: THE WOMAN BEHIND THE LEGEND
(María Callas: la mujer detrás de la leyenda)
THE GODS OF GREECE *(Los dioses de Grecia)*

PICASSO
CREADOR Y DESTRUCTOR

Arianna
Stassinopoulos Huffington

MAEVA·LASSER
MADRID-MEXICO

Título de la edición original:
Picasso. Creator and destroyer.

Publicada por SIMON AND SCHUSTER.
Rockefeller Center. 1230 Avenue of the Americas.
New York, New York 10020. USA.

ISBN: 84-86478-21-9.
Dep. legal: NA-1315-1988.

Fotocomposición: Compograf. Madrid.
Impreso y encuadernado por Gráficas Estella. Estella (Navarra).
Cubierta de la edición española: Pepe Plá.

Hemos hecho todos los esfuerzos conducentes a la verificación de los textos y a la obtención de todos los permisos a que obliga el derecho de autor. Si en algún caso no se ha cumplido esta norma, gustosamente haremos la oportuna rectificación en futuras ediciones. Damos las gracias a Françoise Gilot, a Carlton Lake y a McGraw Hill por habernos autorizado a citar pasajes de Life with Picasso, *© 1964 Françoise Gilot y Carlton Lake. Carta de Picasso a Gertrude Stein, abril 1917, publicado con autorización de la Yale Collection of American Literature, Beinecke Rare Book and Manuscript Library, Yale University. Poema de Picasso fechado el 5 de mayo de 1953, publicado con autorización del archivo de la Henry Ransom Humanities Research Center, University of Texas en Austin.*

A mi esposo Michael

CONTENIDO

CONTENIDO

PROLOGO

La sorpresa fue la principal característica del arte de Picasso, y la más duradera emoción que suscitó en mí durante los años que dediqué a escribir este libro. Como muchos de mi generación, fui educada para ver a Picasso como el más extraordinario, más impresionante, más proteico, más influyente, más original, más seductor, y, desde luego, más idolatrado artista del siglo XX.

Después de un día entregada a la amplísima exposición retrospectiva de Picasso en el Grand Palais de París en 1980, me dediqué a recorrer las calles de la ciudad como si necesitase de una actividad física para absorber la energía sin límites que me había comunicado la proximidad de casi mil obras de Picasso: pinturas, grabados, dibujos, esculturas, cerámica y obra gráfica. La leyenda de Picasso, el brujo y hechicero, era realidad, pero bajo la admiración, fascinación y agotamiento físico tenía una sensación inquietante.

Dos años después comencé a trabajar en este libro. Cinco años de tarea y, a lo largo de ellos, sorpresas sin límites; el legendario Picasso me parecía el héroe fantástico de una ficción colectiva, comparado con el Picasso que llegué a conocer y que intento recrear verazmente en las páginas que siguen. Me sentí, como Henry James, frente a «una joya brillante y dura. Centelleaba, temblaba y se fundía, todo a un tiempo, y lo que parecía superficie en un momento, era profundidad en el siguiente». El hombre que parecía ser una torre del genio creativo, al momento siguiente se convertía en un manipulador sádico. Lo que parecía una vida dirigida por ardientes pasiones: por la pintura, las mujeres o las ideas, se convertía, en el instante siguiente, en la historia de un hombre incapaz de amar, absorto en la seducción y no en la búsqueda del amor, pero ni siquiera por el deseo de poseer sino por el afán de destruir. «Supongo, dijo en una ocasión, que moriré sin haber amado nunca».

De hecho, esa lucha entre el instinto de creación y el de destrucción fue la razón de su vida, y es la razón de este libro. La evidencia de que Picasso fue un creador es vasta y gloriosa y su capacidad creadora casi mítica. No sólo el arte, sino la vida entera de todo el siglo están marcados por su imagen y su visión del mundo. Pero la realidad de Picasso como destructor es trágica: los suicidios de su segunda esposa, de su nieto y de Marie-Thérèse Walter, su amante durante varios años, la desintegración mental de su primera esposa, las crisis nerviosas de Dora Maar, la brillante artista que era su amante cuando Picasso pintó el «Guernica», todos ellos forman parte de una impresionante lista de víctimas entre aquellos que se acercaban demasiado al efluvio destructivo de su personalidad. Encontré muchas más evidencias de Picasso el destructor a cuyo conocimiento llegué sin proponérmelo y con inicial repugnancia, pero que tuve que aceptar tras centenares de entrevistas que personalmente o por medio de mis colaboradores en la investigación llevé a cabo en París, Barcelona o en cualquier lugar en que pude encontrar a gente que había conocido a Picasso y que o bien inadvertidamente o porque no estaban cegados por la leyenda de Picasso, revelaron hechos que ponían al descubierto el lado oscuro del genio del pintor.

Los hechos tienen por sí mismos una fuerza indiscutible, pero sólo a través de ellos no podemos construir una vida o una biografía. Están constantemente entrelazados con un haz de convicciones, de ideas y emociones que, consciente o inconscientemente, para bien o para mal, constituyen la visión del biógrafo respecto a la vida y el mundo. He intentado en todo momento actuar en consecuencia. Al contar la historia de Picasso me guié por unas declaraciones que encontré en un libro francés, que traduje y guardé en mi escritorio hasta que su mensaje empezó a parecerme como si fuesen instrucciones que Picasso me daba personalmente: «Lo que es necesario es hablar de un hombre como si lo estuvieras pintando. Cuanto más pones de ti mismo, cuanto más permaneces siendo tú mismo más te aproximas a la verdad. Intentar mantenerse anónimo más allá del odio y del respeto es darse por vencido, tratar de desaparecer. Has tenido que estar allí, tener valor: únicamente entonces puede ser interesante y producir algo».

Así lo hice y me vi arrastrada con todas mis emociones hacia una relación íntima. Me sedujeron su magnetismo, su intensidad, la misteriosa cualidad explosiva de la mirada penetrante de sus ojos negros tanto como sus obras. Me fascinó y me aterró su inigualable capacidad para inventar la realidad tanto en su vida como en su arte y para persuadir a sus mujeres a habitar la realidad que había creado por muy grande que fuese la separación entre ésta y la verdad. «Te quiero más cada día, tú lo eres todo para mí, sacrificaré todo lo que tengo por ti, por nuestro amor eterno», escribió Picasso a Marie-Thérèse al mismo tiempo que había decidido montar casa con Françoise Gilot. En mi investigación para encontrar la causa de su poderosa atracción retrocedí hasta los relatos españoles sobre Don Juan y a los mitos hindúes sobre Krishna, el dios amante por cuyo amor, aunque breve y compartido por muchas, las mujeres abandonarían todo, y comprendí que Picasso fue para las mujeres y para muchos hombres de su vida el sensual irresistible y seductor Don Juan y el divino Krishna que prometió el ascenso a una celestial realidad. Por eso muchas le fueron adictas y aceptaron pagar, incluso con la vida y la salud, el precio de su adicción.

Me impresionó su instintiva brillantez en el uso de la publicidad para fundamentar su celebridad y crear su leyenda. «Un cuadro vive únicamente a través del que lo mira», decía. «Y lo que ve es la leyenda que rodea al cuadro». Me gustaron —admito con cierta ironía— sus contradicciones: el hombre de mundo repleto de supersticiones aldeanas; el hombre del pueblo que gasta millones en procurarse una bohemia de lujo; el monumental egoísta que se convirtió en orgulloso miembro del Partido Comunista.

Pero hubo algo más, y más oscuro. Me fascinó la manera en que se enfrentó a lo largo de toda su vida a las más profundas batallas existenciales de nuestro siglo hasta que, al final, fue destruido por ellas. La comprensión de este fenómeno fue lo que me hizo darle al libro un giro decisivo. De repente me di cuenta de que la vida de Picasso no era solamente la vida de uno de los más cotizados artistas que hayan vivido, que no era solamente la vida de un hombre extraordinario y extraordinariamente complejo, que había sido fascinante aunque nunca hubiera tenido un pincel en sus manos; su vida, realmente, era la autobiografía del siglo veinte. Y fue al reflejar y resumir nuestro siglo y todas sus tormentas, tanto en su vida como en su arte, como llegó a ser un héroe de la cultura y la legendaria personificación de nuestros tumultuosos tiempos.

Campeón y trovador de nuestro siglo, deseoso de explorar los límites de la sexualidad humana, Picasso destilaba un rudo poder sexual, libre de toda restricción, al mismo tiempo que envilecía a las mujeres como si devorase monstruos. Otra vía profunda para reflejar nuestro siglo fue su ambivalencia respecto a Dios y a lo divino. Era como si hubiese echado a la religión por la puerta y estuviese atento a su regreso por la ventana. Trompeteaba su ateísmo al mismo tiempo que se identificaba con Cristo crucificado y volvía a ese tema en sus obras durante los períodos más penosos de su vida. Fue testigo de lo sombrío e inhumano de su tierra, un siglo dominado por ideologías políticas en cuyo nombre se cometieron indecibles atrocidades. Se afilió, con gran pompa y publicidad, en 1944, al Partido Comunista francés. En su trabajo iluminó con la deslumbrante luz de su genio las profundidades de la perversidad en los hombres y en los tiempos actuales, y, como Freud, ese otro gran denunciador de nuestras pesadumbres, vio con profundidad y exactitud la sexualidad atormentada, la violencia y el dolor escondidos bajo el tejado, lleno de goteras, de la civilización. Ese fue su triunfo.

Su tragedia fue que mientras consagraba la destrucción en su arte, la practicaba despiadadamente en su vida. Aterrado ante la muerte y convencido de la crueldad del universo, esgrimó su arte como un arma y derramó su furia y su venganza tanto sobre sus lienzos como sobre la gente. «Un buen cuadro, decía, debe estar erizado de hojas de afeitar». Y una buena relación también.

La única mujer que sobrevivió a esas hojas de afeitar y que llegó a prosperar como mujer y como artista, después de su relación con Picasso, fue Françoise Gilot. Cuando empecé a trabajar en este libro, le pedí una entrevista, pero rechazó mi solicitud manifestando que no deseaba revivir el capítulo de su vida con Picasso. Dos años después, ella y su esposo, el doctor Jonas Salk, vinieron a pasar un fin de semana conmigo en mi casa de Los Angeles. El fin de semana se inició con una asombrosa jornada de descubrimientos. Françoise decidió súbitamente, y como resultado de «una llamada interior», según explicó, a hablarme de Picasso y revelarme los muchos hechos e intimidades que había excluido de su propio libro sobre el artista, que había publicado durante la vida de éste y cuando sus hijos eran todavía demasiado jóvenes para conocer la verdad entera. A lo largo del año siguiente dediqué muchos días y noches a charlar con ella en Los Angeles, La Jolla, Nueva York y París, y no solamente en el seno de la intimidad recreó sus años con Picasso, sino que también me dio acceso a sus cartas, carpetas de archivo y fotografías, que ampliaron espléndidamente mi conocimiento de aquellos tiempos. Me instó a no escribir sobre el Picasso muerto, símbolo y leyenda, sino a lograr un encuentro personal con el hombre y el artista. Me dijo: «No debe tratarse de un biógrafo escribiendo a distancia sobre Picasso, sino de ti, Arianna, en una vivida y presente relación con él».

Tuve algunos encuentros importantes con otras personas que me reforzaron la sensación de estar envuelta en una relación personal con Picasso. Maya Picasso, hija del pintor y de Marie-Thérèse Walter, fue una de esas personas. «Esos son mis Picassos más importantes», me dijo señalando a su hijo y a su hija, que acababan de entrar en la sala de estar del piso de Maya, en el Boulevard Voltaire de París. Picasso se negó siempre a conocer a sus nietos, y yo, al verlos, deploré cuánta vida vibrante había desperdiciado al estar separado de ellos durante sus últimos años de aislamiento y desesperación.

En Mougins, no lejos de donde Picasso murió, vive Inés Sassier, que fue doncella, ama de llaves y confidente suya durante un cuarto de siglo. No había dado respuesta a mis cartas ni a mis llamadas telefónicas, y solamente cuando llegué a la puerta de su casa consintió en hablarme del hombre al que dedicó su vida y que durante muchos años pintó su retrato como regalo de cumpleaños. Oír el relato de su vida con Picasso fue conmovedor para las dos. Mientras me acompañaba a mi coche la tarde de nuestra última entrevista me puso sobre los hombros el chal tejido que llevaba, y me dijo: «Lo necesita para protegerse del relente de esta época del año. Yo ya estoy acostumbrada». Con aquel gesto me di cuenta de los cuidados maternales con los que rodeaba a Picasso y comprendí lo que éste quería decir con «Le debo mi vida entera».

«Llévese mi chal», me dijo Inés, y yo le dije: «Y usted llévese mis pendientes», dándole los que había admirado en nuestra entrevista. El intercambio fue símbolo de otro infinitivamente más importante que se había producido hacía pocos días.

Hubo muchos otros que brevemente, o durante años, estuvieron cerca de Picasso y que me proporcionaron gran parte del conocimiento personal o detalles íntimos, que yo necesitaba si quería cambiar la imagen del hombre que llegó a ser un símbolo de una realidad viva.

El abogado Bacqué de Sariac, su asesor jurídico durante muchos momentos cruciales de la vida del pintor, y entre ellos sus pleitos con Françoise Gilot por la publicación del libro «Mi vida con Picasso», y por su lucha para legitimar a sus hijos Claude y Paloma; también Geneviève Laporte, que sigue convencida en su ancianidad de haber sido el único amor verdadero del pintor; Mauricio Torra Bailari, un amigo de juventud y asiduo visitante en su vejez; la condesa de Lazerme, que le dio refugio en su castillo de Perpignan; Kostas Axelos, el filósofo existencial griego, que mantuvo una relación con Françoise Gilot cuando ésta dejó a Picasso; Hélène Parmelin, una de los pocos íntimos de los últimos veinte años de su vida; su barbero, el único hombre en quien Picasso confiaba lo suficiente para dejarle cortar su pelo, un honor máximo, ya que si su pelo cortado cayese en manos inadecuadas podría ser utilizado para dominarle; su jardinero, que vive en el sur de Francia en una casita modesta llena de obras de Picasso. Todos ellos concurrieron a suministrarme la base de hechos y compresión sobre la que he construido este libro.

Cuantas más cosas descubría sobre su vida y más ahondaba en su arte, más coincidencias encontraba entre ambos. «Lo que cuenta no es lo que hace un artista, sino lo que es», decía Picasso. Pero su arte fue tan hondamente autobiográfico que lo que él hizo fue lo que él fue.

Fue su destino el que trascendió a sus éxitos personales, a sus desgracias. Reconstruirlo me ha llevado al encuentro personal y apasionado con un hombre cuya vida son 90 años de un extraordinario viaje de creación y destrucción.

1

«YO, EL REY»

Nació muerto o eso creyeron. El niño que había dado a luz doña María Picasso de Ruiz, a las once y cuarto de la noche del 25 de octubre de 1881, no respiraba ni se movía. Tras inútiles esfuerzos para revivir al niño, la comadrona abandonó el cuerpo inanimado sobre una mesa y dedicó su atención a la madre. El marido de doña María, don José Ruiz, y los familiares que se habían congregado para ser testigos del nacimiento, lo dieron por muerto; pero no así don Salvador, el hermano más joven de don José y médico de gran habilidad y prestigio. Inclinándose sobre el niño, le sopló en la nariz humo del puro que estaba fumando, y allí donde la comadrona había fallado, el humo del tabaco tuvo éxito e hizo reaccionar al bebé. Así, el primer hijo varón de la familia Ruiz, al que le pondrían el nombre de Pablo, inició su vida «con una mueca y un grito de furia».

El 10 de noviembre fue bautizado en la parroquia de Santiago con los nombres de Pablo, por su difunto tío del mismo nombre; Diego, por su abuelo paterno y su tío mayor; José, por su padre; Francisco de Paula, por su abuelo materno; Juan Nepomuceno, por su padrino (abogado amigo de su padre), y María de los Remedios, por su madrina, que lo amamantó al mismo tiempo que a su primer hijo, ya que doña María, la madre de Pablo, no pudo criarlo por estar agotada psíquica y físicamente por el dramático parto. Los últimos nombres de la larguísima lista fueron Cipriano y «de la Santísima Trinidad», de acuerdo con la antigua costumbre de dejar el nombre más sagrado en último lugar, como si se dijera:

«es lo más lejos a lo que podemos llegar». La mayor parte de estos nombres no tuvieron más valor en su vida que el de aparecer en el Registro Civil de Málaga, y Picasso no usó nunca más nombre que el de Pablo, por el que fue universalmente conocido.

El difunto tío del niño, don Pablo Ruiz, era sacerdote, doctor en teología y canónigo de la catedral de Málaga, hombre dotado de una gran comprensión para los defectos y los sueños de sus semejantes. Su fallecimiento repentino, en octubre de 1878, fue un triste momento para la familia Ruiz: para sus dos hermanas solteras, Josefa y Matilde, a las que mantenía; para sus hermanas y hermanos casados, todos los cuales veían en el sacerdote un testimonio de la presencia de Dios en sus vidas, y especialmente para su hermano pequeño, José (Pepe, como le llamaba todo el mundo), que era el soñador de la familia y que, seis años más joven, en cierta medida dependía de él; su gran afición era la pintura, no como medio agradable para pasar sus ratos de ocio, sino como una pasión profunda, permanente y tenaz. El canónigo no solamente le suministraba el dinero para llevar adelante sus estudios y complementar la escasa remuneración que conseguía con la enseñanza y con la venta de sus cuadros, sino que le proporcionaba el estímulo y la fe para que pudiera continuar sus trabajos, pese a las dudas que tenía sobre su talento y sobre él mismo, dudas alimentadas por el dicho, habitual en Málaga, de que «ser pintor y ser un inútil son la misma cosa».

Pablo Ruiz se dio cuenta de que para su hermano pintar era lo mismo que para él la llamada de la Iglesia, en gran medida, y nunca padeció el frío dogmatismo de su Iglesia, que degrada lo humano para exaltar lo divino. Y lo que es más, sentía un especial cariño hacia su hermano pelirrojo, al que llamaban en Málaga «el inglés»: alto, delgado, pálido, de ojos azules y barba de un rubio oscuro, su aspecto era muy distinguido. Dejaba traslucir un tranquilo encanto que gustaba a las mujeres y un aire travieso, responsable de bromas juguetonas, algunas de las cuales se hicieron legendarias en Málaga, como la que le gastó a un huevero, al que compró un huevo, que consumió fresco ante la huevería, sacándose después de la boca una moneda de a duro. Lo mismo hizo con varios huevos más, sacándose un duro de la boca cada vez que consumía uno. Cuando prosiguió su camino, pudo oír cómo el huevero cascaba frenéticamente los huevos en busca de los que tenían dinero dentro.

Más que gastar bromas le gustaba su tertulia en el Café de Chinitas, donde discutía de pintura con los artistas locales. Pero sobre todo le gustaba estar solo, pintando sus cuadros meticulosos, especialmente de lirios y palomas. Decía que estimaba más a sus amigos cuando ya se habían ido, y comprendía muy bien que uno de sus antepasados, que aún vivía cuando él nació, morase durante sesenta años en una de las ermitas de la serranía de Córdoba.

Pablo Ruiz correspondía siempre a la soledad de su hermano con un deseo de protegerlo contra las durezas y los escollos de la vida. Pero ahora Pablo había muerto, dejando a José sin la protección y el consejo del único hombre al que podría recurrir para dar otro rumbo a su vida. Pepe encontró a María Picasso López en casa de su prima Amelia, con la que su familia le apremiaba a casarse; pero en lugar de Amelia, se enamoró de María, y María se sintió atraída inmediatamente por el melancólico «inglés». Diecisiete años más joven que José, parecía que fuera de una raza diferente: menuda, enérgica, de ojos y cabello negros, con un lunarcito sobre el labio superior. Sus temperamentos no eran menos diferentes: lo que a ella le faltaba de imaginación, le sobraba a José; lo que a ella le sobraba de determinación, le faltaba a él, que siempre había dependido de su hermano Pablo. Y mientras José contemplaba el mundo con la indiferente mirada de quien no se siente del todo perteneciente a él, ella miraba a todo el mundo con un profundo escepticismo y desconfianza. La vida había herido a María a una edad temprana: su padre, Francisco Picasso Guardenso, desembarcó un día en las Antillas y no había regresado nunca. Su madre, Inés López, quedó sola con cuatro hijas, a las que crió lo mejor que pudo mientras engordaba año tras año. La hermana mayor de María había fallecido, y las otras dos, que seguían solteras, vivían con ella y su madre en un modesto piso cerca de la Plaza de la Merced.

María aceptó encantada la declaración de amor de José, y Pablo hizo planes para celebrar la boda en la iglesia parroquial de la Merced, pero falleció antes de hacerlos realidad, en 1878, y fue sepultado en ella. El matrimonio tuvo que retrasarse, tanto por el luto riguroso de la familia como porque José, sin el apoyo de su hermano ahora, tenía que encontrar una fuente de ingresos regulares antes de casarse. En julio de 1879 fue nombrado profesor auxiliar de dibujo en la Escuela de San Telmo de Artes y Oficios; pero su sueldo era muy escaso, y su hermano más joven, Salvador, a quien la muerte de Pablo había convertido de hecho en jefe de la familia, usó de sus influencias para encontrarle otro trabajo. Salvador, casado y con dos hijas, Concepción y María, era inspector sanitario del distrito, médico principal de la Oficina de Sanidad del puerto de Málaga, cofundador del Centro de Vacunación de la ciudad y médico gratuito de las monjas agustinas de la Asunción y de las Capuchinas. Siempre sobrecargado de trabajo, se tomaba muy en serio sus obligaciones familiares y echó mano de su considerable influencia para conseguir a su hermano un empleo adicional como conservador del Museo Municipal, del que tomó posesión en junio de 1880. Estaba ya en condiciones de casarse, pero no antes de los dos años de luto riguroso por la muerte de Pablo, ni tampoco en la iglesia de la Merced, que parecía asociada a la tristeza que la muerte de Pablo había ocasionado y al funeral que por su alma se había celebrado en aquel templo.

El día 8 de diciembre de 1880, José Ruiz y María Picasso contrajeron matrimonio en la iglesia de Santiago. El novio tenía cuarenta y dos años; la novia, veinticinco. Un mes después de la boda, María estaba embarazada. Así fue cómo el soñador soltero se convirtió en marido y poco tiempo después en padre de un bebé.

El mundo de la primera infancia de Pablito fue un mundo femenino. Junto con la criada, eran cinco las mujeres que lo mimaban, lo cuidaban y se prestaban a sus antojos: su madre, su abuela Inés —tan enormemente gruesa como impresionante— y sus dos tías solteras, Eladia y Heliodora. Todas se habían venido a vivir con los recién casados y ahora empleaban el mucho tiempo libre de que disponían en mimar a Pablito.

Pero la plaga de la filoxera se presentó en Málaga y destruyó varias de las viñas que poseía la familia Picasso, por lo que el único ingreso de que dispusieron fue el derivado de sus trabajos de bordadoras y trenzadoras. Por ello recayó sobre José el peso de la subsistencia de su suegra y sus cuñadas, además, naturalmente, de su mujer y su hijo. Contaban con Salvador, que en ocasiones le ayudada, pero no era persona de quien pudiera esperarse un apoyo tan firme como el del difunto canónigo Pablo.

Por si fuera poco, la plaza de conservador del Museo Municipal fue suprimida, lo que supuso un golpe terrible para José, que ya tenía dificultades económicas para atender sus obligaciones. Ahora no podría evitar endeudarse, y su porvenir parecía más amenazador que nunca. Recurrió ante el Ayuntamiento e incluso se ofreció para desempeñar gratuitamente el cargo, con la esperanza de que, si la situación política cambiaba, no tendría competidor para ocuparlo. Además de restaurar cuadros para el Museo, podría pintar en él los suyos, lo que sería maravilloso ahora que en su casa no podía aislarse. Un nuevo Ayuntamiento restauró el puesto de conservador, aumentando su dotación económica, pero ello no le permitió saldar sus deudas. Lo que hizo menos difícil su vida fue la decisión de mudarse a otro piso de la calle de la Merced, cuyo casero aceptó cuadros como pago de los alquileres atrasados.

Pablito fue, desde su nacimiento, un regalo muy preciado para su madre, cuyos sueños de grandeza se habían visto asfixiados por la mediocridad de su vida. Ahora al menos podía presumir de un bebé excepcionalmente guapo y cuya mirada brillante y alerta era como un imán para la gente. «Era un ángel y un diablo en su belleza», dijo más tarde. «Nadie podía dejar de mirarle». María, a ratos enferma, a ratos voluntariosa, perezosa y dominante, tenía una constante en su vida: su absoluta entrega a su hijo.

En diciembre de 1884, cuando Pablito tenía tres años, nació su hermana Lola, lo que constituyó un acontecimiento demoledor para él, más impresionante todavía porque vino precedido pocos días antes por un terremoto que sacudió Málaga y con el cual el nacimiento de Lola se asoció en su pensamiento. Al comenzar los primeros temblores de tierra, don José abandonó la casa con toda su familia y se refugió en el domicilio de Antonio Muñoz Degrain, al que quería fraternalmente y a quien consideraba como su maestro en pintura. Creía que estarían más seguros en una casa cimentada en roca y con habitaciones pequeñas, pero en su decisión influyó además, aunque inconscientemente, la sensación de solidez y seguridad que sólo el pensar en Muñoz Degrain le proporcionaba, aun cuando el pintor estaba entonces en Roma.

Pablo recordaría claramente el momento en que abandonaron su casa huyendo del terremoto: «Mi madre llevaba un pañuelo a la cabeza, lo que yo nunca le había visto. Mi padre cogió su capa del perchero, se la echó encima y me envolvió en sus pliegues, dejando al aire solo mi cabeza».

Pasaron varios días en casa de don Antonio, preocupados porque la tierra continuaba temblando y por la inminencia del parto de María. Las Navidades no se celebraron, y el 28 de diciembre, «en medio de todas las tribulaciones», como Pablito recordaría, nació Lola, su hermana, lo que constituyó una desgracia para un niño acostumbrado a monopolizar toda la atención de sus familiares.

Muñoz Degrain regresó a su casa cuando los Ruiz estaban todavía en ella. Su vuelta coincidió con la visita del Rey Alfonso XII, que visitaba la ciudad para comprobar las devastaciones producidas por el terremoto. Málaga estaba engalanada con banderas y gallardetes en honor del Rey. Pablo vigilaba, fascinado, el retorno de don Antonio a su casa. Cincuenta y siete años después, contaba: «No os podéis imaginar; era increíble», todavía atemorizado por la aparición simultánea de don Antonio y de «una procesión de coches llenos de señores con sombrero de copa», que él estaba seguro acompañaban al pintor a su casa. Estaba también convencido de que las banderas y los gallardetes celebraban el regreso del gran artista, convicción tan real para él como la más concreta realidad. En aquel inquieto momento de su jovencísima vida, parecía increíble ver tantos honores otorgados a un pintor al que su padre ya idolatraba. Más tarde describió a don Antonio como «coronado con laureles», y aunque los detalles fuesen recordados o inventados, asociaban la pintura y la gloria en la mente del niño de tres años.

Incluso antes de hablar, aprendió a expresar sus deseos mediante dibujos. Por ejemplo, dibujaba espirales que representaban churros. Parece casi milagroso que un niño tan pequeño descubra que le darán churros si los pinta.

A los cuatro años comenzó a realizar en papel animales, flores y extrañas criaturas imaginadas por él. Las recortaba y las proyectaba, como sombras chinescas, en las paredes. En una ocasión recortó una figura parecida al joven con el que su tía Heliodora mantenía secretamente relaciones y la proyectó en la pared, dando a conocer a todos los de la casa el «secreto» y provocando sus carcajadas, excepto, naturalmente, las de Heliodora, que se ruborizó hasta las orejas. En otra ocasión quiso dibujar sus criaturas con lápiz, y la primera palabra que empleó fue «piz», abreviatura infantil de «lápiz». «Piz, piz», pedía, y su madre le daba un lápiz.

Como todos los magos, Pablo necesitaba un público, y sus jóvenes primas Concha y María fueron las primeras en sucumbir al encanto de las cosas salidas de la nada. «Haznos un retrato del terranova de doña Tola Calderón», le pedían, o «recórtanos el gallo que la tía Matilde mandó de Alhaurinejo». «¿Y ahora qué?», preguntaba él, «¿por dónde queréis que empiece?» A María le gustaba que hiciese burros para ella, empezándolos unas veces por el lomo, otras por las patas y otras por las orejas. Cuando los comenzaba, fuese con el lápiz o con las tijeras, acababa siempre dándoles la apariencia mágica de la criatura que le pedían.

La escuela fue desde sus comienzos una tortura para Pablo. Era inquieto, odiaba someterse a las reglas y casi nunca lo hacía. Cuando se sentía intranquilo se levantaba e iba a asomarse a la ventana dando en ella golpes para atraer la atención de su tío Antonio, que se había casado con una de las hermanas de don José

Ruiz y que vivía enfrente del colegio, intentando llamar su atención, cosa que generalmente conseguía, y con ello lograba que le liberase del aburrimiento sacándole a dar un paseo. El tío Antonio solía llegar una hora después de que Pablo le llamase, porque así le había pedido éste que lo hiciese, pues pensaba que siendo «uno» el número más pequeño, también debería de ser el tiempo mínimo de espera. El impaciente Pablo no entendía por qué pasaba tan lentamente una hora, ni por qué de hecho parecía durar una eternidad. Conseguía lo que había pedido pero no lo que realmente quería.

Su rebeldía iba acompañada de un profundo temor a quedar postergado y solo. Cuando Lola ocupó el trono en el centro de la existencia de su madre, se asió ardientemente a su padre, al que comenzó a adorar. Le gustaba verle mientras pintaba, y mucho tiempo después describiría a sus amigos el «enorme cuadro representando un palomar rebosante de pichones» que había pintado. «Imaginaos —decía— una jaula con cientos de palomas, con miles y millones de palomas». Cuando el cuadro fue descubierto en el Museo de Málaga, resultó que las palomas eran sólo nueve y que Picasso lo había idealizado tanto como había idealizado a su padre.

En aquel entonces parecía no poder respirar sin la presencia de don José. Cuando éste le llevaba a la escuela, sólo se separaba de él si tenía una garantía material de que volvería a recogerle: sus pinceles, su bastón de paseo o la paloma disecada que utilizaba como modelo. Los colocaba sobre su pupitre y los dibujaba, ajeno a las clases y a los profesores. Más tarde recordaba: «Si mi padre dejaba el bastón o la paloma conmigo, yo estaba seguro de que volvería a recogerme; prefería los pinceles o la paloma al bastón, porque sabía que él no podría hacer nada sin una u otra de las dos cosas».

En un vano intento por fomentar cierta independencia en el niño, su padre pidió a la criada Carmen Mendoza, «bigotuda y hombruna», que le recogiese a la salida del colegio, pero Pablo lo llevaba tan mal y organizaba tales berrinches que, al final, los padres le cambiaron de escuela, llevándole al Colegio de San Rafael, un colegio privado «con mucha luz y mucha ventilación, el mejor que podía encontrarse en Málaga» y que dirigía un amigo de la familia, quien había decidido ser tolerante con Pablo y con ello conseguir que estuviese contento allí. Pero la realidad es que, al final, dedicó la mayor parte de su tiempo a seguir: «como un perrito» a la guapa esposa del director, quien dijo a don José: «Si quieres que el niño aprenda de mi mujer a guisar y a lavar a nuestro bebé, seguiremos como hasta ahora, pero si deseas que aprenda otras cosas tendrán que hacerse algunos cambios».

Pero los cambios no eran fáciles. A Pablo le aterraba encontrarse solo en la escuela, estaba aburrido de la enseñanza que recibía, y era lo suficientemente voluntarioso y atrayente como para saber de qué forma llevar a cuantos le rodeaban en la dirección deseada. Y cuando sus esfuerzos por manejar a sus familiares fracasaban, los volvía contra sí mismo y caía «enfermo», a veces lo bastante enfermo como para que su madre lo retuviese un día entero en casa, y a veces también enfermo de verdad. Una infección renal lo tuvo alejado de la escuela durante bastante tiempo, lo que le supuso bastantes privilegios adicionales cuando recobró la salud lo suficiente como para volver a clase. Uno de esos privilegios consistió en que la criada le acompañase para llevar la paloma que Pablo quería dibujar; otro fue intentar que le diesen clases particulares en casa en la medida que la situación económica familiar lo permitía.

En la escuela, toda su atención se centraba en el reloj, cuyas manecillas vigilaba constantemente, como si pudiera hacerlas moverse más rápidamente hasta la una del mediodía, que era cuando su padre iba a recogerle. «Es increíble —decía más adelante— me quedaba mirando el reloj como un tonto, con los ojos siempre alzados hacia él, la cabeza inclinada... «Como un tonto». Por mucho que lo intentó no consiguió dominar las nociones básicas de lectura, escritura o aritmética. Recordaba: «Uno y uno, dos; dos y uno... Nunca conseguí metérmelo en la cabeza y no penséis que no lo intentaba; al contrario, lo intentaba en serio. Me decía a mí mismo: ahora voy a prestar atención. Vamos a ver: dos y una... La una. No, no es eso. Y tenía que volver a empezar, pero volvía a perderme pensando en la hora de regresar a casa o en si vendrían a buscarme o no. Entonces me levantaba y me iba al lavabo o a cualquier otro sitio, sin molestarme en pedir permiso para ello», o divagaba pensando cómo dibujar al maestro, la mesa, el reloj, cualquier cosa, mientras no tuviera que aprender palabras o retener números.

La dislexia, que era la causa de los problemas de Pablo en la escuela, era desconocida, naturalmente, en aquellos tiempos, y la gente cercana al niño estaba confusa y preocupada por ello. «¿Qué podemos hacer?», se preguntaban. «Ya aprenderá. El chico no es tonto. Cualquier día se aclarará todo rápidamente». Pero la escuela continuaba siendo una pesadilla, y la lectura y la escritura seguían siendo misterios insondables. Tendía a ocultar sus problemas con la lectura, a eludir lo que no podía lograr, con la fácil brillantez con que realizaba sus dibujos, y así perdió la oportunidad de cimentar a partir de esos pequeños triunfos, la solución de esos problemas para lograr una mayor confianza en sí mismo.

El 30 de octubre de 1887, cuando Pablo tenía seis años, su madre dio a luz a su segunda hija, a la que llamaron Concepción y que fue apadrinada por el tío Salvador. Siempre, desde que había conseguido con el humo de su cigarro que Pablo comenzase a respirar, había sido el genio bienhechor de la familia de don José, yendo a su casa cada vez que Pablo o Lola tenían fiebre o parecían enfermos, ayudando a través de sus relaciones y amistades a encontrar una escuela mejor o a un alumno para recibir lecciones particulares de dibujo. Don José estaba buscando humildemente trabajos y pintando cuadros que deseaba pintar, pero que por desgracia nadie quería y que solamente gustaban a sus alumnos y a Pablo. Picasso decía más tarde: «Es muy curioso que yo nunca haya hecho dibujos infantiles. Nunca. Ni siquiera cuando era un niño pequeño». Su primera pintura fue la del puerto de Málaga, con su faro. Pero la primera pintura al óleo, que le procuró una emoción tal como para guardarla toda su vida, fue la que representaba un picador en la plaza de toros. La pintó a la edad de ocho años, cuando su padre, que era un gran aficionado, le inició en los ritos y pasiones de la tauromaquia.

Picasso contaba años después, con orgullo infantil: «Carancha, que era un gran torero, venía con frecuencia a nuestra casa, porque era un buen amigo de mi padre, y casi siempre me sentaba en sus rodillas». En una ocasión se prendó tanto de un traje de luces que no paró de llorar hasta que le permitieron tocarlo. Don José, fracasado en sus intentos de consolar al niño, lo llevó con él a la fonda donde se alojaba el torero, a quien preguntó: «¿Tiene usted hijos?» Muy sorprendido, el matador contestó: «Sí, señor». «Bueno, entonces usted me comprenderá. Mi hijo está empeñado en tocar su traje de luces». «Ven, entonces», dijo el torero, y soportó tranquilamente que Pablito, maravillado, explorase el traje mágico.

La pintura y el dibujo fueron ya el camino por el cual Pablo pudo desplegar sus mágicos poderes y crear su íntima realidad. En noviembre de 1890 hizo un dibujo de *Hércules con su maza,* firmado P. Ruiz Picasso y fechado. Contaba muchos años después: «Todavía recuerdo uno de mis primeros dibujos, cuando tenía seis años, o menos. En el pasillo de casa había una pintura de Hércules con su maza. Bueno, pues un día me senté en el corredor y dibujé aquel Hércules. Pero no era un dibujo infantil, era un dibujo de verdad, una real representación de Hércules con su maza y todo». Tenía tres años más de los seis que se imaginaba en su fantasía, pero aun así su dibujo tenía un vigor asombroso en un niño de aquella edad; tenía un sentido como si no pudiera ser de otra manera. Incluso la pudorosa hoja de higuera que cubría las partes genitales del semidiós parecía extrañamente apropiada.

Por la misma época en que Picasso dibujó al retador y omnipotente Hércules, el Museo Municipal anunció su clausura. En diciembre de 1890 don José perdió su trabajo y se desesperó tanto que se dispuso a aceptar cualquier puesto en cualquier parte, incluso lejos de su amada Málaga. Al enterarse de que había una plaza de profesor de dibujo en La Coruña en el Instituto Da Guarda, que iba a ser inagurado en breve plazo, la solicitó, y, en abril de 1891, le fue concedida.

Durante la preparación del desplazamiento a lugar tan alejado de Málaga don José pensó en conseguir que Pablo aprobase el examen de ingreso en el bachillerato, y como sabía de sobra que no podría aprobarlo sin una recomendación muy fuerte, que en La Coruña no podría conseguir, fue a ver al examinador malagueño, quien, como un buen amigo andaluz, le prometió dar al niño el certificado que acreditase haber sido aprobado en el examen, aunque manifestó que necesitaba hacer al chico un par de preguntas, «para que nadie tenga nada que decir.» «Veamos —preguntó a don José—, ¿qué es lo que sabe?» «Nada», fue la escueta respuesta del padre.

En el examen fingido, Pablo debía sumar varios números. Como la suma estaba equivocada, el examinador le pidió que se concentrase. «No os podéis imaginar —contaba Picasso— lo que yo sufrí intentando prestar atención. Tan pronto como pensaba que tenía que estar atento, me distraía el pensamiento de que tenía que prestar atención, y eso me confundía». La única forma de que se concentrase en el examen fue la promesa de su padre de que si pasaba el examen podría hacer una pintura al óleo. Muy pronto el examinador cayó en la cuenta de que tenía que quebrantar las normas, y que si quería obtener las respuestas correctas del hijo de su amigo tendría que dejarle copiarlas.

El diploma que apretaba en su mano cuando regresaba a su casa era una prueba tangible de la importancia de la concentración mental. «No se concentró», escribiría su amigo Jaume Sabartés. «Si no hubiera notado el trocito de papel en la mesa del catedrático no habría sido capaz de hacer la suma de memoria». Así, la lección del examen fue que todas las trampas requieren concentración. Y esta lección fue incorporada a su propia realidad muy pronto. «¡Ahora verán lo que soy capaz de hacer!», decidió camino de su casa, pensando en la paloma que iba a pintar empleando los números de su examen. «Ya verán cuánto puedo concentrarme. No voy a perderme ni un solo detalle. El ojito de la paloma es redondo como un cero. Debajo del cero, un seis, y debajo del él un tres. Los ojos son como doses, y también las alas. La patita está sobre la mesa, como una línea horizontal. Debajo de todo, el total».

En octubre de 1891, próximo al décimo cumpleaños de Pablo, don José y su familia embarcaron en el buque que debía llevarlos a La Coruña. Era la primera vez que los cinco estaban solos, lanzados a la deriva, sin las gentes que les habían ayudado a sustentarse y facilitarles la vida, sin el tío Salvador, la abuela Inés, la tía Heliodora, la Tía Matilde, el tío Antonio y los primitos. La tormenta que azotó el mar durante el viaje acentuaba la preocupación de don José y doña María al pensar en todo lo que dejaban tras ellos.

La Coruña no fue más hospitalaria que el mar que los había llevado hasta allí. Don José aborrecía todo aquello: el viento, la lluvia, la niebla, el cielo gris, el idioma gallego, tan diferente del andaluz, los gallegos, misteriosos como su lengua y mucho menos abiertos de carácter que los malagueños. La Coruña era un destierro para él; le habían amputado algo vital, y cada año que pasaba lo desdibujaba más; ahora su primera preocupación era la de proteger y servir a su hijo. El cambio era perturbador para Pablo, cuyo cariño hacia su padre era enorme. «En La Coruña mi padre no salía de casa más que para ir a la Escuela de Artes y Oficios. Cuando volvía se entretenía pintando, pero ya no tanto. El resto del tiempo lo pasaba viendo llover al otro lado del cristal de la ventana. No tenía Málaga, ni las corridas de toros, ni los amigos, nada».

Su madre, desconfiada por naturaleza, se hizo más amargada y más desconfiada todavía. Decía a su hijo: «No digas nada de nada a nadie». Pablo estaba afectado por aquellas rigideces, pero descubrió los placeres del juego y de la camaradería infantil. Enseñó a sus condiscípulos a organizar corridas de toros en la Plaza de Pontevedra, frente a su colegio. Uno hacía de toro, otro de torero, y una chaqueta hacía las veces del rojo capote, fuese cual fuese el color de la prenda. Y cuando Pablo no improvisaba corridas, arrastraba a su pandilla al ataque contra los gatos callejeros, disparando contra ellos con sus pistolas de juguete. «En la calle de las Damas —recordaba— una vez hicimos una masacre de verdad. Cundió en la vecindad una alarma fenomenal, y su resultado fue el de que se me vigiló más. Mi madre me vigilaba cuidadosamente, preocupada por lo que yo hacía en la calle, pero su vigilancia estaba limitada porque desde casa solamente podía ver una parte de la Plaza de Pontevedra, en la que jugábamos. Tenía que subirse de puntillas sobre la taza del water para verme a través del diminuto cristal del cuarto de baño».

En el colegio hacía garabatos incorregiblemente, llenando el margen de todos sus libros escolares con dibujos y transformando borrones en animales y personas. Al final de su libro de «Preceptiva literaria, retórica y poética», dibujó dos burros copulando y escribió en aleluyas:

Sin siquiera decir «¿Qué tal?»
la burra levanta su rabo.
Sin siquiera decir: «Permítame»
el burro clava su clavo.

Los castigos eran otro motivo de alegría. «Como era un mal estudiante, me mandaban a las celdas, que consistían en muros blanqueados y bancos. Me gustaba que me mandaran allí, porque podía llevar un bloc de papel y dibujar sin parar. Esos castigos eran para mí como un día de fiesta, y yo siempre provocaba situaciones que obligaban a mis profesores a sancionarme. Estaba aislado, sin que nadie me molestase y dibujando, dibujando, dibujando...»

En septiembre de 1892, don José decidió que ya era hora de que su hijo comenzase un aprendizaje artístico y lo solicitó del director de la Escuela de Bellas Artes: «Don José Ruiz Blasco, residente de esta ciudad, por la presente ruega que tenga usted a bien admitir a su hijo Pablo Ruiz como alumno de la escuela que usted tan dignamente dirige». Como se ve, había utilizado solamente el primer apellido de su hijo. La inscripción fue aprobada, y Pablo fue adscrito a la clase de su padre, la de dibujo artístico.

Así, don José continuó desempeñando su doble papel de padre y maestro, y quizá incluso antes de que el padre se permitiera creer que así era, el maestro supo que tenía un prodigio en su clase. Pablo siguió el programa rigurosamente académico de su clase, copiando figuras de yeso, inscribiéndose en la clase de dibujo de figura, dibujando al carboncillo estudios del pie derecho, de la mano izquierda, de la pierna derecha. Más tarde diría que «deberían sacarles los ojos a los pintores como se hace con los jilgueros para que canten mejor.» Pero por el momento la coordinación entre sus ojos y sus manos mostraba que poseía una capacidad asombrosa de observación. Los resultados de sus exámenes iban desde «sobresaliente» a «sobresaliente con matrícula de honor».

Don José prolongaba sus enseñanzas en casa. «Mi padre cortaba las patas de una paloma muerta —recordaba Picasso—, las clavaba a una tabla en una posición adecuada y yo las copiaba detalladamente hasta que él se consideraba satisfecho». Tan satisfecho estaba don José, que Pablo pintaba las patas en sus propios lienzos. Las patas de paloma parecían ser una de las obsesiones de don José; las manos humanas eran otra. «Es en las manos donde se ve la mano del artista», le decía a su hijo.

En los bonitos álbumes que sus padres regalaban a Pablo para sus dibujos, dando constancia del valor de sus trabajos, los dibujos tradicionales se yuxtaponían a aquellos en que aparecía su instintivo impulso a romper todos los moldes habituales. En el segundo álbum de La Coruña, Hércules aparece de nuevo, pero la hoja de higuera ha desaparecido. Hay una nueva fuerza y audacia en ese Hércules y en todo lo que hizo en La Coruña, en sus paisajes y en sus retratos de su hermana Lola, en la «Pareja de ancianos» y hasta en el periódico que hizo en el otoño de 1893 para enviarlo a Málaga y que llamó *Azul y Blanco,* remedando el título del semanario *Blanco y Negro,* y que llenó de dibujos firmados «P. Ruiz, el director», sobre la vida en La Coruña. «El viento sopla y seguirá soplando hasta que no quede nada en La Coruña», se lee al pie de un dibujo en el que aparecen faldas de mujeres alzadas por el viento y gentes intentando conservar el equilibrio. Había también una sección reservada para los anuncios, con uno pagado por el siempre devoto partidario don José: «Se desea comprar palomas de pura raza. Dirigirse a Payo Gómez, 14, segundo».

Si la verdadera patria es el lugar donde por primera vez se abren los ojos a los tesoros escondidos en el interior de cada uno, entonces, pese a la lluvia, al frío y al viento, la verdadera patria de Pablo fue La Coruña. Fue allí donde se dio cuenta del misterioso don de creación que poseía y de la atención que debía prestarle. Fue también en La Coruña donde se halló por primera vez frente al misterio de la vida. Le fascinó la historia del general británico Sir John Moore, vencedor de las tropas de Napoleón en la batalla de Elviña, en la que recibió heridas de las que murió pronunciando el nombre de su amada. Pablo no tenía todavía trece años, pero la precocidad de su talento y sus deseos le llevaron a escoger como amada a una de las dos únicas niñas de su clase, Angeles Méndez Gil, y en los dibujos en sus libros de texto entrelazó la A del nombre de la chica con la P del suyo, y a veces, en lugar de AP, escribía APR: Angeles y Pablo Ruiz.

No tardaron en enterarse de su inocente amorío los padres de Angeles. En una entonces pequeña ciudad de provincias las diferencias sociales entre su semiaristocrática familia y la de un recién llegado profesor de dibujo les hicieron ver con malos ojos el incipiente idilio y decidieron estorbarlo. Y cuando Angeles y Pablo, que seguían manteniendo correspondencia, habían llegado ya a la etapa de los «amores desgraciados», su familia decidió adoptar medidas más enérgicas. En la última página de uno de sus libros de texto, al lado de las iniciales de Angeles aparece la palabra «Pamplona». Para que la chica no viviese en la misma ciudad que Pablo y no cayese en la tentación de continuar su relación con él, la desterraron a la capital navarra.

El secreto con que Pablo rodeó su amor demuestra la importancia que para él tenía. Ya había aprendido a desconfiar y a guardar para sí lo que era importante, lo que le conmovía hondamente; un secreto bien guardado. Sólo tenía trece años, pero, según Palau y Fabre, el biógrafo de la niñez del pintor, «algo realmente tierno y profundo se destruyó en él. Y porque había sido rechazado por ser pobre y de una clase social baja, porque le habían creído despreciable, su dolor fue mayor y su herida más profunda. Ahora tenía un motivo para desconfiar del amor.»

El año 1895 le trajo su iniciación en otros dos misterios: el del poder y el de la muerte. El 10 de enero, su hermana de ocho años, Conchita, murió de difteria. Pablo fue testigo del empeoramiento que llevó a la tumba a la sonriente niña de rizos rubios a la que había dibujado tan tiernamente y que ahora era como un fantasma de sí misma, a la que dibujó justamente antes de que le fuese arrebatada. Observaba las idas y venidas del médico don Ramón Pérez Costales, «republicano hasta la médula» y amigo de su padre; presenció la lucha de sus padres para salvar a su hermanita y vio con perplejidad cómo celebraban la Navidad y los Reyes haciendo regalos a todos los niños e intentando proteger a Conchita de su próxima muerte.

En su angustia, Pablo hizo un terrible pacto con Dios. Le ofreció como sacrificio entregarse a El y no volver a coger un pincel si salvaba a la niña. Cuando Conchita murió, llegó a la conclusión de que Dios era malo y el destino un enemigo. Al mismo tiempo decidió que sus dudas sobre si prefería la muerte de su hermana para evitar su sacrificio era la causa de que Dios hiciera morir a Conchita. Su culpa era enorme; el otro aspecto de su creencia radicaba en su gran poder para modificar el mundo que lo rodeaba. Pero le consolaba su primitiva y casi mágica convicción de que la muerte de su hermanita le dejaba en libertad de ser pintor y de seguir la llamada de su vocación con todas sus consecuencias.

El misterio de esa convicción fue más poderosamente aceptado por Pablo poco despues de la muerte de Conchita, cuando su padre le dio sus pinceles y sus colores, jurando que nunca volvería a pintar. Era una confesión, una abdicación, impresionante para el niño de trece años. El hombre que había sido para él no sólo su padre sino también su maestro se inclinaba ante el genio que había engendrado. La pintura, su primer amor, era sacrificada en el altar de Pablo: Conchita, la niña que más se le parecía, había muerto; Málaga, su ciudad, se había alejado en su pasado perdido. Unicamente Pablo importaba ahora a don José, y prodigaba en él una profundísima devoción.

En febrero de 1895 don José solicitó su traslado. Desde el principio no estaba a gusto en La Coruña, pero desde que Angeles se había ido y Conchita había muerto, veía también lo desagradable que había llegado a ser para Pablo, lo que no podía soportar su padre. En marzo pudo arreglarse una permuta con un profesor de arte en Barcelona que quería volver a La Coruña, de donde era natural. Antes de dejar la ciudad, don José organizó una exposición de las pinturas de Pablo en la trastienda de un comercio de telas, paraguas y chucherías. Se vendieron pocos cuadros, especialmente porque el público se enteró de que el pintor todavía no había cumplido los catorce años, pero era la primera exposición individual de Pablo, organizada por su padre, que jamás había conseguido una para sí mismo.

La familia decidió pasar el verano en Málaga antes de instalarse en Barcelona. Hicieron el viaje en tren, y se detuvieron un día en Madrid, donde don José hizo conocer a Pablo las riquezas del Prado: Goya, Zurbarán, Velázquez...

En Málaga se alojaron en casa del tío Salvador. Pablo se había ido de la ciudad cuando era un niño de diez años que no había podido superar su examen de ingreso en el bachillerato, y regresaba siendo un pintor cuyo extraordinario talento proclamaban con orgullo sus parientes en los cuadros que se había traído de La Coruña, entre ellos *Muchacha descalza, Viejo gallego, Mendigo con gorra, Viejo peregrino, Cabeza de gallega* y muchos cuadros de mendigos barbudos entre las pinturas que don José exhibió orgullosamente en la casa de su hermano. Pablo tenía entonces trece años de edad, pero en los restantes había una simpatía y una ternura profundas hacia aquellos hombres y mujeres a los que la edad, la pobreza o la renunciación habían llevado a una vida marginada. Fueran cuales fuesen las cargas que los agobiaban, seguían arraigados en su humanidad, mostrando una inagotable riqueza en sus facciones, incluso en las de los más míseros. Don Salvador quedó tan impresionado por el genio de su sobrino, que mientras Pablo estuvo en Málaga le daba cinco pesetas cada día, le encontró un estudio en la oficina de la Inspección Sanitaria y contrató a un marinero para que le sirviese de modelo. Insistió también en que Pablo asistiese regularmente a misa. «Mi tío Salvador —decía Picasso—me dijo un día que si yo no comulgaba él no me llevaría a los toros, y, naturalmente, comulgué. ¡Habría comulgado veinte veces a cambio de ir a los toros!».

Cuando la familia llegó a Barcelona, el niño prodigio que había deslumbrado a Málaga volvió a ser un vulgar estudiante, que se presentó a examen para ingresar en la «Llotja», como llamaban en Barcelona a la Escuela de Bellas Artes, porque se albergaba en el imponente edificio neoclásico de la Bolsa. No le gustaba descender de las alturas del genio al mundo prosaico de los estudiantes mediocres y de los exámenes, y en los dos dibujos que hizo del modelo masculino que le habían ordenado reproducir hizo una burla de los que tenían el descaro de examinarle. Lo dibujó desnudo y malhumorado y, ridiculizándolo más todavía, envuelto en una sábana que supuestamente era una toga de un noble romano. Dejó sin terminar los pies, sin preocuparse por semejantes detalles en lo que era solamente un examen de ingreso. «Picasso tenía prisa», escribió más tarde Sabartés. «Tenía mucha más prisa que los miembros del tribunal y que cualquiera de nosotros, así que presentó su ejercicio como si fuese un desafío, como si quisiese decir que su tiempo era más importante que el del tribunal». Estaba diciendo también que si querían admitirlo, estaba de acuerdo, pero si no, ellos se lo perderían.

El examen muy pronto se convirtió en una de las historias de la leyenda que sobre él mismo creó Picasso, formadas después en parte con lo que él había hecho o dicho y sobre todo con lo que otros repetían. Proclamaba que le habían dado un plazo de un mes para terminar los dibujos, pero él los había acabado «en un solo día». «Lancé una buena mirada al modelo para ver lo que podía añadirle, pero no necesitaba nada, realmente nada». Todo el mundo repetía la anécdota hasta que los dibujos fueron desenterrados y pudo verse que contenían marcado el sello oficial en dos fechas distintas: el 25 de septiembre y el 30 del mismo mes.

Bajo las fabulaciones y la arrogante seguridad yacía el hondo sentido inconformista del escolar que se enfrenta con reglamentos, normas, expedientes y estructuras que estima inadecuados. Si se le requería para hacer cualquier cosa, el mero hecho de ser requerido y no hacerla por su propia iniciativa le producía resentimiento y hacía que convirtiese en problema la más mínima cosa. Despreciaba todo aquello en lo que él no destacaba claramente, y convertía en un motivo de orgullo su incapacidad para dominar los más sencillos conceptos de cualquier tema analítico. Se jactaba de su antigua incapacidad para leer y escribir; en Barcelona se jactaba también de que los profesores no tenían nada que enseñarle, nada que él no debiera a sus mayores o al pasado.

Era una actitud que encajaba perfectamente con los vientos de rebelión y de anarquía que soplaban en Barcelona en aquellos tiempos. Las sublevaciones de los campesinos españoles, que trabajaban todo el día por un pedazo de pan, coincidían con la revuelta de los intelectuales contra todas las convenciones políticas, culturales y estéticas. Barcelona era la capital del anarquismo europeo, y los periódicos rebosaban diariamente de noticias sobre lanzamientos de bombas, redadas policíacas, detenciones, torturas y ejecuciones públicas. Al lado del movimiento catalanista, con su propio lenguaje y tradiciones y teniendo a Barcelona como capital, estaba el movimiento anarquista, nutrido por la apasionada convicción de que «el Gobierno español ha sido siempre el peor enemigo de España». Dos años antes de la llegada de Pablo a Barcelona, el lanzamiento de una bomba en el Teatro del Liceo por un anarquista había causado veinte muertos y cincuenta heridos. El terror crea terror, y se decía que «cientos, incluso miles de personas, estaban encarceladas en los calabozos de Montjuich, la fortaleza y cárcel que desde sus más de doscientos metros sobre el nivel del mar domina con sus cañones la ciudad y el puerto de Barcelona y condena de antemano cualquier sublevación de la constantemente rebelde ciudad». La muerte por garrote, públicamente, de Santiago Salvador, el anarquista autor del atentado del Liceo, fue recogida en el cuadro *Garrote vil,* de Ramón Casas, quien, como muchos de los pintores jóvenes de Barcelona, se identificaba con el anarquismo en política, el nihilismo en filosofía y el simbolismo en arte. «Es mejor ser simbolista y desequilibrado que ruin y cobarde», decía Santiago Rusiñol, uno de los dirigentes del movimiento «modernista», que pretendía introducir a España, de forma loca y decadente si fuera necesario, en el siglo veinte. «El sentido común nos asfixia; aquí la prudencia es excesiva».

En sus primeros tiempos de Barcelona, Pablo hizo el impresionante dibujo *Cristo bendiciendo al demonio,* muestra del profundo conflicto interior que le inquietaba. Cristo, con su cabeza rodeada por una brillante aureola, bendice con su mano izquierda a un Satanás abrumado. Por entonces también pintó *La Sagrada Familia en Egipto* y *Altar a la Virgen,* y en 1896 abundantes cuadros religiosos: *La Virgen enseñando a Cristo a leer, Cristo apareciéndose a una monja, La Anunciación, La Sagrada Cena, La Resurrección...* Muchos de esos cuadros eran demasiado íntimos como para ser considerados únicamente ejercicios de rutina de un pintor adolescente en Cataluña. ¿Era que Pablo estaba indeciso entre Cristo y el diablo que había pintado siendo bendecido por El? ¿Era que en su espíritu el diablo se asociaba a la rebelión retadora y al genio desafiante? Pablo era un genio rebelde, pero era también un muchacho joven que deseaba ardientemente alcanzar la realidad más allá de sí mismo y de su vida cotidiana.

Su crisis religiosa nacía de la crisis religiosa de España. El historiador Gerald Brenan escribe: «El odio de los anarquistas españoles hacia la Iglesia era el odio de un pueblo profundamente religioso que se consideraba abandonado y decepcionado». Del anticlericalismo al anticristianismo sólo había un paso, y ese paso era más corto todavía desde el anticristianismo al rechazo de Dios. Pablo dudaba; un año después de su cuadro *Cristo bendiciendo al demonio,* dio tierna expresión a los principales símbolos del culto religioso, pero al mismo tiempo pintó un Cristo sin cara, impersonal, irreal y sin respuestas. El catolicismo, con su énfasis en las normas morales y la recompensa celestial, no era una respuesta para Pablo, en quien crecía la pasión por la libertad y por este mundo. Rechazó la Iglesia, pero durante toda su vida Cristo fue el símbolo de su propio sufrimiento, de la misma manera que sepultó sus anhelos pero nunca los apagó.

Había una atmósfera de rechazo y desarraigo que Pablo respiraba en sus primeras andanzas por las calles y los cafés de Barcelona. La Llotja, más que suministradora de enseñanza, lo fue de amigos con los que explorar el mundo exterior a sus aulas. Manuel Pallarés fue el primero de sus amigos fraternales. En la clase de anatomía pictórica sus puestos estaban juntos, y aunque Pallarés era cinco años mayor que Pablo, se hicieron amigos inmediatamente. En el retrato que Pablo le hizo muy poco después, Pallarés aparece recio y serio, elegante y distinguido con su cabello castaño claro y un espeso bigote. «Era atrayente, e iba por delante de los demás», decía Pallarés de Pablo. «Lo comprendía todo inmediatamente, aunque aparentemente no prestaba atención a las explicaciones de los profesores. A veces se excitaba mucho, pero otras pasaba horas sin decir ni una palabra». Pallarés captó desde el principio el hecho de que ser amigo de Pablo suponía ser también su seguidor y tolerar su buen o mal humor, sus exigencias y sus caprichos.

El Eden Concert, un café-concierto, era su guarida favorita. Antes se llamaba Café de la Alegría, y bajo cualquiera de esos nombres era conocido como «un lugar de perdición», cuyo nombre no se podía citar en los medios bienpensantes de Barcelona y que según se decía frecuentaban solamente los perdularios. Allí encontró Pablo a Angel de Soto y Ramón Reventós, que trabajaban en una compañía importadora de ultramarinos, y, a través de Angel, a Mateu, su hermano, que era escultor. Juntos todos ellos paseaban con presunción por las Ramblas, la ancha y poblada arteria, y por las estrechas calles del casco antiguo o el Barrio Chino, rebosantes de burdeles, en los que, casi siempre acompañado por otro alumno de la Llotja, Joaquín Bas, Pablo tuvo sus primeras experiencias sexuales. Pasó muchas horas en una mancebía tras otra, antes de alcanzar los quince años de edad, satisfaciendo su rabiosa sexualidad y su ansia de emplear sus talentos en las áreas en que eran más sobresalientes.

La curiosidad jugó un papel tan importante como el ardor sexual en esos episiodios en que las mujeres afectaban un apasionamiento tan falso como el rojo de sus labios y en los que el amor no tenía nada que ver. El amor y la amistad eran más potentes en sus relaciones con sus amistades masculinas. Con la ayuda de Pallarés se disfrazó de mujer en el carnaval de Barcelona de 1896, pero todo lo que podía haber de atracción física en sus amistades masculinas se sublimaba en su pasión por su arte y en sus febriles sueños de gloria.

Pero la gloria le esquivaba. En abril de 1896 presentó su cuadro *Primera Comunión* en la exposición de Bellas Artes de Barcelona, al lado de Rusiñol, Casas y los más conocidos pintores catalanes. Aspiraba a uno de los premios o, por lo menos, a vender el cuadro, pero aparte del honor de ser expositor, su recompesa fue únicamente una poco entusiasta mención en el *Diario de Barcelona:* «El cuadro, *La Primera Comunión,* de Pablo Ruiz Picasso, obra de un principiante en la que hay una cierta sensibilidad en los personajes principales y algunos trazos dibujados con vigor».

Fue *Ciencia y Caridad* el cuadro que le proporcionó alguna recompensa: Una mención de honor en la Exposición Nacional de Bellas Artes de Madrid en 1897 y una medalla de oro en la Exposición Provincial de Málaga. Don José había servido como modelo para representar al doctor, que tomando el pulso a una enferma, encarnaba la Ciencia, mientras una monja (un muchacho disfrazado con unos hábitos prestados) representaba la Caridad. El modelo para la enferma era una mujer que mendigaba en la calle con un niño en brazos. Pablo había pintado ese cuadro en un estudio que su padre le había montado en la calle de la Plata, en el otoño de 1896, y que estaba en el camino de la Llotja al piso recién alquilado por la familia en la calle de la Merced. Cuando la noticia del premio en la Exposición de Madrid llegó a conocimiento de los pintores amigos de don José Ruiz, uno de ellos, Joaquín Martínez de la Vega, propuso bautizarle como pintor con champaña.

La generación de su padre lo había reconocido como uno de sus pares, y sus condiscípulos y seguidores lo habían introducido en la «comunidad de genios», pero Pablo todavía no había decidido cuál iba a ser su camino en el arte. Se debatía entre la rebelión contra las tradiciones y la realización de grandes cuadros convencionales, que le proporcionarían recompensas, premios y fama. A veces daba rienda suelta a sus sueños de poder y gloria y hacía proyectos sobre la forma más rápida de alcanzarlos, pero otras veces se veía totalmente poseído por su trabajo y ajeno a todo lo demás. En rápida sucesión pintó *Autorretrato con la cabeza rapada* y *Autorretrato vestido como un caballero del siglo XVIII,* solemne, impresionante y un poco desdeñoso, con su peluca empolvada.

El difícil equilibrio entre la adolescencia y la madurez se inclinaba hacia el infantilismo cuando él y Pallarés se divertían tirando piedras desde la azotea del estudio a los desdichados transeúntes. En una ocasión eligieron como blanco la reluciente chistera de un elegante señor. La alcanzaron, pero no se ocultaron a tiempo, de modo que el caballero les vio y corrió a buscar un policía. En cuclillas detrás del lienzo de *Ciencia y Caridad,* oyeron cómo el policía golpeaba repentinamente la puerta del estudio, pero no salieron de su escondite hasta que el portero les aseguró que ya no había moros en la costa.

Durante algún tiempo la mayoría de los conflictos que se le planteaban a Pablo se centraban en su padre. En su intento de liberarse de la pasión que siendo un niño pequeño profesaba a don José, se esforzó en disminuirla en su mente y su trabajo. Tal ambivalencia aparece claramente en los dos retratos que hizo de él en su álbum de La Coruña. Dice Palau i Fabre: «Estos dibujos parecen hechos el uno inmediatamente después del otro, e incluso, si fuera posible, los dos al mismo tiempo. En uno de ellos don José muestra todavía una cierta euforia al mirar el cuadro que está pintando o que acaba de pintar, pero en el segundo su aire es totalmente, y en forma completamente deliberada, pesimista, y su expresión está radicalmente alterada. El encuadre del modelo —la silla, las manos y las piernas— es el mismo en los dos dibujos, pero el estado de ánimo que denotan es absolutamente diferente».

¿Fue el estado de ánimo del padre lo que cambió extrañamente en un día, o fue el estado de ánimo del hijo respecto al padre? En Barcelona, Pablo continuó retratando a su padre decayendo en su vitalidad, desesperándose. ¿Los cuadros, en su crueldad, representaban la verdad o mentían? Quizá se trataba de una dramática exageración, que para Pablo llegaba a ser realidad al desear liberarse de lo que don José era y representaba: un perfeccionista que idolatraba la precisión y el orden, un pintor de cuadros íntimos y realistas que, sin embargo, dotaba su realismo con una cualidad metafísica al aumentar la sensación de espacio y profundidad, un hombre íntegro que atesoraba las virtudes de la modestia y el desprendimiento, un caballero tranquilo y cortés y ligeramente indiferente, siempre con el aspecto que para la gente tiene un caballero: alto, elegante, de buen aspecto y porte digno. Pablo empezó a ver como rival al padre que adoraba. Bajo y rechoncho, nunca podría competir con el físico y la elegancia de don José. Decía, años después: «Cada vez que dibujaba un hombre pensaba en mi padre. Para mí, el hombre es don José, y lo será toda la vida».

Pero don José era maestro de profesión y pedagogo por vocación, y Pablo estaba harto de sus opiniones y de sus críticas. Probablemente don José comprendió su fuerza y sus debilidades demasiado bien, y Pablo comenzó a encontrar la adoración ciega de su madre mucho menos exigente. Así, aunque desde los más jóvenes años de su vida fue su padre quien, siempre a sus expensas, le ayudó en su carrera de pintor, fue su madre a quien idealizó cuando recordaba su pasado, y fue el apellido de su madre el que adoptó como identificación.

Recordaba a su madre «tan pequeña que sus pies no alcanzaban el suelo cuando se sentaba». Era algo dominante, sin embargo, y, pese a su limitada inteligencia, mandaba sobre su introvertido marido y sobre su familia. En una acuarela que Pablo pintó en 1896, aparece con la mandíbula apretada, como si algún desconocido enojo la estuviera amargando. Pero raramente era Pablo víctima de estos enfados; su madre creía en él ciegamente. «Si fueras soldado —le decía— llegarías a general, y si fueses fraile terminarías siendo Papa». Si su hijo no había aprendido nada en la escuela, ella estaba segura de que ya lo aprendería, o, por lo menos, las cosas más importantes. En cuanto al egocentrismo de su hijo, la ceguera de su madre por el chico hacía que lo encontrase perfectamente natural. Mientras ella no entendía nada del trabajo de su hijo e idolatraba todo lo que él hacía, don José, al mismo tiempo que lo animaba, dándole un estudio y posando infinitas veces para él, continuaba distinguiendo entre sus cuadros buenos y los que no eran tan buenos. En unos bosquejos rápidos escribió «excelente» en seis y «equivocado» en cuatro. Pero su hijo no necesitaba ser calificado. En su *Huida a Egipto,* San José es don José, bajo una barba roja y arrodillado a los pies del Niño Jesús, y así Pablo reconoce a su padre como un ser protector, quizá como el ser indispensable en su vida, y fue ese sentido de dependencia el que le hizo ansiar más vivamente ser independiente. Se vio obligado a minimizar a su padre para así alzarse como creador autónomo que no debía nada a la tradición, al pasado o a sus mayores. En los cuadros en los que aparece don José como hombre en decadencia, su hijo, rebelde e impaciente, con pequeñas virtudes, no espera alzarse a la sombra del padre. Y fue el retrato de su padre —tanto en palabras como en imágenes— como hombre deshecho e inútil el que fue aceptado como muestra del don José real.

Tenía Pablo dieciséis años cuando en el otoño de 1897 llegó a Madrid, donde iba a continuar sus estudios en la Real Academia de San Fernando, la más alta institución para la enseñanza artística existente en España. En el formulario oficial se describió a sí mismo como discípulo, no de su padre, sino de Muñoz Degrain, que enseñaba paisajismo en la Academia. Fue uno más en la cadena de los actos con los que olvidaba a su padre, pero también un testimonio de identificación con el héroe de su infancia.

Picasso se encontró con que Muñoz Degrain, a quien descendió bien pronto en su trono de héroe, era demasiado pedagogo y demasiado ligado al pasado academicista. «Detesto ese período de mis estudios en Barcelona», dijo en una ocasión, rememorando sus años en la Llotja. Esperaba que Madrid fuese muy diferente, que fuera una vía de escape y una oportunidad de ampliar y explotar su personal visión del arte.

Casi todos los familiares de las dos ramas de la familia Ruiz-Picasso contribuyeron a sufragar el considerable gasto de enviar a Madrid a la esperanza familiar. Cada uno lo hizo con arreglo a sus medios, desde el tío Salvador hasta las tías Eladia y Heliodora, que contribuyeron con una peseta al mes. Pero la gratitud crea vínculos, y Pablo, sobre todas las cosas, quería ser libre, y por ello minimizaba la ayuda que recibía. «Bah, una miseria», dijo en respuesta a quien señalaba la generosa pensión que recibía. «Unas cuantas pesetas, lo justo para no morirse de hambre, pero nada más».

En una carta a Joaquín Bas, su amigo de la Llotja, echaba pestes contra sus profesores de la Academia, que vivían en el error de estar enseñándole a pintar a él:

«Qué pintores, querido Bas! No tienen ni gota de sentido común. Siguen con las tonterías de siempre, como yo ya sospechaba: Velázquez en la pintura, Miguel Angel en la escultura, etcétera. Moreno Carbonero me dijo la otra noche, en la clase de modelo vivo, de la que es profesor, que la figura que yo estaba dibujando estaba muy bien en proporciones y de trazado, pero que yo debería dibujar con líneas rectas, lo que sería mejor, porque lo que tienes que hacer sobre todo es encajar el dibujo. El piensa que debe hacerse una especie de caja en la que empaquetar la figura. ¿Puedes creer las tonterías que dice? Pero no cabe duda de que, sea mucho o poco lo que haya hecho en ese camino, ciertamente sus conocimientos son mayores y no dibuja mal. Y te diré por qué es uno de los que dibujan mejor de entre la gente de aquí: es porque ha estado en París y en varias de las academias de allí. Pero no te engañes: no es que en España seamos tontos, siempre hemos estado muy lejos de serlo; es porque nos han enseñado siempre muy mal. Y por eso, como te decía antes, si yo tuviera un hijo que quisiera ser pintor, no lo mantendría en España ni un momento y desde luego tampoco lo mandaría a París (aunque ahí es en donde me gustaría estar a mí), sino a Munik (si es así cómo se escribe), porque en esa ciudad se estudia pintando en serio, sin romperse la cabeza con nociones intransigentes sobre el puntillismo y todo eso. No es que crea que esa clase de pintura sea necesariamente mala; lo que no me gusta es que precisamente porque un pintor haya tenido éxito siguiendo un estilo tenga que seguir siempre el mismo camino. No soy partidario de ninguna escuela en particular, pero todos los que llevan a la pintura al manierismo y la afectación sí lo son.»

«El Museo de Pinturas es maravilloso: lo mejor de Velázquez, algunas cabezas magníficas del Greco; respecto a Murillo, no estoy seguro de que me gusten todas sus obras. Y en Madrid hay en todas partes chicas que eclipsan a las huríes de Turquía.»

«Te envío un dibujo para "Barcelona Cómica". Si te lo compran, te divertirás. Quiero estar en la línea del "art nouveau", que es la de ese periódico. Ni Nonell, ni el Joven Místico, ni Pichot, ni nadie, han hecho nunca nada que sea la mitad de extravagante que mi dibujo; ya lo verás.»

«Adiós, y discúlpame por no haberme despedido en Barcelona. Besos a (aquí un dibujo de una pequeña mano sujetando una flor) del (dibujo de una moneda con perfil de mujer y bajo él las palabras "una onza" entre paréntesis). Siempre tuyo, P. Ruiz Picasso.»

Bas había sido su más frecuente compañero en sus correrías por el Barrio Chino, y los besos que enviaba Pablo eran para su favorita, a la que había vuelto muchas veces en sus visitas a los burdeles. Usaba el nombre de Rosita de Oro, que la afición de Pablo a los acertijos había transformado sobre el papel en una flor y una onza de oro.

Pablo se dejaba ver poco en Madrid, pero estaba decidido a ahorrarse los molestos consejos que aspiraban a ser sabiduría académica, y de hecho, después de los primeros decepcionantes días, raras veces pisó la Academia. Se dedicó a las jóvenes madrileñas (las que eclipsaban a las huríes, según él), y pocas veces salía de su alojamiento antes de la noche. Pasaba bastante tiempo en el parque del Retiro y llenaba cuardenos y más cuadernos observando a las gentes y lo que le rodeaba; cambiaba frecuentemente de alojamiento, quizá por su inquietud o acaso porque sus patronas desaprobaban su bohemio estilo de vida; pintó muy poco. Poco tiempo tardaron en llegar a Málaga noticias de su desordenada vida, y menos todavía la supresión de la ayuda económica de don Salvador y los demás tíos y tías, en vista de que las ideas de la familia sobre el decoro y el trabajo duro se aplicaban lo mismo a los genios que a las personas de menos categoría. Unicamente su padre continuó enviándole «todo lo que podía permitirse».

En la primavera Pablo cayó enfermo de lo que algunos llamaron escarlatina, otros pleuresía y otros sífilis. Cualquiera que fuera su dolencia, la estancia del pintor en Madrid acabó lamentablemente, ya que en cuanto se encontró con fuerzas para ello regresó a Barcelona. *Picasso desconcertado,* el autorretrato que pintó por entonces, muestra su cara demacrada, sus mejillas hundidas, sus ojos mirando ansiosamente hacia el futuro. Siempre con Pallarés, dejó Barcelona casi inmediatamente después de llegar y se fue a Horta del Ebro, la aldea de Pallarés, en la montaña, donde no sólo recuperó su fortaleza sino que pasó ocho de los más importantes meses de su vida. «Todo lo que sé —decía más tarde— lo aprendí en Horta». Pero no fue reflexionando sobre la naturaleza o los animales, o cortando leña, o cocinando comidas sencillas, o duchándose en una cascada; fue pensando en lo más hondo de su personalidad, como nunca lo había hecho antes; fue meditando sobre sí mismo.

Después de algunos días en la casa de la familia de Pallarés, Pablo y Manuel, en compañia de un gitanillo, fueron a explorar las montañas. Estuvieron primero en una cueva en el monte de Santa Bárbara, y, en busca de aventuras cada vez más duras, escalaron los Ports del Maestrat y habitaron durante un mes, ya próxima la primavera, en una cueva. Cada pocos días, Salvadoret, el hermano más joven de Manuel, recorría el camino de trece kilómetros, montado en una mula, para llevar a la cueva alimentos frescos. Sus lechos eran de hierba y cada noche encendían una grande y destellante hoguera para calentarse.

El gitanillo era dos años más joven que Pablo, y también pintaba; los tres empleaban la mayor parte del día en pintar y Pablo llegó a distinguir y nombrar los árboles, como un esquimal que emplea muchos nombres diferentes para la nieve. El gitano le enseñó el significado del canto de los pájaros y el remoto movimiento de las estrellas, y cómo establecer una alianza con la naturaleza, los animales, las plantas y lo invisible. Juntos esperaban el diario milagro del atardecer y daban largos paseos por los ásperos caminos de la montaña. Llegaron a mantener una cálida amistad, y en la cueva o en la aldea, estaban siempre juntos. Pallarés, desplazado y excluido, se vengó más tarde omitiendo toda mención del gitano en su relato de la vida de Pablo en Horta. Según su narración, sólo él y Pablo exploraron Horta; Picasso, cada vez que se refería a su apasionada amistad, citaba solamente al gitano. «Pallarés —decía— era sólido pedazo de pan.»

«No tengo verdaderos amigos; sólo tengo enamorados», diría Pablo años más tarde. En su relación con el gitano así fue, tanto en la realidad física como en lo metafórico. Pablo estaba enamorado tanto del gitano como del mundo. Para festejar su amor, pintó paisajes, pastores, animales y labradores trabajando. «La nota predominante en su producción de aquellos días es la de una gran ternura», escribió Palau y Fabre. «Quizá nunca más Picasso describió tan idílicos paisajes, en los que no había lugar para el mal... Durante la mayor parte de su vida —y quizá siempre— Horta fue la imagen del paraíso perdido.»

Pablo y el gitano eran el centro de ese paraíso. El gitano fue para el joven de la ciudad un símbolo de libertad y la encarnación de un mundo sagrado e impresionante. Para materializar su lealtad con un antiguo rito, pincharon las venas de sus muñecas y unieron la sangre de ambos. Pero en el paraíso había también una serpiente: el mundo fuera de Horta. El gitano fue el primero en darse cuenta de ello y decidió obrar de la única forma que conocía, en forma violenta y decisiva. Sacó un cuchillo y gritó con la misma pasión de Patroclo hacia Aquiles, miles de años y de culturas antes: «Te quiero demasiado y tengo que irme; si no, tendré que matarte porque no eres gitano».

No podía continuar en íntimas relaciones con un hombre que no era gitano y que no podía compartir más que por poco tiempo la vida de un gitano. No por ello lo amaba menos, pero su amor había llegado a ser un peso insoportable, y así aquella misma noche desapareció para siempre, dejando a Pablo desconcertado.

Horta parecía ahora vacía, y regresó a Barcelona, esta vez solo y resuelto a lanzarse al mundo que lo había separado del gitano y, como Aquiles, conquistarlo. «En la gran nación de los gitanos del arte, Picasso es el mayor gitano de todos», dijo Ramón Gómez de la Serna en 1932, y Pablo siempre profesó un especial y secreto cariño a esa definición. Su relación con el gitano fue el punto crucial de su vida, el momento en que el niño mimado de una familia corriente de la clase media encontró una justificación a su rebeldía y descubrió al gitano que había en su interior.

Cuando llegó a Barcelona a finales de febrero de 1899, al humor oscuro y pesimista de Pablo se añadió la tristeza que dominaba el «mundo fuera de Horta». En el mes de diciembre del año anterior, el *Tratado de París* había establecido la independencia de Cuba; la caída de Manila en poder de los americanos había dado fin al imperio español, final que llegaba después de derrotas militares y humillaciones. Soldados desmovilizados y tullidos llenaban las calles de Barcelona pidiendo limosna, mientras los escritores y artistas de la *generación del noventa y ocho,* asqueados de «una sociedad moribunda regida por un gobierno suicida», derivaban en su mayor parte hacia el socialismo y el anarquismo. Inmediatamente después del ardor y vitalidad de su vida en Horta, se vio enfrentado a la muerte que le rodeaba; muerte en el ambiente de ruina y decadencia de un siglo moribundo, en las caras cadavéricas de los soldados repatriados, en la melancolía que invadía todo.

También la muerte invadió su actividad artística. Ese fue su período negro, lleno de gente moribunda, autorretratos melancólicos y caras sombrías brotando de abyectas oscuridades. *El beso de la Muerte, El grito de la Muerte, Dos agonías, Ante la tumba de Luisa, Sacerdote visitando a un moribundo, Presencia de la Muer-*

te, todos impregnados de la presencia y el espíritu de la muerte. En las diferentes versiones de *Mujer rezando a la cabecera de un niño* pintó sus recuerdos de la muerte de Conchita, con su madre rezando al lado de su lecho.

Fue también entonces cuando se rebeló abiertamente contra su padre. Pese a los ruegos de don José, se negó a reingresar en la Llotja y comenzó a trabajar en el diminuto estudio del pintor Santiago Cardona, en la calle de Escudillers Blancs. El resto del piso era una tienda de corsés, y Pablo dedicaba los descansos en su tarea a taladrar ojales en los corsés. Don José, que estaba en Madrid formando parte del jurado de un concurso de pintura, escribió a su esposa: «Me alegra saber que Pablo trabaja... Le enseñé (a Muñoz Degrain) los dibujos, que le gustaron mucho, pero me dijo que el año pasado no hizo nada de provecho; sin embargo, eso es cosa ya pasada». Por mucho que hubiese sido desobedecido o disgustado, continuaba haciendo a su hijo el centro de su vida.

En un impresionante reto, Pablo dejó su casa para ir a vivir durante algunas semanas al prostíbulo donde Rosita de Oro ejercía su oficio. En los burdeles del Barrio Chino había más suciedad que sensualidad. Naturalmente, no había en ellos electricidad ni agua corriente; el olor rancio a basura, orines, semen y sudor impregnaba el aire. Las cortinas eran andrajos, las colchas asquerosas, los espejos sin lustre y las desconchadas paredes llenas de pintarrajos obscenos. En ese mundo escogió Pablo vivir durante algún tiempo. «Ya que vosotros os parecéis, he decidido no parecerme a los demás», escribió en un trozo de papel, como afirmación de su incipiente credo. Su fiera independencia, junto con sus ardientes ojos negros y su embriagadora vitalidad, eran ahora los elementos fundamentales de su personalidad.

«Podía ver más lejos que nosotros. Nos fascinaba», dijo Pallarés. Pero hubo un hombre al que conoció en su nuevo estudio, en 1899, que llegó a ser el principal intérprete de Picasso como héroe artístico. Jaume Sabartés era un escritor y poeta de cabellos largos y gafas redondas, catalán orgulloso y profundamente propenso a la adoración del héroe y al romanticismo del final del siglo. «Todavía me acuerdo de nuestra despedida después de mi primera visita a su estudio de la calle de Escudillers Blancs», escribió entusiásticamente cuarenta años depués. «Era por la tarde. Mis ojos estaban aún deslumbrados por lo que habían visto entre sus papeles y sus libretas de apuntes. Picasso, de pie en el ángulo que formaban el corredor que iba más allá de su estudio y el que iba a la puerta de la calle, aumentó mi confusión mirándome fijamente. Cuando me dirigí a él despidiéndome, estaba dispuesto a reverenciarle, desconcertado por el poder mágico que emanaba de todo su ser, el maravilloso poder de un brujo que ofrecía dádivas tan ricas en sorpresas y esperanza.»

Así fue cómo el asombro empezó a mostrarse en todas sus conversaciones sobre Pablo. «Hablaba de él [illegible] un héroe de leyenda», [illegible] ó la leyenda picassiana. [illegible] intor se presentó como [illegible] pre Picasso, ya que el a [illegible] asso todo lo contrario, a [illegible] una leyenda. Pablo a [illegible] natural, y le hizo una ca [illegible] cadente vagando por [illegible] negra, con una corona [illegible]

A comie [illegible] ima gente, aunque en r [illegible] ncontró un estudio muc [illegible] ra de San Juan, que c [illegible] es Casagemas, que tam [illegible] a conocida y próspera fa [illegible] Unidos en Barcelona), y [illegible] enta y Picasso el que t [illegible] paredes con lo que les gustaría tener si pudieran permitírselo: una cama grande, una mesa repleta de manjares exquisitos, e incluso un criado y una sirvienta, esta última con una pechuga más exuberante que lo común, y ambos esperando las órdenes de los dos amos.

Casagemas era para Picasso una persona sorprendente. Sabartés lo explicaba porque, según él, «mejor que sus otros íntimos, estaba siempre dispuesto a ayudarle en sus proyectos y prestar atención a las infinitas ideas que llenaban sus sueños». La mejor manera de ayudarle en sus proyectos era financiarlos; si Picasso llegaba a romper con su padre sería buena cosa tener un amigo que le ayudase económicamente. De hecho Picasso no solamente trabajaba en el estudio de Casagemas, sino que a menudo dormía allí cuando no deseaba volver a su casa. Y en cuanto a sus «infinitas ideas», la mayor parte de ellas giraban en torno a París, y más concretamente a la Exposición Universal de París, en la que su cuadro *Ultimos momentos* había sido elegido como una de las pinturas que iban a representar a España.

Casagemas, un año mayor que Picasso, era una persona complicada e insegura sobre su masculinidad. Se entregaba a amores

1901 Picasso conoce a Karlos Casagemas paga el apartamento donde viven

platónicos, el último por entonces el de Neus, hija de su hermana. Picasso pretendió introducirle en los placeres de los prostíbulos del Barrio Chino, pero Casagemas le acompañaba nada más que hasta la puerta. Le hizo conocer a su favorita y le dibujó, para conmemorarlo, en *Picasso presentando a Casagemas a Rosita*, pero parece que el dibujo fue el único resultado de la presentación. Casagemas se dedicó al pesimismo como otros se dedican a la bebida, y compartió la enfermiza afición de aquel tiempo a los cementerios. Después de una visita a un cementerio cercano a la finca de sus padres en las afuera de Badalona, Casagemas pidió a Picasso que posara para él, pero cuando Picasso, pasado un rato, se levantó para ver lo que progresaba su retrato, vio que su amigo no había pintado nada. No había nada que festejar en su indolencia, en su indiferencia por tantas cosas de la vida y en el nihilismo que había adoptado.

Las conversaciones sobre el nihilismo, el catalanismo y el modernismo llenaban la atmósfera, cargada de humo de tabaco, de Els Quatre Gats, el café más frecuentado por Picasso a su regreso de Horta. Había sido fundado por Pere Romeu bajo la inspiración de Miguel Utrillo, que en 1899 había comenzado a editar *Pel i Ploma,* que muy pronto llegó a ser la más importante revista de arte de Barcelona. El nombre del café fue elegido como parcial réplica de Le Chat Noir de París, donde había trabajado Romeu, y la suposición de que, como muchos catalanes decían, sólo serían «cuatro gatos» la clientela del establecimiento. Pero la profecía pesimista vino a ser lo contrario de la realidad, ya que Els Quatre Gats fue desde su inaguración un enorme éxito, «una taberna gótica para los que aman el Norte», donde Utrillo representaba teatro de marionetas, donde Rusiñol, Casas y Nonell, entre otros, enseñaban sus cuadros, y donde cualquiera que exhibiese un brillo apocalíptico en su mirada se sentía autorizado a discutir las nuevas ideas. El entusiasmo se enfrentaba con el sentido de la futilidad, y la prisa por crear con el deseo de destruir. El anarquista ruso Bakunin era uno de los más venerados héroes del Els Quatre Gats. «Confiemos en el espíritu eterno que destruye y aniquila, porque es la impenetrable y eternamente creadora fuente de toda vida. El impulso destructivo es también el impulso creador.»

De estas ideas se nutría Picasso en la Barcelona de fin de siglo. Muy poco culto, pero de entendimiento rápido, Picasso devoraba ideas y filosofías a través de sus compañeros, que las habían leído y asimilado. Pompeu Gener, que hagía dado a conocer a Nietzsche en Barcelona, y Jaime Brossa, otro divulgador del filósofo y rígido anarquista, hicieron amistad con el pintor, y tras largas discusiones lo familiarizaron con las apasionadas tesis nietzscheanas sobre la muerte de Dios y la aparición del superhombre, el ser extraordinario que, en la cima de su montaña, es el único que puede sobrevivir a la muerte de Dios. «Yo» —el «yo» o el ego— era la palabra que en Els Quatre Gats, entre los jóvenes artistas e intelectuales, resumía el culto nietzscheano al hombre extraordinario a quien todo le estaba permitido. «Yo soy mi propio destino y lo he forjado para que exista durante toda la eternidad», había dicho Nietzsche, y Picasso respondió a esta llamada de clarín de la libertad absoluta. «La voluntad de poder» golpeó una cuerda en su corazón. El poder era lo único que admitía Nietzsche para sustituir el amor y los valores transcendentes que habían perdido su significado para el hombre moderno. Y Picasso, para quien esos valores se asociaban con la rígida Iglesia de España, a la que había intentado amar, fracasando en ello, halló que esa filosofía se correspondía admirablemente con su propia busca y sueños de poder.

La primera prueba de poder que Picasso se impuso fue la importancia que había alcanzado el grupo de sus amigos frente a la del grupo de los mayores, encabezado por Rusiñol, Casas y Nonell. Por entonces Nonell, que sólo era ocho años mayor que Picasso, había expuesto ya cuadros en París, mientras en sus exposiciones de Barcelona presentaba soldados macilentos, idiotas, mendigos y prisioneros políticos, lo que le había convertido en campeón famoso de los oprimidos. Los festivales de Rusiñol en Sitges, donde tenía una finca, le habían erigido en paladín del Art Nouveau, el espíritu casi oficial de Els Quatre Gats. También Casas, que había estudiado en París, donde se había impregnado del arte de Steinlen y Toulouse-Lautrec, dominaba Els Quatre Gats, no solamente por su influencia artística, sino también por su gran panel que les representaba a él y a Pere Romeu montados en una bicicleta tándem. «No podréis guiar una bicicleta sin doblar la espalda», era el título. Sin embargo, un grupo de jóvenes, entre ellos Pallarés, Casagemas, Sabartés, los hermanos Soto, Reventós y Junyer-Vidal, tenían su propia mesa y guardaban cierta distancia respecto a sus mayores, los triunfadores de Els Quatre Gats. El grupo eligió como su director artístico a Picasso, que todavía no había cumplido los diecinueve años.

El primer día de febrero del 1900, Picasso expuso por primera vez en Els Quatre Gats, exposición organizada por su grupo. Sabartés dijo: «Queremos que el público sepa que hay algo más que Casas, que no es el único que pinta retratos, y que su arte no es la suma total del talento de Barcelona». Más tarde añadían: «Sobre todo queríamos oponer a Picasso con el ídolo de Barcelona y encolerizar al público». Y Picasso decidió, desafiante, exponer en su mayoría dibujos, un arte que Casas había restaurado, y muchos retratos, en cuya pintura Casas era famoso. Pero Barcelona apenas hizo caso. En la reseña de la exposición que apareció, sin firma, en *La Vanguardia,* y que redactó Manuel Rodríguez Codola, auxiliar de cátedra de la Llotja, se concedía a Picasso «una extraordinaria facilidad con el lápiz y el pincel», pero se lamentaba de «la desigualdad», las «influencias ajenas», la «falta de experiencia y descuido». Era la opinión condescendiente de un profesor de arte incapaz de aceptar que un artista pueda encontrar su camino sin terminar sus estudios en la Llotja.

Picasso estaba ahora más que nunca dispuesto para irse a Paris. Durante meses había estado empapándose en las publicaciones francesas sobre arte, a las que Els Quatre Gats estaba suscrito, y estudiando las ilustraciones de Steinlen y Lautrec, que le encantaban. En un cartel de propaganda que dibujó para Els Quatre Gats permitió que su imaginación crease un mundo de comodidad y placer, de chisteras y flores en el ojal, en el que sin duda esperaba vivir. Pere Romeu, prendado de la fácil tranquilidad del cartel, lo usó para sus menús.

El sueño de París se acercó a la realidad cuando don José, dispuesto a cuantos sacrificios fuesen necesarios para ello, le ofrecía un billete de tren de ida y vuelta. La perspectiva del viaje apartó a Picasso de su obsesión por la muerte y la enfermedad, y aquella primavera pintó vibrantes cuadros de corridas de toros, llenos de sol, reflejando su propia sensación de renovación. Los expuso en julio en Els Quatre Gats, pero la exposición sólo recibió una corta reseña en un oscuro periódico.

A Picasso no le importó ese silencio; su mente ya estaba poseída por París. Pidió a Casagemas y a Pallarés que lo acompañaran, pero Pallarés tenía que terminar la decoración de una capilla en Horta y Picasso tenía prisa, de modo que se preparó para conquistar Francia con Casagemas como único compañero. Se habían hecho trajes negros de pana, iguales para los dos, y el día de su marcha don José y doña María fueron a despedirlos a la estación. Pero el rito más importante para Picasso fue dibujar un autorretrato con la inscripción «Yo, el Rey», que era un talismán, una afirmación de su poder para conjurar sus temores y las dudas que le asaltaban cuando estaba a punto de cruzar, por primera vez, la frontera de España.

2

«C'EST LA VIE»

Picasso llegó a París justo unos días antes de su decimonoveno cumpleaños, sin hablar francés y sin tener un sitio dónde quedarse. «No busco, encuentro», dijo en una ocasión, haciendo alusión a su arte. En este caso encontró tres sitios, que se fueron sucediendo rápidamente: un estudio en el número 9 de la calle Campagne Première, en Montparnasse; el estudio de Nonell, en el número 49 de la calle Gabrielle, de Montmartre, que Nonell estaba a punto de desocupar antes de regresar a Barcelona, y, por último, el Hôtel du Nouvel Hippodrome, donde él y Casagemas permanecieron durante unas cuantas noches mientras, desalojado su primer estudio, esperaban a que Nonell dejara el suyo.

Al principio no pareció importarle dónde vivía. Pasaba la mayor parte de su tiempo en las calles, los cafés, el Louvre, La Exposición Universal, el Grand y el Petit Palais, algún que otro burdel, en cabarets, en la retrospectiva de pintura francesa del Champ-de-Mars y en teatros populares, donde aplaudía las farsas representadas en un idioma que no comprendía. París era un teatro en sí mismo para el joven de Barcelona. Los parisinos vivían en las calles, cantaban en las esquinas, se besaban en bancos, en terrazas de cafés y en los carruajes que pasaban por su lado; utilizaban los urinarios públicos, compraban a los vendedores de las aceras no sólo castañas asadas, fruta, carne o queso, sino también camas, cacerolas, sombreros y aparadores. Y había color, color y ruido en todas partes: anuncios luminosos, cocheros gritando a sus caballos y chasqueando sus látigos, tranvías chirriando y jóvenes vendedores de periódicos gritando. Con todo esto a su alrededor, de repente se encontró respirando libertad. «Si Cezanne hubiera trabajado en España —diría él— le hubiesen quemado vivo».

A la sombra del Sacré-Coeur se desprendía de las sofocantes influencias de España; pero sintiéndose todavía un forastero, se agarraba al ghetto catalán, comiendo, bebiendo y emborrachándose con Casagemas, Utrillo, Alexandre, Riera (el coleccionista de arte catalán) y Manuel Hugué, o Manolo, como todo el mundo llamaba al escultor español que se las arreglaba para sobrevivir en París a costa de otras muchas almas bobas. En cualquier otro lugar Picasso hubiera parecido un tanto raro bajo y rechoncho, con gorra de tela, con sus corbatas de colores, telas de cuadros chillones y una bufanda alrededor del cuello para protegerse del viento de octubre, pero en París a nadie parecía importarle e incluso darse cuenta de ello.

El 25 de octubre, día del decimonoveno cumpleaños de Picasso, Casagemas escribió a Ramón Reventós a Barcelona una carta llena de vívidos detalles y excitación sobre sus nuevas vidas: «Al día siguiente estuvimos juntos en el Petit-Pousset, que no se parece a la taberna de Ponset, y nos emborrachamos todos. Utrillo escribió poesía infantil, Pere cantó canciones soeces en latín, Picasso hizo apuntes de la gente y yo escribí versos de once, doce, catorce y más sílabas. No hay nadie que nos pueda vencer en chismorrear seriamente sobre la gente». Le urgía a Ramón para que les dijera a Perico, Manolo, Romeu y Opisso que tenían que ir a París; además, la carta estaba llena de desprecio juvenil y chauvinista hacia las cosas francesas:

«Algunas noches vamos a cafés, tanto de conciertos como de representaciones teatrales. Es bastante agradable, pero generalmente acaba en un revoltijo. Algunas veces piensan que están haciendo baile español, y ayer, incluso, uno de ellos salió con un pedo de 'ollé ollé, caramba cagamba' que nos dejó a todos helados y nos hizo dudar de nuestro origen. El estilo militar está en boga en todas partes. Dile a Romeu que está loco si no viene aquí y abre un establecimiento; tiene que conseguir el dinero de donde sea: que robe, mate o asesine, que haga cualquier cosa para venir, porque aquí haría dinero. El Boulevard de Clichy está lleno de sitios locos como Le Néant, Le Ciel, L'Enfer, La fin du Monde, Les 4 z'Arts, Le Cabaret des Arts, Le Cabaret de Bruant y muchos más que no tienen ni una pizca de encanto, pero que hacen mucho dinero. Un Quatre Gats sería aquí una mina de oro y músculos... La multitud que pasea apreciaría a Pere y no le insultaría como en Barcelona.

No hay nada mejor que esto ni nada que se le parezca. Aquí todo es encuadernación vistosa, llena de oropel y tela, hecha de cartón y cartón-piedra atiborrado de serrín, y, sobre todo, tiene la ventaja de ser de un gusto deplorable, *cursi, vaja, bunyol, carquinyol.* El Moulin de la Gallètte ha perdido todo su carácter, y en el Moulin Rouge cuesta tres francos entrar, y algunos días cinco francos; los teatros, también. Los sitios y teatros más baratos cuestan un franco».

Por último concluía, con un tono filosófico, que «no hay nada más que hacer que adaptarse a las circunstancias, hacer lo que se pueda, porque todo acontece tal y como el Señor lo quiere». Salpicadas a lo largo de la carta había estrepitosas protestas sobre lo duramente que estaban trabajando: «Siempre que hay luz (luz del día, porque puedes encontrar la otra clase de luz en todas partes, a todas horas) estamos en el estudio pintando y dibujando». La contribución de Picasso a la carta, firmada por ambos, consistía en un dibujo de una mujer, bien dotada y sonriente, cuya presencia comunicaba en forma más elocuente que las palabras de Casagemas, el gusto de aquellos días.

Picasso debió sentirse incómodo fuera de los límites del ghetto catalán, pero no cuando se trataba de mujeres. Su encanto, su poderoso físico, su carácter seductor y su magnetismo animal salvaban fácilmente el abismo de la lengua y nacionalidad. De entre las mujeres en cuyos brazos mejoró su francés, satisfizo su sensualidad y alimentó su machismo; hubo una modelo francesa llamada Odette, quien encontró un lugar algo más permanente en su cama, aunque no en su corazón. Mientras Picasso practicaba el sexo sin consecuencias, Casagemas se enamoraba de una modelo de origen español, Germaine Gargallo. «Germaine es por ahora la mujer de mis pensamientos», escribió el 11 de noviembre a Ramón Reventós, ocultando el tormento que la indiferencia y el comportamiento desenfadado de Germaine le estaba acarreando. «La próxima semana que comienza mañana —continuaba con todo el entusiasmo que generalmente se reserva a las decisiones que no se esperan realizar el día de hoy— vamos a llenar nuestras vidas con paz, tranquilidad, trabajo y otras cosas que llenen nuestra alma de bienestar y nuestro cuerpo de fuerza». Esta decisión ha sido alcanzada después de una seria conversación con nuestras mujeres». Las mujeres en cuestión eran Germaine y Odette.

En la misma carta, Picasso se tomaba el trabajo de aclarar que las mujeres no interferían en la importante tarea que se traía entre manos: «Todo este asunto de las mujeres, visto a través de nuestras cartas y por lo que Utrillo te ha debido de contar, parece o debe parecer que absorbe todas nuestras fuerzas, ¡pero no! No sólo gastamos nuestras vidas «acariciando», sino que yo casi he terminado una pintura, y para serte sincero, pienso que estoy a punto de venderla. Por eso, como amantes de las tradiciones de nuestro amado (!) país, al que pocos de nosotros pertenecemos, decimos adiós a la vida de soltero. Hoy nos iremos a la cama a las diez y no vamos a ir nunca más a la *Calle de Londres*. Hoy «Pajaresco» ha puesto una nota en el estudio diciendo que nos levantaremos pronto y que incluso intentaremos acariciar en horas más normales». La *Calle de Londres* era un famoso burdel en la calle de Londres, que Picasso dejó de frecuentar al menos por un tiempo después que Pallarés (o Pajaresco, que era como le llamaba en la carta) llegó de Barcelona e intentó poner algo de orden en las vidas de sus amigos. Germaine le había encontrado, por un precio razonable, una cama, que llevaron a la calle Gabrielle. Y rápidamente le encontró una joven para ocupar su nueva cama; se trataba de su hermana Antoinette.

Picasso podía estar faltando a la verdad en cuanto a irse a la cama a las diez, pero no en cuanto a haber acabado y casi vendido una pintura. Se trataba de *Le Moulin de la Gallette*. «Fue en París donde aprendí lo buen pintor que fue Lautrec», diría Picasso más tarde, y esta primera pintura parisina muestra cómo se conmovió ante Lautrec, Renoir y los impresionistas en general. También evidencia cómo se rebeló contra su influencia en el mismo proceso de asimilación.

Entre los catalanes que fueron dibujados por Picasso estaba Pere Manyac, un marchante de arte de treinta y pocos años que había empezado a hacerse un nombre en el mundo del arte parisino combinando su ayuda a los jóvenes artistas, su buena apariencia bigotuda, su vigor y su arte de dirigir espectáculos. Era un barcelonés dueño de una fábrica, y, principalmente debido a su preferencia por los muchachos jóvenes, «la oveja negra de una respetable familia». Cuando Nonell le presentó a Picasso, al instante se quedó hipnotizado por él. Picasso era como un caballo de carreras refrenado, intenso, pero con un aire de ternura juvenil, seguro de sus extraordinarias dotes y todavía perdido en la prolífica e indiferente ciudad que se proponía conquistar. Manyac intervino y le ofreció ciento cincuenta francos al mes por las pinturas que produjese. También se ofreció como protector y guía a través del mundo del arte parisino. Mientras muchos de sus compañeros artistas de Montmartre estaban viviendo en una honrosa pobreza, Picasso fue económicamente independiente por primera vez gracias a Manyac. Y ciento cincuenta francos al mes eran una cantidad sustanciosa, cuando un estudio podía encontrarse por quince francos y se podía vivir con dos francos al día.

Manyac presentó a Picasso a la señora Berthe Weill, cuya audacia y buena voluntad de ayudar a artistas jóvenes, convirtió su galería del número 25 de la calle Victor-Masse en un centro influyente del mundo del arte de París. Era conocida como *La Mere Weill* o «la pequeña y vieja señora Weill», pero, aunque baja y rechoncha, era de hecho joven y vivaracha. Cuando llegó un día a la calle Gabrielle a la hora fijada por Manyac para ver el estudio de Picasso, no obtuvo respuesta a sus múltiples llamadas. Se marchó enfadada, buscó a Manyac, que tenía una llave del estudio de Picasso, y juntos volvieron a la calle Gabrielle y a su habitación. Le encontraron bajo la colcha con Manolo; una pueril travesura a costa del marchante, pero también una afirmación por parte de Picasso de que, mientras Manyac debía ser responsable de su supervivencia en París, él, con todo, no era deudor de nadie ni debía nada a Manyac, ni siquiera la cortesía normal de contestar a la puerta cuando él le había fijado una cita. Su real dependencia de Manyac sacó a la luz el chico rebelde que había dentro de él y fue la razón por la que quiso dejar París.

Hubo otros motivos también. Gertrude Stein escribió más tarde: «Es un hombre que siempre ha necesitado vaciarse a sí mismo; era imprescindible que siempre estuviera muy estimulado, de manera que pudiese estar lo suficientemente activo para vaciarse a sí mismo completamente». Y él estuvo lo suficientemente activo y estimulado para poder expresar lo que en su interior significaba París en un chorreo de trabajos que hizo en los sesenta días siguientes a su llegada. Ahora estaba preparado para regresar a casa. Además, al acercarse la Navidad, se sentía cada vez más forastero en una ciudad que desde cada rincón pregonaba la Navidad, los regalos de Navidad, las galas de Navidad y todo lo que se refería a la Navidad. El no pertenecía a París, y aunque tampoco se sentía pertenecer a Barcelona, al menos por el momento, allí estaba su hogar. Además él y Casagemas estaban teniendo problemas con las mujeres, que no se comportaban como se debiera suponer. Una prostituta (otra Rosita como aquella con la que Picasso había tenido un lío) se estaba metiendo mucho en su vida, mientras Germaine se mostraba ambivalente con Casagemas, lo que estaba conduciéndole a la bebida y a hablar de suicidio. De manera que el 20 de diciembre se marcharon a Barcelona junto con Pallarés.

En cuanto Picasso se encontró en Barcelona, su nostalgia se evaporó. No pudo esperar más y se marchó a Málaga con Casagemas. Llegaron el 30 de diciembre e intentaron conseguir una habitación en el hotel «Tres Naciones». Por entonces España vivía en el miedo a los anarquistas, y el pelo largo y la apariencia desaliñada de los jóvenes levantó sospechas y los despidieron de manera poco ceremoniosa. Picasso no podía sorprenderse de esa reacción; él había intentado escandalizar, romper el convencional cuadro de la realidad, pero también exigía una aceptación, de modo que tan pronto como les negaron hospedaje en el hotel, fue a visitar a doña María, su tía, que vivía al lado, para que les avalara a él y a Casagemas. El parecía un anarquista, pero se alojaría en el «Tres Naciones». Su plan de extinguir la pasión de Casagemas por Germaine zambulléndole en bailes, espectáculos y casuales encuentros sexuales no funcionó. Casagemas, siguiendo sus propios demonios, volvió a París, dejando a su amigo solo en sus rondas por los burdeles y los cabarets. Picasso jugó y pintó durante dos semanas hasta que se sintió impaciente y listo para nadar en una laguna más grande. Decidió buscar en Madrid el reconocimiento y el éxito que le habían eludido en París y Barcelona; en cambio, encontró pobreza y rechazo.

Era un invierno helador y en su buhardilla de la calle Zurbano Picasso sufría el agudo frío de manera desesperada, lo mismo trabajando a la luz de una solitaria vela, como intentando dormir sobre el colchón de paja. Los ciento cincuenta francos que Manyac continuaba enviándole eran su único medio de subsistencia, así que era tan dependiente de Manyac en Madrid como lo había sido en París. Esa era también la intención de Manyac. No podía controlar a Picasso, pero estaba decidido a mantenerle en su órbita haciéndose a sí mismo indispensable. Para mantenerse al corriente de sus movimientos ofreció su amistad a Pallarés, que le recordaba como «uno de los visitantes más asiduos... y que siempre quería tener noticias de Picasso».

Manyac estaba ayudando a Picasso a sobrevivir, pero la supervivencia a solas no fue nunca la meta de Picasso. Quería hacerse notar, ser escuchado, sacar a Madrid y al mundo de su letargo. Se convirtió pronto en realidad un proyecto que empezó de manera oscura cuando conoció al joven escritor catalán Francesc d'Assis Soler. El proyecto era editar una revista, *Arte Joven*, con la clara misión de suministrar un foro a los jóvenes artistas e intelectuales donde pudieran inventar sus propios dioses y blandir sus puños contra los ya establecidos. Como otros intentos revolucionarios,

Arte Joven estaba subvencionada por una aventura comercial. En este caso eran las ventas del cinturón eléctrico inventado por el padre de Soler, que se anunciaba como la panacea para todas las enfermedades y desarreglos, incluyendo la impotencia. Los beneficios, sin embargo, fueron suficientes sólo para costear cuatro números de la revista. Picasso intentó prolongar su situación mandando un ejemplar a su tío Salvador con la petición de apoyo financiero. Lo único que obtuvo fue una carta airada: ¿En qué piensas? ¿A dónde va el mundo? ¿Por quién me tomas? Y esto no es lo que esperaba de ti. ¡Qué idea! y ¡qué amigos! Sigue por ese camino y ya verás...» El tío Salvador no estaba dispuesto a prestar su apoyo a tentativas tan irresponsables de alterar el *statu quo*. De hecho, el ladrido de *Arte Joven* fue mucho más revolucionario que su mordedura. Los dibujos de Picasso mostraron su capacidad para la observación despiadada y su ansia de escandalizar más que cualquier deseo real de destruir las instituciones.

A finales de febrero, mientras estaba trabajando en el primer número de *Arte Joven*, recibió una carta de Ramón Reventós desde París que le reprodujo el dolor que había sufrido por primera vez cuando su hermana pequeña murió. Casagemas había muerto. El 17 de febrero había propuesto a Germaine, Odette, Pallarés, Manolo y Riera una cena de despedida antes de su vuelta a Barcelona. Resultó ser más bien una despedida final. Gritando «ésta es para ti», había sacado una pistola y disparado contra Germaine, y posteriormente, «y ésta es para mí», se disparó en la cabeza. Germaine escapó ilesa, pero el murió unas horas después en el hospital.

La madre de Casagemas murió de la impresión al recibir la noticia del suicidio de su hijo. El golpe que recibió Picasso fue como una lenta detonación que le hundió, sólo meses más tarde, después que desapareció el escepticismo ante la noticia del suicidio de su amigo. El retrato de Casagemas acompañando la necrología que apareció en *Catalunya Artística* fue la primera de una serie de obras con las que buscó enterrar el dolor y el sentimiento de culpabilidad que le había producido la muerte de su amigo.

El 10 de marzo apareció el primer número de *Arte Joven* con el nombre de Picasso como editor de arte. Hubo otros tres números, pero la vida mundana de Madrid no encajaba con el temperamento de Picasso, mucho más introvertido e inquieto desde la noticia de la muerte de su amigo. Se marchó a Barcelona y se entregó a su trabajo de un modo febril. Y cuando no estaba trabajando mataba el tiempo paseando arriba y abajo por las ramblas y no en su acostumbrada ronda de cabarets y burdeles.

En tiempos de crisis, Picasso buscaba más la catarsis que el consuelo. De esta manera, el trabajo, más que los amigos o la actividad sin propósito fijo, se convirtió en su refugio. Con un cronometraje perfecto, Manyac le escribió desde París sobre la posibilidad de hacer una exposición de sus trabajos con Ambroise Vollard, el marchante de Cèzanne y Gauguin. También había una exposición local de su obra que estaba siendo organizada por Utrillo en la Sala Parés en Barcelona, pero la mirada de Picasso estaba firmemente puesta en París. Incluso rehusó asistir a la inauguración en Barcelona cuando se enteró que el trabajo de Ramón Casas estaba colgado al lado del suyo. Utrillo lo había destacado como un honor, pero el sentido del destino de Picasso, alimentado por su orgullo, se había apoderado de él y rechazaba ser identificado con cualquier otro artista local por muy distinguido y admirado que fuera.

En junio de 1901 estaba de vuelta en París. Había estado fuera seis meses, pero para él había sido mucho más. Parecía como si se hubiera liberado de una piel de adolescente y la hubiera dejado atrás en las ramblas. Esta vez su compañero fue Jaume Andreu Bonsoms, un viejo amigo de «Els Quatre Gats», pero se hacía más presente en él Casagemas que cuando se habían embarcado juntos en la primera aventura parisina. Manyac le había conseguido el estudio de Casagemas en el número 130 del bulevar de Clichy, al lado de «L'Hippodrome», el restaurante donde se había quitado la vida.

Manyac había decidido vivir en el pequeño estudio, que consistía en un pequeño vestíbulo y una habitación, con un cuarto de baño fuera, en el descansillo. Tan pronto como se trasladó allí con Manyac, Picasso pintó su retrato, pareciendo fieramente varonil y con mando, con una desafiante postura y una corbata roja dándole un aire de torero. ¿Era Picasso el toro? Si lo era, parecía haberse resignado a ser acaparado. Además de ser su protector y su guardián, Manyac era el estratega. Presentó a su joven protegido a sus amigos, le llevó a las carreras y a los lugares de moda, como el Jardín de París, y le pidió que dibujara a las personas que veía como clientes potenciales. Le llevó a conocer a Ambroise Vollard, al que había persuadido para montar la exposición. Le dijo que hiciera un retrato de Gustave Coquiot, el crítico de arte que tenía que presentar la exposición de Picasso, y que se lo regalara. Y fue él quien escogió las sesenta y cinco obras que representarían la rica diversidad del genio de Picasso. Había prostitutas y señoras de sociedad, retratos y paisajes, interiores y escenas callejeras, todas apretadas en las paredes de la galería de Vollard.

El poeta simbolista Félicien Fagus, escribiendo sobre la exposición de Vollard en *La Revue Blanche*, se refirió a Picasso como «un artista brillante, de personalidad enraizada en una espontaneidad impetuosa y juvenil». También escribió que «tiene tan febril prisa que no le queda tiempo para falsificar su propio estilo personal... Para él el peligro reside en su verdadera impetuosidad, que podría conducirle fácilmente a una virtuosidad superficial y a un éxito fácil. Una cosa es producir y otra muy distinta producir algo que valga la pena, justamente como la violencia y la energía son dos cosas diferentes».

La crítica otorgó a Picasso la satisfacción del reconocimiento público que ansiaba. Por lo demás, la descartó, como tampoco tuvo en cuenta la reacción desfavorable de parte del público en la exposición de su obra en Barcelona. En efecto, el 13 de julio escribió a su amigo Vidal Ventosa deleitándose sobre ello: «Puedo imaginar la reacción de la ilustre burguesía al ver mi exposición en la Sala Parés, pero esto debe ser tan importante para nosotros como el aplauso, es decir, como tú ya sabes: si el sabio no lo aprueba, malo; si el tonto aplaude, aún peor. Así que estoy contento». Continuaba evaluando modestamente la exposición de París al decir «tuvo algo de éxito. Casi todos los periódicos la han tratado favorablemente, lo que ya es algo».

La exposición fue realmente un éxito, pero aún más significativo para la vida de Picasso fue que le condujo al conocimiento del hombre que durante los años siguientes cubriría dos de sus tres necesidades más constantes y urgentes: Max Jacob se convertiría en su guardián y admirador. En cuanto a la tercera necesidad de Picasso, la del sexo disponible constantemente y sin esfuerzo, éste habría estado más que dispuesto a cumplir con esa necesidad sólo si Picasso se lo hubiera permitido. Max Jacob fue a ver la exposición de Vollard y poco después, impresionado por el «fuego» de Picasso y su «verdadera brillantez», llegó al bulevar de Clichy a presentar sus respetos al joven maestro.

Max tenía 25 años cuando conoció a Picasso. Había llegado a París desde Bretaña tres años antes, decidido a convertirse en «artista» —un poeta y un pintor. «Cíñete a la poesía», era el consejo de Picasso, y Max lo tomó en su más amplia extensión. Llamaba a Picasso «mi pequeño muchacho», pero escuchaba atentamente todo lo que el pequeño muchacho tenía que decir. Al principio, por supuesto, escuchar y hablar tenía que hacerse en lenguaje de signos: «Picasso hablaba tanto francés como yo español», recordaba después de su primer encuentro en el estudio del bulevar de

Clichy, «pero nos miramos el uno al otro y nos estrechamos las manos con entusiasmo». A pesar de la ausencia de un lenguaje común se gustaron el uno al otro rápidamente, y a la mañana siguiente Picasso y sus amigos españoles se dejaron caer por casa de Max. Este último escribió posteriormente: «Picasso pintó en un enorme lienzo mi retrato, sentado en el suelo entre mis libros y delante del fuego de la chimenea. Me acuerdo de haberle regalado un grabado en madera, de Durero, que todavía conserva. También admiró mis *Images d'Epinal* que pienso —que era la única persona que las coleccionaba por entonces— y además todas las litografías de Daumier. Le regalé todo, pero creo que lo ha perdido».

De muchas maneras Max le dio todo, además de su Durero y sus Daumiers. Este intelectual bajo, calvo prematuramente, que usaba monóculo con la sensualidad de una mujer llevando un liguero, había ya obtenido una considerable influencia en el mundillo de poetas y artistas entre los que se había construido su hogar. Echaría a algunos de ellos y ayudaría a otros que ya había echado antes, pero no amaría a ninguno tan profunda e incondicionalmente como a Picasso. Atormentado homosexual toda su vida, Max consideraba la homosexualidad como «un atroz accidente, un desgarrón en el traje de la humanidad», y nunca confundió su amor por Picasso con deseos homosexuales, que lo llevarían a cortos y casuales encuentros, seguidos de períodos más duraderos de confrontaciones consigo mismo, acorazado por la culpa.

Fue un verano endemoniadamente creativo. El crítico de arte François Charles aconsejaría a Picasso «por su propio bien, no hacer más de una pintura al día», pero París había desatado una ola de experimentación en él. Fue un verano para celebrar su liberación de la moralidad convencional española, gozar de la ciudad, de bodegones, flores, bailarinas de cancán, carreras, niñas guapas y señoras de moda. También un cambio notable estaba empezando ya a producirse en su humor y su trabajo, pero cada vez estaba más resentido por este control. Había disfrutado claramente por un tiempo prolongando su adolescencia al darle las riendas de su vida a un hombre mayor, más experimentado y de más mundo. Pero cualquiera que fuera la exacta naturaleza de sus relaciones con Manyac, él estaba dividido entre las necesidades que le cubría y las necesidades que le frustraba. «He intentado expresar las terribles pasiones de la humanidad por medio del rojo y el verde», escribió Van Gogh en 1888, y en 1901 Picasso, espoleado por su confusión interna y por el dolor envenenado del suicidio de Casagemas, centró su atanción en la soledad y el dolor de la humani-

dad e intentó expresarlos por medio del azul. Así empezó la procesión de mendigos, solitarios, arlequines, madres atormentadas, enfermos, hambrientos y lisiados. Y en medio de ellos estaba el mismo Picasso, su propio sufrimiento expuesto en un autorretrato azul.

Fue un gran alivio para él cuando a finales de octubre acudió a la estación del Quai d'Orsay a recibir a Jaume Sabartés, que venía de Barcelona. Con él estaba Mateu de Soto, que había llegado unos días antes. «En lo único que pude pensar —escribió más tarde Sabartés— fue en el esfuerzo que debía haber hecho para estar en la estación a las diez de la mañana y sólo pude decirle: «¿Por qué te has levantado tan temprano?» «Para venir a recibirte», fue la simple respuesta de Picasso, pero en realidad esa contestación ocultaba su necesidad de que alguien le rescatara de su confusión y soledad crecientes, ahora que estaba intentando pasar cada vez menos tiempo con Manyac. Max Jacob se había ofrecido a sí mismo como un íntimo, un protector, un parachoques entre Picasso y el mundo exterior hostil, pero Picasso seguía estando demasiado enraizado en España y demasiado incómodo con sus escasos conocimientos de francés para ser capaz de aceptar plenamente esa oferta. «Ambos éramos muchachos igualmente perdidos», diría Max.

Picasso necesitaba a sus amigos españoles a su alrededor, y todos ellos necesitaban un lugar que puedieran convertir en el eje de su centrífuga existencia, un trocito de España en medio de una ciudad que les atraía y aplastaba al mismo tiempo. Lo encontraron en la plaza Jean-Baptiste Clément, en Montmartre. Se llamaba Zut y su propietario, Fredé, con su boina y su guitarra, pronto se prendó del espíritu vital y la extravagancia que irradiaban los españoles, «mis pequeños», como les llamaba. Encaló las paredes de su apolillado establecimiento, y Picasso y Ramón Pichot empezaron a pintar en el espacio vacío. Pichot pintó la Torre Eiffel con el avión de Santos-Dumont revoloteando encima, mientras Picasso pintaba lo que sus amigos apodaron *La tentación de San Antonio* (un ermitaño rodeado de mujeres desnudas) y un retrato de Sabartés en pose de orador y sosteniendo un libro en la mano.

Pero incluso el transformado Zut y la presencia de Sabartés y sus otros amigos no pudieron impedir que aparecieran sombras alrededor de Picasso. Ahora no podía soportar estar solo, y hasta cuando estaba trabajando, ese momento sagrado en el que normalmente no toleraba la presencia de nadie, quería que Sabartés estuviera a su lado. También por las noches, cuando volvían de Zut o del café La Lorraine, Picasso y De Soto, que estaba a menudo con ellos acompañaban a Sabartés al barrio Latino, donde vivía, y luego éste los acompañaba de vuelta, y una vez más volverían sobre sus pasos, hasta que, exhaustos, algunas veces se separarían y otras, cuando Manyac estaba fuera, se quedarían todos juntos en la habitación de Picasso. Allí dormían en el suelo, usando los libros como almohadas y cualquier tela que hubiera alrededor como manta, mientras que los lienzos de Picasso servían para tapar las rendijas y las grietas resguardándoles del frío.

El duro invierno parisino fue uno de los enemigos cuyo peso sintió Picasso. Las relaciones entre él y Manyac eran ya enormemente tirantes. No sólo su relación personal era una fuente de conflictos interminables, sino que su última obra representó una profunda decepción para Manyac, quien opinaba que no había demanda para pinturas de sufrimiento y resignación y que no podía comprender por qué su protegido, al que había guiado tan brillantemente durante todos esos meses a través del mundo del arte parisino, había abandonado sus temas coloristas y alegres por algo tan mórbido y, más aún, tan invendible.

Picasso empezó a desear ardientemente abandonar el estudio del bulevar de Clichy, que durante los últimos meses había estado dominado de manera inquietante por el lienzo más grande que había pintado en París: *El entierro de Casagemas*. Su dimensión significaba que podía duplicarse, como una pantalla, para esconder toda clase de objetos que Picasso no soportaba tirar. Hechizado por Casagemas en su mente, estaba ahora obsesionado por la presencia de su entierro en su propia habitación. Y había una culpa reciente que debía ser exorcizada: el haberse acostado, después de su vuelta a París, con Germaine, la mujer que su amigo había amado tan desesperadamente. Trabajando en el estudio que había sido el último hogar de Casagemas, hizo numerosos retratos horripilantes de su amigo en el ataúd. En *El entierro de Casagemas* luchaba con una realidad inaccesible abierta por la muerte, permitiéndole todavía la esperanza de un más allá donde la paz y el amor podían reinar. Su batalla con la muerte y un dios desconocido continuaba, llevada a primer plano dramáticamente por su constante obsesión del suicidio de Casagemas.

El humor de Picasso era el humor de la época. «Gran cantidad de científicos y eruditos de hoy en día han llegado a detenerse desanimados», escribió el joven poeta simbolista Albert Aurier al cambiar de siglo. «No tienen a nadie a quien poner en el viejo Olimpo, del que han quitado las diosas y transformado las constelaciones». Fue este humor de la nada existencial el que se había apoderado de Picasso. Cansado del vaivén entre su pasión por la vida y su preocupación por la muerte, y no conociendo otro camino que emprender, empezó pronto a pensar que no sería suficiente dejar a Manyac y su estudio. Tenía que marcharse de París. Contra su propósito de cortar con el cordón umbilical que le unía a su familia, escribió a su padre pidiéndole el dinero que necesitaba para regresar a Barcelona.

Ahora su atención se centraba en torno a la llegada del correo. En su necesidad de liberarse de Manyac, se había vuelto a don José. La dependencia de su padre parecía por el momento un pequeño precio que pagar para escapar de su protector. Sabartés escribió: «Era evidente que no estaba trabajando ya más porque alguna extraña preocupación estaba encauzando sus pensamientos en una dirección diferente. Pero, a pesar de nuestros intentos de persuasión, se negó a dejar el estudio porque estaba esperando al cartero. Manyac también se comportaba extrañamente. Parecía evitar el estudio siempre que estábamos allí, pero Picasso insistía en que nos quedásemos».

«Manyac y él estaban peleados», es todo lo que dijo delicadamente al respecto el siempre leal Sabartés. En realidad fue más bien una guerra abierta, y quién lograra ganarla dependía de la llegada de una carta de Barcelona con dinero. El dinero era el único asidero que Manyac había dejado al joven alrededor del cual giraba su vida, y esperaba que don José no estuviera dispuesto a sacar del apuro a su rebelde hijo una vez más. Por lo que respecta a Picasso, el mundo entero se reducía a sus vivos deseos de recibir la carta de Barcelona. Nada, incluso el trabajo, podía distraerle, como si sin su total atención no pudiera haber una carta y una escapatoria.

Una noche, en enero de 1902, Picasso y Sabartés fueron al estudio de Paco Durio, el escultor y ceramista que realizó las esculturas en bajorrelieve de Gauguin en barro rojo y vidriado en colores. Normalmente, Picasso estaba atento en sus conversaciones con Durio, principalmente sobre Gauguin, Tahití y la escultura. Pero aquella noche estaba tan inquieto que no pudo esperar más para ir a casa y recoger el correo. Sabartés y Durio le acompañaron al bulevar de Clichy. Cuando entraron en su habitación encontraron a Manyac tumbado en la cama, con su cara oculta por la colcha, repitiéndose, como si estuviera en trance: «¡La carta! ¡La carta!». En el suelo estaba la carta de Barcelona.

Con el dinero de don José en su bolsillo, Picasso se negó a pasar otra noche bajo el mismo techo que Manyac. El había ganado. Se volvió hacia Manyac, que yacía indefenso sobre su estómago, y le lanzó «una mirada horrible, hizo una mueca de desprecio» y abandonó para siempre el estudio y la vida que habían compartido.

Unos días más tarde partió en viaje de regreso a la ciudad que consideraba todavía como su hogar. Un joven de veinte años prematuramente agotado y desilusionado. Su ruptura con Manyac iba en contra de todas sus ambiciones y su egoísmo como artista. Tenía la urgencia y la devoradora intensidad del hombre que hace esfuerzos por respirar. ¿Estaba luchando sólo contra Manyac, o también contra sus propias inclinaciones homosexuales, que había encontrado imposibles de conciliar con la imagen de sí mismo como «un hombre»?

Las consecuencias prácticas de lo que había hecho le saltaron a la vista únicamente cuando se encontró otra vez en casa de sus padres. Ahora tenía garantizadas casa y comida gratis, pero le hería profundamente en su orgullo encontrarse una vez más en un estado de dependencia infantil. En París, Barcelona había adquirido un brillo nacido de su aplastante necesidad de escapar y de su sensación de ser un forastero en la capital fancesa. En realidad su alivio se ahogó en la humillación de seguir dependiendo de don José. Su segunda vuelta a casa fue mucho más lacerante que la primera. La primera había parecido como un cambio temporal de la suerte, la suerte que sabía suya, la suerte que le pertenecía claramente y que él había reivindicado como propia cuando escribió «yo, el Rey» en su autorretrato. Al menos entonces él había hecho dinero suficiente para comprar su billete a casa. Esta vez había tenido que apelar a la inagotable buena voluntad de su padre y esperar a que reuniera el importe del tren. Dividido entre la cólera y la resignación, no podía soportar estar en casa, y por las noches hacía cualquier cosa antes que regresar mientras sus padres estuvieran todavía despiertos. Se marcharía del café o del cabaret donde había estado tan tarde como fuera posible, y entonces, si no era lo suficientemente tarde, pasearía arriba y abajo por las ramblas hablando con cualquiera que quisiera hablarle, sin correr el riesgo de volver a casa antes de que sus padres estuvieran dormidos con toda seguridad.

Puesto que la suerte no había llegado a favorecerle, temía con desesperación que le esquivaría para siempre. *«C'est la vie»*, escribió a Max. *«C'est la vie»*: no ser todavía reconocido, estar todavía dependiendo de sus padres, estar aún rodeado de malos escultores y pintores imbéciles que no entendían nada. «Enseño lo que estoy haciendo a "los artistas" de aquí, pero pienso que hay demasiado trazo y ninguna forma. Es muy extraño. Sabes cómo hablar a gente como ésta, pero ellos escriben libros muy malos y pintan cuadros idiotas. Así es la vida. Así es como es». Ni la cólera ni la resignación le impidieron seguir trabajando. Y, aunque los dioses pudieran no haberle dado lo que quería, cómo y cuándo lo quería, continuaban suministrándole todo lo que necesitaba para hacer su trabajo, como su estudio en Barcelona. No era un estudio propiamente dicho, puesto que la renta se dividía entre él, Angel de Soto (el hermano de Mateu de Soto) y Josep Roquerol y Faura, pero no había ninguna duda sobre qué lienzos, pinturas y demonios lo dominaban, e incluso De Soto se refería a él como «el estudio de Picasso».

El expresionismo, algunas veces desesperado, otras amargamente tierno, del *período azul* de París se volvió más intenso en Barcelona. Las desvalidas mujeres de París aparecían en la encarnación barcelonesa completamente machacadas por la vida y el mundo hostil. En *Las dos hermanas*, su pintura de una furcia y una monja, originalmente una prostituta y una madre, Picasso expresó para siempre su visión rígidamente dividida de las mujeres como «madonnas» o furcias. Y en su vida, al haber idealizado a su madre hasta el punto de que no podía soportar incluso hablar a la real e imperfecta doña María, se pasó el tiempo contemplando mujeres, durmiendo con ellas o pintándolas, las cuales en su mente ocupaban el espacio reservado para las furcias. Dos de los más pequeños dibujos de desnudos los guardaría para su propia colección privada, señal siempre de que un trabajo particular tenía una especial significación para él. En uno de ellos había escrito: «Cuando tengas ganas de joder, jode». En su lucha para definirse como hombre, la emoción más apropiada para con las mujeres parecía ser una fuerte lujuria.

Había levantado barricadas en su corazón contra el amor, pero no podía levantarlas en su mente contra la obsesión. Esa primavera se encontró a sí mismo obsesionado con «La Bella Chelito», que se había convertido en la comidilla de Barcelona con sus canciones subidas de tono, su sensualidad no censurada, y, sobre todo, con «La Pulga», un número en el que se desnudaba durante su intento de expulsar al insecto mordedor. Cuando la Chelito se desnudaba el público se volvía frenético. Picasso, que no se perdió ninguna representación, se volvía loco más tarde, en la intimidad de su habitación, dibujando obsesivamente a Chelito en toda clase de sugestivos gestos y posturas. En una ocasión, cuando Sabartés llegó a visitar a su amigo hacia el mediodía, doña María le condujo a la habitación donde su hijo estaba aún dormido rodeado de dibujos de la Chelito, apilados en la mesa y en la silla e inundando el suelo.

«El encanto de la preciosa bailarina y cantante le había fascinado hasta el extremo de que su único recurso era hacer esos apuntes para poder liberarse de la obsesión», escribió Sabartés años más tarde. «Delicados, graciosos, exquisitos, llenos de encanto, constituían el fiel documento de sus impresiones y una inagotable fuente de sugerencias. Todos ellos, realizados precipitadamente de un solo trazo, sin levantar el lápiz, eran como la esencia de una idea anotada con una pluma fluida, sin interrupción para no perder el ultimísimo aspecto de un gesto, el más pequeño detalle de la hermosa forma de este cuerpo femenino, ardiente y flexible, ondulante, voluptuoso ¡y todo lo demás! El trazo continuo, un sello de muchas de las piezas maestras de Picasso, era ya entonces una parte completamente desarrollada de su arte. Algunos derivaban de la técnica de los calígrafos españoles del siglo XVII, al dibujar adornos barrocos sin levantar la pluma, pero Picasso, de manera más prosaica, recordaba a Málaga y a todos los niños que había visto dibujar en la arena con un simple trazo.

Sabartés había llegado a Barcelona a principios de la primavera, llamado por Picasso, que echaba de menos a su admirador. Después de parar en su casa sólo el tiempo suficiente para cortarse su herético pelo largo, llamó a la puerta de su amigo con intención de sorprenderle en cama. Pero Picasso ya estaba en su estudio absorto en su trabajo. De hecho, tan absorto que levantó apenas los ojos para decir «¡Hola!...¿Qué tal va todo?» Era una señal de su tremendo poder para entregarse totalmente a lo que estaba haciendo, pero era también una afirmación del poder que ejercía sobre su amigo. Sabartés podía abandonar París para estar con él, correr directamente a verle, de lo que Picasso se dio cuenta rápidamente, y tendría que esperar todavía hasta que el maestro estuviera listo para recibirle. Y a Sabartés, lejos de estar ofendido, le halagaba ser admitido en el sanctasantorum interior, mirando sólo las pinturas que estaban justamente delante de él para no distraer a su amigo e ídolo nada más que lo inevitable, como el hecho de que tenía que respirar en la misma habitación. «Sabía perfectamente que si daba la vuelta a un cuadro o cogía un papel entre mis manos, el curso de sus pensamientos se interrumpiría y podría perturbarse emocionalmente».

Sabartés, más tarde, describía su programa diario, su propia voluntad y deseos tan identificados con los de Picasso que no veía nada extraño o que valiera la pena discutir en el hecho de que los días y las noches, su total existencia, habían sido puestos a disposición de su amigo. «Después de cenar nos encontrábamos en Els Quatre Gats y desde allí le acompañaba a su estudio». En adelante cada día sería parecido. A veces le dejaba al pie de las escaleras; otras, si él insistía, subía con él. Si me pedía que me quedara, me quedaba, porque si lo deseaba es que estaría más a sus anchas, una vez que empezara a trabajar, que si estuviera solo, porque conmigo a su lado no necesitaba pensar en mí». Era la relación del rey con la corte, con la que de manera creciente Picasso se sentía más cómodo.

Cuando no estaba de humor para trabajar, Picasso visitaba, a menudo, a los hermanos Junyer-Vidal. Era amigo particularmente de Sebastiá, también pintor, al que inmortalizó y embelleció en muchos apuntes rápidos, como torero, vestido con toga, lira y pergamino, o rodeado por viejos hombres sabios y mujeres voluptuosas. Incluso dibujó una animada tira de tebeo sobre Sebastiá y él mismo, que culminaba con el marchante de arte Durand-Ruel abrumado por la obra de Sebastiá y ofreciéndole un saco de dinero por ella. Picasso, una vez más, estaba soñando con París, los marchantes de arte, la popularidad y el éxito. Pero, profundamente supersticioso, no se atrevió a poner a prueba al destino proyectando el éxito directamente para sí mismo.

París se volvió más apetecible aún con la noticia de que Manyac había abandonado el mercado del arte y se volvía a Barcelona «por razones familiares». Picasso tenía un inmediato problema que resolver antes de hacer el viaje en dirección contraria; tenía que librarse del servicio militar mediante el pago de una cantidad. Don José, cuya devoción a su hijo continuaba ajena a su ingratitud, persuadió a su hermano Salvador para que, a pesar de su desaprobación del estilo de vida de su sobrino, le diera el dinero que necesitaba. Picasso se fue al centro de reclutamiento con Josep Rocarol, también pintor, seis meses más joven que él. Allí pagaron la tarifa en vigor para eludir el servicio militar, y el 19 de octubre, unos pocos días antes de que Picasso cumpliera veintiún años, tomaron el tren de París con billetes de tercera clase y treinta y cinco pesetas en el bolsillo de Rocarol. Otra vez Picasso escogía un amigo que le suministrara tanto compañía como apoyo financiero, por mínimo que fuera.

Alquilaron una habitación, demasiado pequeña hasta para una ardilla, en Montparnasse, y tal y como Picasso había fantaseado en la historieta, se marchó inmediatamente a visitar a Durand-Ruel. Pero la realidad se quedaba muy lejos y ni el prestigio ni el dinero estaban próximos. La galería de Durand-Ruel estaba al lado de la de Vollard, pero Picasso era contrario a llamar a las puertas que previamente habían sido abiertas a Manyac. Sólo una semana más tarde, depués de que se gastó el dinero de Rocarol, se armó de valor y fue a visitar a Berthe Weill, quien compró una pintura de Rocarol por 25 francos, lo que solucionó su habitación y sus comidas durante unos días más. Agotado el último dinero, los dos amigos se marcharon por separado a luchar lo mejor que pudieran contra el hambre y el frío de otro invierno parisino.

Saltanto de un hotel a otro, Picasso nunca se había sentido tan solo, con la incertidumbre de dónde vendría la siguiente comida, tan inseguro sobre su futuro y abandonado a su destino. Una noche, después de haber fracasado en el intento de vender una atrayente pintura al pastel que había hecho, quizá con el propósito de hacer una rebaja, se fue a visitar a Rocarol, que vivía en el estudio de Mateu de Soto. No había nadie, pero más tarde se encontró a Rocarol en la calle y le dijo: «Acabo de estar en tu estudio». Y seguidamente le confesó: «La puerta estaba abierta. Encontré un poco de pan en la mesa y me lo comí. Encontré algunas monedas también y las cogí».

Fue un momento de tormento interior tanto como de fatiga física. En los dibujos de desnudos de sí mismo, parecía vulnerable, descuidado y perdido. En cuanto a acuarelas, hizo una de una pareja haciendo el amor. Palau i Fabré describió los cuerpos como «dos gusanos entrelazándose...» Quizá Picasso, que esconde su cabeza en el cuerpo de su amante, realmente está escondiendo algo de sí mismo, algo que no quiere ver completamente o de lo que pretende alejar de su mente».

¿Quería esconderse de sus dudas sobre quién era él como hombre? ¿La cualidad extremadamente borrosa de estos dibujos era un reflejo de su propia confusa sexualidad, de sus sentimientos indecisos para con el gitano y Manyac, de su miedo a hacerles frente? ¿Las incesantes visitas a los burdeles y la viril masculinidad eran una expresión de su volcánica lujuria o escondía un conflicto más profundo?

Quemó gran cantidad de dibujos de este período en el hotel du Maroc, en la calle del Seine. Dijo que fue para calentarse, pero quizá fue realmente para destruir la evidencia de una turbación interna que decididamente se negaba a considerar.

En el hotel du Maroc le visitó Max Jacob con un joven al que estaba enseñando. «Confío en que este joven nunca olvidará haber visto la pobreza unida al genio», comentaría más tarde. Max, una vez más, se nombraba a sí mismo genio protector y no podía pensar en otra cosa que no fuera sacarle de esa miserable habitación. «La pedagogía es el trabajo del que estoy más orgulloso», escribió meses antes de su muerte, pero debido a su «pequeño muchacho» abandonó la enseñanza y la pedagogía y aceptó un trabajo de dependiente en los almacenes de su tío Gimpel. Tan pronto como le pagaron alquiló un caballo y una calesa y llevó las pertenencias de Picasso a la habitación que había alquilado en el número 137 del bulevar Voltaire. «De la forma más natural Picasso vino a vivir a mi habitación», escribió. «Solía dibujar toda la noche, y cuando me levantaba por la mañana para ir al almacén, él se metía en la cama para descansar».

De manera que la única cama no suponía ningún problema. Pero el temperamento de Max, sí. Era totalmente incapaz de mantener un trabajo. En un esfuerzo supremo podía hacer lo justo para ganar algún dinero (desde niñero a ayudante de notario, dar lecciones de piano o leer la palma de la mano), pero imposible fichar a la hora de entrada a los almacenes y a la salida por muy desesperada que fuera su situación. Y realmente era desesperada. Cuando Max, bastante predeciblemente, fue despedido de su trabajo, pusieron todas sus cosas en una carretilla, esta vez, y la arrastraron hasta el número 35 del bulevar Barbes, un lugar mucho más barato, donde no podían permitirse ni siquiera el petróleo de la lámpara para que trabajara Picasso por las noches. A cambio se pasaba muchas horas oscuras escuchando recitar a Max sus poemas preferidos. Entre ellos, uno de los credos de Verlaine, que bien podía haber escrito Max para describir sus sentimientos por Picasso:

Tú crees en los posos de café,
en presagios de las tazas de té,
en la suerte del jugador.
Yo creo en la danza de tus ojos.
Tú crees en cuentos de hadas,
en sueños y días afortunados o desgraciados.
Yo creo en las mentiras que cuentas.
Tú crees en algún vago dios,
en un santo especial que te guarda aquí;
a tanto pecado, tanta oración.
Yo creo en las horas coloreadas

de azul y rosa, cuando tus encantos
se desnudan para mí
a lo largo de las noches sin sueño.
En todo eso creo; mi fe
es tan honda, tan profunda, tan verdadera,
que sólo puedo vivir para ti.

Todas las esperanzas de Picasso estaban ahora puestas en la nueva exposición organizada por Berthe Weill, que incluía algunas pinturas que Manyac le había dejado a ella y algunas más recientes. Los restantes artistas de la exposición eran Launay, Pichot y Girieud. La introducción al catálogo elogiaba «el infatigable ardor de Picasso para ver y enseñar todo» y «la luz violenta» que penetraba su obra. Pero no se vendió nada. El temperamento de Picasso se volvió aún más nihilista. Max describiría cómo una noche, cuando estaban apoyados en el balcón del quinto piso, el mismo pensamiento de quitarse la vida les pasó a ambos por la cabeza en un momento. Pero fue sólo un momento. «No debemos tener esa clase de ideas», dijo Picasso bruscamente, como si quisiera sacar a ambos de ese oscuro trance.

En agudo contraste con la oscuridad de su vida estaba el futuro brillante que Max le predijo al leerle la palma de su mano. «Todas las rayas parecen nacer de la línea de la suerte de esta mano. Es como la primera chispa en un despliegue de fuegos artificiales. Este brillante punto neutro es muy poco frecuente, y sólo existe en individuos predestinados». Así que la mano de Picasso confirmó lo que ya sabía Max anteriormente.

Pero las profecías brillantes no consiguieron apaciguar la desesperación mortal de Picasso, que se reflejaría toda en su obra. Charles Morice se centró en ella en el ensayo que escribió para *Le Mercure de France* mientras continuaba la exposición de la Weill. «Es extraordinaria esta tristeza estéril que oprime la obra entera de este joven. Sus trabajos son ya innumerables. Picasso, que pintó antes de saber hablar, parece haber recibido la misión de expresar con su pincel todo lo que existe. Parece un joven dios intentando rehacer el mundo. Pero un dios oscuro. Muchas de las caras que pinta hacen muecas, no sonríen. Su mundo es tan inhabitable como las leproserías. Y su pintura en sí misma es una enfermedad. ¿Incurable? No lo sé. Pero ciertamente hay una fuerza, un don, un talento. Tal dibujo..., tal composición. En un análisis final, ¿querría uno ver esta pintura curada? ¿No estará este espantosamente precoz muchacho predestinado a otorgar la consagración de la obra maestra en un sentido negativo de la vida, la enfermedad que más que ningún otro parece estar sufriendo?».

Era una opinión convincente, y Picasso se conmovió. Quería conocer a Morice, como si el hombre que había diagnosticado tan correctamente su estado de ánimo pudiera también ser capaz de curarle. Morice, un buen amigo de Gauguin, le enseñó *Noa, Noa*, el poema autobiográfico de Gauguin. El pesimismo profundamente enraizado de Picasso se deshizo contra el primitivo optimismo investigador de Gauguin: «¿De dónde venimos? ¿Quiénes somos? ¿A dónde vamos?» preguntaba Gauguin y, aunque Picasso nunca se formuló tales preguntas con palabras, estaban todas ellas allí en su obra y en el palpitante desasosiego de su vida.

Seguía estando fascinado por Barcelona, como si todavía no hubiera agotado las lecciones que le podía enseñar y las preguntas que le podía responder. En enero de 1903, por fin, vendió una pintura, *Maternidad al borde del mar*, a la mujer de su proveedor de colores, así que por esta vez no tuvo que enfrentarse a la humillación de pedir a su padre el dinero para el viaje de vuelta. Enrolló el resto de sus pinturas y las dejó al cuidado de Ramón Pichot, que a su vez las dejó encima de un armario. «Si las hubiera perdido —diría más tarde Picasso— no hubiera habido ningún Período Azul», porque todo lo que había pintado hasta entonces estaba en aquel rollo.

Justo antes de marcharse otra vez intentó llenar el vacío entre sus expectativas y la realidad haciendo otra tira de comic de Max glorificado, aceptado en la Academia Francesa, conducido en carroza al Arco de Triunfo y, finalmente, llevando una toga y un paraguas y recibiendo la corona de laurel de manos de Palas Athenea en los Campos Elíseos. Era una muestra de su gratitud hacia Max, un rey confiriéndole honores de súbdito leal a través del dibujo, ya que no podía conferírselos en la realidad.

Una vez en Barcelona, los retratos que hizo a sus amigos proporcionaron a Picasso un ligero alivio de la trágica intensidad de sus azules de Barcelona. Pintó a Corina Romeu (mujer de Pere Romeu), Angel de Soto, Sebastiá Junyer-Vidal y el retrato delicadamente naîf del sastre Soler, disfrutando de un *déjeuner sur l'herbe*, a cambio del cual obtuvo unos cuantos trajes que fueron muy bien recibidos. También pintó una serie de acuarelas luminosas de campesinos catalanes y numerosos retratos alegres de mujeres jóvenes. Por el contrario, sus lienzos seguían dominados por un sentimiento trágico.

Trabajó en el estudio que había compartido con Casagemas en Riera de San Juan. Angel de Soto se había trasladado allí mientras Picasso estaba en París, otra coincidencia que parecía haber sido designada por los dioses que gobernaban su vida. Allí pintó en mayo de 1903 *La vie*, la obra maestra de su Período Azul, llena de una gran riqueza simbólica, con un idealizado Casagemas frente a una desaprobadora mujer mayor sosteniendo a un niño dormido, mientras una mujer joven desnuda se apoya en el hombro de él en actitud de entrega amorosa. En el centro de la pintura hay un lienzo, sin enmarcar, que muestra dos desnudos abrazados y otra mujer desnuda en posición fetal con una total desesperación. *La vie* parece haber sido el único punto de contacto de Picasso con su padre durante esta estancia barcelonesa. Don José preparó personalmente el enorme lienzo, tal y como había hecho para *Ciencia y caridad* siete años atrás. Pero Picasso estaba decidido a evitar cualquier estrecha intimidad que pudiera hacerle más dura su marcha.

Se cambió de la casa de sus padres a una habitación alquilada cercana a su estudio, y pobló su mundo azul con hombres mayores, patéticos, rechazados y a menudo ciegos o perturbados mentales. La presencia en muchos de estos cuadros de jóvenes muchachos, algunas veces consolando a los mayores y otras ignorándolos, formaba parte de la lucha personal de Picasso entre la culpa por el daño que estaba causando a su padre con su alejamiento y su determinación a no ser apartado de su propia vida y su propia visión. La lucha debió ser muy profunda; por esa misma época realizó un pequeño estudio de crucifixión, identificándose él con el Cristo crucificado.

Echaba de menos a Max, cuyas inclinaciones místicas suponían otro lazo inexplicable entre ambos. Picasso pudiera no estar preparado para abrazar su naturaleza espiritual, pero siempre habría un lugar especial en su vida para quienes lo hacían. «Mi querido Max —le escribió desde Barcelona—, hace mucho tiempo que no te he escrito, y realmente no es porque no piense en ti. Es por mi trabajo, pues cuando uno no trabaja o bien se divierte, o bien se vuelve loco. Te escribo desde el estudio. He estado trabajando aquí todo el día. ¿Has conseguido algunos días de vacaciones del *Paris-Sport* o del *Paris-France*? Si es así, tienes que venir a Barcelona a verme. No te puedes imaginar lo feliz que me harías». Ahora que tenía presiones de otro tipo, París una vez más se encontraba entre los recuerdos más brillantes y felices. «Mi querido y viejo Max —continuaba su carta—, pienso en la habitación del bulevar Voltaire y en las tortillas, las judías, el "brie" y las patatas fritas». Terminaba la carta recordándole a su amigo la miseria que habían compartido y se despedía "tu viejo amigo Picasso"».

Todavía no estaba preparado para volver a París. Permanecía envuelto por un sentido carente de significación y de incomprensión a todo el sufrimiento del mundo y suyo propio. Las viejas preguntas, nacidas de la lucha del hombre con la evidencia de la miseria humana, rondaban a *El muchacho enfermo, La tragedia, El asceta, La casa de la gente pobre, El viejo guitarrista, La comida del pobre, El viejo y el muchacho, Mendigos a orillas del mar* y a casi toda la obra barcelonesa de Picasso. ¿Por qué hay tanta enfermedad, dolor y tristeza por todas partes? ¿Por qué los niños tienen que pasar hambre? Y si hay un Dios, ¿por qué permite a los niños sufrir tanto?

En medio de la pobreza y el dolor estaban los sanos campesinos de Horta del Ebro, donde él había conocido la verdadera felicidad, los desnudos sensuales y los dibujos satíricos, como si la vida fuera demasiado misteriosa, demasiado contradictoria, demasiado vasta para estar contenida en un único punto de vista filosófico, y el hombre demasiado lleno de pasiones para ahogarse en un pesimismo trágico. Las pasiones contradictorias de su propia naturaleza las asumió cuando decidió encalar las paredes del pequeño apartamento de Sabartés en la calle del Consulado. Sus ventanas daban a la Llotja, y en su continua guerra con su padre, Picasso obtuvo un placer especial al saber que, como Palau i Fabre expresó, «mientras don José Ruiz daba clases de dibujo a jovencitas, casi bajo sus narices o detrás de él, Picasso decoraba las paredes con pinturas azules bastante impropias para jovencitas». En la pared frente a la ventana pintó un moro medio desnudo colgando de un árbol. En el suelo, con él mirándola inclinado, una pareja completamente desnuda haciendo el amor apasionadamente. Encima, junto a la puerta, pintó un ojo atónito de mirada penetrante y bajo él puso una inscripción en letras mayúsculas: «Los cabellos de mi barba son dioses como yo, aunque están separados de mí».

Sabartés, que estaba presente cuando Picasso le transformaba sus paredes, describió la escena con asombro: «No apartó sus ojos de la pared; parecía olvidarse del mundo exterior. Uno podía pensar que un poder oculto guiaba su mano y le hacía seguir con la punta del pincel un camino de luz que únicamente él podía percibir, puesto que el pincel nunca se levantó de la pared y la línea que dejaba tras él no parecía proceder de una intención, sino que emanaba de la pared misma».

Sabartés veía a Picasso todas las noches y estaba disponible siempre que su amigo se sentía demasiado inquieto para trabajar. De hecho se citó con Picasso invitándole a su estudio una noche y diciéndole: «¿Qué es lo que tienes que hacer? Venga, vamos a subir un rato». Picasso no podía comprender claramente que su amigo tuviera algo más importante que hacer que estar con él. Y tenía razón. Tan poderosa era su personalidad que no sólo lo que hacía Sabartés con su tiempo estaba determinado por Picasso, sino también el humor que tuviera: «Si estaba contento, todos lo estábamos —recordaba más tarde de sus encuentros en el estudio de Picasso—. Porque para su suerte o desgracia es capaz, bastante inconscientemente, de levantar o humillar los espíritus de todos los de alrededor, puesto que le es imposible, aun cuando lo quiera intentar, disimular su estado de ánimo».

Picasso estaba creando constantemente. Cuando no creaba en su trabajo, creaba estados de mente y humores que afectaban a los de su alrededor y transformaban el mundo y todo lo que hay en él hasta que la realidad era compatible con su propio estado interno. Cuando este estado era negativo, la gente era imbécil y el mundo un lugar oscuro y taciturno. Cuando cambiaba este estado era, como Sabartés decía, «como si no fuera el mismo hombre de una hora antes. Ahora se reuniría con los imbéciles, conversaría con ellos con la más absoluta naturalidad e incluso los encontraría agradables, y ellos estarían encantados con él... Ahora todo parecía una espléndida diversión».

A finales de 1903, Picasso alquiló un estudio al escultor Gargallo, que había ganado una beca para París. Le encantó tener por primera vez en su vida su propia llave, la única llave, un símbolo de la nueva independencia que parecía coincidir con el relanzamiento de su propia identidad, apartado de su familia y de Barcelona. Empezó también a hacer planes para marcharse a París, alquilar el estudio de Paco Durio en Montmartre y enviar allí sus pinturas. Era claramente una decisión no apresurada ni impulsiva, motivada como reacción a las dificultades de la vida en Barcelona, que se invertiría tan pronto como las dificultades de la vida de París le hicieran desear un retiro. Lo deliberado de sus planes significaba que esta vez estaba preparado para expandirse más allá de los límites de su tierra y abrazar el destino sin importarle el sufrimiento que le causase.

El 12 de abril de 1904 se marchó a París en compañía de Sebastiá Junyer-Vidal. En un apunte realizado por esta época un hombre desnudo está saltando al vacío, los brazos apretados a los costados. A sus veintitrés años Picasso estaba preparado para dar un salto hacia lo desconocido, ûn salto que, a pesar del miedo, él creía, con la fe que la razón desconoce, que le llevaría indefectiblemente a «la gloria».

3

LA PUERTA A LA VIRILIDAD

El número 13 de la calle Ravignan fue la nueva dirección de Picasso en Montmartre; de hecho, más bien un sistema de vida que una dirección.

El ruinoso edificio, que Max Jacob había bautizado Bateau-Lavoir por su semejanza con las casas flotantes en el Sena para uso de las lavanderas, había acogido una larga sucesión de artistas combativos, entre ellos Renoir, la pintora Maxine Maufra y el productor teatral Paul Fort. La distribución de la casa era tan poco corriente como los inquilinos de sus doce estudios. La entrada estaba en el último piso, por lo que se llegaba a las otras tres plantas bajando las escaleras. Había escaleras secretas, trampillas, suelos crujientes y, según la leyenda, celdas sin luz destinadas a esposas chillonas y amantes celosas. La construcción respondía al criterio de que la intimidad era una invención burguesa pasada de moda. «Los suspiros amorosos atravesaban sin dificultad los tabiques —escribía el cronista de Montmartre Roland Dorgelés— y no digamos las grescas domésticas, que podían ser oídas desde las bodegas hasta las escotillas de la casa flotante, provocando los ladridos de los perros de Picasso, el estallido en llanto de la hermanita de Van Dongen, y la interrupción en los gorgoritos del tenor italiano; el hombre sandwich llegaba a casa borracho, amenazando echar todo abajo».

Picasso tenía dos perros en su estudio: *Gat*, un pequeño foxterrier que le había regalado Utrillo y que había traído de Barcelona, y *Fricka*, una perra mestiza que solía estar atada a una silla coja. Había también una rata blanca en un cajón perfumando el aire con su acre olor. El estudio, lleno de telarañas y sucio desde el principio, se convirtió a los pocos días en el más completo caos de mugre. El piso estaba alfombrado de colillas y tubos de pintura medio vacíos, y por todas partes, incluso en la cama y en la bañera, había cuadros esparcidos. Así era el reino de Picasso, pero incluso cuando estaba al borde de la extenuación, el pintor asumía el papel de anfitrión, y muy poco después de su llegada al Bateau-Lavoir congregó a su alrededor a los españoles que ya estaban en París para que se calentasen con el fuego de su genio y cuidasen de su bienestar, como si estuvieran obligados no solamente a él sino a la posteridad.

Manolo fue uno de los primeros que se puso al servicio del joven maestro. No tenía escrúpulos en vivir a costa de sus amigos, robando los pantalones de Max Jacob, vendiendo la colección de pinturas de Gauguin de Paco Durio cuando regresó a España, organizando una lotería con una de sus estatuas como primer premio y el mismo número en todos los billetes. Pero aunque despreciaba la moral rendía culto en el altar del genio. Para Manolo, el genio era una manifestación de gracia sobrenatural, y descubrió en Picasso, ocho años más joven que él, no solamente al pintor genial, sino también al creador de un universo sin límites.

Para amueblar su estudio, Picasso decidió pagar ocho francos por todo lo que había dejado Gargallo en París al regresar a Barcelona. Con Manolo y un muchacho español que conocía y que era todavía más pobre que ellos, llevaron una carretilla a la calle Vercingétorix, al otro extremo de París, y cargaron en ella la tina para pediluvios de Gargallo, su silla, su mesa y su colchón, llevando penosamente todo ello por las calles y la empinada colina de Montmartre. Habían prometido al muchacho pagarle cinco francos por su ayuda, pero cuando todo estuvo descargado tuvieron que confesarle que ese dinero era el único de que disponían entre los dos para comer, por lo que a cambio de sus honorarios le invitaron a compartir su almuerzo.

La vida en el Bateau-Lavoir era una continua serie de negociaciones: para los muebles, para comer, para los cuadros, y a veces incluso para conservar la vida. Las calles de Montmartre bullían de apaches y de pequeños delincuentes, y Picasso nunca salió de su estudio por la noche sin llevar una pistola, y aun así, siempre acompañado. Max Jacob era su sombra. Este, junto con Manolo y Angel de Soto, se hizo responsable de los intentos de vender algunos de los dibujos de Picasso, tarea que resultó mucho más difícil de lo que creían.

Llegó el verano, y en el estudio de Picasso, que era una nevera en invierno, el calor se hizo demasiado incómodo para trabajar, por lo que el pintor abrió de par en par la puerta de la casa, instaló su caballete y, vestido solamente con un taparrabos, se exhibía a sí mismo y a su trabajo ante los transeúntes. Bastante convencido por su musculatura estudió la posibilidad de dedicarse al boxeo, pero tras dos sesiones con aficionados decidió que esta actividad estaba ciertamente ausente de su destino.

El azul dominaba todavía en sus cuadros, pero un rosa brillante comenzó a formar parte de ellos, anticipando un cambio en su vida. En la tarde del 4 de agosto de 1904, en medio de una repentina tormenta, caminaba hacia su estudio llevando un gatito que había rescatado de la tempestad, cuando una bella y escultural mujer, calada hasta los huesos, irrumpió en el Bateau-Lavoir. Se paró ante ella, interrumpiendo su camino, y puso en sus brazos el gatito, como ofrenda y como presentación de sí mismo. Ella rió y con ella Picasso, quien la invitó a visitar su estudio. Se llamaba Fernande Olivier. En un dibujo de desnudo autobiográfico, ella y Picasso aparecen después de haber hecho el amor, él todavía cubriéndola con su cuerpo, los pies de ambos apenas tocándose, los ojos de almendra de Fernande cerrados y su pelo ondulado oscuro y abundante. Picasso conmemoraba así el episodio que le hizo darse cuenta de que aquello no era un encuentro sexual más, sino el comienzo de su primera relación amorosa seria, la primera vez en su vida que se confiaba a una mujer; no «hasta que la mmuerte los separase», sino, por lo menos, hasta que esa relación dejase de ser apasionada, inspiradora o cómoda.

Fernande había nacido en París en 1881, el 6 de junio, o sea, cuatro meses antes que Picasso. Su nombre verdadero era Fernande Bellevallée, y era hija de un matrimonio judío que fabricaba sombreros con plumas y flores artificiales. A los diecisiete años había tenido un hijo con un dependiente de comercio, Paul-Emile Percheron. Cuando el niño tenía cinco meses sus padres se casaron, pero poco después el padre y el hijo desaparecieron sin dejar rastro y Fernande se casó con el escultor Gaston de Labaume. En la imaginaria reconstrucción de su vida. Fernande nunca estuvo casada con un dependiente de comercio ni tuvo un hijo con él, pero en cambio, a los diecisiete años, tuvo lo que ella llamaba «un intento de matrimonio extremadamente desgraciado» que la dejó, a los veintidós años, según ella, «ya un poco desilusionada de la vida», viviendo sola en el Bateau-Lavoir con el nombre de madame de Labaume. Había llegado al mundo artístico a través de su marido y de su hermana, que era la amante del pintor Othon Friesz.

«Para bien o para mal —decía Gertrude Stein— todo era natural en Fernande.» Era por naturaleza guapa, inteligente, creativa y perezosa. Pintaba y dibujaba, pero prefería usar su imaginación inventando para sí misma una vida, un pasado y hasta un apellido nuevo. Ese apellido era el de Olivier, y fue con el que entró en el mundo de Picasso y con el que llegó a ser su amante oficial y su puerta hacia la virilidad. «No había nada especialmente atractivo en él a primera vista —escribió años más tarde de su encuentro con Picasso–, aunque su expresión, extrañamente insistente, obligaba a que se le prestase atención. Sería casi imposible situarle socialmente, pero su fulgor, el fuego interior que se notaba en él, le daba una especie de magnetismo al que yo era incapaz de resistir.»

Para él, con un sentido de reconocimiento y de inevitabilidad, era estimulante tener a su lado una mujer bella y mundana; era la gloriosa afirmación de su virilidad. Le encantaba la forma en que miraba y la forma en que se vestía, y llevaba sus sombreros con una gracia instintiva. Pero en Picasso había también temor y ansiedad derivados del reto de la sexualidad adulta y la perspectiva de unas relaciones auténticas. En el otoño de 1904, Fernande se fue a vivir con Picasso, pero el miedo de él persistía. En *Mujer durmiendo* se pintó a sí mismo sentado en la cama, perdido en pensamientos e imágenes inquietas, mientras Fernande, feliz, duerme. Mientras Picasso estaba todavía turbado por el rotundo cambio de su vida, Fernande se había entregado a él.

Solamente una cortina separaba el estudio de Picasso y el refugio de Fernande cuando sus amigos les hacían visitas inesperadas. El escondrijo fue pronto convertido por Picasso en un altar de su amor. Cubrió una caja de embalaje con una tela roja y en el centro de ese altar colocó un dibujo de Fernande y un florero azul con flores artificiales. Cerca del dibujo estaba la blusa blanca de lino que llevaba Fernande la tarde de tormenta en que se conocieron, y en la blusa, una rosa roja sujeta con un alfiler. «Cuando está uno enamorado a esa edad —explicaba Picasso— hace cosas como ésas.»

Superado su miedo a vivir con ella, ahora estaba igualmente ansioso de que estuviera con él todo el tiempo. No le pedía nada excepto que existiera como parte de su vida. No le preguntó si sabía cocinar, ni esperaba que mantuviese limpia la casa o que barriese el suelo de la cocina, pero le prohibió tajantemente salir sola de compras, ya que sus celos le inspiraban visiones de pesadilla en las que en las calles de Montmartre los hombres hacían proposiciones a Fernande y ella sucumbía a las insinuaciones de otro hombre, por lo que Picasso consideraba bien fundada esa prohibición. «A causa de unos celos enfermizos —escribió ella— Picasso me obligaba a vivir como una prisionera. Pero con un poco de té, libros, una cama y pocas labores domésticas que hacer, yo era feliz, muy feliz; era, lo admito, extremadamente feliz.» Su indolencia juvenil y su desenfrenada sexualidad eran los fundamentos de su relación con Picasso, al que ofrecía una lujuria fácil y desenfadada y al mismo tiempo se adaptaba al impredecible ritmo de su trabajo y de su humor.

Al regularizar la vida sexual del pintor llevó cierta estabilidad a su vida entera, pero hizo mucho más todavía, ya que su ecuanimidad equilibró la ansiedad de él y su saludable optimismo fue el antídoto de su depresión; un antídoto no suficientemente poderoso, sin embargo, como observó sagazmente. «Este hombre sarcástico y más bien triste, un poco hipocondríaco a ratos, no encontró el consuelo, sino solamente olvido, en su trabajo, pues parecía llevar siempre un gran dolor en su interior.»

Con Fernande, Picasso llegó a hacerse hombre y no ya un adolescente que buscaba mujeres en los prostíbulos y que pensaba únicamente en sí mismo. Ahora estaba compartiendo su vida con una mujer que parecía como surgida de un cuadro de Lautrec, que hablaba un francés bello y elegante, que en cualquier sitio a donde fueran cautivaba las miradas envidiosas de los hombres y a la que, aunque mínimamente, tenía que mantener. Era más alta que Picasso y parecía bastante mayor que él, quien con su cara aniñada y su mechón sobre la frente parecía siempre más joven de lo que era. «Sí, es muy guapa», concedía a sus amigos, que se maravillaban de la belleza de su amante, «pero es vieja», afirmación que en parte era sarcástica y en parte también producto de la vieja superstición española que consiste en proteger lo que se posee rebajando su valor para no despertar la envidia de los demás.

Pero lo importante que para él era Fernande se ve claramente en la metamorfosis que experimentaron sus obras, en las que empezó a ser dominante el rosa, y los artistas circenses, los arlequines y los saltimbanquis desplazaron a los desechos humanos de la época azul. Pintaba todavía desheredados, pero había más ternura y más comprensión en el mundo del circo. Charles Morice, que había criticado a Picasso por su «tristeza estéril» en 1902, en otro trabajo escrito en 1905 celebró la nueva madurez y la profunda sensibilidad en comparación con sus obras anteriores, en las que «parecía que se deleitaba en la tristeza sin simpatizar con ella... Ya no hay un gusto por lo triste, por lo feo; esa precoz depresión, que lógicamente tendría que llevarle a la oscuridad de una mortal desesperanza, ha sido suplida por una benéfica anomalía, un rayo de luz; llega un amanecer de piedad: es la esperanza».

La esperanza apareció a menudo en figura de niños, como en el cuadro en el que un padre vestido de arlequín cuida un niño en compañía de la madre. Uno de esos cuadros lo dedicó a Fernande: una mujer joven, que se parece a ella, juega con su niño mientras su marido toca alegremente el acordeón.

Otra figura que comienza a aparecer, aunque muy disfrazada, en las obras de Picasso, en la primavera de 1905, es el joven poeta Guillaume Apollinaire. Su primer retrato aparece en *Familia de saltimbanquis*; es el gran bufón que preside el grupo y que reúne las cualidades de dos arquetipos: el bromista y el viejo juicioso. También aparece como un gigante joven: no ya un exacto reflejo del valor físico del regordete Apollinaire, sino más bien un testimonio subjetivo de la admiración de Picasso por su poderío intelectual y su conocimiento del mundo, cualidades en las que con frecuencia se apoyaba cuando buscaba su camino a través de la tierra minada que en su opinión era París.

Apollinaire, por su naturaleza brillante y muy intuitivo, conocía íntimamente el mundo y sus vicisitudes, forzado a ello desde su nacimiento. Su madre, Angélica de Kostrowitsky, hija de un polaco, chambelán pontificio, había sido expulsada de un colegio de Roma cuando, en 1880, había dado a luz un hijo natural al que dio el nombre de su padre, un napolitano llamado Guglielmo Alberto Dulcini. Algunos años después, cuando tuvo otro hijo de él, su amante la abandonó, y entonces cambió el nombre del niño por el de Guillaume Albert Vladimir Alexandre Apollinaire de Kostrowitsky, como rechazo al hombre que la había abandonado. Apollinaire fue presentado en sociedad, sucesivamente, en Montecarlo (donde su madre cayó en el vicio del juego), en Cannes, en Niza, en Aix-les-Bains, en Lyon y en Las Ardenas. No consiguió aprobar el bachillerato, y encontró una colocación como preceptor que le llevó a Alemania y a Praga, un temprano ejemplo de su habilidad para la simulación no con fraudes groseros, sino asimilando inmediatamente cualquier información, impresión o conocimiento que le fuera expuesto. Así, pertrechado con un desprecio asocial de las normas usuales y la habilidad de un malabarista para manipularlas en provecho propio, llegó a ser un consumado superviviente y un astuto trepador. Al poco tiempo de conocer a Picasso escribió su primer texto de propaganda a su favor, texto que, según esperaba, sería su primera aportación a la crítica de arte, pese a que nunca había dedicado el menor interés a las artes plásticas y las conocía tan escasamente como conocía Praga, lo que no le había impedido escribir un relato que dejó a sus lectores convencidos de que había pasado toda la vida en esta ciudad.

Lo que hizo con Praga lo hizo con el Período Azul. Cuando comprobó en el estudio de Picasso que existía, dos días después de conocer al pintor, lo que allí había nada tenía que ver con lo que hubiera visto o pensado sobre el particular, pero cuando escribió sobre ese período parecía casi como si él hubiese sido su creador, y consiguió evocar mediante la palabra lo que Picasso había expresado en las imágenes. Y al hacerlo volvió a crear esa etapa, no sólo para sus lectores, sino también para Picasso, que la habría sacado más de su esfuerzo que de su pensamiento.

Picasso encontró su intérprete, y los habitantes de su mundo azul encontraron su paladín en una prosa que era más bien poesía: «Esos niños, que nadie acaricia, entienden todo. Esas mujeres, a quienes nadie ama ahora, están recordando. Se echan atrás en las sombras como en una iglesia antigua. Desaparecen al romper el día, después de haber alcanzado consuelo en el silencio. Los ancianos, de pie, envueltos en niebla helada. Esos viejos tienen derecho a mendigar sin humildad.»

En Apollinaire, Picasso encontró también un defensor lo bastante grande como para que cupiesen en él sus contradicciones. «Se ha dicho —escribió en el primer número de una pequeña revista que editaba— que las obras de Picasso muestran una desilusión precoz; en mi opinión, la verdad es lo contrario. Todo lo que él ve lo fascina, y me parece que usa su innegable talento al servicio de una imaginación que mezcla el placer y el horror, lo abyecto y lo delicado. Su naturalismo, que es amor a la precisión, tiene su contrapartida en el misticismo, que en España está profundamente arraigado hasta en el menor pensamiento religioso... Creo que sus escuálidos acróbatas, brillando en sus harapos, son verdaderos hijos del pueblo: versátiles, astutos, diestros, heridos por la pobreza y mintiendo.»

Las mismas palabras podrían haber sido usadas para describir a estos dos talentudos forasteros cuando se conocieron, hacia finales de 1904, en un bar inglés cerca de la estación de Saint-Lazare, al que Apollinaire iba todas las noches en espera del tren a Le Vesinet, el suburbio en el que vivía con su madre y su hermano. El dinero que ganaba escribiendo y editando era demasiado poco para permitirle la libertad de vivir en París, lejos de su cada vez más excéntrica madre y cerca de sus amigos artistas. Picasso siempre recordaba la primera vez que vio a Apollinaire: estaba en un grupo con dos negras con llamativas plumas de avestruz en sus sombreros y un inglés grande y pelirrojo, los cuatro absortos jugando a los dados, tan absortos como para ofrecer a Picasso la embelesada atención a la que se había rápidamente acostumbrado.

Se organizó otro encuentro en el que Picasso iba acompañado de Max Jacob, que además de ser bufón doméstico, poeta y proveedor, había asumido con una facilidad asombrosa, y en ausencia de Sabartés, el papel de principal cortesano del pintor. La primera impresión que tuvo Max de Apollinaire fue por lo menos tan llena de colorido como la de Picasso: «Sin interrumpir un discurso a la vez amable y violento sobre el tema de Nerón, y sin mirarme, me tendió su mano, corta y ancha (era algo así como una garra de tigre). Cuando acabó su disertación, se levantó y nos condujo en la noche muertos de risa, y entonces comenzaron los mejores tiempos de mi vida».

Había poco sitio para Fernande en aquel triunvirato. Desvelar los secretos del universo en los cafés, en el helado estudio de Picasso o en las calles del Montmartre, era exclusivamente cosa de hombres. Y Fernande no era la única mujer de su vida: había una modelo bisexual llamada Madeleine, y estaba también Alice Princet, con su largo cabello oscuro y sus labios sensuales, que había estado viviendo con Maurice Princet (un actuario cuya pasión eran las matemáticas) desde que tenía diecisiete años y que, como decía Gertrude Stein, «era fiel a Mauricio, pero a la manera de Montmartre, o sea que se había unido a él para la salud y la enfermedad, pero se divertía por su cuenta».

Picasso era aficionado a explorar y experimentar, pero sus experimentos no se detenían en la pintura, ni sus exploraciones en la charla ni en el sexo. El opio era, en aquel grupo de artistas donde no había normas ni frenos, un camino hacia mundos nuevos y visiones dilatadas. Picasso lo probó, disfrutó de él y lo abandonó después de haberlo ensalzado por tener «el más inteligente de todos los olores». El impacto paralizador en su trabajo, junto con su hipocondria, probaron ser más poderosos que su busca de nuevas experiencias.

En el verano de 1905, cuando se creía agotado y preparado para un nuevo comienzo, aquel Tom Schilperoot, un acaudalado holandés al que había encontrado codeándose con los artistas de Montmartre, le invitó a pasar una temporada en su casa de Holanda. «No tenía dinero —recordaba Picasso— y lo necesitaba para el viaje. Max Jacob tampoco lo tenía, pero bajó a ver al portero y regresó con veinte francos.»

Era una ocasión excepcional para Picasso, la oportunidad que necesitaba para dejar el opio y los restos del Período Azul y echar por la borda, al menos por algún tiempo, la creencia, que flotaba en Montmartre de que sólo el sufrimiento es capaz de producir el gran arte. Y así, con veinte francos en el bolsillo, con una persona a la que conocía sólo superficialmente, y sin la mujer de su vida, cruzó la frontera hacia un país nuevo.

«Tenía una pequeña mochila y metí en ella mis tubos de colores —contaba más tarde—. Los pinceles no entraban y rompí sus mangos para meterlos, y me marché después de dibujar un abogado señalando a modo de advertencia, en el estilo de Daumier, y lo firmé «H. Daumier». Cuando regresé de Holanda me enteré de que había sido vendido como un Daumier, y ahora, cuando voy a un museo, tengo miedo a encontrármelo allí.»

Volvió con, entre otros cuadros, *La bella holandesa* y *Desnudo de mujer con cofia*, figura regordeta y con amplios senos, más maternal que sensual, aunque el pintor decía que «los más bonitos pechos femeninos son los que dan más leche». Pero Fernande, que le había esperado pacientemente en el calor sofocante del estudio, quitó importancia al atractivo de aquellas saludables lecheras holandesas: «Era un espectáculo ridículo —decía— ver a esas colegialas de internado llenando la calle como soldados con armadura». Ridículo o no, era una ruptura drástica y un bien venido cambio respecto a las escuálidas figuras del Período Azul que el pintor había dejado atrás. Era un cambio que hacía más rápida su transición desde la pobreza a la prosperidad.

Los precursores de su nueva liberación de la miseria fueron Gertrude y Leo Stein. Gertrude, a la que Picasso describió más tarde como su única amiga femenina, era de hecho más masculina que muchos de sus amigos varones. «Masculina en su voz y en su manera de andar», la describió Fernande. «Gruesa, de estatura baja, maciza, de hermosa cabeza, facciones nobles, muy normales, y de mirada inteligente». También tenía unas rentas cuantiosas, administradas hábilmente por su hermano mayor, Michael, de vuelta de los Estados Unidos, lo que hizo más fácil mantener su rebeldía y su independencia, así como su estilo de vida bohemio. Tenía veintinueve años cuando salió de Baltimore, al terminar sus estudios de medicina, complementados por un curso de cirugía. Su hermano Leo, calvo y con barba, con gafas de montura de oro, vivía entre tanto en Florencia, pintando y empapándose de arte. Cuando llegaron juntos a París eran una pareja formidable, objeto de irrisión y de fascinación al mismo tiempo. Fernande cayó en esa fascinación: «Los dos vestían de pana marrón —recordaba— calzando sandalias al estilo de Raymond Duncan, de quien eran amigos. Demasiado inteligentes para preocuparse del ridículo, demasiado seguros de sí mismos para temer lo que el resto de la gente pudiera pensar de ellos; eran adinerados y querían pintar». Muy pronto llegaron a ser el foco amistoso del arte contemporáneo: inspiraban, catalizaban y fertilizaban, y, lo más importante en aquel período de la vida de Picasso, vida llena de apuros económicos, compraban.

Picasso conoció a los Stein en casa de Clovis Sagot, antiguo clown que había convertido una farmacia en una modesta galería de arte. «¿Quién es esa señora? —le preguntó Picasso a Sagot—. Pregúntale si quiere posar para mí.» Leo Stein contó más tarde que «en el preciso momento en que Picasso esperaba recatadamente la aceptación de Gertrude, ésta manifestaba su juicio negativo respecto al cuadro que estaba mirando». El cuadro era *Muchacha con un cesto de flores*, y a Gertrude le parecían tan mal los pies de la chica que incluso sugería cortar ese trozo y quedarse solamente con la cabeza. Finalmente prevaleció el criterio de Leo, y en el departamento de los Stein, en el 27 de la calle de Fleurus, entró intacto su primer Picasso, el de «los pies como los de los monos».

«Poco a poco, Picasso era cada vez más francés», escribió Gertrude Stein, recordando los comienzos de una amistad que, por lo menos, era tan importante para ella como para él. «Y de allí partió el Período Rosa o de los Arlequines. Entonces se vació de él, de la suave poesía de Francia y del circo; se liberó de ello como se había liberado de su época azul, y yo le conocí al final de su época de arlequines. La primera pintura suya que compré fue *Muchacha con un cesto de flores*, pintada en el gran momento de su período arlequinesco, llena de gracia, delicadeza y encanto, y que podría considerarse incluida en él o perteneciente a su Período Rosa. Después de que poco a poco su dibujo se endureciese, sus líneas se afirmaran y su color se hiciera más vigoroso. Naturalmente, ya no era un muchacho, sino un hombre.»

Los comienzos de 1906 encontraron un Picasso ambivalente respecto a ese cambio. Sus trabajos se poblaron súbitamente de muchachos desnudos y de caballos: *Muchacho desnudo conducien-*

do un caballo, Jinete visto desde atrás, Jinete desnudo, Muchacho cabalgando desnudo, culminando en *El abrevadero*; pintaba un mundo arcádico de belleza masculina, de instintos y caballos libres de riendas. Las mujeres estaban ausentes de todas las versiones de esos temas, excepto un cuadro en el que algunas vagas siluetas que podrían ser femeninas se insinúan en el fondo y no forman parte de la acción principal. Era otro momento de duda, de nostalgia del mundo idealizado en el que vivía con Fernande o con cualquier mujer ligada a él para siempre.

Aunque Picasso podía pensar de otra manera, Fernande continuaba siendo la presencia más importante en su vida. Estaba siempre en su sitio en casa de los Stein, que visitaba con frecuencia, y Gertrude la había clasificado como «una mujer decorativa». Fue en la casa de la calle de Fleurus donde Picasso encontró a Matisse. Ellos fueron los dos grandes amores de Gertrude, que escribió una narración corta, *Matisse, Picasso y Gertrude Stein,* para festejar ese amor. «Todo lo que ellos decían conocer era todo lo que puede conocerse, y al decir lo que decían, decían todo lo que sabían.»

Fernande, que era demasiado inteligente para ser sólo «una mujer decorativa», lo observaba todo y recordaba a Matisse como «muy dueño de sí mismo, y no como Picasso, que normalmente era más bien taciturno y a veces inhibido, como en los sábados de los Stein. Matisse era brillante e impresionaba a la gente. Con sus facciones regulares y su poblada barba dorada, parecía un grandioso artista anciano. Sin embargo, parecía esconderse tras sus gruesas gafas y su expresión era opaca e impenetrable, aunque hablaba interminablemente si la conversación se refería a la pintura. Argumentaba, se imponía y se esforzaba en convencer. Tenía una asombrosa lucidez de pensamiento, precisa, concisa e inteligente... Eran dos pintores de quienes se esperaba el máximo».

Matisse consideraba que Picaso y él eran «tan diferentes como el polo Norte y el polo Sur». Así como Matisse aspiraba a la serenidad en su vida no menos que en su arte, Picasso era como un sismógrafo para los conflictos, las agitaciones, las dudas y las inquietudes de su tiempo. El objetivo de Matisse era expresar lo que él definía así: «El sentimiento religioso de la vida que yo tengo... Imagino un arte de equilibrio, de pureza y serenidad, libre de temas perturbadores o inquietantes. Una influencia apaciguadora». Picasso no tenía un objetivo intelectual claro, y sí, únicamente, un vago pero devorador impulso de desafiar, sacudir, destruir y rehacer el mundo. La fascinación mutua era el fundamento de su amistad, que comenzó en el salón de Gertrude Stein y que, pese a sus altibajos, perduró durante toda la vida de Matisse. Era la atracción de los polos opuestos.

Mientras Matisse deslumbraba al mundo artístico con sus salvajes explosiones de color y de alegría, Picasso pintaba el retrato de Gertrude Stein con un monocromatismo de un pardo grisáceo. Era un ritual diario: Gertrude atravesaba los jardines de Luxemburgo hasta el Odeón, tomaba allí el ómnibus de tracción animal, subía hasta el Bateau-Lavoir y descendía un tramo de escaleras hasta el estudio de Picasso. En la puerta, en la que Picasso había escrito «Au rendez-vous des poétes», había siempre muchos recados de poetas y otros amigos: «Manolo está en casa de Azon.» «Ha llegado Totote.» «Derain llegará esta tarde...» En el estudio abundaban las idas y venidas. Mientras Gertrude permanecía sentada horas y horas en el desvencijado sillón de brazos, charlando y escuchando simultáneamente (habilidad que ella consideraba como la marca del genio), Picasso, vistiendo una blusa azul de obrero parisiense, se sentaba en el borde de una silla de cocina y miraba fijamente el óleo; cada vez que se producía una tregua en el intercambio de ideas y los cotilleos, Fernande intervenía y leía fábulas de La Fontaine con su voz bonita y su dicción perfecta.

Una tarde Gertrude y sus dos hermanos llegaron al estudio en compañia de Andrew Green, un amigo suyo de Chicago, quien quedó subyugado por la belleza de Fernande. «Si supiera hablar francés —le dijo a Gertrude— haría el amor con ella y me la llevaría lejos del pequeño Picasso». «¿Es que tú haces el amor con palabras?», le preguntó Gertrude riéndose. Andrew Green se entusiasmó también con el retrato de su amiga y «pidió que se lo dejara llevar tal y como estaba, pero Picasso sacudió la cabeza y dijo *non*».

El retrato había requerido más de ochenta sesiones y todavía Picasso no había logrado pintar una cabeza que expresase lo que él quería que expresara. Por fin, una tarde de mayo pintó de un tirón la cabeza entera. «Ya no puedo verte cuando te miro», dijo a la atónita Gertrude. Sabía que sus formas actuales no reflejaban todo lo que quería expresar. Como siempre iba a suceder, incluso después de muchos años en Francia, cada vez que sentía que se había acabado la fuente de inspiración que había en su interior, se intensificaba su nostalgia de España, como si el regreso a su patria le pudiera proporcionar la renovación que necesitaba.

Una visita inesperada a finales de abril le hizo posible partir para España e incluso llevar con él a Fernande. Apollinaire llegó al Bateau-Lavoir acompañado de Ambroise Vollard, cuando Picasso estaba en compañía de Fernande, Max Jacob y André Salmon, un joven poeta que había conocido en el otoño de 1904. Ante el asombro de Picasso y sus amigos, el marchante Vollard, que poco tiempo antes había llamado loco al pintor, le compró treinta cuadros y le abonó dos mil francos, una suma increíble dado el nivel económico en que se desarrollaba su vida, y que era más que suficiente para cubrir sus gastos de sostenimiento durante los tres años siguientes. Fue un momento emocionante para Max, quien algunos años antes, cuando Picasso estaba enfermo, había intentado vender a Vollard un paisaje pintado por su amigo. «El campanario está torcido», dijo desdeñosamente el marchante, y negándose a dedicar más tiempo a la cuestión, desvió la vista del cuadro. Y ahora Max veía triunfante que Vollard montaba en el coche que le había llevado a Montmartre izándose al pescante porque los treinta óleos ocupaban todo el sitio en el interior del vehículo. «Max y yo —escribió Salmon— nos quedamos con la boca abierta viéndolo. El atenazó mi mano sin decir una palabra, sin mirarme, extremadamente contento; sus ojos como paisajes marinos, llenos de lágrimas.»

Con su recién adquirida fortuna guardada en el bolsillo interior de su chaqueta, y sujeta con imperdible, Picasso, en compañia de Fernande, se fue a Barcelona. Para este viaje Fernande se había preparado comprando «un traje, un sombrero, perfumes y aceite francés para cocinar». Llegaron a su destino el 20 de mayo, y tan pronto como Picasso respiró el aire de España pareció renacer. Fernande se quedó atónita ante esta transformación. «El Picasso que vi en España era completamente diferente del Picasso de París; estaba alegre, menos salvaje, más brillante y vivaz y capaz de interesarse por las cosas de una manera más tranquila y más equilibrada, plácidamente, en suma. Irradiaba felicidad y su carácter y sus costumbres se habían transformado».

Una parte de esa transformación fue su actitud respecto a Fernande. Parecía más a gusto consigo mismo y con ella. Le gustaba hacerla partícipe de la ciudad en la que había crecido, en sus antiguos estudios, las calles que había recorrido, los cabarets que había frecuentado, y presentar a Fernande a sus amigos y sus padres. Tenerla a su lado, tan elegante con sus vestidos parisienses y sus grandes sombreros, era, a pesar de su visible ambivalencia, una prueba deliciosa de que, desde su anterior estancia en Barcelona, él había cruzado la frontera entre la adolescencia y la edad adulta. Como persona económicamente independiente, con una bella mujer a su lado, se había distanciado aún más de su padre. Don José no le hizo preguntas, ni le fueron ofrecidas respuestas. Doña María no se preocupó de preguntar y quedó fascinada por Fernande, quien, habiendo sido elegida por su hijo, había alcanzado por ello la condición de diosa.

Exhibir Fernande a Barcelona y Barcelona a Fernande no ayudaba, sin embargo, a reponer la ya flaca bolsa del pintor, quien tuvo que ir más allá y cavar más profundamente, y así decidió cruzar la frontera de la civilización y partir con Fernande para Gosol. Su amigo el doctor Cinto Reventós le había recomendado Gosol, como a todos sus pacientes, como lugar donde hallarían «buen aire, buena agua, buena leche y buena carne». A menos de doscientos kilómetros de Barcelona, pero anidado en la altura de los últimos contrafuertes meridionales de los Pirineos, la única comunicación de Gosol con el mundo era un sendero de mulas. Una atmósfera de primitivismo envolvía al pueblo y a sus habitantes, quienes aprovechaban la cercanía de su aldea a la frontera andorrana para utilizar el contrabando como medio de vida.

La euforia que Picasso había compartido con el gitano en Horta la compartía ahora con Fernande en Gosol. Dedicaban su tiempo a recorrer la montaña durante el día y a escuchar las narraciones de los matuteros durante la noche. El pintor estaba prendado por su fuerza primitiva tanto como por su inagotable vitalidad. El posadero, José Fontdevila, un excontrabandista, estaba tan fascinado por Picasso que quería seguirle a París, y el retrato y los estudios de desnudo a los que el posadero sirvió de modelo testifican la fascinación que, a su vez, el excontrabandista ejerció sobre Picasso. «Le gustaba cualquier cosa que tuviera color local —recordaba Fernande— y el olor típico le extasiaba. Parecía como si no le interesase nada abstracto o intelectual. Buscaba la exuberancia precisamente porque su propia condición estaba deprimida, reservada y quizá malhumorada. Fernande, cuya penetración en el alma de Picasso era más profunda con el tiempo y la distancia, le describía años después como «dirigido constitucionalmente hacia cualquier cosa atormentada».

Pero no en Gosol, que era uno de esos paréntesis en los que él exaltaba la vida, la naturaleza, las aventuras y el amor a Fernande. La pintó una y otra vez, gozándose en su belleza y su feminidad. Pero había distancias en ese gozo. Incluso en *El harén,* en el que los cuatro desnudos son Fernande en diferentes poses, ella sigue siendo «la otra», la mujer a la que se contempla más que la mujer que se posee.

La naturaleza primitiva de la aldea, rodeada de montañas salvajes y rocas tocando el cielo, se unía al recuerdo de una escultura ibérica recientemente desenterrada: La *Dama de Elche,* que había contemplado hacía poco en el Louvre, y también entraba en ese conjunto de vivencias su propia llamada interior a expresar un primitivismo ajeno a lo sentimental. Aquel período fue verdaderamente experimental y hondamente creativo, y también de rara satisfacción. Se había afeitado la cabeza y se había desprendido de su melancolía, y en su cuaderno de bosquejos, el «Cuaderno Catalán», escribió una nota que revelaba su optimismo y su confianza en sí mismo: «Un tenor que alcanza una nota más alta de lo normal: ¡Yo!». Y a esa opinión hicieron eco las palabras de Fernande: «En aquella vasta, vacía y magnífica comarca, en aquellas montañas con sus caminos bordeados de cipreses, ya no parecía, como en París, ser ajeno a la sociedad». A fin de cuentas, en un mundo situado fuera de la sociedad, el intruso pertenece a él.

A comienzos de agosto su estancia en Gosol terminó bruscamente al enfermar de fiebre tifoidea la hija del posadero. Picasso, aterrorizado por el miedo al contagio, despertó a Fernande en medio de la noche y a las cinco de la mañana, y a lomos de mula, llegaron a Bellver, donde subieron a la diligencia de Ax, y de allí, en tren, a París. Su miedo a la enfermedad le hizo imaginar que se extendería por toda España, aunque quizá fue también el deseo de llevar con ellos la ruda y primitiva España, no aguada por la civilizada Barcelona, lo que hizo que pasaran de largo esta ciudad.

De regreso en París, aún empapado de la atmósfera de Gosol, la despejó pintando *Los aldeanos*, y, en una única sesión, la cabeza de Gertrude Stein. «Pintó mi cabeza sin haberme vuelto a ver —escribió Gertrude— y me dio la pintura; estaba y estoy todavía satisfecha con mi retrato, que para mí soy yo, y es el único retrato mío que para mí es siempre yo». Cuando Alice B. Toklas llegó de San Francisco y se hizo visitante habitual de la calle de Fleurus, dijo a Picasso durante una cena cuánto le gustaba el retrato. «Todo el mundo dice que ella no es así —replicó él—, pero lo será.» Aquello fue un retrato de Dorian Grey pero al revés, retratando el futuro y no el pasado. La cabeza era una máscara, pero sin embargo era ella, y la precursora de un nuevo camino en el arte de Picasso: «No he vuelto a utilizar modelos desde Gosol, porque entonces estaba trabajando aparte de ellos. Lo que estaba buscando era una cosa distinta».

Esa cosa distinta había despertado en él en Gosol y había sido nutrida ya de vuelta en París, por el creciente entusiasmo alrededor suyo por el arte primitivo. Las secciones de arte primitivo en el Louvre y en el Museo de Etnografía del Trocadero despertaban cada vez más el interés de los círculos artísticos, y muchos de sus amigos artistas comenzaban a comprar máscaras y estatuillas primitivas a los vendedores de «bric-a-brac». Especialmente Matisse y André Derain, quien, sólo un año mayor que Picasso, se había mudado hacía poco a Montmartre uniéndose a la banda del Bateau-Lavoir. Su ocupación favorita, cuando no pintaba, era charlar sobre pintura. Salmon le acusaba de «intentar obligar a sus amigos a especular sobre la totalidad de los problemas del arte cada vez que cogían un pincel». En 1906 era el problema del arte africano y oriental el que quería que sus amigos debatieran.

«En la calle de Rennes —escribía Matisse— siempre pasaba por la tienda del Padre Salvaje. Tenía estatuillas de negros en su escaparate que me impresionaban por su carácter y la pureza de sus líneas. Eran tan bellas como las egipcias, y compré una. Se la enseñé a Gertrude Stein, a la que visité ese día. Y entonces llegó Picasso, que se apoderó de ella inmediatamente.» El recuerdo de Max Jacob es más dramático: «Matisse cogió una estatuilla de madera negra que estaba en una mesa y se la enseñó a Picasso, que la guardó en sus manos toda la tarde. A la mañana siguiente, cuando llegué a su estudio, el piso estaba cubierto de hojas de papel de dibujo. Cada hoja tenía casi el mismo dibujo que las demás: una gran cara de mujer con un solo ojo y una nariz demasiado larga que se sumergía en la boca, un rizo de pelo en el hombro. Había nacido el cubismo».

El cubismo no había nacido todavía, pero en el otoño y el invierno de 1906, Picasso lo estaba gestando y encaminando la preparación del trascendental acontecimiento. Había un lienzo montado en un material extremadamente fuerte para reforzarlo y un bastidor de grandes dimensiones. Años después hablaba con Malraux sobre el momento de la concepción: «Completamente solo en este horrible museo, con caretas, muñecas hechas por pieles rojas, maniquíes polvorientos. *Les Demoiselles d'Avignon* se fue gestando en mí poco a poco, pero no precisamente por lo que las formas son en sí mismas, sino porque fue mi primera pintura-exorcismo; sí, absolutamente... Cuando llegué al viejo Trocadero, era repugnante. El Mercado de las Pulgas. El olor. Estaba completamente solo. Quería marcharme. Pero no me fui. Me quedé. Me quedé. Comprendí que algo importante me iba a suceder. Las caretas no eran exactamente como cualquiera otra escultura. Nada de eso. Eran objetos mágicos. Pero, ¿por qué no las egipcias o las caldeas? No lo comprendía. Esas eran cosas primitivas, pero no mágicas.

Las esculturas negras eran *intercesores,* mediadores; desde entonces comprendí la palabra en francés. Estaban en contra de algo, contra espíritus desconocidos y amenazadores. Siempre me habían parecido fetiches. Yo también estoy contra algo. Yo también creo que algo es desconocido, que algo es un enemigo. ¡Algo! No los detalles (mujeres, niños, bebés, tabaco, juego), sino la totalidad de ello. Comprendo por qué los negros usaban su escultura con ese fin. ¿Por qué esculpían así y no de otra manera? ¡Después de todo no eran cubistas, y el cubismo no existía entonces! Era claro que algunos tipos inventaron los modelos y que otros los imitaban. ¿No es lo que llamamos tradición? Pero todos los fetiches se usaban para la misma cosa. Eran armas. Para ayudar a la gente y evitar que cayeran bajo la influencia de los espíritus, para ayudarla a ser independiente. Eran herramientas. Si se da a los espíritus una forma seremos independientes. Los espíritus, el inconsciente (la gente todavía habla poco de eso), la emoción, todo es la misma cosa. Yo comprendí entonces por qué era pintor».

Todo, la totalidad de la creación, era un enemigo, y él, como pintor, clasificó las esculturas no como obras de arte —siempre despreció ese término—, sino como armas: armas defensivas contra la rendición a los ataques del espíritu que llena toda la creación, y armas para combatir contra todo lo ajeno al hombre, contra cualquier deseo de sumisión, contra la naturaleza, la naturaleza humana y el Dios que creó todo. «Obviamente —dijo— la naturaleza tiene que existir para que podamos violarla.»

Era un manifiesto de arte totalmente destructivo, pero fue aceptado, asumido y comprado, en parte porque reflejaba la destrucción del más destructivo de los siglos, y en parte también porque era interpretado como una limitada tendencia a la destrucción y un pequeño rechazo, no de «todo eso», sino de, según cada uno de sus intérpretes, la sociedad burguesa, el arte tradicional, las inhibiciones sexuales y las costumbres y normas anticuadas. Y así su mensaje fundamental se ignoró o fue diluido hasta que pareció solamente un audaz llamamiento a la liberación del arte y de la sociedad de todas las trabas.

Pero era más, mucho más que eso. Era el rechazo de la vida y la creación, que él veía como una inexorable oscuridad y una perversidad desgarradora, una perversidad que no era mero producto del hombre y de sus sistemas políticos, sino de las fuerzas detrás de la creación. Por eso no había esperanza más allá de ese rechazo existencial, ni luz tras la oscuridad anónima e implacable, ni belleza tras la fealdad, ni un nuevo amanecer de la creación tras el apocalipsis amenazante. Todo, «todo eso» estaba cerrado, condenado y maldito.

Afortunadamente existía otro mundo de belleza, ternura y una atmósfera casi pastoril, en el que a veces se refugiaba, en su trabajo y en su vida. No había ninguna frontera que separase ambos mundos, ni posibilidad de redención, pero al menos la existencia de ese otro mundo le permitía sobrevivir a la orgía de destructividad que estaba a punto de liberar en sus obras.

Les Demoiselles d'Avignon procedían del Trocadero, pero en ellas había influencias ibéricas, egipcias e inconscientemente filosóficas, cuyo principal responsable era un hombre de apenas metro y medio de estatura, con pelo largo en su ancha cabeza que caía sobre sus estrechos hombros, y con ojos perturbados y profundamente negros. Era Alfred Jarry, el creador del Padre Ubu, que en su obra escénica *Ubu, Rey* ensalzaba la filosofía de la destrucción. «¡No habremos destruido nada si no destruimos las ruinas!». Jarry odiaba la sociedad contemporánea en todos sus aspectos, sus pretensiones burguesas, sus disimulos e hipocresías, y tanto su vida como su arte estaban dedicados a su destrucción. Llevaba un par de pistolas e imaginaba ocasiones para usarlas y subrayar su cometido social. Cuando alguien le paró en la calle una noche para pedirle fuego, Jarry murmuró cortésmente: «Voilá», sacando una pistola y produciendo un fogonazo al dispararla al aire.

Le había regalado una pistola automática a Picasso, quien gustaba de llevarla y usarla en las ocasiones más inadecuadas, al igual que Jarry. La disparaba al aire con especial deleite cuando algunos de sus admiradores le interrogaban insistentemente sobre su «teoría estética», con lo que los preguntones se callaban y Picasso se revolcaba en su exhibición escandalosa, que, como Jarry había predicado, cuando se practicaba en el arte o en la vida ayudaba a empujar las fronteras del arte y la sociedad más allá de la despreciable realidad del tiempo presente.

La destructividad fue la convocatoria de Jarry, y una profunda y bárbara destructividad fue el centro de *Les Demoiselles d'Avignon*. Pero mientras Picasso pintaba ese cuadro, Jarry yacía en el lecho de muerte, a los treinta y cuatro años, destruido por el alcohol y el éter antes de que hubiese podido conseguir la destrucción de la sociedad. El hombre al que Apollinaire llamaba «la última de las sublimes corrupciones en una orgía de inteligencia», se rindió a una mayor profundidad que la de su alma extravagante muy poco antes de morir y pidió un sacerdote para recibir los sacramentos. El archicínico que había declarado que «Dios es el paso más corto desde el cero al infinito... y, por tanto, finalmente, el punto tangencial de ambos» se vio obligado, en su lecho de muerte, a buscar esa presencia de Dios en la forma más tradicional y convencional, lo que sin duda fue la última paradoja de una vida llena de paradojas. El hombre que vivió y murió virgen oponía la ruda sexualidad y la fuerza primitiva de los negros de Africa contra la decadencia y la bancarrota de sus dominadores. Y en *Les Demoiselles d'Avignon,* Picasso, no menos obsesionado por la sexualidad sin tapujos, para ceder libremente a ella, eligió, como dijo André Salmon, artistas salvajes como inspiradores. Fue «el aprendiz de brujo, siempre consultando a los hechiceros de Oceanía y Africa».

Cuando Jarry le dio a Picasso su revólver sabía que había encontrado el hombre que podría llevar adelante su misión de destrucción. Era un acto ritual, y así lo interpretaron todos los presentes en la cena en la que Jarry entregó su símbolo consagrado. «El revólver —escribió Max Jacob— buscaba su dueño natural... el cometa precursor del siglo nuevo.» Lo que desafió no sólo a la sociedad, sino a la humanidad entera, fue un cuadro: *Las señoritas de Avignon,* cinco horribles mujeres, prostitutas que provocaban más bien la repulsión que la atracción con sus rostros y sus máscaras primitivas. Incluso los incondicionales de Picasso se horrorizaron. «La fealdad de las caras —escribió Salmon— fue lo que heló de horror a los semiconversos». Apollinaire habló en un susurro de revolución; Leo Stein estalló en la risotada embarazosa del que no comprende; Gertrude Stein recurrió a un silencio poco habitual; Matisse juró vengarse en su bárbara burla de la pintura moderna; Derain expuso su irónica preocupación de que «un día encontraremos a Picasso ahorcado detrás de su gran cuadro».

«No hace falta —dijo Picasso más tarde— pintar una mano con un arma; una manzana puede ser tan revolucionaria». E igualmente puede serlo un burdel. Georges Braque, que había entrado en relación con Picasso muy poco antes, cuando vio *Las señoritas de Avignon,* en el otoño de 1907, comprendić inmediatamente que suponía nada menos que el intento de una revolución. «Me hizo pensar —dijo— como si alguien estuviese bebiendo gasolina y escupiendo fuego.» Estaba escandalizado, pero también conmovido como nunca lo había estado. Siete meses más joven que Picasso, había llegado a ser su cofrade en la gran aventura iniciadora del arte del siglo veinte y también en una intimidad compartida muy poco corriente en las relaciones amistosas de Picasso y única en su trato con otros pintores. «Las cosas que Picasso y yo nos dijimos durante aquellos años nunca habían sido dichas antes —dijo Braque—, y aunque lo hubiesen sido, nadie las entendería jamás. Era como si fuésemos dos alpinistas encordados juntos».

Con un metro ochenta de estatura y muy elegante, Braque boxeaba bien, bailaba bien las danzas populares y era un músico consumado que podía interpretar con su acordeón las sinfonías de Beethoven. «Nunca decidí ser pintor, como tampoco decidí empezar a respirar —decía—. No recuerdo haberlo elegido». Su padre había sido pintor, aunque se ganaba la vida como decorador, y Braque había sido su aprendiz hasta que dejó *El Havre* y se instaló en Montmartre. Asistió a la Escuela de Bellas Artes y la Academia Humbert, y en 1906 asistió por primera vez a una exposición en el Salón de los Independientes. «Una gran cosa aquel Salón —recordaba más tarde—. Nunca había conocido nada mejor. Ninguno de los que exponían allí había sido admitido en ningún otro salón.» En 1907, cuando participó en otra exposición, junto con Matisse y Derain, vendió todos sus cuadros. Cuando empezó a reunirse con el grupo del Bateau-Lavoir estaba más interesado en sus experimentos que en la vida, e incluso entonces recalcaba la importancia de saber cómo se podría contrastar su propia inspiración con un maestro. Pero este propósito duró poco, sin embargo, al desprenderse de su traje azul, vestir la blusa azul que era el uniforme de Picasso y lanzarse a explorar el mundo de los cafés, los escritores y los poetas. En compañía de Picasso, Apollinaire y Salmon, cruzaba el Sena para ir a la Closerie des Lilas, donde los martes por la tarde los escritores y los artistas se congregaban para oír poesías, beber y discutir de casi todo hasta las dos de la mañana, menos cuando un programa especial les retenía hasta el amanecer.

El círculo de amigos crecía, así como las discusiones y las riñas. «Nunca hubo un grupo de artistas —recordaba Fernande— más aficionado a las burlas y a las palabras deliberadamente ofensivas.» Jean Moréas era uno de los poetas de las tardes de los martes que más disfrutaban haciendo rabiar a Picasso: «Dime, Picasso —le preguntaba, rebosante de sarcasmo—, ¿tenía talento Velázquez?» «Cómo me molestas con la pintura. Necesitas caballetes, tubos de colores, pinceles... un estudio. Bueno, pues yo he compuesto mis *Strophes* paseando bajo la lluvia». Picasso replicó ridiculizando a Moréas en un retrato, porque no estaba suficientemente seguro de aquel francés o de sí mismo para responderle cara a cara. Unicamente en el seno de su propio círculo de amigos era, por entonces, el artista soberano alrededor de quien éstos gravitaban, no únicamente por estar convencidos de su genio, sino por la inmensa fascinación que ejercía sobre ellos.

Apollinaire presentó a Picasso a Braque, y Picasso presentó a Apollinaire a Marie Laurencin, con la excitante promesa de que había encontrado una novia para él. Ella estudiaba pintura en la Académie Humbert, donde ya había conocido a Braque, y en 1907 había hecho su primera exposición en el Salón de los Independientes. Tenía veintidós años cuando conoció a Apollinaire y, como él, era hija natural y vivía con su madre en un pequeño apartamento. Nunca fue novia de Apollinaire, pero pronto demostró a Picasso su derecho a serle inseparable durante los siguientes cinco años, con gran disgusto de Fernande, quien describió a Marie como «una mujer horrible y misteriosa, que hacía ruidos como un animal y molestaba a Picasso», según dijo a Gertrude Stein. Cuando finalmente Apollinaire la llevó a la calle de Fleurus, Gertrude la encontró muy joven, muy elegante y muy interesante. «Marie Laurencin —escribió— era terriblemente miope y desde luego nunca usó gafas, que ninguna mujer francesa y pocos franceses llevaban en aquellos tiempos. En su lugar usaba impertinentes. Pese a las opiniones de Fernande respecto a ella, las dos parejas estaban siempre juntas, y en *Apollinaire y sus amigos* Marie Laurencin inmortalizó al quinteto: Apollinaire, ella, Picasso, Fernande y su amada perra *Fricka.* Fue el primer cuadro que vendió y se lo compró Gertrude Stein.

Una tarde de 1908, recordaba Fernande, los cuatro, con Max Jacob y Princet, cuya mujer se había fugado con Derain, se habían reunido en el restaurante de Azon, tomando píldoras de hachís. Caía la tarde en la abandonada habitación de Princet cuando, indefensos, todos huyeron a un mundo de fantasías. Princet lloraba; Max Jacob se sentó pacíficamente en un rincón, maravillosamente feliz; Apollinaire creía pasar su vida entera en un prostíbulo imaginario; Marie Laurencin, siempre dueña de sí misma y decorosa, se marchó pronto para reunirse con su madre y su gato, y Picasso se perdió en un horrible sueño en el que tropezaba siempre con un muro y no podía seguir adelante. En su pesadilla gritaba que había descubierto que ya no le quedaba nada por aprender, que estaba condenado a pintar la misma cosa una y otra vez y que quería suicidarse.

Su infierno de fantasía se emparejó pronto con la realidad. Una cálida noche de junio estaba pintando con la puerta de su estudio abierta, cuando *Fricka* comenzó a ladrar desaforadamente. Salió del estudio siguiendo al perro y encontró a Wiegels, el pintor alemán, ahorcado, colgado de una viga de su estudio. Fue una tremenda experiencia para Picasso verse enfrentado con la muerte en forma tan inesperada y tan próxima, y cayó en una progresiva depresión y preocupación por su salud. Su régimen de comidas se hizo cada vez más ascético, sus aperitivos fueron reemplazados por agua mineral y abandonó las píldoras de hachís como antes había abandonado las de opio, y para siempre. Pero su preocupación por su salud no le hizo dejar la pipa y los cigarrillos, ni siquiera cuando llegó a creer que su tos de fumador era debida a un comienzo de tisis. Deseaba ardientemente huir del Bateau-Lavoir, pero se encontraba demasiado agotado y emocionalmente exhausto para emprender un viaje largo hacia el Sur, y encontró una pequeña casa campesina en una granja de la Rue des Bois, a unos cuarenta kilómetros de París. Rodeado de prados y bosques, quedó fascinado por el paisaje, que hizo protagonista de su obra, y el verde comenzó a dominar los cuadros que pintó allí.

Mientras Picasso exploraba un camino, Braque, en L'Estaque, al sur de Francia, reinterpretaba el paisaje familiar que antes había cautivado a Cézanne. El Salón de Otoño, evidentemente, no estaba preparado para esa reinterpretación. Por lo que rechazó los seis paisajes que Braque envió allí, aunque ese Salón había sido creado, como el mucho más rebelde Salón de los Independientes, para ofrecer una alternativa al sofocante tradicionalismo de las exposiciones habituales. Matisse, Rouault y Marquet maniobraron para persuadir al resto del jurado que revocara su decisión, o al menos a dos de los integrantes del tribunal, pero para Braque era una cuestión demasiado pequeña y demasiado tardía, y abandonó su pretensión de exponer en el certamen.

En cambio convenció a Henry Kahnweiler para que organizase la primera exposición cubista, una exhibición de obras de Braque en la galería de Kahnweiler, en la calle Vignon. Esa galería, tapizada en gris-violeta, era tan discreta como su propietario, quien, con poco más de veinte años de edad, era un modelo de elegante reserva. Después de haber vivido en su Alemania natal, había sido banquero en Londres, y unía a su audacia en lo artístico y a su profunda curiosidad intelectual su meticulosidad de banquero. Louis Vauxcelles, en su reseña de la exposición, escribía despectivamente que Braque reducía todo a «pequeños cubos». Más tarde, en otra revista, fue más despreciativamente exacto y se refirió al cubismo peruano. A Kahnweiler le complació. Su sentido de la historia, hondamente arraigado, le hizo considerar que era un buen síntoma que el movimiento artístico que había patrocinado hubiera sido utilizado por uno de sus adversarios: «Los movimientos que escogen sus propios nombres —dijo— revelan su carácter artificial o su sujeción a un jefe ambicioso».

En la medida en que Picasso se consideraba parte de él, se trataba de un movimiento de dos artistas. «Braque y yo —dijo — trabajamos con entusiasmo, y era lo principal, dedicándole nuestros esfuerzos en mayor medida que lo usual, porque nos incorporamos a él en cuerpo y alma.» Era una búsqueda que trascendía el ego y las ambiciones personales, y para subrayar que lo que ellos buscaban era «la pura verdad, sin pretensiones, engaños ni malicia» firmaban sus cuadros únicamente en el dorso, para conservar un anonimato no contaminado por ningún matiz de vanidad personal. «Picasso y yo —decía Braque— estábamos comprometidos en lo que considerábamos una búsqueda de la personalidad anónima y nos inclinábamos a eclipsar nuestra personalidad para conseguir la originalidad. Así sucedía con frecuencia que los aficionados se equivocaban tomando las obras de Picasso por mías y las mías por las de él, lo que nos era indiferente, porque estábamos sólo interesados en nuestro trabajo y en los problemas que presentaba.»

A Picasso le gustaba navegar por mares que no figuraban en los mapas, haciendo frente a lo desconocido y con Braque como compañero y confidente. «Picasso, aficionado a la pintura», fue como firmó una nota para los Stein por aquel entonces. «Nos fuimos tan lejos de todo lo conocido hasta entonces y ensalzamos unas formas de expresión —decía más tarde Picasso, con nostalgia de aquel período— que teníamos la sensación de estar seguros contra cualquier sospecha de motivos ocultos.» Y en 1931, durante un tiempo de especial felicidad en su vida, dijo a sus amigos: «Me siento ahora tan feliz como lo fui en 1908».

Era una felicidad nacida de la absorción del científico en sus experimentos de laboratorio, cuando la confusión emocional y las triviales irritaciones de la vida diaria habían sido totalmente interrumpidas. Sus relaciones con Fernande habían sido desplazadas a un segundo término, y era Braque quien ocupaba el primer plano, al que Fernande, que había recelado de Braque desde un principio, veía ahora claramente como su rival. La pasión de Picasso se había canalizado hacia su trabajo con Braque, y el papel de Fernande en su vida se había hecho, como observó Gertrude Stein, más maternal que sexual. «Braque es la mujer que más me amó», dijo más adelante Picasso, lo que era en parte un comentario sobre la intensidad e intimidad de su relación, en parte una afirmación de su supremacía y en parte también un testimonio de la capacidad de Braque para la devoción. Había adquirido la costumbre de llamar a Braque «cher maître», para burlarse de Juan Gris, que había llegado recientemente al Bateau-Lavoire procedente de Madrid y que comenzó a llamar reverencialmente a Picasso, que era solamente cinco años mayor que él, «querido maestro», lo que enfurecía al así calificado, especialmente en aquel tiempo, en que le consumía el esfuerzo de purgar sus expresiones de todo amaneramiento y de todo gesto vacío. «Necesito un ingeniero para poder construir los objetos en mis cuadros», le dijo a Kahnweiler.

En noviembre de 1908, Picasso y Braque dejaron a un lado sus experimentos para dejarse llevar por una ola de sentimentalismo hacia un hombre cuya pintura era un exponente de inocencia infantil, espontaneidad e imaginación: Henri Rousseau, conocido por el Aduanero por su empleo como funcionario de Aduanas. Era un hombre bajo, tímido, a la mitad de la sesentena, que habitaba en la orilla izquierda del Sena y pintaba tan inconscientemente como vivía. Había expuesto sus trabajos durante años en el Salón de los Independientes y en el Salón de Otoño, pero sus cuadros, tan ajenos al espíritu de su tiempo, en el mejor de los casos eran considerados como encantadoramente irrelevantes, y en el caso peor, objeto de duras burlas. Así fue hasta que Apollinaire decidió ensalzar a Rousseau y al marqués de Sade al mismo tiempo, y escribió afanosamente una introducción para sus «Obras escogidas», que proyectaba publicar al año siguiente. No vio contradicción en proclamar simultáneamente la necesidad de sacar a la luz las obras de Sade y la de ensalzar la pureza y la infantilidad de Rousseau en sus obras. Muy pronto alistó a Picasso en sus filas y los dos comenzaron a planear un gran banquete en honor al Aduanero, que se celebraría en el estudio de Picasso.

Un enorme gallardete fue izado a la entrada del Bateau-Lavoir para que nadie dudase de los propósitos del acontecimiento: «Homenaje a Rousseau». Había allí alrededor de treinta comensales, entre ellos Marie Laurencin, André Salmon, Pichot (el pintor español) y su mujer, Germaine —la misma Germaine por la que Casagemas se había suicidado—, Gertrude Stein y Alice B. Toklas, que era por entonces la amante que vivía en su casa, y Maurice Reynal, que escribió una de sus más elaboradas reseñas del banquete, que de la noche a la mañana llegó a ser una leyenda: «Las paredes del estudio de Picasso fueron despojadas de su habitual decoración, y en ellas fueron colgadas unas cuantas bellas máscaras de negros y un mapa de Europa, con un amplio retrato de Yadwigha (la maestra de escuela polaca que fue amante de

Rousseau) pintado por él y en el sitio de honor. La habitación estaba decorada con guirnaldas de linternas chinas. La mesa estaba montada sobre caballetes y prevista para toda clase de manjares... Los dos estudios vecinos fueron requisados, uno para servir de guardarropa para las señoras y el otro para prestar el mismo servicio a los hombres. Para evitar el desorden, los puestos en la mesa estaban indicados de acuerdo con la más estricta etiqueta, y cuando la habitación hervía en ruidosas protestas, tres discretos golpes sonaron en el techo. Inmediatamente el ruido cesó y reinó el más completo silencio. Se abrió la puerta. Era el Aduanero vistiendo su sombrero blando de fieltro, con su bastón en la mano izquierda y su violín en la derecha».

Fue acogido con éxtasis y le hicieron sentarse en un trono hecho con una silla sobre una plataforma. De conformidad con el carácter surrealista de la ocasión, pronto fue evidente que aquél iba a ser un banquete sin nada que comer. Lo habían encargado a Félix Potin, pero, como se dio cuenta inmediatamente Picasso, el encargo era para la noche siguiente. Alice Toklas sugirió telefonear a Potin, pero se le recordó que estaban en París y no en San Francisco, y que «no se telefonea, y menos a una tienda de ultramarinos». Afortunadamente Fernande había hecho una gran paella, y una salida a las tiendas de la vecindad aportó bastantes sardinas, embutidos, tartas y bollos de crema para sustituir la cena, si no con un banquete, al menos con una discreta comida. Apollinaire, en el papel de maestro de ceremonias, presentó solemnemente al huésped de honor, y entre plato y plato, así como después de la cena, hubo discursos y poemas, música y baile, todo en honor de Rousseau. Pichot hizo una exhibición de danza española, Braque tocó el acordeón, André Salmon se subió a la mesa y recitó una oda a Rousseau, y Apollinaire recitó un poema en honor del homenajeado, que había escrito para la ocasión. A lo largo del acto, el Aduanero seguía sentado en su trono, sonriendo en éxtasis, mientras una linterna china, encima de su silla, goteaba cera exactamente en su cabeza, hasta que formó sobre ella como un pequeño sombrero de clown, y finalmente la linterna se incendió. «No me costó demasiado trabajo —escribió Fernande en sus memorias— convencer a Rousseau de que aquello era su apoteosis.» Después de lo cual el Aduanero tocó en su violín todo su repertorio e hizo que las señoras bailasen al son de su música.

En las primeras horas del nuevo día, mientras Picasso ayudaba al entusiasmado Rousseau a entrar en un coche, el Aduanero, volviéndose hacia él, le agradeció haberle proporcionado el día más feliz de su vida y afirmó: «Usted y yo somos los mejores pintores de estos tiempos: usted en el estilo egipcio y yo en el moderno».

Picasso y Braque, codo a codo, luchaban por extinguir la individual personalidad de sus obras, y como ocurría generalmente, cuando estaba roturando un nuevo campo y creando un lenguaje nuevo, Picasso deseaba ardientemente volver a España, ya que allí esperaba ver con más claridad el camino que seguía. En el verano de 1909, cuando los interrogantes sobre su pintura llegaban a ser cada vez más incesantes, anhelaba ir no a un punto inconcreto de España, sino a la armonía y exaltación que había conocido, más que en cualquier otra parte, en Horta, diez años antes. Después de pasar el menor tiempo posible en Barcelona, Picasso y Fernande se fueron a Horta, como siempre, con Pallarés. «El nunca hablaba del cubismo», dijo Pallarés. Ello se debía seguramente a que no quería referirse a la nueva visión que dominaba su pintura. Fernande tomó fotografías del pueblo, y cuando más tarde las enseñó en las reuniones de los sábados en casa de Gertrude Stein, la elocuencia de las vistas hizo a Gertrude escribir: «Me divierte siempre cuando algunos protestan contra la fantasía de la pintura, cuando la pintura es casi tan exacta como la fotografía... Las aldeas de España son tan cubistas como sus fotografías».

En Horta, incluso sin el joven gitano, Picasso se encontró renovado, inspirado y fortalecido. Jugó al dominó en el café, oyó al tabernero tocar la guitarra, charló con los aldeanos y reavivó su amor a Fernande. Era feliz y nada consiguió impedírselo, ni siquiera la rotura a pedradas de los cristales de sus ventanas por obra de algunos aldeanos, que habían descubierto con indignación el espantoso secreto de que Fernande y él vivían en concubinato. Realmente aquello más bien le divirtió, y respondió a la pedrea, como hubiera hecho Alfred Jarry, disparando al aire su revólver, lo que aquietó inmediatamente a los agresores. Picasso continuó pitando y paseándose del brazo de Fernande por toda la aldea.

En su arte había conseguido reducir los detalles confusos de todo lo que veía a las formas esenciales subyacentes, y ahora deseaba descubrir un orden parecido bajo la confusión de su vida. Cuando regresó a París, las paredes del Bateau-Lavoir parecían mirarle fijamente y agobiarle. Había que abandonar aquel estudio, y a comienzos de septiembre Fernande y él se mudaron al número 11 del Boulevard Clichy, cerca de la Place Pigalle. Tan grande fue el contraste entre el nuevo domicilio y el anterior, que los mozos de la mudanza se creían que les había tocado la lotería. «A esta gente le ha tocado el gordo», dijo uno de ellos a Maurice Raynal, que ayudaba a Picasso en el traslado. Y en cierto sentido era verdad, ya que el supuesto premio gordo consistía principalmente en la compra de cincuenta cuadros de Picasso por el coleccionista ruso Serge Schukin, que los adquirió de una vez, entre otras cosas para darse el gusto de asombrar a sus amigos aristocráticos y sus parientes de Moscú. Los días de Picasso como artista pobretón habían terminado.

La casa a la que se habían mudado pertenecía a Théophile Delcassé, que había sido ministro de Asuntos Exteriores y autor de la Entente Cordiale. El apartamento donde Picasso había instalado su estudio tenía una elegancia de viejo estilo, en parte realzada y en parte disminuida por su cada vez más nutrida colección de muebles y chucherías, que reunía todas las cosas que habían despertado su curiosidad. Allí estaba una pequeña silla familiar, de raída tapicería, junto con un enorme sofá de estilo Luis Felipe, cubierto por una colcha de terciopelo púrpura brochada en oro, y tapices en las paredes, y un inmenso aparador para el comedor, las sillas Chippendale de los padres de Pablo (traídas de Barcelona), máscaras y tallas africanas, botellas de jarabe, instrumentos musicales, un cuadrito de Corot representando una muchacha joven, al lado de colecciones de grabados chillones, baratos. Atendiendo al cuidado de esos tesoros había una criada de delantal blanco que muy pronto se dio cuenta de que su tarea estaba sujeta a condiciones muy restrictivas: durante la mañana no podía dedicarse a las faenas domésticas porque el ruido podría despertar a la pareja, que generalmente no dejaba la cama hasta la tarde, y tampoco se le permitía barrer el estudio, ya que a Pablo le molestaba el polvo que podía pegarse a sus cuadros cuando todavía estaban húmedos. La criada, sabiendo que se atenía a las costumbres de sus señores, fue más allá todavía y se dedicó a trabajar lo menos posible, lo que resultó bien para todos.

Para Fernande no constituía problema alguno adaptarse a que le guisasen sus comidas, ni a consumirlas en un comedor apropiado y servidas por su criada uniformada, ni a actuar como una señora en su casa los domingos por la tarde. «Pese a todo ello —escribió en sus memorias— Picasso no era tan feliz allí como lo había sido antes». Más cierto sería que *ellos* eran menos dichosos allí juntos que lo habían sido antes. Cada vez estaban más apartados entre sí, y en un intento de volver a despertar su interés y quizá, pensaba ella, su anterior pasión, Fernande comenzó a tener amoríos casuales, pero todo lo que consiguió despertar en Picasso fueron algunos ocasionales estallidos de cólera.

El pensamiento del pintor iba por otros senderos. Todo su ser estaba absorbido por el camino que Braque y él habían emprendido, y sus ansias de intimidad, que había saciado ampliamente con Fernande, las satisfacía ahora a través de su relación con Braque, aunque su romántica camaradería con él, alimentada por la pobreza, se había erosionado por la prosperidad y el creciente éxito. Transcurría ahora el tiempo de más éxitos, con mucha diferencia, pero no el tiempo mejor; la absorción de Picasso en sus tareas fue cobrando su revancha: su digestión se perturbó y tuvo que dejar de beber vino y no comer más que verduras, pescado, uvas y arroz con leche.

Cuanto menos respondía el mundo que le rodeaba a lo que estaba haciendo, más fiero se hacía su compromiso interno de «seguir todo el camino», como había dicho una vez. En una carta a Kahnweiler, quien acababa de comunicarle que a uno de sus más leales coleccionistas de cuadros no le habían gustado sus últimas obras, replicó: «Está bien. Me alegro de que no le gusten. A ese paso disgustaré al mundo entero». El mundo no lo había aceptado plenamente; él lo rechazaba totalmente. Era la lógica de un niño lastimado, pero en ella había una arrogancia que le ayudaba en aquel tiempo de aislamiento en el que tan pocos le seguían en su trayectoria.

Apollinaire se comportó tan lealmente como de costumbre, proclamando que lo que Picasso hacía era «llevar adelante un arte enteramente nuevo que está en relación con la pintura, la aceptada hasta ahora, como la música se relaciona con la literatura. Será la pintura pura, como la música es pura literatura». Acababa de publicarse su prefacio a las *Obras escogidas* de Sade cuando Picasso se mudó al Boulevard de Clichy. El caos de Sade no reinaba, sin embargo, en el absolutamente convencional y meticulosamente ordenado apartamento de Apollinaire en la calle Des Martyrs, donde tenían lugar sus experiencias amorosas con Marie Laurencin. Ella se quejaba más tarde de que hiciesen el amor en un incómodo sillón, en lugar de emplear a este fin su hermosa colcha.

Mientras Apollinaire ensalzaba a Sade —al menos intelectualmente— Max descubría a Cristo. Durante mucho tiempo se había interesado por las ciencias ocultas, leyendo las cartas de la baraja y los posos de café, estableciendo horóscopos, haciendo talismanes que sus amigos más razonables no quisieron llevar nunca encima, y leyendo la palma de la mano. Pero había un indudable salto entre chapucear en lo oculto y convertirse a una religión. Y el salto se produjo en la noche del 7 de octubre, muy poco después de haber regresado Max de la Biblioteca Nacional. «Estaba buscando mis zapatillas —contaba— cuando levanté la cabeza: había alguien en la pared. ¡Había alguien! ¡Había alguien en la pared! ¡Había alguien sobre el papel carmesí de la pared! Mi silla cayó al suelo; un relámpago me había dejado desnudo. ¡Oh, momento inmortal! ¡Oh, verdad! ¡Verdad, lágrimas de verdad! ¡Alegría de verdad! ¡Inolvidable verdad! El cuerpo celestial estaba en la pared de mi pobre habitación. ¿Por qué, oh, Señor? ¡Oh, perdóname! ¡Estaba en un paisaje que yo había pintado, pero era El! ¡Qué belleza, qué elegancia, qué gentileza! ¡Sus hombros, sus movimientos! Vestía una toga de seda amarilla con bordados azules».

A causa de lo melodramático de su expresión religiosa y también por su vida disoluta, los sacerdotes a los que recurrió, incluso los que se habían especializado en la conversión de judíos, se resistían a recibirlo en la religión cristiana, así que Max leyó todas las Sagradas Escrituras, rezó en la mayoría de las iglesias de París y esperó. Los sacerdotes dudaban en aceptar que fuese real su conversión, y sus amigos se inclinaban a atribuirla a su adicción al éter y a su propensión al drama y al exhibicionismo, aunque era duro negar el anhelo de Max por la verdad espiritual: un clamor en la pena contra la inutilidad de buscar el más allá de la naturaleza humana sin la intercesión de lo divino.

Picasso, que buscaba superarse a sí mismo y a la condición humana, mientras se conceptuaba ateo, fue, sin embargo, atraído por la vertiente mística de su amigo y su esperanza de encontrar una expresión más alta que la que se alcanzaba más allá de la rebeldía. En cuanto a su relación con Picasso, se transformó, de forma sutil pero definitiva, después de su conversión. Antes de la noche definitiva en que Cristo se le apareció, había dicho a Picasso: «Tú eres lo que yo más quiero en el mundo después de Dios y de sus santos, que ya te consideran uno de ellos». Su conversión había empapado su vida del sentido que había buscado de otra manera al estar al servicio de Picasso. Estaba claro también para él que el arte no era una religión lo bastante poderosa, aunque seguía urgiendo a Picasso a desterrar toda sensiblería simbolista y romántica del cubismo, de la misma manera que él había escuchado una antigua forma de cristiandad, sin el peso de siglos de rancias convenciones.

La relación con Braque continuaba dominando la vida de Picasso. No pasaba un día sin que cada uno visitase el estudio del otro, y ningún cuadro se consideraba acabado hasta que los dos declaraban que estaba terminado. «Una tarde —contaba después

Picasso— llegué al estudio de Braque. Estaba pintando una naturaleza muerta con un paquete de tabaco, una pipa y los trastos de costumbre en el cubismo. Miré el cuadro, me retiré y dije: «Pobre amigo mío, eso es terrible; veo una ardilla en tu cuadro». Braque dijo: «Eso no es posible». Yo le respondí: «Sí, ya lo sé; es una visión paranoica, pero sucede que yo *veo* una ardilla. Esa tela está hecha para ser una pintura, no una ilusión óptica. Mientras la gente necesita ver algo en ella, tú quieres que vea un paquete de tabaco, una pipa y las demás cosas que estás pintando. Pero, por favor, deshazte de esa ardilla». Braque retrocedió unos pasos, miró cuidadosamente y, en efecto, vio la ardilla, porque esta clase de visiones paranoicas son extremadamente contagiosas. Día tras día Braque luchó con la ardilla. Cambió la estructura, la luz, la composición, pero la ardilla volvía siempre, porque mientras estaba en nuestras mentes era casi imposible echarla fuera. Por muy diferente llegaran a ser las formas, la ardilla de algún modo volvía sie Al fin, después de ocho o diez días, Braque consiguió engañ el cuadro volvió a ser un paquete de tabaco, una pipa, una b y todo lo habitual en una pintura cubista».

Para Picasso esa narración era una ilustración perfecta d relación gemelar con Braque, de la relación simbiótica que h crecido en ellos. La creación emanaba de la reunión de dos ca teres opuestos: Picasso, intenso, voluble y temperamental; Bra pausado, introspectivo y metódico, con una gran capacidad la lealtad y el amor. «Pese a nuestros temperamentos difere —diría Braque—, nos guiaba una idea común. Picasso es españ yo francés, y las diferencias que eso implica son bien conoci pero durante aquellos años no contaron para nada».

La fecunda estabilidad que ofrecía su relación con Braque facilitó a Picasso retirarse del mundo y permitir a la nueva fase de su arte fermentar y revelarse. Sus amigos no dejaron de darse cuenta de lo absorto y lejano que parecía aunque estuviese físicamente con ellos. Si se atrevían a interrumpir sus silencios para averiguar si se encontraba bien, él replicaba como si estuviera en el fondo de un pozo: «estaba pensando en mi trabajo», y se retiraba apresuradamente a su cueva. No soportaba asistir a las reuniones sabatinas de Gertrude Stein ni a las domésticas de los jueves de Apollinaire, pero cuando estaba presente en ellas la irritación parecía dominarle. Le irritaba que Matisse fuera el centro de la atención general, y que esa atención se dirigiese a él para hacerle preguntas sobre su trabajo, y le irritaba el más ligero síntoma de que ese trabajo no fuese comprendido, o, Dios no lo quisiera, maltratado. Se encolerizó al descubrir que Stein había barnizado dos de sus cuadros, y tuvo que ser sujetado para impedir que se los llevase airadamente bajo el brazo. Una tarde su irritación se convirtió en cólera cuando el crítico de arte alemán Wilhelm Uhde y un grupo de jóvenes estudiantes, que habían venido a París especialmente para verle, le encontraron en el Lapin Agile y lo llevaron triunfalmente a la Place du Tertre, entonando canciones populares alemanas, agotando, primero, su sentido de la sensatez, y después su paciencia, por lo que sacó el revólver que le había regalado Alfred Jarry e hizo con él repetidos disparos al aire. Los alemanes se dispersaron instantáneamente y él regresó al Lapin Agile, no más feliz, pero sí, gracias a Dios, solo.

Fue una fase de honda misantropía, en la que los miembros de la *banda* de Picasso estaban menos disponibles y quejándose unos de otros por esta falta de disponibilidad. Apollinaire estaba más ocupado que nunca con sus libros y sus artículos, con Marie Laurencin y con sus noches de los jueves, y al mismo tiempo, dispuesto al tipo de estabilidad que él y sus amigos habrían ridiculizado poco antes como desesperadamente burgués. La banda crecía, y Apollinaire, que había escrito «Nosotros, que luchábamos constantemente a lo largo de las fronteras del infinito y del futuro», expresaba en un pequeño poema el cambio en el entendimiento de la vida:

Deseo en mi casa
una mujer de mente sana,
un gato paseándose entre los libros,
y siempre esos amigos
sin los cuales no puedo vivir.

Picasso compartía esos sentimientos, pero sabía que aunque su gato en el Boulevard de Clichy era el gato adecuado para pasearse entre los libros, Fernande no era ya la mujer adecuada para vivir en la casa, aunque estaba demasiado absorbido por su trabajo para prestar mucha atención a la gradual desintegración de sus relaciones. En cuanto a poner fin a esa degradación, no era ni sería nunca el propósito de Picasso, que quería sencillamente encontrar otra relación y situar la que estaba naciendo al lado de la que estaba muriendo.

4

PASIONES Y TRAICIONES

En junio de 1910, Fernande escribió a Gertrude Stein, que había dejado París por Fiésole: «Hemos hecho muchas amistades, con clowns, acróbatas, jinetes de circo y funámbulos, con los que nos reunimos en el café y pasamos con ellos nuestras tardes». Entre los nuevos amigos a que se refería estaban Louis Markus y Marcelle Humbert. Markus era un pintor polaco de talento, a quien Apollinaire bautizó «Marcoussis», el nombre de una aldea de los alrededores de París. Tenía veinticinco años de edad cuando llegó a París en 1903, era idealista y estaba deseoso de consagrar su vida al arte. Hasta que se enamoró de Marcelle Humbert. La pintura era lo más importante en su vida, pero en los tres años que llevaba viviendo con ella la mujer desplazó hacia sí misma todos los proyectos y las ambiciones del pintor. Marcelle tenía una salud muy delicada, y resolvió mantenerla y protegerla de los embates de la vida. Para ello dedicó su talento a dibujar caricaturas y trabajos en los periódicos, lo que era mucho más seguro y más provechoso desde el punto de vista económico que lo que podría haberlo sido su pintura.

Habían hecho amistad con Apollinaire en el Circo Medrano, y a través de él con Braque, Picasso y Gertrude Stein. Marcoussis, a quien entusiasmaba e inspiraba el movimiento cubista, era un gran admirador de Picasso, mientras Marcelle fascinaba a Fernande, y aunque entre ellas nada había en común se hicieron buenas amigas. Marcelle le recordaba a Fernande su gran heroína Evelyn Nesbitt, la antigua modelo y corista, por la cual su marido Harry

Thaw había dado muerte al arquitecto Stanford White. Fernande, al igual que Gertrude Stein, adoraba a Evelyn Nesbitt (Thaw por su marido), a la que *The New York Times* describía, en el primer día del juicio criminal contra su marido, como «una cosita que no parece capaz de ser la causa de toda esta tragedia... La regularidad de sus facciones, que hizo de ella la delicia del artista, permanece, pero sus colores han desaparecido y los siete agotadores meses de ansiedad la han arrebatado la mirada infantil, que era uno de sus principales atractivos».

Gertrude Stein resumió a Evelyn Thaw como «pequeña y negativa»: «He aquí una pequeña Evelyn Thaw francesa», decía de Marcelle, «pequeña y perfecta», a lo que asintieron Fernande y Picasso, aunque éste, por el momento, tenía un lío con otra encantadora Marcelle, a la que había encontrado durante sus correrías por Montmartre.

Pero amoríos tan cortos como ése no bastaban, sin embargo, para alterar su tranquilidad. En busca de su renovación se fue con Fernande a Cadaqués, en la Costa Brava, a donde todos los años iban Ramón y Germaine Pichot, y donde coincidieron con los Derain. Pasaban el tiempo en la playa y los cafés o bailando sardanas. André Salmon llamaba a Picasso «el animador», y a Derain «el regulador», pero de momento la discrepancia entre los caracteres de ambos no impedía que les uniese su común entusiasmo por las revolucionarias posibilidades que estaban desarrollando en su arte.

Alice Princet se convirtió en otro lazo entre ellos. Alice había sido amante de Picasso y ahora estaba casada con Derain. Compartir una mujer era siempre para Picasso un vínculo muy especial con sus amigos masculinos. «No puedo tener amigos que no sean capaces de dormir conmigo —dijo en una ocasión—. No es que se lo exija a las mujeres o se lo pida a los hombres, pero al menos habría esa sensación de calor e intimidad que produce la experiencia de dormir con alguien». En este caso era como si se fuese a la cama con Derain a través de Alice y así resultase su amistad más intensa, más íntima, casi tangible. Picasso echaba de menos a Braque, y hubiera deseado que estuviese más cerca que en la lejana L'Estaque para que pudiera ayudarle en sus dudas y preguntas al ahondar cada vez más profundamente en su análisis de las formas. Regresó a París insatisfecho de su trabajo y sin haber terminado muchos de sus óleos. Sin embargo, como decía Kahnweiler, «ha dado el gran paso, ha perforado la forma cerrada».

A lo largo del año, Picasso había luchado por dar una nueva expresión a las caras y los cuerpos humanos. «Como es español

—sintetizaba Gertrude Stein— sabe desde siempre que la gente es lo único que le interesa... Las almas de la gente, no, porque lo que muestra la entera realidad de la vida está en la cabeza, la cara y el cuerpo, y eso es tan importante para él, tan duradero y tan completo, que no es necesario pensar en otra cosa, y el alma es otra cosa».

El alma, para Picasso, era otra cosa, de la que usaban, falsificaban y abusaban los clérigos de su infancia, la iglesia de su tierra natal, retrógrada y llena de prejuicios. Todavía ansiaba la sustancia y la realidad. Decía, tiempo después: «No hay más punto de partida que la realidad». Buscaba sustituir la apariencia superficial de las cosas y los hombres por su orden oculto y su realidad escondida. «Yo trabajo como los chinos —decía—; no según la naturaleza, sino *como* la naturaleza».

A finales de 1910, Picasso terminó su retrato de Kahnweiler, en el que dividió en fragmentos la forma humana, sacrificando la profundidad, el volumen, el color, la sensación y la perspectiva a su búsqueda de la pura realidad. Los experimentos con la desintegración de las formas alcanzaron su triunfal culminación en el retrato de Kahnweiler, aunque el nuevo año halló al pintor cada vez más nervioso e inquieto. Profundamente supersticioso veía esa desintegración de las formas como real, como si poseyera el mágico poder de someter a ella a quienes le servían de modelo y a sí mismo, y quizá por ello nunca pintó un autorretrato cubista. Incluso para retratar a Braque utilizó como modelo a un hombre que se le parecía, y no al propio Braque.

Más tarde, Kahnweiler escribía: «El increíble heroísmo de un hombre como Picasso, cuya soledad moral por aquel entonces era aterradora». Y Picasso era consciente de los riesgos heroicos que afrontaba. Decía entonces: «La pintura es la libertad. Cuando uno salta puede caer en el lado equivocado de la cuerda, pero si no se quiere correr el riesgo de romperse las narices, ¿para qué saltar? Hay que despabilar a la gente, revolucionar su manera de ver las cosas. Habéis creado imágenes que no aceptan; hacedlas espuma en la boca; obligadles a entender que están viviendo en un bonito mundo extraño, un mundo que no es tranquilizador, un mundo que no es como ellos creen que es».

Pero estaba preocupado por su total ruptura con el pasado. Aunque se confesaba ante sí mismo como subversivo en su obra y desease asombrar y perturbar, confiaba apasionadamente en alcanzar una amplia audiencia en lugar de solamente un sector de gentes refinadas. «Nunca fui partidario de pintar solamente para una minoría —decía—. Siempre he creído que la pintura tiene que despertar en los hombres algo que casi nunca veo en los cuadros, precisamente lo que Molière consigue: hacer reír a las personas inteligentes y a las que no entienden lo que pasa en el escenario. Y Shakespeare, lo mismo. Y en mis obras, como en las de Shakespeare, hay siempre cosas burlescas y relativamente vulgares, y por este medio llego a todo el mundo. No quiero humillarme ante el público, pero sí quiero ofrecer algo a todos los niveles de pensamiento».

La descripción de Picasso de su lucha interior mientras pintaba el retrato de Kahnweiler reveló su decisión de no dejar que su arte llegase a ser algo minoritario, aislado y caprichoso: «En su forma original me parecía como si estuviese alzándose en el humo, pero cuando pinto el humo quiero que sea como si pudieses meter en él una uña, y por eso añadí una sugestión de ojos, un rizo de pelo, el lóbulo de una oreja, las manos estrechándose, y ahora puedes meterla»... «Si quieres dar alimento... en la pintura, no es fácil que mucha gente lo admita, porque no tienen órganos para asimilarlo, y tienes que encontrar algún subterfugio para que lo acepten. Es como cuando das a un niño una explicación larga y difícil: tienes que añadirle ciertos detalles que él entienda muy bien y así podrás mantener su interés y alentarle en las partes difíciles. La gran mayoría de la gente carece de espíritu creativo o de invención. Como dice Hegel, sólo pueden conocer lo que ya conocían; y así, ¿cómo vas a conseguir que aprendan algo que les resulta nuevo? Pues mezclando lo que ya conocen con lo que no conocen todavía. Y entonces, cuando ven vagamente en su niebla algo que reconocen, piensan: «¡Ah, esto lo conozco!», y ése es el primer paso para que piensen que conocen totalmente la cosa, y empujan su entendimiento para que entre en lo desconocido, y comienzan a reconocer lo que antes no conocían, y acrecientan su capacidad de comprensión.»

Pero todavía había mucha gente, entre ellos coleccionistas, pintores y marchantes, cuyos pensamientos no habían «entrado en lo desconocido». Hasta Vollard dejó de comprar cuadros cubistas en 1910. Manolo, aunque, de acuerdo con los criterios de Picasso, era claramente un hombre dotado de espíritu de creación e inventiva, no le ocultó sus opiniones: «Honradamente, nunca he entendido el cubismo y no sé lo que es. Mirando uno de los más antiguos cuadros de Picasso, le pregunté qué diría si al día siguiente (supongamos, cuando fuese a la estación del ferrocarril a recibir a su madre) ella apareciese en forma de figura cubista».

La paciencia de Picasso como maestro se agotó rápidamente, y su respuesta a los que no entendían la cuestión era, la mayoría de las veces, quitárselos de encima. «¿Cómo podría echar la culpa a nadie sino a mí mismo cuando no puedo entender algo que desconozco?» —dijo una vez refiriéndose a su incapacidad de entender el inglés—. Había algo obsesivamente dado a lo secreto en un aspecto de su personalidad, que le hacía amar la especial relación entre los iniciados, los nombres en clave, el lenguaje esotérico y todo lo que reafirmaba su separación respecto a los no iniciados. Cuando se publicó la novela *Saint Matorel,* de Max Jacob, su dedicatoria a Picasso consagraba la secreta relación entre él y el autor:

A Picasso,
por todo lo que yo sé que él sabe,
por todo lo que él sabe que yo sé.

Había una constante tensión interna en la vida de Picasso entre su predilección por la discreción y la exclusividad y su casi tolstoyano anhelo de llegar al campesino español menos instruido, al trabajador parisino menos sofisticado, y sentirse como uno de ellos. Esta tensión casi siempre se resolvía con la retirada a su mundo autocreado en compañía de unas cuantas personas selectas que había decidido admitir. Los elegidos no fueron siempre los mismos. «Valoro las cosas de acuerdo con el grado de cariño que les tengo» —dijo una vez—. Y parecía como si valorase a las personas según el grado de necesidad que tuviera de ellas. Jamás desde que había descubierto a Braque (un acontecimiento seguido rápidamente por el descubrimiento de Cristo por parte de Max) dependió tan poco de Max para cubrir sus necesidades íntimas. Poco después de que Max se trasladase a Quimper para vivir con sus padres, éste escribió angustiosamente a Kahnweiler: «¿Por qué no me escribe Picasso? ¿Está enfadado?». Max siempre dramatizaba cualquier cambio en las relaciones con sus amigos, pendiente de forma patética de su aprobación, cuando no de su cariño. Pero Picasso no estaba enfadado con él; simplemente no lo necesitaba en ese momento. En cuanto a su rabia, irritabilidad y pesimismo, eran más achacables a su descontento cósmico que a cualquier individuo en particular, dejando aparte a Max, que nunca había sido otra cosa que una constante fuente de alimentos y apoyo.

Había estado alejado del Bateau-Lavoir sólo durante un año, pero el lugar seguía bañado de una luz dorada, romántica, que se volvería más dorada cada año que pasase. Para escapar de Fernande, de la criada del delantal blanco y del pesado mobiliario de caoba del Boulevard de Clichy, solía volver a menudo a la calle Ravignan y trabajar en su estudio, que había conservado como almacén.

Antes de lo habitual se marchó de París aquel año, con su gato, su mono, sus lienzos y sus caballetes, pero sin Fernande. Su lugar de destino era un monasterio abandonado del siglo XVIII en Céret, un pueblo pequeño en las estribaciones de los Pirineos franceses, donde Manolo había estado viviendo durante tres años con su mujer, Totote, una inteligente y vivaracha mujer de profunda voz gutural. Pronto se les unieron Braque y Max. Cuando no estaba trabajando en su enorme estudio que daba al jardín, poblado de cerezos, ofrecía la hospitalidad catalana a sus amigos en la terraza del Grand Café de la calle Principal, o paseaba entre los grupos de melocotoneros y las viñas que había en las colinas próximas a la frontera con España. Pero a principios de agosto echó de menos a Fernande, una vez que el tiempo y la distancia habían diluido en su mente los problemas de su relación. El 8 de agosto le escribió una carta dulce, amorosa y anhelante, en un francés vacilante y propio de un niño:

«Mi querida Fernande:

Durante todo el día de ayer no tuve carta tuya y hoy tampoco, aunque estaba esperando una; esperemos que pueda alegrarme esta tarde.

Por la carta que Braque me ha enviado esta mañana veo que K. ya ha llegado a París, así que espero que tú vengas dentro de pocos días.

Esto es más húmedo y por la tarde el calor es agradable.

No te preocupes demasiado por el dinero, que habrá suficiente. Coge el tren; yo lo cogí y es lo mejor. Ahora espero que vengas pronto. Braque me dice que estarás aquí la semana que viene.

Mi familia ha estado en Mahón algún tiempo. Tienes que traerte la sombrilla si piensas salir durante el día.

El mono es realmente divertido; le dimos la tapadera de una lata y se pasó el día mirándose en ella. Es muy inteligente.

El trabajo marcha bien y sigo trabajando en las mismas cosas.

Te besa y te ama, siempre tuyo, PABLO.»

La carta tuvo el efecto previsto y Fernande llegó al fin y se quedó con él hasta el 5 de septiembre. Cuando volvieron a París desde la bucólica paz de Céret, fueron catapultados a la segunda parte de un drama interpretado por la prensa francesa, con el Louvre y la *Monna Lisa* como protagonistas.

El 21 de agosto la *Monna Lisa* había sido robada del Louvre, un robo que condujo a un escándalo nacional sobre las medidas de seguridad del gran museo del país. Cuando Picasso llegó a París el drama estaba más cerca de su hogar. El 28 de agosto, Géry Pieret, un joven diletante belga, pasando la frontera, entre una ocurrencia divertida y sin escrúpulos y una apacible tortuosidad mental, fue a las oficinas del *París Journal* con una estatuilla ibérica que había robado en el Louvre, demostrando orgullosamente lo fácil que era robar allí. Apollinaire leyó los titulares del *Paris Journal* del día siguiente y se horrorizó. Géry Pieret había estado trabajando temporalmente como secretario suyo y la estatuilla había estado siempre en su casa desde que Pieret la había sustraído del Louvre. Y aún peor, unos años antes Pieret le había vendido a Picasso otras dos estatuillas ibéricas que había conseguido de la misma manera, es decir, robándolas del museo. Picasso estaba encantado con ellas y, siguiendo el consejo de Pieret, las había mantenido ocultas en el fondo de un armario normando. No se había acordado casi de ellas hasta que «los robos del Louvre» ocuparon las primeras páginas de la prensa francesa.

Apollinaire y Picasso, en su casa del Boulevard de Clichy, se pusieron frenéticos. Temerosos de verse implicados, perseguidos, encarcelados y hasta quizás, en un clima de creciente xenofobia, expulsados del país, decidieron actuar. Su primer pensamiento, surgido de su enorme pánico, fue huir de Francia. Afortunadamente prevaleció el sentido común de Fernande y decidieron deshacerse de las pruebas acusadoras arrojando las estatuillas al Sena. «Estoy segura —recordaba Fernande años después— de que sin darse cuenta se veían a sí mismos como personajes de una obra; tanto es así que, sin saber nada de cartas, decidieron jugar, como unos gangsters, durante las angustiosas horas de espera del momento fatídico de ir al Sena».

A medianoche pusieron las estatuillas en una maleta y se encaminaron hacia el Sena. El miedo ya se había apoderado de sus mentes, desplazando toda realidad, y la ciudad parecía estar llena de sombras sospechosas. Caminaron arriba y abajo del río buscando el momento adecuado para deshacerse del bulto acusador, pero todos los momentos parecían ser igualmente peligrosos. Al final, agotados física y emocionalmente, se rindieron y volvieron al apartamento de Picasso, donde pasaron el resto de la noche planeando su siguiente acción. Por la mañana temprano, Apollinaire fue a las oficinas del *Paris Journal* y entregó los tesoros robados y una noticia en exclusiva a condición de que no se revelase la fuente. La condición fue aceptada e inmediatamente violada. El 8 de septiembre por la tarde la policía llegó a la casa de Apollinaire, rebuscó entre sus papeles, encontró cartas de Géry Pieret y le detuvo bajo los cargos de proteger a un criminal, complicidad en el robo de las estatuillas y pertenecer a una banda internacional de ladrones de arte. Mientras tanto, Pieret, que se había escapado de París, escribía al fiscal desde cada ciudad por la que pasaba, contándole historias cada vez más estrambóticas sobre los robos, para acabar en la confesión patológica de que él había sido el único autor del robo de la *Monna Lisa*.

«Tan pronto como la pesada puerta de la *Santé* se cerró tras de mí —escribió Apollinaire más tarde— tuve la impresión de la muerte. Sin embargo, era una noche luminosa y pude ver cómo las paredes del patio en el que me encontraba estaban cubiertas de plantas trepadoras. Después pasé otra puerta, y, cuando ésta se cerró, viendo que la zona de vegetación se quedaba atrás, sentí que estaba ahora en algún lugar más allá de los límites de la Tierra, donde me perdería por completo. Me interrogaron muchas veces y luego un guardián me ordenó que cogiera mi petate: una camisa basta, una toalla, un par de sábanas y una manta de lana; entonces fui llevado a través de interminables pasillos a mi celda, la número 15 de la sección II. Allí tuve que desnudarme en el pasillo y fui cacheado. Luego me encerraron. Dormí muy poco debido a la luz eléctrica, que estaba encendida en las celdas durante toda la noche».

Dos días después, a las siete de la mañana, llamaron a la puerta de Picasso. «Como la criada no había bajado todavía —recordaba Fernande— fui yo la que tuve que abrir la puerta a un policía de paisano, que me enseñó con ostentación su carnet; entró sin más explicación y exigió a Picasso que le acompañara para comparecer ante el juez a las nueve en punto. Picasso, temblando, se vistió deprisa, y yo tuve que ayudarle porque estaba fuera de sí por el miedo... Durante mucho tiempo el autobús entre Pigalle y el Halle-aux-Vins, en el que tenía que montar, le atormentó con aquellos recuerdos. No se le permitió al detective coger un taxi a expensas del cliente».

La creciente angustia de los últimos días, la larga espera en la comisaría y, por último, la visión de Apollinaire conducido al despacho del juez, «pálido, desaliñado y sin afeitar, con el cuello de la camisa roto y desabrochada, sin corbata, y pareciéndose, tan demacrado y flojo, a un espantapájaros, que entristecía a uno nada más verle», desequilibraron a Picasso y borraron de su mente todo pensamiento de amistad, todo vestigio de lealtad y todo sentido de la verdad. Sólo quedó un instinto animal de supervivencia, y si eso significaba renegar de su amigo, así lo haría. Y renegó de él cuando declaró que sólo tenía un conocimiento superficial del hombre que estaba de pie delante de él, claramente en apuros y con necesidad de ayuda. Apollinaire empezó a llorar, y Picasso, como si tuviera que superarle, temblaba y lloraba al mismo tiempo. El juez dejó libre a Picasso con el aviso de que permaneciese localizable por si necesitaba un examen posterior, y Apollinaire fue devuelto a la cárcel de la Santé.

Permaneció en prisión cinco días en total, durante los cuales fue interrogado una y otra vez en relación con el robo, no sólo el de las estatuillas, sino también el de la *Monna Lisa.* Fue descrito por sus acusadores como «el jefe de una banda internacional venido a Francia para expoliar museos». Por fin, el 12 de septiembre fue llevado desde la Santé al Palacio de Justicia. «A las tres de la tarde —escribió el *Paris Journal* a la mañana siguiente— Apollinaire, rodeado de una masa de reporteros, fotógrafos y amigos del mundo del periodismo, las letras y las artes, venidos a demostrarle su afecto, entró en el despacho del juez. Un policía le acompañaba. Apollinaire —y deploramos esta inadmisible dureza por parte de las autoridades— estaba esposado.»

Fue la experiencia más desoladora de la vida del poeta. Desde el momento en que fue fotografiado para el Registro Criminal, con las esposas puestas y sin cinturón, corbata ni cordones de los zapatos, hasta la traición por parte del hombre que había querido y defendido, y después la libertad provisional del juez a las siete del 12 de septiembre, había sufrido una pesadilla que dio paso a profundos miedos e inseguridades; golpeada hasta sus mismas raíces la vida de respetabilidad social y prestigio intelectual que se había creado. Incluso después de ser liberado de la prisión, en la prensa, en los salones y en los cafés, muchos de los que protestaban contra «el espíritu internacionalista» y apoyaban «el genio de Francia frente a la invasión extranjera» intentaron utilizar «el asunto de las estatuillas», como se le llamó, para desacreditar no sólo a Apollinaire, sino a toda la vanguardia artística y su infiltración de indeseables aliados.

«Todavía no me he recuperado —escribió Apollinaire tres meses después de su liberación a un amigo de la niñez—. Sigo esperando la solución con ansiedad... Intenta averiguar cómo y en qué condiciones puedo obtener la nacionalidad. ¿Qué me pasaría si fuera expulsado de Francia? Estas dudas me impiden encontrar la suficiente paz mental para trabajar. Sólo pido paz y olvido y soy objeto de persecuciones constantes...». Aunque el caso se cerrara en enero, no pudo recuperarse nunca de la humillación de ser otra vez un intruso y un proscrito. «Le asfixiaba —escribió André Salmon en sus memorias—. Era como un hombre que se ha tragado una espina de pescado.»

Aún más difícil de tragar era la traición de Picasso. Pero había puesto tanto de sí mismo, de su vida y de su trabajo en esta relación, que se la tragó. «Guillaume —escribió el pintor Albert Gleizes— ha sufrido mucho a lo largo de los interrogatorios a los que el juez investigador le sometió. Especialmente en sus afectos. ¿Acaso uno de sus amigos más queridos no renegó de él cuando estuvieron cara a cara bajando la cabeza completamente para declarar que no le conocía? Apollinaire me contó esto con amargura y sin ocultar su consternación.» Pero en público actuaba como si nada hubiera cambiado, escondiendo su dolor. Incluso cuando escribió a un amigo relatando todo el asunto se refirió a Picasso como «X», nunca por su nombre.

Su amargura, en cambio, encontró refugio en el trabajo. Dio una conferencia sobre «El desmembramiento del cubismo» bajo la bandera de Robert Delaunay y el nuevo arte que había inventado, que Apollinaire bautizó «orfismo». De modo que ahora tenía un nuevo pintor al que defender, un nuevo «ismo» que encumbrar y un nuevo amigo por el que luchar. Jacques Villon, reconociendo que aquí Apollinaire se estaba lamiendo sus heridas, describió la conferencia diciendo que «nada tenía que ver con la pintura». Picasso prefirió ignorar lo que había detrás. Hubo mutuas manifestaciones de admiración y amistad y todo quedó como antes. Por supuesto, ya no era lo mismo y nunca volvería a serlo otra vez, pero ellos hicieron todo lo civilizadamente posible por pretenderlo.

Picasso se entregó más apasionadamente a su trabajo con Braque, llevándolo a un siguiente paso, a un nuevo lenguaje de signos que introducía el collage en el cada vez más severo y ascético mundo del cubismo analítico. Los críticos de arte se sintieron ultrajados. «Una vuelta a la barbarie y al salvajismo primitivo, un repudio y una total degradación de todas las bellezas de la vida y la naturaleza», gritaba *Le Journal*, mientras que, después de la primera exposición de Picasso en Nueva York, en la Photo-Secession Gallery, en abril de 1911, *The Craftsman* expresaba su inquietud de que «si Picasso revela sinceramente en sus estudios la manera en que siente la naturaleza, es difícil ver por qué no es un maníaco delirante, puesto que algo más desunido, desconectado, inconexo y feo que la presentación de sus propias emociones sería difícil de imaginar». Un desnudo de la exposición se tomó como vía de escape, mientras que una de las cosas más agradables para decir de las naturalezas muertas cubistas era que se parecían a las «portadas coloristas y simbólicas de las ediciones de Euclides».

A finales de noviembre de 1911, sin embargo, apareció una reseña en *The New Age* del crítico John Middleton Murry que tocó la fibra sensible que resonaría a través de los años en respuesta al trabajo de Picasso. «Yo, francamente —escribió— rechazo toda pretensión de comprensión o incluso apreciación de la obra de Picasso. Estoy asombrado por él... Me mantengo al margen de saber demasiado para condenarle, de saber poco para elogiarle, pues el elogio necesita entendimiento si tiene que ser algo más que una afirmación vacía.» Esta era la primera vez que un «leitmotiv» de admiración mezclada con incomprensión sonó tan claramente en relación con la obra de Picasso. En el futuro el elogio, no únicamente la admiración, se convertiría desvergonzadamente en constante compañero de la incomprensión. La razón de este desafortunado emparejamiento la estableció Middleton Murry al comparar a Platón y Picasso: «Estoy convencido —escribió— que mi debilidad me impide seguirles hasta las alturas que ellos alcanzan.»

Platón, en *La República,* expulsó a todos los artistas de su estado ideal porque simplemente copiaban la naturaleza, que, a su vez, era únicamente una copia de la realidad última. «De hecho —dijo Picasso— uno nunca copia la naturaleza, ni la imita... Durante muchos años el cubismo tuvo sólo un objetivo, la pintura por la pintura. Rechazamos cualquier elemento que no fuera parte de la realidad esencial.» Como Middleton Murry expresó, «Platón estaba buscando a Picasso...» Estaba buscando una diferente forma de arte, y esa forma era el «arte de lo esencial» de Picasso.

Cuando en 1912 Picasso pintó el primer collage del siglo XX, *Naturaleza muerta con silla de rejilla*, con un hule inmenso a través del fondo de un lienzo ovalado y un periódico, un vaso, una pipa, un limón partido y una concha de vieira a su alrededor, no estaba imitando a la realidad, sino desplazándola. «Cuando la gente creía en la inmortal belleza y en todos esos disparates —solía decir— era simple. ¿Pero ahora?... El pintor toma lo que sea y lo destruye. Al mismo tiempo le da otra vida, para él mismo, y más tarde para otras personas. Pero debe traspasar lo que los otros ven, la realidad de ello. El debe destruir. Debe derribar el marco mismo.»

Era el comienzo del cubismo sintético, el camino por el que

Picasso se había embarcado en un arte de lo esencial más que en un arte de imitación. Al mismo tiempo había iniciado otro viaje. Estaba enamorado. Durante las numerosas tardes con Fernande, Marcoussis y Marcelle en El Ermitage, su nueva *brasserie* favorita, próxima al Boulevard de Clichy, su debilitado afecto por Fernande estaba siendo reemplazado por una creciente pasión por Marcelle.

Las dos mujeres fueron objeto de un estudio comparativo. Gertrude Stein siempre se refirió a Fernande como «muy alta», pero nunca fue tan alta como cuando estaba al lado de Marcelle, que era muy baja. Fernande era mayor que Picasso sólo cuatro meses, pero de repente pareció mucho más mayor. Marcelle era más joven que Picasso, sólo cuatro años, pero al lado de Fernande parecía mucho más joven. Fernande era temperamental, algunas veces infiel, otras furiosa —una vez tan furiosa que zarandeó con tal vigor a Picasso que le arrancó un botón—. Marcelle era amable, tan amable y delicada que era casi etérea. Fernande había gastado en una ocasión ochenta francos, cuando ochenta francos eran una fortuna para ellos, en un bote de perfume que ni tenía olor, pero que parecía, en palabras de Gertrude Stein, como «un verdadero humo líquido embotellado». Tenía el don de ser extravagante aun cuando estaba hambrienta, mientras que Marcelle tenía el talento de conseguir, mediante un presupuesto exiguo, deliciosas comidas y un hogar confortable. Fernande era una seductora que se permitía ser seducida, pero siempre con los ojos abiertos: «Tu único derecho a la distinción —dijo una vez a Picasso— es que eres un chico precoz». Marcelle estaba preparada para entusiasmar, para entregarse, para amar sin condiciones. Fernande vivía como si el mundo le debiera a ella la vida; cuando no había dinero ni para comprar pan encargaba una comida preparada, y cuando el chico de los recados llegaba con la cesta llena sobre la cabeza, ella le hablaba desde detrás de la puerta y le decía con voz autoritaria y seductora: «No puedo abrirle. Estoy desnuda... Déjelo en la puerta. Iré yo a pagarlo». Y lo hacía. Marcelle no tenía la fuerza necesaria para conquistar el mundo; necesitaba alguien que la protegiera y a cambio ella daría todo de sí misma. Fernande daba si le apetecía, y sabía que podría sobrevivir a solas, dando clases de francés, empeñando sus pendientes o quebrantando las reglas.

Cuando la distancia entre ella y Picasso se hizo demasiado insoportable, Fernande se rindió a los encantos de Ubaldo Oppi, un joven pintor italiano que les fue presentado por el futurista Gino Severini en El Ermitage. «No debería pensarse —diría Picasso más tarde— en vivir de una mujer.» Pero dejar a una mujer era para él emocionalmente también muy difícil. Así que esperó a que Fernande diera el primer paso. «Fernande se marchó ayer con el pintor futurista —escribió a Braque—. ¿Qué haré con el perro?» A las veinticuatro horas de la fuga de Fernande con Oppi él ya había apartado a Marcelle de Marcoussis. El 18 de mayo se fueron a Céret, donde estaban Manolo y los Pichot. «La quiero muchísimo —escribió a Kahnweiler— y lo voy a escribir en mis cuadros.»

Era una de las cuarenta cartas que Picasso escribió a Kahnweiler entre el día de su llegada a Céret y principios de 1912. En ese momento de agitación emocional y psíquica, Kahnweiler se convirtió en su refugio y su enlace con el mundo exterior. Las cartas eran un catálogo de preocupaciones y obsesiones. La primera carta empezaba con las medidas que había dispuesto para que le fuesen enviados *Fricka*, su mono y sus gatos y terminaba con un categórico «No des mi dirección a nadie por el momento». Las referencias a la causa de su agitación, su relación con Marcelle, eran escasas y no muy seguidas. Discreto por naturaleza, se volvía mucho más reservado siempre que tuviera algo especialmente valioso que proteger.

Para demostrar lo valiosa que era Marcelle para él, Picasso la volvió a llamar Eva. Este era el nombre que le habían dado cuando nació en Vincennes, en las afueras de París, sus padres Marie-Louise y Adrien Gouel. Pero siguiendo la moda del momento se inventó un nuevo nombre y nadie la conoció ya como Eva Gouel. Volviéndola a llamar Eva, Picasso no sólo le devolvía su nombre verdadero, sino que determinaba el sitio que ocupaba en su vida como la primera mujer que realmente amó. «Sí, estamos juntos y soy muy feliz» —era todo lo que estaba dispuesto a revelar, incluso a un amigo tan íntimo como Kahnweiler—. «Pero no digas nada a nadie». De nuevo amonestaba a su marchante.

La carta a Kahnweiler, una semana después de la fuga con su nuevo amor, muestra a un hombre obsesionado por su trabajo bastante más que por la pasión que se había apoderado de su vida. «Tienes que mandarme los pinceles que están en la calle Ravignan, los sucios y los limpios, y los bastidores que también están allí... Tienes que mandarme también la paleta de la calle Ravignan, y si está sucia la envuelves en papel junto con los bastidores y las figuras, las cartas y los peines para pintar madera falsa. En cuanto a los colores, tienes que mandarme los de la calle Ravignan y los del Boulevard de Clichy. Te diré dónde están y te daré una lista (verdaderamente siento darte tantas molestias).»

Unos días más tarde, cuando la carta apenas había llegado a

París, escribió otra vez a su *cher ami* quejándose de la falta del material necesario para su trabajo. Picasso no aguantaba ninguna tardanza entre su petición y su cumplimiento. «Necesito mis útiles de pintar. Manolo me ha dado algunos colores, pero sólo trabajo con un verde compuesto de cobalto, violeta, rojo vino, negro, marrón seco y cadmio pálido, y no tengo paleta... A pesar de todo, trabajo.»

Mientras tanto Kahnweiler, al que no le importaba transportar lienzos, pinturas y pinceles sucios, con tal de conseguir el producto final, escribió a Picasso una amable carta de súplica sobre los lienzos amontonados en sus estudios. «Oye, realmente me harías un gran favor si en tu próxima carta me dijeses qué cuadros consideras terminados, para que pueda disponer de ellos, puesto que dentro de ocho días sabrás tanto como ahora y es sólo una cuestión de decidirse. Gracias por adelantado.» En el correo se cruzó la carta de Picasso catalogando todas las pinturas que quería venderle e incluyendo los precios. «Los restantes —añadía— no están todavía presentables.»

Cuando Fernande, cansada de su escapada con el joven italiano, volvió al Boulevard de Clichy, se encontró con que Picasso se había ido. Culpándose a sí misma y no queriendo aceptar la derrota, decidió marcharse a Céret para quedarse con los Pichot e intentar volvérselo a ganar. La noticia de su inminente llegada se extendió rápidamente por Céret y condujo a Picasso a alternativos arrebatos de furia y ansiedad. «Estoy realmente triste por todo esto —escribió a su marchante y confesor el 12 de junio—, primeramente porque no quisiera que mi gran amor por Marcelle sufriera de ninguna manera los problemas que me pudiera causar y que ella se entristeciera también, y después porque tengo que tener paz para mi trabajo y la he encontrado por un tiempo.»

Dejando al lado sus preocupaciones por Fernande procedió a dar a Kahnweiler un informe continuado de su trabajo, que parecía haberle ayudado a recuperar su humor y hacerle deseoso de cotilleos y un suave ajuste de cuentas. «Aparte de todo, estoy trabajando mucho, he hecho muchos dibujos y ya he empezado ocho lienzos. Creo que mi pintura está ganando en robustez y en claridad, como veremos y tú verás, pero aún está lejos de completarse y todavía tengo que estar más seguro de mí mismo. ¿Y la exposición de Colonia? He recibido esta mañana *La Voce*. Me dices que te gusta mucho el estilo de pinturas que compra Shchukine (*Las señoritas de Avignon*). Me acuerdo que un día, cuando estaba a la mitad del cuadro, Matisse y Stein vinieron a verme y se rieron en mi cara. Stein me dijo (yo estaba intentando explicárselo): "¡Pero si es la cuarta dimensión!", y empezó a reírse. Esto es para los libros de historia...»

Como él había temido, Fernande llegó y se enfrentó al hombre con el que había compartido su vida durante los últimos siete años. Utilizó todas las armas de su dramático arsenal, desde la rabia y las recriminaciones a las súplicas y la seducción. Pero cuando Picasso y Eva se fugaron a Céret para huir de ella, tuvo que admitir que sus intentos de volver atrás las agujas del reloj eran inútiles. La relación de Fernande con Picasso había terminado algún tiempo atrás, manteniéndose unidos sólo por los frágiles lazos de la costumbre, la inercia y el terror de Picasso a las separaciones y al vacío que dejaban atrás. Pero ahora Eva llenaba ese vacío y en el refugio de su nuevo amor él no tenía nada que temer. Confesaría más tarde a Gertrude Stein que la belleza de Fernande le sostenía siempre, pero que «no soportaba ninguno de sus otros aspectos».

«Aparte de todo esto estoy trabajando» —escribió a Kahnweiler—. Y éste continuó siendo el tema principal de sus cartas. Incluso en la víspera de su marcha de Céret su carta estaba llena de poco más que su trabajo. «No me parecen demasiado malas», repetía dos veces en la misma carta en relación a las pinturas que le estaba mandando a su marchante, una combinación de una desacostumbrada falsa modestia y el genuino placer ante el hecho de que sus experimentos estaban funcionando.

«Todo tiene que tener un fin —escribió Fernande en sus memorias sobre su vieja fascinación, el Lapin Agile—, y todo esto terminó aproximadamente en 1912». Después de lo de Céret, aceptó el fin de sus relaciones con Picasso de una manera filosófica. Al ser una luchadora, había luchado para hacerle volver; siendo una superviviente, se había rendido a lo inevitable con dignidad, como era obvio según la carta que mandó a Gertrude Stein. En ella escribía sobre el placer que su mutua amistad le había proporcionado, pero agradecía que ella «entendiera perfectamente que la amistad siempre había sido con Pablo y que, aunque Gertrude le había mostrado una gran simpatía y afecto, ahora que ella y Pablo estaban separados era naturalmente imposible que en el futuro hubiera algún trato entre ellas, porque habiendo sido la amistad con Pablo no podía, por supuesto, haber elección».

Marcoussis se vengó con una caricatura en *La Vie Parisienne*, en la que se dibujaba a sí mismo contemplando alegremente cómo Picasso se arrastraba con una pesada cadena. Para superar su cólera y su dolor, retrató en una prostituta todas las responsabilidades que había llevado a sus espaldas y los sacrificios que había hecho para cuidar de Marcelle. Era su modo de intentar liberarse de su profundo amor por la mujer que llamaban ahora Eva.

Picasso y Eva se refugiaron en Perpignan y luego en Sorgues, cerca de Avignon, donde, lejos de Fernande y del peso del pasado, alquilaron una pequeña casa, *Les Clochettes*. «Ya he empezado el trabajo en tres lienzos —escribió a Kahnweiler—: una arlesiana, un bodegón y un paisaje con carteles...» Y unos cuantos días después expresó su alivio por haberle enviado los cuadros que había pintado en Céret. «Probablemente los habría estropeado si hubiera seguido trabajando en ellos aquí.» Pero no había firmado los cuadros. Eso indicaba una terminación demasiado brusca, demasiado irreversible y permanente, demasiado parecida a la muerte. Quizá porque no deseaba tratar de su pavor a los finales, Picasso, bastante insatisfactoriamente, atribuyó la falta de firmas a su falta de memoria y aprobó de buena gana la decisión de Kahnweiler de hacerlas falsificar: «Tienes derecho a tener mis cuadros recientes de Céret firmados por Boischaud. Me olvidé de hacerlo antes de marcharme.»

Estaba trabajando bien, amaba a Eva, le gustaba el tiempo espléndido, la luz clara, las higueras de su jardín y las corridas de toros de Nimes. «Pero qué cosa tan rara —escribió a Kahnweiler cuando regresó de Nimes— es la inteligencia específica hacia un arte en todo arte. Unicamente Mazzantinito pudo hacer algo, pero a pesar de todo, la corrida fue muy agradable y el día era maravilloso. Me gusta Nimes...» Pero echaba de menos a Braque. «Dile que me escriba y me diga cuándo piensa venir a verme», le dijo a Kahnweiler.

A finales de julio, Braque, finalmente, hizo el viaje desde París. Era una visita a su compañero —y su luna de miel—. Unos meses antes, Picasso le había presentado a Marcelle Dupré, la joven con quien estaba teniendo una aventura. Le dijo a Braque que le estaba presentando a la «futura esposa de Braque», y si era o no una profecía, una orden o una broma, el hecho es que resultó ser verdad. Picasso había hecho todo lo que podía para animar a Braque y hacerlo realidad; incluso se marchó cuando Braque se llevó a Marcelle a Le Havre para presentársela a sus padres. Una vez más había reforzado su intimidad con un amigo entregándole a una mujer que era su amante. Había también reforzado sus lazos con Marcelle, que pensaba que le debía su matrimonio; puesto que Braque no sabía que habían sido amantes, compartían un secreto que los uniría aún más. «De esta manera —diría Picasso más tarde— no tendré un enemigo en la casa de mi amigo.»

Los hábitos de trabajo de Picasso se interrumpieron con la llegada de Braque más de lo que se habían roto con la fuga con Eva. Abandonó su estudio durante al menos una semana y empezó a charlar, a caminar y a estar con Wilbur, como llamaba a Braque, estableciéndose una relación entre ellos dentro de las fronteras del arte, similar a la que existió entre los hermanos Wright en el cielo. «Hace muchos días que no te escribo —explicó a Kahnweiler—, pero con Braque hemos paseado tanto y charlado tanto sobre arte que el tiempo ha volado. Fuimos a pasar dos días a Marsella. Wilbur Braque quería buscar una casa en L'Estaque, o en otro lugar próximo a Marsella, pero regresó a Sorgues y ha alquilado una casa. Hemos comprado algunos objetos de los negros en Marsella y yo compré una máscara muy bonita, una mujer con tetas grandes y un joven negro.»

Fue una época idílica, con Picasso y Eva en *Les Clochettes* y los Braque al lado, en la villa *Bel Air*. «Wilbur Braque se ha instalado ya —escribió— en la granja japonesa. Y ninguna otra novedad, excepto que ahora me peino con raya. Compré los cepillos de dientes que te había comentado y recomendado. Si fueras fumador te hubiera recomendado también unas pipas de Marsella...»

Eva pudo haber llenado una gran parte de la vida de Picasso, pero sólo hubo referencias crípticas a ella en su obra. Era tan valiosa para él, su obra tan fragmentada, y él mismo tan supersticioso, que no podría pintar su parecido en un retrato cubista. Pero escribió su amor en sus pinturas: «Te amo, Eva» —escribió en un pan de jengibre en forma de corazón de un bodegón—. *Ma jolie*, el título de una famosa canción de amor, *Preciosa Eva* y *Pablo-Eva* fueron otras maneras de declarar su amor por Eva con una alegría pueril en su obra. Incluso en una pared encalada de su casa pintó un bodegón con una botella de Pernod, una mandolina y la partitura musical de *Ma jolie*. Pero los días pasaron y sus pinturas en las paredes encaladas se abandonaron y se perdieron para siempre. El bodegón fue arrancado, siguiendo las instrucciones de Picasso, por un albañil local y enviado a Kahnweiler en una caja hecha especialmente para ello.

Mientras tanto Kahnweiler había estado muy ocupado trasladando a Picasso del Boulevard de Clichy al número 242 del Boulevard Raspail, en Montparnasse. Fue un cambio que marcó varias rupturas: con Fernande y el último hogar que habían compartido juntos, con el mundo bohemio de Montmartre y con las viejas fantasías del pasado. También marcó el traslado del centro de gravedad del mundo del arte de Montmartre a los pocos metros cuadrados de la plaza de Montparnasse, con el Café du Dome a un lado y la Rotonde al otro. Pronto se convirtieron en los dos principales lugares para Picasso y los nuevos intrusos de todas partes que vinieron a París buscando lo que Apollinaire llamó «un refugio de elegante y libre simplicidad» desde donde lanzar sus intentos revolucionarios de revisar detenidamente el pasado. Poetas, pintores y exiliados políticos, como Trotsky, se mezclaban y se enzarzaban en apasionadas discusiones sobre cómo rehacer el mundo, algunas veces en menos de siete días.

La guerra y la revolución estaban en el ambiente. El primer recorte de periódico que Picasso usó en sus collages decía: «La batalla está entablada». Esto fue a finales de 1912, y la frase se refería a la guerra de los Balcanes, pero también reflejaba la lucha violenta consigo mismo para comprender y expresar en su trabajo el siguiente paso lejos del pasado. La serenidad de sus bodegones de los primeros meses de esperanza, agitada por su nuevo amor y alimentada por su estancia en Sorgues, se interrumpió por la intrusión de la guerra y la violencia a su alrededor y dentro de él. «Chofer mata a esposa», proclamaban los titulares de *Periódico y violín*, mientras en *Botella y vaso de vino* la columna del periódico era sobre un soldado expulsando una bala que había recibido en la cabeza veintiséis años antes. En la nota impresa de *Botella, taza y periódico*, la crónica negra sobre el vandalismo en los monumentos públicos; en *Botella de Vieux Marc, vaso y periódico*, sobre un transformista que había envenenado a su amante, y en otro *Botella y vaso de vino*, sobre un vagabundo que se acusaba de asesinato. El mundo que Picasso representaba estaba enfermo; la enfermedad hacía todo más molesto por la yuxtaposición de objetos vulgares y la realidad cotidiana con las violencias y la decadencia que los rodeaban.

Esta yuxtaposición fue muy familiar en su propia vida: la estabilidad de la creciente prosperidad de su existencia burguesa con una amante que se comportaba como la esposa más educada, al lado de la abigarrada hueste de fantasmas y monstruos que cobijaba dentro de él. Y había una paradoja más profunda entre sus sentimientos profundos hacia Eva y sus arrebatos de lirismo, incluso durante las fases más austeras del cubismo, y el ojo analítico con el que examinaba detenidamente al mundo. «Picasso estudia un objeto de la misma manera que un cirujano abre un cadáver», escribió Apollinaire en París hacia la época en que Josep Junoy en

Barcelona expresaba: «Con cada nuevo intento pierde sus ojos, su entendimiento, su corazón. Sólo sus manos, muy hábiles, le obedecen... Picasso comprende las cosas sin amarlas; las interpreta de manera cruel. Su amor es dominio».

Su urgencia por dominar y poseer era una inevitable consecuencia del creciente egocentrismo que prevaleció sobre todas sus relaciones, tanto con las mujeres de su vida como con los amigos masculinos. Donde una vez había aceptado simpletamente la adulación, ahora la exigía. Lo más próximo a una comunión profunda entre iguales con otro ser humano fue su relación con Braque, e incluso esa relación, después del regreso de ambos a París, empezó a perder algo de su íntima intensidad. Por supuesto, hubo un cambio de circunstancias: la novia de Braque y la Eva de Picasso y su traslado a Montparnasse, lejos de su antiguo vecindario. Pero más allá de estas circunstancias estaba la irresistible urgencia de Picasso de escapar, por muy sutil, progresiva o disfrazada que fuera la huida, de toda relación que prometiese o amenazase alcanzar las profundidades incómodas de la intimidad. Y cuando no estaba escapándose o no podía poseer y dominar incuestionablemente, se enfurruñaba.

Juan Gris fue frecuentemente la causa de su petulancia, una vez que quedó claro que, a pesar de llamar a Picasso *cher maître* y de exponer su retrato bajo el título *Homenaje a Pablo Picasso*, Gris se había convertido en su propio pintor y su propio hombre. Gris era español y, sin embargo, se había unido a Matisse, lo que en la guerra mental continua de Picasso significaba que había cruzado las líneas enemigas y estaba al lado de los franceses. Gris se estaba ganando también la admiración de Gertrude Stein, quien escribió más tarde que «el único cubismo real es el de Picasso y Juan Gris. Picasso lo creó y Juan Gris lo penetró con su claridad y exaltación». «Dime por qué defiendes su trabajo, si sabes que no te gusta» —le preguntó Picasso con rabia—. «Juan Gris fue la única persona —informó Gertrude Stein— a quien Picasso quería lejos.»

Como un muchacho consentido que no puede soportar compartir el afecto se quejó a Kahnweiler, a quien le gustaba Gris y su obra: «Sabes perfectamente que Gris nunca pintó cuadros importantes». No pudo restar importancia a Gris, pero tampoco pudo aprender a convivir con el joven español a quien Kahnweiler llamó «el genio modesto», sin duda para distinguirlo de su compatriota. Fue Picasso quien había relacionado a Kahnweiler con Gris poco después de su llegada al Bateau-Lavoir. Por entonces Gris era escasamente reconocido y un discípulo demasiado devoto para que Picasso se preocupara por competir en talento con él. El ligero matiz de rivalidad, sin embargo, especialmente con un español seis años más joven, provocó en Picasso la mala cara, el ladrido y la mordedura.

En la primavera de 1913, cuando Picasso y Eva dejaron el Boulevard Raspail y volvieron a Céret, Gris fue a verles. Había algo en Gris que continuaba atrayendo a Picasso, a pesar de su antagonismo irracional. Kahnweiler describiría posteriormente a Gris como «una mano firme sirviendo a un espíritu puro y a una mente clara», y fue la pureza lo que atrajo a Picasso —la misma clase de pureza que le había atraído en Eva—. En su obra Picasso estaba intentando retratar la esencia de las cosas, y en su vida, a pesar de todas sus negociaciones, continuaba siendo atraído por personas que parecían más cercanas a esa esencia. Si Fernande había sido para él la puerta a la virilidad, en Eva buscaba la puerta al misterio de otra realidad, que Gris había descrito como «producida únicamente por elementos del espíritu humano». Fue esta realidad la que Eva le evocaba incluso cuando la absorbían las más vulgares tareas de la casa. Ella no parecía pertenecer por completo a su mundo, y Picasso, que estaba sólidamente enraizado en él, esperaba poseer su misterio poseyéndola. Max, que en abril de 1913 también vino a visitar a Picasso y a Eva en Céret, se la describió a Kahnweiler: «La devoción de Eva por las faenas domésticas más humildes es admirable. Le gusta escribir y se ríe con facilidad. Hay ecuanimidad en ella y dedica toda su atención a la tarea de cuidar a un invitado bastante sucio y flemático.»

Los sentimientos de Kahnweiler hacia Gris iban paralelos a los de Max con respecto a Eva: «Sentí su presencia amiga, su afecto siempre en nosotros», escribió. «Era amable, afectuoso, modesto, pero sabía que su obra era importante y era firme al defender sus ideas... Esto es lo que hace a Juan Gris ser una figura sobresaliente en el arte: la completa identidad de su vida y su pintura. Su arte es puro y así era su vida. No sólo fue un gran pintor, sino también un gran hombre». Era una coletilla que el marchante nunca otorgaría a Picasso. Y el antagonismo de Picasso hacia Gris se volvería más virulento a medida que se confrontaba con la evidencia creciente de su integridad y su bondad. Fue como si tuviera que menospreciar y destruir lo que no tenía o no podía poseer en sus propios términos. En su relación con Juan Gris hubo ecos de la relación con su padre: despreciar lo que no podía encajar.

El 2 de mayo recibió la noticia de que su padre estaba enfermo de gravedad. Al día siguiente murió don José. Picasso llegó a Barcelona justo a tiempo de ver a su padre por última vez. Se había convertido desde una edad extraordinariamente temprana en su propia autoridad última, y la devoción desinteresada de su padre, más en una fuente de resentimiento que de gratitud. Pero ahora que se había ido, el sentimiento de culpabilidad de Picasso era enorme. «Puedes imaginarte en qué estado me encuentro», escribió a Kahnweiler desde Barcelona. Cuando volvió a Céret tenía tal caos emocional que no pudo trabajar. «Espero —escribió Eva angustiosamente a Gertrude Stein— que Pablo pueda empezar el trabajo otra vez, porque sólo esto podría ayudarle a olvidar un poco su pena.»

Picasso cruzó la frontera varias veces durante el verano, pero nunca visitó a su madre. Sabía muy bien que teniéndola a su lado, su pesar haría aún más difícil evitar el enfrentamiento con el suyo propio. Y habiendo soslayado la relación con su padre a lo largo de la mayor parte de su vida, estaba igualmente decidido a evitar ocuparse de su culpa. Así que, en su lugar, eligió pasar el tiempo en corridas de toros y en el circo de Céret, donde se había hecho amigo rápidamente de los payasos, que, según Max Jacob, «parecían haber sido pintados como un estudio cubista de broma».

Pero la enfermedad y la muerte, aunque quisiera evitarlas a toda costa, no le abandonarían. Eva cayó enferma con lo que los doctores diagnosticaron como bronquitis. Y en julio Picasso también se sintió enfermo y se dio cuenta de la importancia de su salud examinando los periódicos de París. Había cruzado incuestionablemente el puente desde la oscuridad a la banalidad de la fama. En septiembre, como si la muerte le atrajera más cuanto más hiciera por repelerla, se trasladó con Eva, que parecía incapaz de curarse de su enfermedad, a la calle Schoelcher, donde la única vista desde sus ventanas la constituía el interminable panorama del cementerio de Montparnasse.

Pronto el enorme estudio se atiborró de lienzos terminados y sin terminar, trozos de alambre, cartón y madera que utilizaba en sus collages, y reservas de tubos de pintura que quería que le durasen para siempre. Teniendo presentes aquellos días en que no podía permitirse las suficientes pinturas para su trabajo, estaba decidido a no volver a quedarse nunca escaso de tubos de pintura. Y porque hubo momentos en los que no pudo soportar mirar a una superficie blanca, pintaba en cajetillas de tabaco, en las paredes e incluso en un taburete roto, sin otra razón aparente que no fuera la de haber encontrado allí su camino futuro.

Picasso era ahora uno de los héroes-artistas de Montparnasse, señalado como un monumento local entre los que Apollinaire había llamado «hombres del futuro». Se vestía con un traje de sport de estilo inglés, coronado por una gorra de cuadros, abandonando el tradicional traje bohemio de aquellos artistas convencionales que todavía confiaban en el pasado para su inspiración. Modigliani era uno de los pocos pintores jóvenes que recordaba haber sido animado por el maestro. Por entonces, él estaba luchando todavía y era un desconocido, excepto como árbitro de la elegancia, y ni la imaginación desbordada de Picasso podía soñar con razones suficientes para sentirse amenazada por él. Así que se reunían públicamente en La Rotonde, lo que inmediatamente realzó el *status* de Modigliani a los ojos de los habituales. Picasso le decía que continuase dibujando: «Uno no puede nunca dibujar lo suficiente. Nadie ha dibujado tanto como yo. Me acuerdo de mi padre, que me decía: "Estoy deseoso de que te conviertas en un pintor, pero no debes empezar a pintar hasta que no seas capaz de dibujar bien, y esto es muy difícil." Cuando tenía quince años podía dibujar caras, figuras e incluso grandes composiciones —a menudo sin modelos— porque, simplemente practicando con patas de paloma, había aprendido cómo atrapar el misterio de las líneas, incluso de los desnudos».

Poco a poco, gracias a los esfuerzos de Kahnweiler, la fama de Picasso estaba cruzando las fronteras de Francia, precedida por sus obras, que durante 1913 se expusieron en Munich, Berlín, Colonia, Praga y Nueva York. El 2 de marzo de 1914, en el Hotel Drouot, hubo una subasta que consagró a Picasso como el pintor de más éxito en el mercado. El Peau d'Ours, un club de coleccionistas fundado en 1904, mantenía una sala con obras que había reunido durante los diez últimos años, y la prensa había anunciado el acontecimiento como un barómetro del valor del arte contemporáneo. La primera sorpresa fue que un bodegón de Matisse fue comprado por 5.000 francos, 1.000 francos más de lo que Gauguin o Van Gogh habían alcanzado. Luego, con una excitación creciente y en presencia de muchos amigos, y al menos de tantos otros enemigos, *Saltimbanquis*, de Picasso, que se había vendido por 1.000 francos en 1908, lo compró Heinrich Tannhauser, de Munich, por 11.500 francos, una suma espectacular hasta el momento por una obra moderna. El genio de Picasso se había vuelto de curso legal. Fue una apoteosis y una revalorización de todo lo que estaba haciendo, aun cuando *Saltimbanquis* y todas sus demás obras en venta eran anteriores a su más controvertido período cubista.

Hubo una avalancha de análisis sobre lo que esto significaba. La conclusión más absurda la apuntó la xenofobia histérica del momento: «Han alcanzado precios altos —establecía el *Paris-Midi*— grotescos e infames trabajos de extranjeros indeseables, y han sido alemanes quienes pagaron por ellos o subieron las pujas a esos niveles. Su plan se está haciendo más claro». Picasso rehusó resueltamente ser conducido a esa refriega. «Uno simplemente pinta —dijo—. Uno no pega sus propias ideas en un cuadro.» Y con este espíritu de alejamiento olímpico, se marchó con Eva a Avignon y pronto los Braque y los Derain se les unieron. Allí produjo pinturas y collages de brillantez colorista y animada. Fue una explosión de lirismo que sería descrita posteriormente como «cubismo rococó». Picasso estaba celebrando su amor y quizás al mismo tiempo desafiando o exorcizando la amenazante situación política. Pero si esto era un exorcismo, no funcionó. A principios de agosto, la guerra, que muchos habían dicho que no era posible «a estas alturas de la civilización», se hizo realidad.

Para algunos fue el comienzo de la «gran aventura», y para otros fue «la vuelta legalizada a un estado salvaje». Apollinaire, que había pasado los días previos al estallido de la guerra en el casino de Deauville, viendo el tango, que acababa de ser importado en Francia y se había propagado como un reguero de pólvora por las pistas de baile, se marchó a París sintiéndose como vuelto a nacer: «Dentro de mí sentí nuevos seres llenos de habilidad, construyendo y organizando un nuevo universo». Estaba decidido a alistarse, y cuando su primer intento falló, lo volvió a intentar, esta vez en Niza. El cosmopolita apátrida, a quien se le apremiaba para que se reuniera con sus amigos en Suiza o en España, había decidido en cambio entregarse a su bienamada Francia. «Me alegré muchísimo —escribió— cuando la Oficina de Reclutamiento de Niza me declaró apto.»

Tal era la atmósfera de pasión y patriotismo que rodeaba a Picasso. Braque y Derain inmediatamente respondieron a la llamada y el 2 de agosto, el día en que Francia declaró la guerra, Picasso les despidió en la estación de Avignon. «Nunca volví a verles», dijo a Kahnweiler después de la guerra. Todos habían vuelto, pero ninguno había vuelto de la misma manera.

5

UNA MUJER PARA UN TIEMPO NUEVO

Cuando Picasso y Eva regresaron a París en noviembre de 1914, Max Jacob, Gertrude Stein y Juan Gris eran los únicos amigos íntimos que quedaban en la casi desierta ciudad. También Kahnweiler, que siempre había sido un factor fijo en la vida de Picasso, se había ido: era todavía un ciudadano alemán y huyó a Roma, y de allí a Berna, y todos sus cuadros fueron incautados como propiedad extranjera.

Como súbdito de España, país neutral, Picasso no tenía obligación de tomar parte en la guerra, pero en la asfixiante atmósfera de patrioterismo exaltado, su situación exigía explicaciones. Sus amigos las dieron. «Nunca se nos ocurrió reprocharle que no fuese a la guerra —escribió el pintor Jacques Villon—. Sabíamos que era digno de mucho más que eso. Y además, no era su país lo que tenía que defender». Apollinaire hizo una lista de nombres de la vanguardia francesa y de su paradero: «Derain está en una unidad motociclista en el Norte; Georges Braque estaba hace poco en Le Havre, como subteniente; Fernand Léger está en el frente con la Intendencia; Albert Gleizes está en el frente desde que estalló la guerra, y Dufy está en Le Havre, esperando... En cuanto a Picasso, su salud es demasiado frágil para que pueda dedicarse a otra cosa que su magnífico trabajo como artista, en el que "sus dibujos han superado los de Ingres sin haberlo intentado nunca", según una carta que he recibido».

El principal punto flaco en la salud de Picasso era la hipocondria, pero Apollinaire nunca había permitido a la exactitud entrometerse en las observaciones que hacía. Sin embargo, era exacto y preciso al describir la tendencia naturalista que había surgido en la obra de Picaso de la mano del más austero estilo cubista. «Si se sabe exactamente lo que uno está haciendo —dijo una vez Picasso— ¿qué de bueno hay en hacerlo? No interesa, porque uno ya lo conoce, y es mejor hacer cualquier otra cosa.» Nunca se había sentido constreñido a un estilo determinado, y menos por una determinada escuela, y en el verano de 1914 pintaba una obra extremadamente naturalista, *El pintor y su modelo,* que quedó desconocida y sin terminar en su estudio. En tanto Picasso ensayaba un nuevo naturalismo, el mundo a su alrededor parecía cada vez más cubista. «Si quieren hacer un ejército invisible —dijo— lo que tienen que hacer es vestir de arlequines a los soldados.» Paseando una noche por el Boulevard Raspail con Gertrude Stein, vio un convoy de artillería camuflada, cubierta con formas y colores cubistas. «Es como si yo hubiera creado eso», dijo a Gertrude orgullosamente.

Uno de los pasatiempos favoritos de Picasso durante el primer invierno de la guerra fue el de aprender ruso. Era un proyecto nacido en parte de su fascinación por Rusia, y en mayor medida por su fascinación por la baronesa Hélène d'Oettingen. El y Eva cenaban con frecuencia con la baronesa y Serge Ferat, que oficialmente era su hermano, aunque algunos decían que lo único que habían compartido era una nodriza, no una madre, y otros decían que en realidad era su amante. Cualquiera que fuese la exacta naturaleza de su relación, eran una pareja encantadora, acaudalada e inteligente. El pintaba y ella escribía, ambos usando variados seudónimos.

Parte de la seducción de Picasso consistía en su aceptación a ser seducido, y él y la baronesa pasaban juntos muchas largas tardes, ajenos al mundo, aumentando sus conocimientos de lo ruso. Eva, que se quedaba en su apartamento de la calle Schoelcher, se hallaba cada vez más a merced de sus ataques de tos. Bondadosa y taciturna, no tenía posibilidad para enfrentarse con el código de Picasso que prescribía dejarse ir según el último impulso, cualquiera que fuera el resultado para quienes le rodeaban. Ella aceptó resignadamente la situación y la pena que esa relación le causó, mientras su salud se había hecho su principal preocupación.

Las noches en que estaban juntos, Eva y Picasso generalmente cenaban con Gertrude y Alice en la calle de Fleurus. Sus cenas sólo eran una sombra de las brillantes veladas de antes de la guerra. Los zeppelines volaban sobre París, y las conversaciones estaban entrecortadas por el aullido de las sirenas y los golpes de tos de Eva. Una y otra vez abandonaba el comedor para ir al cuarto de baño y ocultar a Picasso que tosía sangre. Una noche hubo alarma aérea y los cuatro corrieron a la planta baja para refugiarse junto al conserje, y más tarde regresaron al comedor, donde Gertrude y Alice intentaron dormir, mientras Eva y Picasso, con la luz eléctrica apagada y alumbrándose con una vela, charlaron hasta que sonó el fin de la alarma a las dos de la mañana.

Los años de guerra fueron más duros para Gertrude por la ausencia en la calle de Fleurus de varios de sus pintores favoritos. Leo Stein se había ido a Florencia, y la colección de ambos se había dividido, según él había bosquejado en una carta de enero de 1914. «Me han preocupado todas esas cosas —escribía—: que cada uno tenga de acuerdo con lo que desea, y así como me alegro de que Renoir sea indiferente para ti y estés dispuesta a cedérmelo, celebro que Pablo me sea bastante indiferente y estoy deseando que tengas todo lo suyo.» El se quedó con los Renoir y los Matisse, y ella con los Picasso y los Cezanne, con la desgarradora excepción de una naturaleza muerta con manzanas. «Las manzanas de Cézanne tienen para mí una importancia que nada puede reemplazar —escribía Leo—. Tengo miedo de que la pérdida de las manzanas te parezca un acto de Dios.» Gertrude lo encontraba demasiado duro para tomarlo con filosofía, y cuando Picasso observó lo verdaderamente trastornada que estaba, intervino: «Yo te pintaré una manzana tan bonita como todas las manzanas de Cézanne», dijo, y cumplió su promesa en las Navidades. «Todos los trabajos nacen más o menos de los otros», dijo, ofreciéndole su manzana de Cézanne con la dedicatoria «Recuerdo para Gertrude y Alice.»

La guerra había acercado más a Gertrude y Picasso, y éste abusó de aquella cercanía. Matisse recordaba su llegada a la Rue des Fleurus para finalizar los acuerdos que había decidido con Gertrude para ayudar a Juan Gris, quien, ausente Kahnweiler, estaba a punto de morirse de hambre en el París de los tiempos de guerra. Cuando Matisse llegaba al apartamento de Gertrude para reunirse con ella, Picasso salía. Al encontrarse con Gertrude, Matisse descubrió que había cambiado de opinión y que, a fin de cuentas, no quería ayudar a Gris, ya que Picasso, usando al máximo su capacidad de seducción, había persuadido a Gertrude a abandonarle. Como esperaba, Léonce Rosenberg, el vendedor que se había hecho cargo de los pintores de Kahnweiler, había firmado un contrato con Gris para ayudarle a sobrevivir.

El creciente aislamiento de Picasso, la dispersión de sus amigos, la guerra y su roedora preocupación por el deterioro de la salud de Eva sacó a la superficie lo más despiadado y tenebroso de su personalidad. Y había otra razón más profunda. Había tenido la esperanza de que a través de Eva llegaría más cerca de la realidad intangible que Eva representaba para él, y durante algún tiempo así fue, pero gradualmente otras fuerzas resultaron más poderosas, y Eva, en lugar de alejar los demonios, veía hundirse su fortaleza. «Todos hablan de la gran realidad que hay en el cubismo.» Picasso replicó a eso: «Pero en realidad no lo han comprendido. No es una realidad que se pueda coger en la mano; es más bien como un perfume delante de ti, detrás de ti, a tu alrededor, en todas partes, pero no sabes del todo de dónde viene». Sabía que a través de Eva era más consciente del perfume, y sospechaba que Gris también tenía acceso a esa realidad, y cuanto más desconectado de esa realidad se sentía, mayor rencor experimentaba contra Gris.

Fue Eva la que inspiró *La mesa del arquitecto,* una naturaleza muerta cubista con «Ma Jolie» escrita en ella, que Picasso seleccionó como evocando la esencia que ansiaba capturar. La había pintado al comienzo de sus relaciones, cuando se había dado cuenta de la armonía y la luz que Eva encarnaba para él, pero eso parecía ya lejano y la ternura había sido expulsada de su universo. Eva, cuyo corazón sabía eso y que era profundamente sensitiva y afectada penosamente por las depresiones y las cóleras de Picasso, cada día era más frágil. Hizo cuanto podía para ocultar a Picasso que su enfermedad no era una bronquitis pasajera, sino la tuberculosis. Ocultaba los pañuelos ensangrentados y se aplicaba capas de carmín para disimular la palidez de sus mejillas. Le aterraba pensar que él lo supiese: la habría dejado.

El mar sin límites de cruces funerarias con el que se enfrentaba al mirar por la ventana intensificaba la opresión que caía pesadamente sobre ellos. Y no era menos opresiva cuando salían a la calle. En los cafés y en la calle, hombres y mujeres miraban a Picasso llenos de desprecio al hombre sano que no estaba en el frente; era como si estuviesen poniendo en duda su virilidad, y él se refugiaba en el sarcasmo. «¿No será terrible —dijo a Gertrude Stein— cuando Braque y Derain y todos los demás pongan su piernas de madera sobre una silla y nos cuenten sus batallas?». Su humor negro pareció más negro todavía cuando llegaron noticias a París de que Braque y Apollinaire habían sufrido graves heridas en la cabeza y los dos habían tenido que ser trepanados. Braque fue llevado de hospital en hospital antes de su operación, pero todavía no había sabido nada de Picasso.

Había algo frío como el hielo en el centro de la vida de Picasso, y algo también helado en el centro de su arte. «Un viento cósmico invernal ha arrancado uno tras otro los velos del follaje —escribió el crítico ruso de arte Nicolai Berdiaev en 1914—. Todas las flores y las hojas han sido desnudadas, los objetos han sido despojados de sus envolturas; toda carne, expuesta en imágenes de eterna belleza, se ha desintegrado. Nos parece que ya nunca habrá una primavera cósmica. Parece que después del terrible invierno de Picasso, nada florecerá como antes. El, sin piedad, deja desnudas las ilusiones de belleza personal, material, sintética. Detrás de la belleza femenina cautivadora, él ve el horror de la descomposición y la desintegración. Como un clarividente, ve, a través de todos los velos, los vestidos y las zonas intermedias, las profundidades del mundo material, en las que percibe sus monstruos compuestos.»

Hasta el estallido de la guerra, Picasso parecía ver únicamente a los demonios detrás de los velos. Max Jacob le había ofrecido algún consuelo durante estos años amargos y de soledad, pero éste estaba demasiado concentrado en su relación con Jesucristo. Como escribió a Maurice Raynal, «los judíos son hombres de inteligencia, pero, en mi opinión, también son hombres de corazón». Había recibido instrucción y preparación para su bautismo, pero todavía sus visiones no eran ortodoxas y se producían en locales poco convencionales. Su última visión había sido en un cine, durante la proyección de una película de Paul Féval titulada *La banda del traje negro*. Afortunadamente, los hermanos del monasterio de Nuestra Señora de Sión estaban tan deseosos de fomentar la conversión de los judíos al cristianismo que procedieron a bautizar a Max.

Eligió a Picasso como padrino, sin dejarse intimidar por el hecho de que si Picasso tenía alguna creencia, era la de que una oscura fuerza reinaba sobre el universo. «Un buen católico —le dijo a Max— es un hombre con un gran apartamento, una familia, criados y automóvil.» Picasso quería que adoptase el nombre de Fiacre, por el santo patrón de los cocheros franceses, lo que hizo sospechar a Max que su padrino no estaba tratando la cuestión con la necesaria solemnidad. Finalmente, convino en llamarse Cipriano, uno de los nombres con que fue bautizado Picasso. El bautismo se celebró el 18 de febrero en el monasterio de Nuestra Señora de Sión, y Picasso regaló a su ahijado un ejemplar de *La Imitación de Cristo,* con la dedicatoria: «A mi hermano Cyprien Max

Jacob, en recuerdo de su bautismo. Jueves, 18 de febrero de 1915». Como regalo prebautismal, dibujó un retrato de Max. «Poso en el estudio de Pablo», dijo Max, que escribió a Apollinaire al frente de batalla: «Tiene un retrato mío a lápiz que es mucho el viejo aldeano; se parece al mismo tiempo a mi abuelo, un viejo aldeano catalán, y a mi madre».

Picasso trabajaba todavía, pero su habitual prisa había sido reemplazada por un creciente sentido de la futilidad. Era su año menos productivo desde que había venido a vivir a París, y había pasado poco tiempo en su estudio o en su casa, especialmente desde que Gertrude Stein había dejado el París de los tiempos de guerra por la neutral España. Cuando fue imposible, hasta para la pobre Eva, ocultar a Picasso la naturaleza de su enfermedad, éste, aterrado por lo que acababa de saber, generalmente huía de su apartamento y pasaba las horas pintando en su habitación-almacén del Bateau-Lavoir.

En el otoño Eva tuvo que ser hospitalizada en una clínica en Auteuil, un suburbio al otro lado de la ciudad. Picasso estaba viviendo solo por primera vez desde hacía muchos años. Iba a la clínica todos los días, pero necesitaba alguien que lo consolara durante las largas y solitarias noches. Encontró ese alguien en Gaby Lespinasse, que era vecina suya en el Boulevard Raspail. Había tomado su apellido de Herbert Lespinasse, artista nacido en Norteamérica que era su amante cuando comenzó su amorío con Picasso. Entre sus entrevistas con Gaby y los largos trayectos de ida y vuelta en metro para visitar a Eva en la clínica, cada vez tenía menos tiempo para pintar.

«Mi vida es infernal», escribió a Gertrude Stein. Pero los sensuales dibujos de Gaby desnuda y las caprichosas acuarelas, como *El dormitorio iluminado por la luna, La cocina provenzal* y *El comedor provenzal,* desmienten sus protestas con su alegría y sus ardientes dedicatorias: «Gaby, mi amor, mi ángel; te quiero, mi amorcito, y pienso solamente en ti. No quiero que estés triste; quítate esas cosas de la cabeza, mira el pequeño comedor. Seré tan feliz contigo... Sabes lo mucho que te quiero... Hasta mañana, mi amor, es muy tarde. Con todo mi corazón, Picasso». También se dibujó a sí mismo al pie del reloj en la intersección del Boulevard Raspail y el Boulevard Edgar Quinet, con una caja de chocolates y la silueta de Gaby en su ventana. «El dibujo —escribió el historiador del arte Pierre Daix— dice con una notable claridad que el infierno es una abstracción en aquel momento, y el placer florece en un clasicismo ligeramente tocado de cubismo».

«Como siempre, no paro», escribió a Gertrude Stein en forma ambigua. Y no paraba trabajando y visitando a la moribunda Eva o traicionándola obligadamente. «Hice un cuadro de un arlequín —continuaba—. En mi opinión y en la de otros es la cosa mejor que he hecho.» Era ciertamente una de las cosas más siniestras que había hecho nunca, con su fondo negro y la amarga amenazadora sonrisa del arlequín.

En diciembre, cuando el compositor Edgar Varese llevó a Jean Cocteau, el joven poeta de los brillantes salones, a visitar a Picasso, el arlequín dominaba el estudio. Cocteau, entonces de veintiséis años de edad, ha sido descrito de muchas maneras distintas, como «caminando con el orgullo de un ave salvaje que ha caído por casualidad de un gallinero», o haciendo pensar mejor que cualquier otro joven aquello de Wordsworth: «La felicidad de estar vivo en esta aurora», o simplemente como «El príncipe frívolo», el título de un volumen de poemas que había publicado a los veintiún años. Impecablemente elegante, llevaba una gardenia en el ojal, que, según se rumoreaba, recibía de Londres cada día. Picasso contó a sus visitantes que estaba muy enamorado de una joven que estaba a punto de morir. «Nunca he olvidado el estudio de Picasso —recordaba Cocteau cuarenta años después— a causa de su ventana asomada al cementerio de Montparnasse... Picasso y yo nos miramos un buen rato el uno al otro. Admiraba su inteligencia y me aferraba a lo que él decía, porque habla poco. Yo me quedé quieto, como si no hubiese entendido una palabra. Los silencios eran tan largos que Varese no podía comprender por qué nos mirábamos sin palabras. Al hablar, Picasso usaba una sintaxis visual y se podía ver inmediatamente lo que decía. Le gustaban las fórmulas y las sumaba en sus afirmaciones, como las sumaba en sí mismo y la esculpía en objetos tangibles inmediatamente.»

Los largos silencios, las miradas sin palabras, el asirse a cualquier cosa que Picasso dijera en su primer encuentro: Cocteau se había enamorado, y con el aroma de algo definitivo. «Cayó bajo el sortilegio de Picasso y estuvo así durante todo el resto de sus días», escribió Francis Steegmuller, biógrafo de Cocteau, mientras el propio Cocteau describió su encuentro como si hubiese sido «inevitable, escrito en las estrellas». En cuanto a Picasso, el príncipe frívolo fue su puente hacia el mundo, que solamente había vislumbrado, de alta sociedad, bailes y banquetes, princesas y condes, virtuosismo y aún más idealización ajena a la crítica. Pero por el momento, Cocteau tenía que regresar al frente y Picasso volver junto a Eva, aunque por poco tiempo.

Pocos días después, el 14 de diciembre, Eva falleció. «Mi pobre Eva ha muerto —escribió a Gertrude Stein—. Fue una gran pena... Ella fue siempre tan buena conmigo.» Aunque lo que experimentó con esa muerte fue como lo que experimentaría el Sol al perder uno de sus planetas, su queja no era por ello menos real. Desde que su hermanita había muerto tan repentinamente, le parecía que la muerte era la que ganaba siempre.

Kahnweiler, que había conocido a Eva cuando ésta vívia con Marcoussis y había observado desde el comienzo el desarrollo de su relación con Picasso, se escandalizó con la noticia de su muerte. La calificó de gran crimen, y siempre reprochó a Picasso por haber separado a Eva del hombre que la había alimentado y protegido, por ser evidente que ella no era lo suficientemente robusta como para soportar las vicisitudes de vivir con él.

El entierro de Eva, lejos de ser una ocasión para mitigar el luto, agravó el creciente sentido de culpa y de aislamiento de Picasso. Sólo estaban presentes ocho o diez amigos, y el desagradable clima invernal contribuyó al abatimiento general. Juan Gris, que había olvidado lo suficiente como para situarse al lado de Picasso, escribió sobre el particular a Maurice Raynal: «Era un asunto verdaderamente triste, y lo horroroso de la ocasión fue grandemente aumentado por las bromas de Max». Max, que había bebido algo más de la cuenta en el curso del amargamente frío trayecto de la clínica al cementerio, terminó haciendo proposiciones deshonestas al guapo cochero del carruaje fúnebre y convirtiendo la tragedia en una farsa.

Fueron las más tristes Navidades de la vida de Picasso. Solo en la calle Schoelcher, atormentado por los recuerdos de Eva, su enfermedad y su muerte, estaba demasiado perturbado incluso para poder refugiarse en el trabajo. Por la noche, más por costumbre que por desearlo realmente, se arrastraba hasta La Rotonde, vestido con un impermeable pardo que se caía a pedazos y cubierta la cabeza con una gorra de tela a cuadros ajedrezados en blanco y negro. Quería sentarse al fondo del local, perdido en su tenebroso mundo. Muy pocas veces algo atraía su atención. Una de esas veces fue una cinta de la medalla militar en la guerrera de un soldado. Picasso parecía como si estuviese cargado de electricidad. «Este amarillo entre las bandas verdes —gritó— a mí me parece rojo; es rojo», y cayó otra vez en el descorazonamiento.

La única zona de luz en su universo era en la que vivía Gaby. Era un rincón lleno de ánimo, de ternura y, desconectado como estaba del resto de su vida, lleno también de irrealidad. Era demasiado cuidadoso como para añadir a su culpa la desaprobación del mundo entero respecto a un amorío iniciado cuando su gran amor se moría y continuarlo cuando él la lloraba. Por eso nadie sabía lo de Gaby.

El 29 de diciembre, mientras Picasso vivía con el puente levadizo alzado, inaccesible hasta para los pocos amigos que habían quedado en París, el ballet ruso de Diaghilev puso en escena un brillante espectáculo a beneficio de la Cruz Roja Británica. Fue una exuberante representación de *El pájaro de fuego,* de Stravinsky, dirigida por el compositor, y que cautivó a todo el París cansado de la guerra. Serge Diaghilev, que había fracasado como cantante, como compositor y como administrador en los teatros imperiales rusos, triunfó brillantemente como empresario del Ballet Ruso. Llevó a París a Nijinsky y a la Pavlova, deslumbró a los balletómanos con exquisitos espectáculos y cautivó a los «chers snobs». La élite parisina asistió en tropel a sus representaciones.

Uno de los que estaban más hechizados por Diaghilev, sus ballets y sus bailarines masculinos era Cocteau, que rápidamente llegó a ser casi un miembro de la compañía. Con afecto eslavo, Diaghilev comenzó a llamarle «Jeanchik», aunque fijando en él un ojo vigilante cuando llegaba Nijinsky, «su fascinante joven leopardo privado». «¡Asómbrame! ¡Estoy esperando que me asombres», retaba Diaghilev a Cocteau con ocasión de atravesar la Place de la Concorde después de una representación. «Fácilmente se comprendía —recordaba más tarde Cocteau— que no podía asombrarse a Diaghilev en una o dos semanas. En aquel momento decidí morirme y volver a nacer. La tarea era larga y atroz. Eso rompía con la frivolidad espiritual... Yo debo, como a muchos otros, a ese ogro, ese monstruo sagrado, el deseo de asombrar a ese príncipe ruso para quien la vida sólo era tolerable en la medida en que podía reunir maravillas.»

Diaghilev necesitaba constantemente sangre nueva, y la vanguardia francesa necesitaba nuevos estímulos y nuevos medios de expresión de sus dotes. Fue Cocteau, ese otro gran empresario, quien maquinó la alianza entre las dos partes, que estuvieron al principio recelosas e incluso desdeñosas la una de la otra. Licenciado de la Infantería de Marina, acabada su guerra aunque la guerra todavía ardía, Cocteau decidió llevar a Picasso al círculo de Diaghilev. Comenzó por presentarle a Erik Satie, el célebre compositor francés llegado de Normandía cuya inexpresiva excentricidad era, según Cocteau, «herencia de antepasados escoceses. Parecía un funcionario civil de poca categoría, con su barbita puntiaguda, sus lentes, su paraguas y su sombrero hongo». Con frecuencia, después de haber cenado juntos, Picasso acompañaba a Satie a Arcueil, donde vivía, a dos horas de camino de Montparnasse, por calles suburbanas desiertas. Había algo ceremonioso en su amistad, en parte por la diferencia de edades, ya que Satie por aquel entonces tenía cincuenta años, quince más que Picasso. Después de esos paseos maratonianos se despedían en forma más bien ceremoniosa: «Buenas noches, señor Picasso»; «buenas noches, señor Picasso», quitándose el sombrero. Satie no invitaba a nadie a su santuario, así que sus amigos traspasaron el vestíbulo de su casa por primera vez después de la muerte del compositor, y allí encontraron más de un centenar de paraguas, algunos de ellos todavía en sus fundas y jamás usados. Fue en uno de esos paseos vespertinos cuando Picasso concibió la idea de mudarse a las afueras de París. Sabía que tenía que irse de la casa de la calle Schoelcher, y deseaba irse lo bastante lejos como para que no le alcanzaran los demonios que habían vivido allí con él.

Gertrude Stein había vuelto a París y presidía sus veladas con un vigor renovado. Satie no era el único amigo que Picasso llevó a la calle Fleurus. Gertrude recordaba a «Paquerette, una chica mona», «e Irene, una mujer adorable que había venido de las montañas y quería ser libre». Al mismo tiempo su secreta aventura con Gaby continuaba. «Le he pedido tu mano al buen Dios», le había escrito en un trocito de papel el 22 de febrero de 1916. ¿Le había pedido al buen Dios su mano o pedía al buen Dios otro vuelo de su fantasía, acompañando al collar de cuentas el pequeño querubín y los interiores de la casa de muñecas que le había pintado? En el vasto arsenal del seductor Picasso, la verdad era un artículo negociable, ya que en una ocasión había dicho: «El artista debe saber cómo convencer a los demás de que sus mentiras son verdades», y el hombre era tan convincente como el artista. Inventaba la realidad en su vida tanto como en su arte, y las palabras formaban parte de sus ficciones. Escribió a Gaby que sólo pensaba en ella y que pedía a Dios su mano, pero también le pidió a la guapa chica negra de Martinica que se fuese a vivir con él. Sus relaciones con Gaby dieron fin muy pronto, mientras la martinicana le dejó pocas semanas después porque no quería compartir sus malhumores, sus cóleras y sus silencios. «Era siniestro», se limitó a decir.

Hubo muchos, sin embargo, que estaban dispuestos a pagar el precio de conseguir su amistad y que incluso encontraban fascinante la naturaleza siniestra de Picasso. Cocteau no sólo estaba preparado para pagar ese precio, sino que también estaba dispuesto a representar cualquier papel, por muy servil o absurdo que ese papel fuera, con tal de poder cortejar a Picasso y hacerle salir de su aislamiento. Al subir vestido de arlequín la escalera del estudio de Picasso, el disfraz no era más que uno de los tributos más pintorescos que ofreció al hombre a quien describía como «el gran hallazgo de mi vida». Por fortuna, su adulación no le privó de su irreverencia. El primero de mayo, el día en que Picasso dibujó su retrato vestido con un uniforme militar, escribió a su gran amiga Valentine Gross, una mujer joven, de porte espléndido y aguda inteligencia, que era pintora y había dibujado a muchos de los bailarines de Diaghilev: «Esta mañana posé para Picasso en su estudio. Está empezando una cabeza mía en el estilo de Ingres, muy adecuada para el retrato de un joven autor incluido en la edición póstuma de sus obras tras su muerte prematura».

En el encuentro de dos mundos y dos culturas, fue Picasso quien presentó primero a Cocteau en su mundo. Montparnasse era un país exótico para el poeta de sociedad. «Picasso —escribía a Valentine Gross a mediados de agosto— sigue llevándome a La Rotonde. Nunca me quedo más que un rato, a pesar de la bienvenida halagadora del círculo (quizá debiera decir el cubo). Los guantes, el bastón y el cuello duro asombraban a los artistas en mangas de camisa, que siempre habían considerado ese atuendo como síntoma de debilidad mental.»

Picasso ya no tenía su casa en Montparnasse. Para sorpresa de todos, había encontrado una casita estilo Segundo Imperio, con un jardín, en el número 22 de la calle Víctor Hugo, en la localidad suburbana de Montrouge, más allá de la Puerta de Italia y los límites de París. Antes de su mudanza recibió en la calle de Schoelcher la visita de Axel Salto, editor del periódico de arte danés *Klingen,* que escribió un artículo sobre el estudio de Picasso a vista de pájaro y una descripción del hombre que evocaba muchas imágenes que posteriormente serían puntos básicos de la literatura sobre Picasso: «Vestía un jersey de color verde hierba, un holgado pantalón de terciopelo, como todavía visten los artistas franceses. Es bajo de estatura y de constitución parecida a la de un torero. Su tez es cetrina y sus ojos traviesos son negros y muy juntos; su boca es de labios finamente dibujados. Me recordaba un caballo de carreras, un caballo árabe con un cuello bien formado. La gente decía que poseía poderes secretos y que podía matar con la mirada, y decían también otras cosas extrañas de él. Había en él también algo impresionante y sobrenatural. Era la amabilidad en persona al mostrarme todos sus bienes, incluso un cosmorama en el que a través de una lente de aumento se veía un cielo estrellado con ángeles volando».

Al final del verano, el cosmorama con los ángeles, *Les Demoiselles d'Avignon,* las acuarelas de Cézanne, los Matisse, los Derain, el cuadro de Rousseau representando los potentados europeos y *La niña descalza,* que había pintado cuando tenía doce años y que había estado colgada sobre la cabecera de su cama, junto con otras posesiones, fueron embaladas y llevadas a Montrouge. Picasso, que detestaba las mudanzas, puso a contribución su irresistible encanto y recurrió nuevamente a Max para que le ayudara, mientras al mismo tiempo, como en una especie de toma y daca, enviaba a su ahijado el dinero que éste le había pedido para ayudar al futurista Severini, enfermo de tuberculosis:

«Mi querido ahijado Max, te envío el dinero que me has pedido y me gustaría volver a verte pronto. Estoy justamente a mitad de una mudanza y estás a tiempo de echarme una mano, como siempre has hecho amistosamente. Sabes qué poco te pido en estas ocasiones: sólo tu ayuda moral y darme algunos ánimos; en resumen, la amistosa mano de Max Jacob. Mientras tanto, aquí está la mía. Tu viejo amigo, Picasso.»

Por supuesto, Max obedeció a su requerimiento y estuvo allí prestándole mucho más que su mano amiga. Como había escrito a Tristan Tzara, uno de los fundadores del dadaísmo, a principios de año, «Picasso es mi amigo desde hace dieciséis años; nos hemos odiado el uno al otro y nos hemos hecho tanto mal como bien, pero es indispensable en mi vida».

Apenas se había mudado Picasso a su nuevo domicilio cuando los ladrones lo asaltaron, robándole todos los lienzos, pero dejando intactos los cuadros. Entre tanto, Cocteau había logrado convencerle para que emprendiera una nueva y audaz aventura que haría más conocidas sus obras, quizá incluso para los ladrones de la periferia. La idea de Cocteau, llevando adelante la orden de sorprenderle que le había dado Diaghilev, consistía en que Eric Satie compusiera la música y que Picasso diseñara el decorado y el vestuario para un nuevo ballet. Parecía una cosa sencilla, pero en realidad se trataba de un proyecto de una gran osadía. «Montmartre y Montparnasse —escribió el hombre que se atrevió a intentar ponerlo en práctica— soportaban una dictadura. Nos encaminamos a una fase puritana del cubismo. Los únicos objetos permitidos son los que se pueden ver en una mesa de café, además de una guitarra española. Era una tradición pintar decorados para un escenario, especialmente para un ballet ruso. Incluso la irrupción de Renan en la escena no habría escandalizado más a la Sorbona que lo que la aceptación por Picasso de mi proposición trastornó al café de La Rotonde. Lo peor del caso fue que tenía que encontrarse con Diaghilev en Roma, cuando el código cubista prohibía viajar, excepto del norte de París al sur, de la Place des Abbesses al Boulevard Raspail».

Pero el único código al que Picasso obedecía era el que estaba escrito en sus entrañas, y había algo irresistible en la oportunidad de encontrar una nueva familia después de haber quedado sin compañía por culpa de la guerra. A finales de agosto, Cocteau y y Satie enviaron una postal a Valentine Gross: «Picasso está trabajando en *Parade* con nosotros». Satie estaba contento, y Cocteau, extasiado. El haber seducido al sumo sacerdote del cubismo para que tomara parte en un proyecto teatral sería para Cocteau, durante toda su vida, una fuente de orgullo infantil. Años más tarde, nunca se cansaría de contar, fantaseando, cada detalle: «En 1916 en Montparnasse la hierba todavía seguía creciendo entre los adoquines. Los verduleros empujaban sus carretillas y la gente charlaba en mitad de la calle, y fue en medio de la calle, entre La Rotonde y el Dôme, donde yo pedí a Picasso que participase en *Parade*.

Cocteau los había reunido, pero poco tiempo después empezaron las disputas familiares. «Haz comprender a Satie —escribía el exasperado Cocteau a su amiga y confesora Valentine Gross— que de verdad cuento para algo en *Parade,* y que él y Picasso no son los únicos que tienen algo que ver con ello... Me molesta que él pase el tiempo bailando alrededor de Picasso y gritando "Soy su seguidor. Usted es mi maestro", y que parezca estar escuchando por primera vez de boca de Picasso cosas que le he dicho una y otra vez. ¿Es que no escucha nada de lo que digo?»

Diez días más tarde, Satie se desahogó también con su «querida y dulce amiga» Valentine Gross: «¡Si supiera lo triste que estoy! *Parade* está mejorando a espaldas de Cocteau. Picasso tiene ideas que me gustan más que las de nuestro Jean. ¡Qué horror! ¡Estoy a favor de Picasso y Cocteau no lo sabe! ¿Qué es lo que debo hacer? Ahora que conozco las maravillosas ideas de Picasso, me destroza el corazón poner música a las menos maravillosas de nuestro buen Jean. ¡Oh, sí!, menos maravillosas. ¿Qué haré?... ¿Qué haré? Escríbame y aconséjeme. Estoy fuera de mí». Menos de una semana después volvió a escribir a Valentine para decirle que todo estaba arreglado. Picasso y él habían triunfado contra la introducción que había ideado Cocteau: un megáfono lanzando frases y sonidos que se interferían con la música, la coreografía y el decorado. «Sin embargo, es una gran cosa estar en lo más reñido de las peleas de perros del gran arte», había escrito Cocteau antes de perder su propia pelea.

El 7 de octubre los cuatro cenaron juntos para debatir sobre la marcha de los trabajos, en casa de la señora Errazúriz, una chilena muy rica, patrocinadora del arte, que se había convertido últimamente en la proveedora y organizadora de la vida de Picasso comprándole sus obras, buscándole una criada para Montrouge e incluso regalándole una suntuosa colcha de color rosa. Diaghilev acababa de llegar de Roma con Leónidas Massine, que había reemplazado a Nijinsky como primer bailarín y coreógrafo, al haber sido acaparado Nijinsky por una bailarina húngara en Sudamérica. Cocteau denominó la velada «Soirée Babel»: La señora Errazúriz hablaba a gritos con Picasso en castellano, Diaghilev en ruso con Massine y Satie en el «patois» de Sauternes con Cocteau.

Picasso estaba encantado con la idea de formar parte nuevamente de una familia laboriosa de monstruos sagrados, pero Braque, de regreso en París, no vio ningún vínculo entre su mundo, su guerra y la nueva y extravagante dirección tomada por su compañero de antes de la guerra. Por el contrario, Apollinaire, con su Cruz de Guerra y una venda rodeando su cabeza herida y afeitada, ansiaba unirse a la cuadrilla. Cocteau se refería a él como «Apollinaris» y le encontraba bastante aburrido, con «su barba de Bolívar, su cicatriz y su estúpida guerra...», pero no tenía más remedio que aceptarlo en su grupo, como quería Picasso, y el 13 de diciembre de 1916 acudió, en compañía de Picasso y Max Jacob, a rendir homenaje a Apollinaire en el gran banquete organizado en honor del poeta por la publicación de su último libro, «El poeta asesinado».

Apollinaire, que todavía, pese a su fascinación por Picasso, los cuatro años que habían pasado y la guerra, estaba profundamente herido por su traición en el asunto de las estatuillas robadas, eligió «El poeta asesinado» para ajustar cuentas con él. Picasso aparecía en el libro como Pájaro de Benin, y la novia del poeta, Tristouse, era un retrato, no demasiado halagador, de Marie Laurencin, que había abandonado a Apollinaire a pesar de todos sus ruegos. El poeta asesinado, Croniamantal, era evidentemente Apollinaire. En el libro, el Pájaro de Benin seduce a Tristouse y le propone esculpir una estatua en honor de Croniamantal:

> *«Una estatua, ¿de qué?, preguntó Tristouse. ¿De mármol? ¿De bronce?*
> *«No, eso está muy anticuado», contestó el Pájaro de Benin. Debo esculpir una estatua profunda, hecha de la nada, como la poesía, como la gloria».*
> *«¡Bravo! ¡Bravo!», dijo Tristouse, aplaudiendo. «Una estatua hecha de la nada, del vacío; es magnífico».*

Había una amarga alegoría del vacío detrás de las protestas de lealtad y amistad de Picasso, pero éste prefirió ignorarlo y se unió a los amigos de Apollinaire para celebrar la publicación de su libro.

Pese a las dolidas protestas de los asiduos del Dôme y La Rotonde, Picasso se lanzó entusiásticamente a su nueva aventura. «Trabajo en nuestro proyecto casi todos los días —escribió a Cocteau—; que nadie se preocupe.» Más tarde dijo al joven compositor Francis Poulenc: «¡Larga vida a nuestros discípulos! Gracias a ellos buscamos otras cosas». Y él también estaba buscando otra cosa. El 16 de febrero llevó a Cocteau a casa de Gertrude Stein para presentársela y anunciarle que se iban a Roma al día siguiente. «Voilá —dijeron al llegar a la calle de Fleurus—, nos marchamos en viaje de novios.»

Resultó ser una observación más bien profética. «Tengo sesenta bailarines —escribió Picasso a Gertrude Stein—. Me acuesto tarde. Conozco a todas las mujeres de Roma.» Lo que no escribió a Gertrude fue que entre esos sesenta bailarines del Ballet Ruso de Diaghilev había una bailarina de veinticinco años cuyo aspecto delicado y porte modoso habían intrigado a Picasso, haciéndole olvidar a Eva, Gaby, Irene, Paquerette y los encuentros casuales y sin nombre que habían llenado el vacío causado por la muerte de Eva.

Olga Klokova era hija de un coronel del Ejército Imperial ruso y había nacido en Niezin, Ucrania, el 17 de junio de 1891. Había dejado su casa a los veintiún años para entrar en el ballet de Diaghilev y dedicarse a la danza. Su talento, más bien pequeño, no podía compensar el hecho de que, según las reglas del ballet, había empezado demasiado tarde, pero a Diaghilev le gustaba incluir en su compañía muchachas de la alta sociedad aun cuando no fueran demasiado buenas bailarinas.

Olga Klokova era, sobre todo, una bailarina mediana, de mediana belleza y mediana inteligencia, con medianas ambiciones de casarse y formar un hogar. Para Picasso, que había poseído prostitutas, modelos bisexuales, extravagantes bohemias, bellezas tuberculosas y negras de Martinica, Olga era tan convencional en todos los sentidos como para ser positivamente exótica, y había también un matiz misterioso en ella. Esta vez no era el misterio de otra realidad, como irradiaba Eva, sino el de otro país. Picasso había amado siempre todo lo ruso, y aún más desde su trato con la baronesa D'Oettingen. El, que incluso en los momentos culminantes de la guerra leía solamente en los periódicos las habladurías y las historietas, no se saciaba leyendo las noticias sobre los recientes acontecimientos en Rusia: la revolución, la suerte del zar, las esperanzas de la gente. En la primavera de 1917, Rusia le fascinó como nunca. La revolución acababa de producirse, el zar había abdicado y un gobierno provisional se había instalado en el poder.

Por tanto, muchos ingredientes distintos se combinaban en aquel preciso momento de la historia y de la vida de Picasso para transformar a la mediocre bailarina rusa en una criatura fascinante, seleccionada de un cuerpo de baile para ser objeto de sus profusas atenciones. Era la poesía de la vieja Rusia, de Ucrania, del Ejército Imperial ruso, las convulsiones revolucionarias, que se esperaba que construirían un nuevo mundo sobre las ruinas del viejo; era la intensa excitación que siempre rodeaba a Diaghilev, el que se autoproclamaba «incorregible sensual» tanto en su arte como en su vida; era Picasso, cansado de la lucha que su genio le acarreaba, cansado de la desordenada intensidad de sus pasiones, cansado de su soledad interna y deseando una normalidad envuelta en un pequeño misterio ruso, imperial, revolucionario y artístico.

Lo que Picasso representaba para Olga era mucho más sencillo. Las mujeres y los hombres se sentían traspasados por su mirada de mármol negro, fascinados por «sus manos, tan oscuras, tan delicadas y tan alertas», atraídas por su mechón rebelde de cabello negro. Algunos, como Cocteau, habían sentido «una descarga eléctrica» cuando le conocieron; otros, como Fernande, habían sido atraídos por «aquel resplandor, aquel fuego interior que se sentía en él». Otros, incluso habían sido hipnotizados por lo que el apuesto bohemio sabía sobre el opio, las mujeres, los cabarets y los prostíbulos, y embrujados por su vigor, por los secretos que parecía conocer y esconder, por su talento y su exhibicionismo. Y otros estaban simplemente abrumados por la presencia del monstruo sagrado de Montmartre y Montparnasse, del revolucionario inventor del cubismo. Pero Olga no se preocupaba por el arte, salvo como algo para decorar su casa; le molestaba lo bohemio y poseía un control sobre sí misma que le impedía entusiasmarse por el magnetismo animal. También era una artista, y su narcisismo rivalizaba con el de él. Por tanto, respondió a sus avances porque él era una persona importante en el mundo que la rodeaba, alguien lo bastante importante como para haber sido elegido por Diaghilev para diseñar *Parade,* y en consecuencia respondió a su cortejo con prudencia y cálculo.

Los bailarines se alojaban en el Hotel Minerva, detrás del panteón; Diaghilev, Massine, Cocteau y Picasso, en el Hotel de Rusia, en la plaza dil Popolo. Picasso pasó la mayor parte de su tiempo recorriendo la distancia entre los dos hoteles, cruzando «una ciudad hecha de fuentes, sombras y luz de luna», para visitar a su bailarina. Cocteau, enardecido por el deseo de imitarle, más que por cualquier otro anhelo, se unió a otra preciosa bailarina rusa y acompañaba a Picasso en sus románticas citas. En realidad, Cocteau pensaba que su pequeña Shabeska se parecía al perro de Buster Brown, pero se llevaba bien con ella, y cuando sus sonrientes compañeros le abrieron los ojos, se unió gustosamente al juego de servir de sombra a Pablo y Olga. También paseaban por Roma, cenaban frente a frente en Campagna, iban al cine y se aseguraban de que la cara y la chaqueta de Cocteau estuvieran manchadas de maquillaje de bailarina, como las de Picasso. Al mismo tiempo, y no únicamente por exhibirse, Cocteau estaba ocupado haciendo la corte a Diaghilev, embelleciéndose con colorete y barra de labios siempre que él estaba cerca. Diaghilev ya tenía bastante preocupación con uno de sus principales bailarines y un camarero italiano, pero todos estaban de buen humor, trabajaban duramente y estaban tan sometidos a la influencia de los demás que no daban importancia a que las incursiones amorosas no se desarrollasen exactamente como habían sido planeadas.

Picasso trabajaba en un estudio de la calle Margutta, en una mesa con vistas a la Via Medici, pero el suelo de su habitación en el hotel y las mesas donde comía se cubrieron rápidamente de dibujos de los personajes de *Parade,* bosquejos y caricaturas de sus colaboradores y sus nuevos amigos. Dibujaba sobre cualquier superficie blanca, en menús, servilletas y hasta en el bastón de marfil de Diaghilev. Le fascinaba especialmente la cara de Stravinsky, con sus gruesos labios, su larga nariz y sus orejas despegadas. Stravinsky había llegado en marzo para dirigir su *Pájaro de fuego* y sus *Fuegos de artificio* en la función que daba Diaghilev en favor de la Cruz Roja Italiana, y que se abrió, no como antes, con el himno imperial ruso «Dios salve al zar», ya que no había ya zar, sino con la versión para orquesta de *Los remeros del Volga,* de Stravinsky.

Stravinsky fue un nuevo descubrimiento para Picasso, y Picasso lo fue para Stravinsky. Cocteau, sintiéndose exluido y con nostalgia, hizo un dibujo de ambos con Stravinsky inclinándose para hablar con Picasso, que se tocaba con un bombín. La afinidad entre Picasso y Stravinsky era, como señalaba Francis Steegmuller, «una conjunción de planetas mayores que parecen haber dejado un poco fuera a los otros». Picasso, que alardeaba de detestar toda clase de música, salvo el flamenco, estaba fascinado por el compositor que, seis años después de que él hubiera horrorizado a sus amigos con *Les Demoiselles d'Avignon,* había sorprendido al mundo con su *Consagración de la primavera.* Le fascinaba también el dandismo de Stranvisky, que lucía pantalones de color amarillo mostaza y calzaba zapatos amarillos, y la confianza que exhibía en ser uno de los hombres del futuro.

Cuando la compañía se trasladó de Roma a Nápoles a mediados de marzo, para actuar en la Opera de San Carlos, los dos hombres se fueron juntos y dedicaron la mayor parte del tiempo a conocer el Acuario, el Vesubio, Pompeya, pequeñas tiendas pintorescas, acuarelas napolitanas y el uno al otro. «El Papa está en Roma, y Dios en Nápoles», así resumió Cocteau esa aventura napolitana. «Uno se excita en Nápoles, pero se va a la cama en Roma», dijo Picasso. Era insaciable su curiosidad por todo lo que veía. «El artista debe pasearse con una cinta métrica —dijo— teniendo todo en cuenta, tocándolo todo.» Y dijo a un italiano que conoció que el objetivo de los artistas es «hacer todo lo que puedan para encontrar el sitio donde Dios se esconde».

Al poco tiempo Stravinsky se marchó de Italia para regresar a su casa de Suiza, llevando en su equipaje el retrato que Picasso le había dibujado. Pero en la frontera italiana de Chiasso, las autoridades militares, al examinar sus maletas, se negaron a dejar pasar el retrato. «Esto no es un retrato, sino un mapa», insistían. «Sí, es un mapa de mi cara, no otra cosa», contestó Stravinsky, en vano. Finalmente, y puesto que no le permitían cruzar la frontera con el retrato, lo devolvió a Roma, y el embajador británico se lo envió a Suiza por valija diplomática.

El 30 de abril, después de una representación en Florencia, la compañía, con Picasso y Cocteau a remolque, volvió a París. Había un aire de fiesta en el estudio de las Buttes Chaumont, donde un equipo de pintores escenógrafos trabajaba duramente, bajo las órdenes de Picasso, para terminar el escenario, el vestuario y el magnífico telón que con sus arlequines y sus «figuras gigantescas, frescas como ramos de flores», evocaban todo el amor de Picasso y su nostalgia del mundo de cuento de hadas del circo. La atmósfera de fiesta continuaba después del trabajo.

Olga había estado anteriormente en París con el Ballet Ruso, pero ahora todo era diferente. Entonces su sueño había sido convertirse en primera bailarina, y ahora, el de ser la esposa de Picasso, alcanzar la posición social que deseaba casándose con él.

En cuanto a Picasso, durante los dos últimos meses se había implicado en una nueva aventura, y le estaba gustando. Había estado físicamente obsesionado por las mujeres, había estado fascinado por las mujeres, había hecho el amor apasionadamente a las mujeres, había tenido encuentros sexuales esporádicos con mujeres, cuyas caras, nombres y cuerpos había olvidado, pero nunca había cortejado a una mujer. Y aun cuando Olga podía ser una inexperta en materia sexual y saber poco acerca de los hombres, había nacido con todos los instintos femeninos de supervivencia y sabía cuándo conceder un poco, reprimirse mucho y prometerlo todo. «No, no, señor Picasso», se le había oído decir en su habitación del hotel. «No le permito entrar». Era la compañera perfecta para el galanteo. «Ten cuidado. Con las muchachas rusas tienes que casarte», le había advertido Diaghilev a Picasso. «Debes estar bromeando», fue la respuesta desenfadada de Picasso. Después de todo, había llegado a los treinta y seis años evitando el matrimonio, y, como siempre, se jactaba de dominar completamente cualquier situación.

Finalmente, el 18 de mayo de 1917 se estrenó *Parade* en el Teatro del Chatelet. A 300 kilómetros de allí, los soldados franceses estaban siendo exterminados a miles en ataques contra las líneas alemanas. Se habían producido motines entre las tropas. Rusia estaba colapsada y la moral de los aliados había llegado a su punto más bajo. Dentro del Chatelet, una masa de habituales de los estrenos, muy heterogénea, rompió en clamorosos aplausos cuando apareció el telón de Picasso. Entre los que aplaudían y aclamaban estaban la princesa de Polignac, el conde y la condesa de Beaumont, Misia Sert, Debussy, André Gide, Apollinaire, Juan Gris, E. E. Cummings, soldados rusos de permiso y toda clase de poetas y pintores de Montmartre y Montparnasse, a los que Diaghilev había invitado personalmente con el propósito de tender un puente sobre el abismo que separaba la sociedad y la ascética vanguardia.

Cuando se alzó el telón, empezó el ballet, y con él, el drama para la audiencia. La aparición de gigantescos empresarios de circo delante del quiosco de venta de localidades, voceando las representaciones que iban a darse a los imaginarios transeúntes, una muestra del espectáculo imaginario del interior, fue saludada por un «Viva Picasso» desde las localidades de galería y con abucheos por los baletómanos más afines a lo convencional. «Por primera vez —escribiría Poulenc— el music-hall había invadido el Arte, Arte con A mayúscula. Pero el público no estaba todavía preparado para dar la bienvenida a esa invasión y adherirse a la llamada de Cocteau a rehabilitar el lugar común». Especialmente el empresario americano, una construcción cubista de cuatro metros de altura a base de rascacielos, tubos metálicos, botas de vaquero y sombrero de copa, que rechazaba todas las ideas previas sobre lo que los personajes de ballet debían parecer. Y los empresarios no se limitaban a bailar, sino que vociferaban el estruendo de la música de Satie, que incluía el tecleo de máquinas de escribir, que producían un desagradable ruido de disparos de ametralladora. Luego había una construcción de casi tres metros de altura, en forma de caballo, del que la condesa Anne de Noailles, gran señora de los salones literarios, dijo que haría reír a un árbol; y la chica americana que monta un caballo de carreras, conduce una bicicleta, parpadea como las películas en la pantalla, imita a Charlie Chaplin, persigue a un ladrón revólver en mano, boxea, baila el «rag time», se acuesta, naufraga, se revuelca en la hierba una mañana de abril, compra una Kodak, etc.»

El público se hartó pronto. Entre todos los silbidos, los aullidos y los maullidos, había incluso gritos de «¡Sales Boches!», fundados en que en aquellos terribles años de guerra todo lo desagradable e incompresible debía achacarse al enemigo. «Si no hubiera sido por Apollinaire en uniforme —escribió Cocteau—, con su cráneo afeitado, la cicatriz en la sien y el vendaje alrededor de su cabeza, las mujeres nos habrían arrancado los ojos con sus horquillas.»

Picasso contemplaba el drama entre bastidores, como si nada tuviera que ver con él. Se sentó en el palco de Diaghilev, al lado de Misia Sert, la gran amiga del empresario. Descendiente en parte de polacos fue llamada «la reina del ballet ruso», o, más gráficamente por Valentine Gross, «un hada madrina en un momento y una bruja en el siguiente, terriblemente maliciosa, adorablemente generosa, decidida a destruir en el arte todo lo que no hubiera ideado o al menos alimentado dentro de las cuatro paredes de su casa». Vestida con traje de noche, luciendo diamantes y una diadema de plata, en el estreno de *Parade* parecía como si estuviera en otro espectáculo. Picasso vestía un jersey rojo de cuello vuelto, pero como Pierre Mac Orlan, el novelista y cronista de Montmartre, diría más tarde: «Parecía un principe vestido de mecánico, no para guardar su incógnito, sino para estar cómodo. Dominaba claramente al grupo, quizá porque estaba sellado con el signo magnífico y misterioso de la fortuna». Y había princesas a su alrededor que parecían fuera de lugar.

Cocteau, por el contrario, según André Gide, que fue a buscarle entre bastidores, «parecía tenso, dolorido, prematuramente aviejado. Sabía que el decorado y el vestuario habían sido creados por Picasso y la música por Satie, pero se preguntaba si Picasso y Satie estarían a su lado». Leyendo las notas del programa de *Parade* se había desengañado rápidamente de cualquier idea en ese sentido. En ellas, Apollinaire ensalzaba «al innovador de la música, Erik Satie», y «al más audaz de los coreógrafos, Leónidas Massine», y, por supuesto, a Picasso, «que provoca el asombro, que rápidamente se convierte en admiración», pero ostensiblemente ignoró a Cocteau. Continuaba, pues, la batalla entre Montparnasse y el esplendor mundano y fácil encarnado por Cocteau. Apollinaire escribió que Picasso y Massine «habían consumado por primera vez ese matrimonio entre la pintura y la danza, las artes plásticas y el mimo, que es el signo de la ascensión al trono de un arte más completo»...

«Esta nueva alianza, ya que hasta ahora el vestuario y la decoración, por un lado, y la coreografía, por otro, sólo se han relacionado en forma artificial, ha tenido como resultado en *Parade* una clase de surrealismo que considero como punto de partida de una serie de manifestaciones de este nuevo espíritu.»

Para Apollinaire, *Parade* fue el triunfo del Nuevo Espíritu. Para Debussy, tan próximo a la muerte, había llegado demasiado tarde: «Quizá, quizá», se le oyó musitar cuando abandonaba el auditorio, «pero estoy todavía demasiado lejos de todo eso». Para uno de los espectadores fue sencillamente absurdo: «Si hubiera sabido que era tan tonto —dijo a su acompañante— habría traído a los niños». En cuanto a los que habían silbado y abucheado y a la vez se sentían insultados, *La Grimace* resumía sus opiniones: «El antiarmónico clown Erik Satie ha compuesto su música con máquinas de escribir y cacharros... Su cómplice, el diletante Picasso, especulando con la eterna estupidez de la humanidad...»

Satie se encolerizó tanto con las críticas, que envió a uno de los críticos una tarjeta postal diciéndole: *«Monsieur et cher ami:* Usted no es más que un culo de burro, y tan poco musical como él». El crítico le demandó por libelo, y culpado de difamación criminal, Satie fue condenado a una semana de cárcel. Cocteau llamaría posteriormente a *Parade* «un gran juguete», pero era también el comienzo simbólico del arte moderno, completo gracias a todos los componentes de un mito moderno, incluyendo el escándalo, la resonancia del alboroto (seguido poco después por su aceptación como una resonante obra maestra), los nuevos héroes e incluso con un nuevo mártir encarnado en el encarcelado Satie.

Cuando Satie fue encarcelado, Picasso se fue a Barcelona con Olga y toda la compañía de Diaghilev. Se le dio la bienvenida como un héroe. Era su primera visita después de la muerte de su padre, y sus amigos la convirtieron en un gran homenaje. Se dieron fiestas en su honor, hubo nostálgicas visitas a los lugares preferidos de su juventud, baile flamenco y mucha charla hasta altas horas de la madrugada, con Pallarés, De Soto, Reventós, los hermanos Junyer-Vidal, Utrillo e Iturrino. Se reunieron todos el 12 de julio en un banquete en honor a Picasso, en el que Iturrino ofreció el brindis cantando entusiásticamente la Marsellesa y Els Segadors. El banquete tuvo una amplia difusión en la prensa.

No dejó de trabajar, y mucho de su obra consistió en dibujar a Olga, siempre de manera realista, presentándola elegante y decorosa. Ella insistía en tener un retrato de estilo naturalista. «Quiero reconocer mi cara», le decía. También insistía en ser retratada con mantilla, de modo que Picasso la hispanizó en *Olga con una mantilla,* y como no tenía a mano esa prenda, la imitó con una colcha. «Bajo los apoyos que mantenían su rigidez y tras de su media sonrisa, el artista revelaba su mal carácter, su afán posesivo y la testarudez propia de la naturaleza de Olga, que Picasso no percibía por sí mismo, o, si lo hacía, prefería ignorarla. A pesar de lo que había dicho a Diaghilev y lo que se había dicho a sí mismo, la decisión de casarse con Olga estaba afirmándose.

Incluso en la sugeridora caracterización de *Olga con una mantilla,* y aun en las series que dibujó en Barcelona de un toro corneando a un caballo, había, por muy profundo que fuese su nivel subliminal, una oscuridad, una duda, una sospecha penetrando la claridad de esa decisión, sospecha que compartía su madre. Tan pronto como le fue presentada Olga, la llevó aparte y le advirtió que ninguna mujer podría ser feliz con su hijo, porque él era sólo asequible para sí mismo, pero para nadie más. También sabía que su hijo no podría ser feliz con aquella mujer en particular, pero dio la bienvenida a Olga, fue a ver su actuación en *Les Sylphides* y

Las Meninas y aceptó de buen grado el retrato de Olga con la mantilla que su hijo le regaló, quizá porque no deseaba enfrentarse a la evidencia de sus preocupaciones.

Desde la muerte de su esposo, doña María había estado viviendo con su hija, casada con el doctor don Juan Vilató Gómez. Su hijo, durante su estancia en Barcelona, se alojó en la pensión Razini, donde también se hospedaba Olga. Un día, mientras Picasso y Olga paseaban, se les acercó una gitana, que se ofreció a decirle la buenaventura a Olga. «¿Cómo se llama usted?», le preguntó la gitana. «Me llamo Carmen», respondió Olga, a quien le gustaba fingir que era española. «¿Y usted cómo se llama?» «Me llamo Olga», contestó la gitana, descubriendo la mentira de Olga.

Cuando la compañía emprendió el viaje para continuar por Sudamérica su gira, Olga estaba en el muelle diciendo adiós a sus compañeros. No le había sido difícil elegir entre una mediocre carrera como bailarina y un magnífico matrimonio. A finales de otoño, regresaron ella y Picasso a París e iniciaron su vida juntos en la casita de Montrouge. Existe un dibujo de ambos sentados en los extremos opuestos de la enorme mesa del comedor. Picasso, flanqueado por dos perros, y Olga, por la criada: una incongruente domesticidad impregnando la escena. Y existe también una fotografía de ellos con Olga, recatadamente elegante, vestida con un traje largo, a rayas, y con una cofia, sentada al lado de un desaliñado Picasso rodeado del habitual caos de su estudio; ni siquiera tenían un idioma común para entenderse, que ambos pudieran hablar bien, por lo que estaban obligados a hablar en francés, ella con un fuerte acento ruso y él con un no menos fuerte acento español.

Vivir juntos en Montrouge no era fácil, pero ella sabía que iba a encargar un guardarropa completamente nuevo, ya que Paul Rosemberg, que pronto se convertiría en el marchante oficial de Picasso, había encontrado para ellos un piso nuevo en París, y creía que sólo era cuestión de tiempo que el orden y la elegancia reinasen plenamente en sus vidas.

¿Qué importaba que hubiese pinturas feas e incoherentes apiladas en el estudio de Montrouge? ¿No le había regalado por la Navidad la más bonita pequeña escena de su casa, con estrellas y copos de nieve, que se parecía tanto a algo tomado de su nativa Rusia? Sin embargo, los obreros estaban tardando demasiado en el arreglo de su nuevo piso de la calle La Boétie, y Olga se impacientaba demasiado, así que en la primavera se trasladaron a una enorme y elegante suite del Hotel Lutetia, donde ella podía recibir sin avergonzarse y en la que Picasso tenía un estudio en el que podía trabajar. Pero a cada momento y después de una cena elegante, dejaba a su prometida en el Lutetia y huía hacia Montrouge, donde su casa, que había sido convertida en un almacén, serviría a un doble fin: un estudio para pasar en él toda la noche y un retiro que le era muy necesario.

Las señales y los síntomas de un futuro desastre eran visibles, pero Picasso, iba como un sonámbulo hacia el día de la boda, como si se tratase de un destino que ninguna mano de hombre pudiese cambiar, un destino establecido por un hombre decepcionado y cansado. Harto de ser audaz, y consumido por su propio fuego sagrado, deseaba encontrar con Olga un refugio de una decorosa tranquilidad e incluso una excusa para no ser ya audaz. Quería huir de la búsqueda agotadora de la pintura absoluta y de lo absoluto en la pintura e ir a un mundo de lujosa mediocridad. Había intentado librar al arte de la realidad material y ahora estaba encaminándose deliberadamente a un mundo de fronteras, limitaciones y convenciones artificiosas. Las dos vertientes de su personalidad: su misticismo español, que persistía a pesar de todos sus rechazos, y su realismo francés, insatisfecho en el fondo, pese a todas las concesiones que le había hecho, habían coincidido en el más frágil y poco prometedor punto de encuentro: una aristócrata rusa de poca monta.

Años más tarde, él diría que se había decidido por Olga porque era bonita y pertenecía, aunque tangencialmente, a la nobleza rusa. Cuando era niño, en La Coruña, había sido rechazado por la familia de Angeles a causa de que su situación social no era suficientemente distinguida. Un cuarto de siglo más tarde, él quería saldar esta cuenta. Existía también un deseo de aliarse con la sociedad, con la élite de la posición social y la riqueza, un mundo que era todavía un territorio inexplorado para él. Si iba a ser lanzado a él, necesitaba tener alguien a su lado. Fuese o no Olga la compañera adecuada para su vida, él sabía que era incuestionablemente la compañera adecuada para la vida de sociedad. Compensaba su ignorancia en cuestiones artísticas con su gran conocimiento de las reglas de conducta, y su falta de interés en las ideas con su fanatismo en el vestir. Bien educada y muy elegante, tanto si entraba en una habitación como si salía de ella o sosteniendo una copa de champán, Olga parecía la mujer adecuada para esa nueva etapa de su vida. ¿Pero era también la mujer para todas las etapas? Debió haberse convencido a sí mismo de que así era, puesto que aceptó firmar un acuerdo de comunidad de bienes según el cual todo lo que poseía, incluso todos sus cuadros, se dividiría en partes iguales en caso de divorcio, eventualidad ésta que él no había considerado probable, ya que en otro caso no habría consentido en repartir por mitades su producción aún no vendida.

Cuando crecía en Barcelona, Picasso había deseado dejar a un lado las limitaciones y los convencionalismos de la clase media en que vivía y convertirse en un gitano sin raíces. Y ahora pretendía renovarse a sí mismo embarcándose en la vida brillante que antes había ridiculizado. Incapaz de conseguir la suficiente autoestimación de sus logros y su genio, aparte de su creciente fortuna, ponía su mirada en el espejismo de la sociedad para llenar ese vacío. El gran revolucionario del arte del siglo XX había retrocedido hasta la más rancia de las rancias esperanzas: casarse con una aristócrata. «¿Es serio un pintor?», preguntó ansiosamente la aristocrática madre de Olga a Diaghilev cuando recibió la noticia del inminente matrimonio de su hija. «Por lo menos como un bailarín», le contestó.

Era el comienzo de lo que el pintor surrealista Matta llamó «Período *Harper's Bazaar* de Picasso». «Estaba tan halagado —dijo— por todas las atenciones, que desde entonces su vida se tiñó de esquizofrenia: entre su necesidad de intimidad y su necesidad de más y más atenciones». «Picasso —escribió Juan Gris a Kanhweiler— sigue haciendo buenas cosas cuando encuentra tiempo entre el ballet ruso y un retrato de sociedad.» Su principal nexo con el trabajo y el mundo de su pasado era Apollinaire, y el 2 de mayo, en la iglesia de Santo Tomás de Aquino, Picasso fue testigo, con Vollard (otra figura fantasmal de su pasado), de la boda de Apollinaire con Jacqueline Kolb, la preciosa pelirroja que lo había cuidado y ayudado a recobrar la salud y que una y otra vez restableció su ánimo decaído.

El 12 de julio, Apollinaire le devolvió el favor: junto con Max Jacob y Jean Cocteau, embajadores del pasado y del futuro, fue testigo de las dos bodas de Picasso con Olga: la primera, una ceremonia civil en la Alcaldía del distrito XVII, y después, una suntuosa ceremonia religiosa en la iglesia ortodoxa rusa de la calle Daru. Matisse, Vollard, Braque, Gertrude Stein y Alice B. Toklas, Diaghilev, Massine y Paul Rosemberg, todos estuvieron entre los asistentes a la boda de Picasso, en una ceremonia llena de pompa, incienso, flores y velas.

En un momento de la ceremonia, en el emotivo y muy simbólico rito de la Iglesia ortodoxa, Cocteau y Apollinaire sostuvieron las coronas de oro sobre las cabezas de los novios mientras daban tres vueltas alrededor del altar. Hay una superstición unida a este rito, y es la de que si al terminar las tres vueltas la novia pisa primero la alfombra, será ella la que mande en el matrimonio. Max, autoridad incuestionable en supersticiones, era el único que estaba al corriente de este trozo folclórico, y su mirada, ansiosamente alerta, vio el delgado pie de Olga pisar primero la pequeña alfombra dorada; se habían confirmado todas sus premoniciones negativas sobre la boda de su amigo. Nunca le había gustado Olga, y a ella tampoco le gustaba él, aunque tuvo que tolerar su participación en la boda. Pero cuando estuvo instalada cómodamente como madame Picasso, dejó bien claro que Max de ninguna manera sería un amigo bien recibido en la calle La Boétie.

Los recién casados tomaron el Sud-Express a Biarritz, donde pasaron su luna de miel en la Mimoseraie, la lujosa villa de la señora Errazúriz. Picasso desempeñaba el papel de perfecto invitado pintando murales en las paredes encaladas de la casa de su anfitriona y encantando a sus amigos dibujando sus retratos y los de sus hijos. Por lo menos, encantando a la mayor parte de sus amigos. La esposa de Paul Rosemberg no quedó en absoluto contenta con el retrato que le hizo teniendo en brazos a su hijo. Este, Alejandro Rosemberg, recordaba más tarde que «ella le dijo con firmeza que hubiera preferido ser retratada por Boldini, el retratista parisino de moda por aquel entonces. Picasso cogió silenciosamente otro lienzo y unos minutos más tarde le mostró su retrato hecho en el estilo que ella deseaba y firmado por Boldini».

La señora Errazúriz no se quejó de los murales que Picasso había pintado. Eran un homenaje a la feminidad y a Apollinaire. Entre dos desnudos femeninos, Picasso escribió unos versos tomados de *Saisons,* de Apollinaire:

> *Hubo un tiempo bendito en que estábamos en las playas.*
> *Habíamos ido al comienzo del amanecer con los pies desnudos y sin sombreros.*
> *Y rápidamente, como una lengua de sapo,*
> *el amor hirió los corazones de los tontos y de los sabios.*

Desde Biarritz, Picasso escribió a Apollinaire enviándole una flor de tabaco. «Contemplo el *beau monde.* He decorado una habitación con tus poemas. No soy tan infeliz aquí y trabajo, como te he dicho, pero escríbeme cartas largas. Dile las cosas más dulces a tu esposa. Para ti, mi más pura amistad.» Había nostalgia y un sentimiento de culpabilidad en la carta, en la flor prensada y en los versos del mural. Era también un intento de recobrar la intimidad perdida, que claramente no sentía ni con el *beau monde* ni con su aristocrática mujer. No era la carta de un feliz recién casado, sino más bien la de un hombre contento de no ser demasiado infeliz.

Agradecido, Apollinaire le escribió desde París: «Me alegra saber que has decorado la villa de esa manera, y me enorgullece que mis poemas estén allí. Los que estoy escribiendo ahora estarán más en consonancia con tus preocupaciones actuales. Estoy intentando renovar el tono poético, pero con un ritmo clásico». Continuaba explayándose sobre la nueva ruta que había tomado en su obra, y acababa la carta alabando al hombre que había escrito que el corazón tiene razones que la razón no conoce: «¿Qué obra es hoy más nueva, más moderna, más económica y más llena de riqueza que la de Pascal? Creo que a ti te gusta. Es un hombre al que puede amársele». El y Picasso compartían la convicción de Pascal de que la intuición es más poderosa que la razón, pero Picasso negaba enérgicamente la fe de Pascal en una fuerza benéfica en el universo. «No hay un Dios bueno», repetía, como si la afirmación negativa pudiera silenciar las ráfagas de sentimiento de que podría ser de otra manera.

Dos meses más tarde moría Apollinaire. Debilitado por la herida de su cabeza, sucumbió a la gran epidemia de gripe que había invadido el mundo al final de la guerra. Picasso había regresado a París, y estaba afeitándose en el cuarto de baño del Hotel Lutetia cuando una llamada telefónica le anunció la noticia. Ver su aterrorizada expresión en el espejo, le asustó, y su instintiva e inmediata respuesta consistió en dibujar su autorretrato con el auténtico aspecto de mortalidad que había visto nuevamente en sí. Era tanto un exorcismo como un *memento mori.* Durante los veinte años siguientes, Picasso mantuvo ocultos todos sus autorretratos e incluso propagó la falsa historia de que el que había dibujado cuando recibió la noticia de la muerte de Apollinaire era el último que había hecho. «¡Qué invento tan estúpido!», solía decir de los espejos. El espejo le había devuelto una imagen de sí mismo que prefería no conocer: vulnerable, frágil, temeroso de lo que el destino pudiera reservarle. No podía eliminar los espejos, pero sólo muchos años después de la muerte de Apollinaire se sintió seguro como para poner fin al tabú del secreto respecto a sus autorretratos.

El 11 de noviembre de 1918, dos días después de la muerte de Apollinaire, se firmó el armisticio. La guerra había terminado y

Francia había triunfado. Mientras Apollinaire yacía en su lecho de muerte cubierto de flores, el gentío jubiloso que se agolpaba al pie de su ventana en el Boulevard Saint Germain para celebrar el fin de la guerra, gritaba «¡A bas Guillaume!», refiriéndose al kaiser, cuyo nombre de pila era el mismo que el de Apollinaire. Era una cruel ironía que sellaba la vida de un hombre que había deseado pertenecer a Francia.

Para Picasso, que temía a la muerte como el hecho más aterrador de la existencia, el fallecimiento, a la edad, más bien temprana, de 39 años, del hombre con el que había compartido en constante proximidad los últimos catorce años de su vida, fue un golpe de agonía. Había otro pesado eslabón en la cadena de muertes prematuras: su hermana, Casagemas, Eva y ahora Apollinaire, que de repente le había arrebatado a gente que él había incorporado a su vida. Con cada muerte algo se había marchitado en él, algo se había roto, y la cadena de las muertes alrededor de su corazón se hacía más pesada y más dura de soportar.

6

UN GENIO EN SMOKING

La guerra había terminado y había nacido el mundo moderno, desorientado y desilusionado. Nada era como había sido antes, y la fuerte sospecha de que nada era lo que parecía ser estaba en el ambiente. El peso de la historia había cambiado el orden existente por aquellos que se rebelaban contra éste. El rebelde de Els Quatre Gats y el Bateau-Lavoir aprovechó este momento para instalarse entre los anticuarios y las galerías de arte de moda de la calle La Boétie.

Gertrude Stein había descrito los comienzos del cubismo como un momento en el que los cuadros empezaban a querer dejar sus marcos; con su matrimonio con Olga y su traslado a la calle de La Boétie, el hombre que había sido al mismo tiempo aplaudido y ridiculizado como el inventor del cubismo había encontrado un marco dorado en el que encerrarse. La ironía de su elección se reflejaba en su obra. En un dibujo de Olga recibiendo en la calle de La Boétie a Satie, a Cocteau y al crítico inglés Clive Bell, todos están sentados de forma incómoda en sillas aparentemente incómodas en el salón meticulosamente limpio de Olga. Cada huella de desorden —y de Picasso— ha sido eliminada. En su habitación, dominada por dos camas de metal, prevalecía la misma melindrería. Cuando el poderío del orden de Olga hubo confinado finalmente a su marido y a su obra a una habitación, él alquiló un apartamento en el piso de encima y lo transformó en almacén y estudio. Se instaló a sí mismo y a su caballete en lo que solía ser el cuarto de estar, donde «la ventana daba al sur y ofrecía una hermosa vista de los tejados de París, erizándose con un bosque de chimeneas rojas y negras, con la esbelta y lejana silueta de la Torre Eiffel destacando entre ellas». Cada habitación tenía una chimenea de mármol con un espejo encima, y pronto cada una de ellas se llenó de pilas de pinturas, cajas de cartón, máscaras negras, libros y toda clase de andrajosas baratijas que se apoyaban contra las paredes o se desparramaban por los suelos, y que lentamente se convirtieron en un collage de manchas de pintura, colillas y polvo. Las puertas que conectaban unas habitaciones con otras se dejaban abiertas, pero la puerta que daba a su apartamento-estudio siempre permaneció cerrada, y nadie —y por supuesto ni Olga ni la criada de delantal blanco con su plumero— estaba autorizado a entrar a menos que fuera invitado específicamente por él.

A principios del verano se desplazó a Londres con Olga para los ensayos de *El sombrero de tres picos*. Otro español, Manuel de Falla, había escrito la música y Diaghilev le había encargado el diseño de los decorados y vestuarios. Diecinueve años antes, cuando Picasso dejó por primera vez Barcelona, había soñado con establecerse en Londres. Ahora llegó no como un artista luchador, sino como un distinguido visitante que se instaló en una suite del hotel Savoy y se embarcó en las fiestas de moda. El *dandy* que había en él, primero empujado a un segundo plano por la pobreza y después por el uniforme de un estilo de vida bohemio, ahora estaba libre en el Savile Row. La faceta narcisista de su personalidad, que le había conducido a pavonearse en las Ramblas siendo un jovencito, compartiendo con De Soto el único par de guantes que tenían, tuvo al fin posibilidad de manifestarse plenamente. Encargaba incontables chaquetas, lucía un reloj de oro en el bolsillo de su chaleco, y se regocijaba de estar adecuada y ostentosamente vestido para todas las cenas en las que, tanto si eran en su honor como si no, siempre era el centro de atención. La dramática transformación de su apariencia y su estilo de vida aumentó por la presencia en Londres de su viejo amigo Derain, que había ido a diseñar un ballet: *La Boutique Fantastique*. Desafiantemente antiburgués, Derain estaba viviendo en una modesta pensión próxima a Regent's Park y, como Clive Bell expresó: «Sus maneras de vivir en Londres eran tan distintas como sus señas». Madame Picasso no tenía ninguna intención de unirse a la dura y desordenada o incluso alta bohemia. A la fiesta que Clive Bell y John Maynard Keynes dieron a Picasso y Derain en su casa de Gordon Square, Derain llegó vistiendo el mismo traje azul de sarga que llevaba a todas partes, negándose a hacer ninguna concesión a las costumbres frívolas de la sociedad. El, como Braque, creía que cualquier concesión, por muy banal que fuera, era señal de rendición ante el «despotismo burgués» que habían intentado superar, y además una traición a lo que sus vidas y su arte se suponía que significaban. Los tres hombres se comportaron afablemente los unos con los otros, pero a sus espaldas volaban los insultos. «La primera vez que la vi —escribió Alice Derain refiriéndose a Olga— la tomé por una camarera». La referencia de Picasso a Braque como «madame Picasso» era un insulto más sutil, pero infinitamente más doloroso, que degradaba la obra de Braque y escondía su propio dolor por el hecho de que su extraordinaria colaboración había degenerado en una cortesía refinada y superficial.

Picasso podía haberse convertido en un dandy y en «león social», pero su perfeccionismo y su capacidad para el trabajo duro permanecieron íntegros. Cuando *El sombrero de tres picos* se estrenó en el Teatro Alhambra el 22 de julio de 1919, él estaba detrás del telón con los tramoyistas, llevando la bandeja del maquillaje, pintando las caras de unas bailarinas y supervisando el resto. Karsavina, que bailaba en el papel de la mujer del molinero, frente a Massine, tenía un traje hecho expresamente para ella, después de que Picasso se hubiera pasado días observándola bailar en los ensayos. Encantada con el traje, lo describió como «una suprema obra maestra de seda roja y encaje negro de forma muy simple, un símbolo, más que una reproducción etnográfica, de un traje nacional».

Los decorados, los trajes, la música, el baile, todo fue un éxito, y Picasso recibió los honores con su impecable smoking negro completado con una faja de torero, correcto y exótico a la vez. Picasso, el mago, había nacido. Cualesquiera ansiedades, miedos y dudas personales que le atormentasen irradiaba una casi cósmica e irresistible autoconfianza. Nada parecía haber más allá de él mismo. A los ojos del creciente número de críticos y ávidos compradores era pura y simplemente un genio, y le halagaban y le compraban sus obras porque un genio las había producido. En vez de que su obra le otorgase nobleza a él, de ahora en adelante él otorgaría nobleza a cualquier cosa que tocase. Como se decía a sí mismo, «lo que cuenta no es lo que un artista hace, sino lo que es».

En una época acosada por la incertidumbre vino a encarnar al genio artístico, y su poder misterioso, como el de un primitivo chamán, se estaba reafirmando. En una época obsesionada por las ideas de progreso se atrevió a decir que no existía el progreso en su obra. «Las diversas maneras que he usado en mi arte —decía— no deben ser consideradas como una evolución o como pasos hacia una idea desconocida de la pintura. Nunca he hecho juicios o experimentos. Siempre que tenía algo que decir lo he dicho de la manera en que sentía que debía decirse».

De regreso a París, aparte de algunos bodegones cubistas, el realismo neoclasicista era la manera adecuada para lo que tenía que decir en ese momento, como si quisiera restaurar el orden en su arte tanto como en su vida. De hecho, la cosa más iconoclasta que hizo en 1919 fue pasar el verano en la Costa Azul, lo que según la sabiduría de moda en esa época debía evitarse totalmente en la temporada alta de verano, cuando el sol era peligrosamente caliente. Volvió de Saint Raphaël con un montón de dibujos llenos de ventanas abiertas a través de las cuales entraba el sol mediterráneo. A Paul Rosenberg le gustaron y también a la masa que se congregó en la exposición de su galería el 20 de octubre. Una de las litografías por primera vez decoraba la invitación, y una ventana cerrada, esta vez con Olga delante, adornaba la cubierta del catálogo.

Pero no todas las voces que disentían habían sido silenciadas. «¿Cuál era el significado de esos cuadros y del resto? —preguntó Wilhelm Uhde—. ¿Eran sólo un interludio, un gesto (espléndido pero sin significado) que la mano hacía mientras el espíritu, cansado de su largo viaje, descansaba? ¿Estaba sufriendo él una soledad moral al vivir en un país extranjero? ¿Estaba intentando alinearse definitivamente del lado francés?». André Fermigier fue incluso más allá y denominó a este período de Picasso «ficha de naturalización». De hecho, como quiera que pintase y viviese, Picasso seguía siendo el andaluz incorregible que siempre había sido. «En toda Andalucía —diría García Lorca— la gente habla constantemente del "duende" y lo identifican perfecta e instintivamente siempre que aparece... Este misterioso poder que todos perciben y ningún filósofo explica en qué consiste es, en suma, el espíritu de la tierra.» El maravilloso cantante El Lebrijano solía decir: «Los días que canto con duende nadie puede tocarme».

Y Picasso realmente sentía que nada podía tocarle. Sabía que con un smoking o con bata estaba poseído por el duende. «Es mi desgracia, y probablemente mi encanto, usar las cosas como las pasiones me indican», decía. «¡Qué miserable destino para un pintor que adora a las rubias tener que dejar de ponerlas en un cuadro porque no encajan con la cesta de la fruta! ¡Qué horrible para un pintor que detesta las manzanas tener que utilizarlas siempre porque armonizan tan bien con el mantel! Pongo todas las cosas que me gustan en mis cuadros. Cuantas más cosas, peor para ellas; simplemente tienen que aguantarse».

El coro de halagos se volvió aún más perceptible cuando, a finales del año, *El sombrero de tres picos* se representó en la Opera de París. Y la representación continuó en la fiesta dada por Misia Sert después del estreno. Artur Rubinstein interpretó la música de Falla, y Picasso, de muy buen humor, cogió el lápiz de ojos de la anfitriona y dibujó una corona de laureles en la cabeza calva de Falla. Los invitados estaban encantados por la inventiva del mago, pero afortunadamente para el compositor el encantamiento no llegó al extremo de que quisiesen escalparle para obtener, de este modo, un Picasso. Como Paul Morando observó: «Todas las mujeres que había allí estaban un poco enamoradas de Picasso, y Picasso estaba más que un poco enamorado de Misia».

Los locos y espléndidos años veinte se habían adelantado un poco en el calendario. París se convirtió en el centro magnético de «la generación perdida», como Gertrude Stein los describiría. Hemingway estaba allí, y James Joyce, Scott, Zelda Fitzgerald, junto a excéntricos millonarios y aristócratas autoexiliados. Era el hogar perfecto para el «dadaísmo», que engendrado en Zurich por Tristan Tzara, estaba siendo propulsado en París por tres franceses: Louis Aragon, André Breton y Philippe Soupault. Habían llegado juntos después de la guerra y «encontrado que tenían en común un irresistible sentido de reacción contra la cultura de su país y su época... empapados de un talante despreciativo hacia una sociedad cuyas tradiciones de familia, religión y patriotismo no parecían sino una simple fachada». Tzara, bajo, aniñado, con monóculo y, siguiendo su propia descripción, encantador, había escapado de su nativa Rumania y se había establecido en Zurich antes de venir a París, decidido a «barrer todo y dejarlo limpio», mientras la tarea fuera divertida. En lo que a él atañía, era demasiado tarde para genios y un arte solemne y grande. Era el momento de crear poemas sacando las palabras de un sombrero —cosa que hizo—, de derribar los templos, «de escupir a la humanidad» y, sobre todo, de tratar todo como una enorme broma. Gertrude Stein, a quien le fue presentado Tzara tan pronto como llegó a París, no se impresionó. Pero entonces, como Tzara había proclamado, «los verdaderos dadaístas estaban en contra del dadá».

En el cabaret Voltaire, de Zurich, donde Tzara había pasado la guerra proclamando el dadá como la verdadera falta de fe y el anti-arte como el verdadero arte, habían colgado pinturas cubistas en las paredes como tratamiento de choque para la vieja cultura. En París, el 28 de enero de 1920, en la Magna Exposición del Cubismo del Salón de los Independientes, el susto parecía haber pasado. Picasso estuvo ausente, evidentemente. Su traición al cubismo se había recibido con suspiros de alivio por algunos y con brotes de rabia por otros, espantados por su deslealtad. «¡Oh, no! —declararía Picasso—, no esperéis que me repita. Mi pasado ya no me interesa. Más que volver a copiarme preferiría copiar a los demás. Al menos les aportaría algo nuevo. Me gustan mucho los descubrimientos». Ninguna lealtad a sus descubrimientos anteriores podía sobrevivir a la fuerza de sus instigaciones internas. «¿Qué es un pintor después de todo? —preguntaba—. Es un coleccionista que quiere hacer una colección pintando los cuadros que vio en otras colecciones. Así es como empieza, pero luego se convierte en algo más».

De hecho, como demostró al regreso de Kahnweiler a París en febrero, él tampoco sentía la obligación de ser leal a su amigo. Cuando su viejo marchante abrió su nueva galería en el 29 bis de la calle d'Astorg, bajo el nombre de su socio André Simon, Picasso permaneció con Paul Rosemberg. Era una decisión que también servía a sus intereses. Podía pedir precios más elevados a Rosemberg y podía alcanzar a más compradores entre la no iniciada pero rica burguesía. Si daba un poco de importancia a la lealtad hacia sus amigos, él se perdería ante cualquier insinuación, real o imaginaria, de deslealtad por parte de ellos. Cuando André Salmon publicó su largo poema *Peindre,* con el retrato suyo de Picasso de los días del Bateau-Lavoir como portada, se lo dedicó «a André Derain, pintor francés». Picasso se quedó lívido. «¿Crees que no soy un pintor francés?», preguntó como un niño dolido. Y aun cuando Cocteau se dirigía a él obsequiosamente como «cher magnifique», a Picasso le gustaba rechazarle. «Cocteau nació con la raya del pantalón planchada. Se está volviendo muy famoso: encontrarás sus obras en todas las peluquerías».

Aun así, él y Olga se unieron con gusto al mundo reluciente y frívolo en el que Cocteau fue su guía. Y pronto el señor y la señora Picasso fueron añadidos a toda lista de invitados de moda, incluyendo la de la princesa de Polignac, en cuyo salón, en la avenida Henri-Martin, los ricos y nobles se mezclaban con los talentosos y con las amantes femeninas de la princesa. Pero fue el conde Etienne de Beaumont quien «abrió el baile después de la guerra». Galante, refinado, amanerado e impotente, estaba casado con Edith de Taisne, que prefería traducir poesía griega a ir a otro baile. Por su marido hizo ambas cosas. Picasso y Olga fueron a menudo invitados a las lujosas fiestas que los Beaumont daban en su mansión dieciochesca de la calle Duroc. Muchas de ellas eran de extravagantes disfraces con temas tales como las colonias francesas, o Versalles en la época de Luis XIV (de quien se decía que el conde tomaba ejemplo). Con más intriga, los asistentes fueron una vez invitados a llegar «dejando expuesta la parte de su cuerpo que cada uno considerase como la más interesante».

De todos los anfitriones y anfitrionas más distinguidos, Misia Sert fue la favorita de Picasso. «La relación entre estas dos criaturas anárquicas —escribieron Arthur Gold y Robert Fizdale, los biógrafos de Misia— fue complicada, pero tuvieron un cierto tácito entendimiento». Parte de su entendimiento estaba relacionado con José María Sert, el pintor español y *grand seigneur* con quien Misia se casó después de haber estado viviendo con él durante doce años. Picasso y Misia parecían haber alcanzado un acuerdo sobreentendido, desde sus respectivas posiciones ventajosas, de que José María era mejor amante que pintor. Picasso le llamaba don José, un sarcasmo dirigido a la pedantería de sus pinturas, que le recordaban el academicismo de los profesores de la Lotja y el de su primer maestro, el otro don José de su vida. Y Misia, que era una fanática en intrigar para el éxito de su marido y adoraba a su «verdadero macho» a pesar de sus infidelidades, sin embargo se vio obligada a reconocer que su marido no era el genio español residente en París. «Era un catalán que no tenía ningún talento», solía decir Cocteau a espaldas de Sert. Cotilleo, maldad que pasa por ingenio y que algunas veces era ingenioso; ironía y mofas eran la moneda en curso en aquel ambiente, especialmente entre los amigos más cercanos. «*Chère madame* —escribió Marcel Proust a Misia con ocasión de su boda con Sert—, me ha conmovido que se tomara la molestia de escribirme para hablarme de su matrimonio, que tiene la belleza majestuosa de algo maravillosamente innecesario».

Picasso intercambió dardos de ironía y flores de admiración con los mejores de ellos; asistía a los bailes, a las fiestas, a los estrenos, pero el *beau monde* nunca le distrajo de su concentración obligatoria en el trabajo. Para Olga era el único centro de su vida. Puso tanto esfuerzo en su vida social como había puesto en su aprendizaje del ballet. Para mantener su esbelta figura continuaba practicando todos los días mientras se probaba los trajes de baile, escogía los sombreros (lo que le encantaba), dirigía a la servidumbre y correspondía a la hospitalidad que recibían organizando cenas reducidas, pero impecablemente elegantes, en su casa. Debía haberse sentido feliz. Los amigos revoltosos de Picasso habían sido desterrados con éxito, y estaba rodeada únicamente por hombres y mujeres de la más alta distinción, y del brazo su famoso marido, ella finalmente recibía la atención y las miradas de admiración que siempre había deseado. Así que la vida parecía estar envidiablemente en regla.

Por otra parte, Picasso estaba en la sociedad, pero nunca dentro de ella. El éxito podía haberle hecho conocer algunas extrañas compañeras de cama, pero muy astutamente tomó la medida de este mundo aun cuando habitaba dentro de él. Años más tarde, mirando una fotografía en la que aparecía él entre Olga y madame Errazúriz, se rió deliberadamente y lo resumió en «*comedia...*». «Picasso, no necesitando de nadie —escribiría Germaine Everling, la amante de Francis Picabia— se ha mantenido siempre apartado de aquellos que podían hacerle comprometerse». A diferencia de Cocteau, quien, como Misia Sert lamentaba, se sintió obligado a agradar a todo el mundo, Picasso nunca sucumbió a este particular virus social, y únicamente de manera ocasional cometió el error de querer agradar a alguien que no fuera él mismo.

Uno de estos deslices ocurrió a principios de 1920. Había estado trabajando una gran parte del invierno en los decorados y los trajes para el *Pulcinella,* su tercer ballet de Diaghilev, esta vez con música de Stravinsky, basada en un tema de Pergolesi. Estaba entusiasmado con la idea de dar vida a una «*commedia del' arte*» del siglo XVIII con todos sus personajes favoritos, incluyendo el Arlequín; pero cuando enseñó sus bocetos de los trajes a Diaghilev, acabados con patillas en vez de máscaras, Diaghilev se horrorizó. De hecho aborreció tanto la idea de Picasso que, en el punto culminante de la acalorada discusión, arrojó los bocetos al suelo, los pisoteó y salió de la habitación dando un portazo. Picasso no sólo continuó trabajando en el proyecto, sino que se contentó con los tradicionales boleros y tutús de los personajes de la *comedia del arte;* para el traje de Massine dibujó una bata blanca, medias rojas y una máscara negra con una nariz grotesca. El compromiso podía no ser bueno para el arte, pero sí para los negocios. Sólo Cocteau, normalmente el más complaciente de todos, estaba decepcionado: «El ha improvisado los trajes —se quejaba—, ¡pero qué valen en comparación con los trajes y la pantomima que deseaba, los bocetos por los que todavía subsiste!».

El decorado final era una fusión de cubismo y romanticismo, y a pesar de los titulares, de los desacuerdos, de los compromisos y los malentendidos, la noche del estreno en la Opera, el 15 de mayo, supuso un gran éxito. Picasso, a quien le había gustado trabajar con Stravinsky, se deleitó en la respuesta del compositor a aquellos que disentían del coro de elogios y le atacaban por su falta de respeto a la música de Pergolesi: «Ustedes la respetan, pero yo la amo». Stravinsky escribió más tarde que el *Pulcinella* fue «una de esas obras —escasas— donde todo armoniza, donde todos los elementos —el tema, la música, el baile y la decoración artística— forman un todo coherente y homogéneo». Sin embargo, pronto llegó con pesar a la conclusión de que una perfecta interpretación de su música sólo se podía lograr en una sala de conciertos, «porque el escenario presenta una combinación de varios elementos de los que tiene que depender a menudo la música».

Picasso consideró *Pulcinella* como su ballet favorito entre todos aquellos en los que había colaborado con Diaghilev, y con su aceptación pública de las limitaciones a toda colaboración parecía menos frustrado que Stravinsky o incluso Cocteau por la imperfecta interpretación de sus ideas. En Picasso el genio indesarmable coexistía felizmente con el estafador astuto, utilizando a aquellos que estaban en vías de utilizarle. *Parade* le había elevado a nuevas alturas de riqueza y celebridad; sabía que otro ballet deslumbrante de Diaghilev, aun cuando significase unas pocas concesiones y compromisos, sólo podía sumarse a la fama y al poder que le traerían

La representación de la noche del estreno fue seguida por otra fiesta magnífica, esta vez más exótica que la mayoría. La daba el príncipe persa Firouz en un pequeño castillo en Robinson, un pueblo de las afueras de París. Con excepción del anfitrión y de René d'Amouretti, un ex presidiario que vivía en el castillo y que daba la bienvenida a los invitados en las escaleras, la lista de éstos contenía pocas sorpresas: los Beaumont, los Sert, Cocteau y su calladita pero muy astuta joven amante del monóculo, Raymond Radiguet (que inmortalizaría la fiesta en su novela *Le bal du Comte d'Orgel*), la princesa Eugène Murat, el pintor Jean Hugo (un bisnieto de Victor Hugo que se había casado con Valentine Gross) y, por supuesto, Diaghilev, Massine, Stravinsky y los Picasso. «El príncipe Firouz —escribió Jean Hugo en sus memorias— era un magnífico anfitrión. Bebimos mucho champán. Stravinsky se emborrachó, subió a las habitaciones, cogió las almohadas, los almohadones y los colchones y los arrojó desde la balconada al vestíbulo. Hubo una guerra de almohadas y la fiesta terminó a las tres de la mañana».

En el mundo en el que se movía Picasso, su magnetismo y sus *bons mots* supusieron una fuente de admiración tan importante como sus pinturas y dibujos. En una posterior representación de *Pulcinella*, Jean Hugo estaba sentado al lado de Picasso en el palco de Misia Sert. De repente Picasso se volvió y le preguntó: «¿Así que usted sigue pintando a mano?». Hugo, tomándose la pregunta literalmente, se quedó desconcertado, y aún le duraba bastantes años después: «¿Qué me quería decir? ¿Que desde que la fotografía se ha inventado para qué sirven los pinceles de pintar? ¿Que nuestro trabajo se ha vuelto tan inútil como el de los doradores de proas de barco? No he podido dejar de pensar en aquellas palabras pronunciadas a oscuras durante el ballet».

Al mes del estreno del *Pulcinella*, Picasso y Olga se marcharon de París para ir al mar y a la calma de Juan-les-Pins. Olga estaba embarazada y Picasso empezó a hacerse a la idea de que él, en muchos sentidos un adolescente eterno, sería pronto padre a sus cuarenta años. Olga estaba molesta con los cambios de su cuerpo. Durante años se había mantenido cuidadosamente esbelta y delgada, y ahora se estaba convirtiendo en algo que a sus ojos era voluminoso y grotesco. Su creciente ensimismamiento, su irracionalidad y sus exigencias de atención exasperaban a su marido y le confirmaban todos sus miedos a las mujeres devoradoras. Las gigantas, que habían aparecido por primera vez en su obra durante su luna de miel, se convirtieron, con el progresivo embarazo de Olga y la regresión de su personalidad, en más gigantescas y más inquietantes.

Había algo impenetrable en estas mujeres y, a pesar de su volumen y tamaño, presentaban una cualidad abstracta e inhumana en sus rasgos parecidos a máscaras y en su placidez. Las deformaciones físicas y las hinchazones le habían producido siempre miedo a Picasso. Recordaba que cuando era niño se escondía bajo la mesa y miraba con una alarmante fascinación las enormes pantorrillas de su tía. «Soñaba que mis brazos y mis piernas crecían considerablemente de tamaño y después encogían otra vez. A mi alrededor, en mi sueño, veía a otras personas que sufrían la misma transformación, que aumentaban y disminuían. Me sentía muy angustiado cada vez que soñaba con esto».

El 4 de febrero de 1921 Olga dio a luz un hijo. Le llamaron Paul y le pidieron a Misia Sert que fuese la madrina. El orgullo y encanto de ser padre desplazó la angustia de Picasso a un segundo plano y le inspiró unas series de dibujos tiernos recordando los primeros meses de Paul. Algunas veces, consciente de los dramáticos cambios forjados durante el primer año del niño, no sólo se acordaba de la fecha, sino también de la hora en la que los dibujos habían sido hechos. Pronto, sin ambargo, el sentimiento de inquieto desasosiego apareció otra vez en una sucesión de cuadros de madre e hijo, aislados e inaccesibles en su propio mundo. Hay niños, pero no hombres en este mundo, donde el tiempo está quieto no en una eternidad dichosa, sino en una inmovilidad pesada, donde cada pizca de energía vital ha sido apurada. Y cuando hay actividad, es un movimiento lento, perezoso y pesado, una especie de distraída rendición a la fuerza de la gravedad.

Olga, que sólo era capaz de mantener una idea en su mente o de interesarse por una sola a la vez, estaba preocupada, letárgica pero obsesivamente, por el pequeño Paul. Había sirvientes que le quitaban trabajo de encima —una niñera, una doncella, un chófer, un cocinero—, pero ella parecía emocionalmente agotada, incapaz de moverse más allá de la habitación del niño o de las sutilezas sofisticadas de los bailes de disfraces o de las noches de estreno. El 22 de mayo hubo otra noche de estreno: *El cuadro flamenco*, el cuarto ballet de Diaghilev, de Picasso, estrenado en el Gaîté-Lyrique. No fue más que un eco de lo que había hecho antes, y esta vez Picasso se había realmente invitado a hacer los decorados y el vestuario, y por la más humilde de las razones.

Diaghilev en principio había encargado a Juan Gris el diseño del ballet, pero cuando éste llegó a Montecarlo, donde estaba la compañía en abril, descubrió con asombro que sus servicios no eran ya requeridos. «No sé qué es lo que pasó», escribió a Kahnweiler. Picasso sí que lo sabía. Gris, por su ya débil salud, se había retrasado con los bocetos, y Picasso, un maestro de la intriga con cuyas maquinaciones Gris era incapaz de competir, inmediatamente empezó a propagar el rumor de que Gris estaba demasiado enfermo para hacer el trabajo. Para atraer más fuertemente a Diaghilev, le mandó sus propios bocetos para el ballet, que eran poco más que un refrito de los decorados del *Pulcinella* —un escenario dentro de un escenario—, que Diaghilev había rechazado al principio. Esta vez los aceptó sin discusión y Picasso ganó una doble y completa victoria: venció la sumisión a Diaghilev y ganó a Gris un atractivo trabajo.

Cuadro flamenco no pudo añadir mucho a su vida artística, financiera o social. El único motivo para ocuparse en él fue su animadversión hacia Juan Gris. Con dignidad y disimulada tristeza, Gris se marchó de Montecarlo y volvió a su casa de Bandol. La intriga de Picasso tuvo éxito, pero no el ballet en sí mismo. *Cuadro flamenco*, después de una acogida indiferente en París y en Londres, dejó de representarse al final de la temporada.

Pero si una determinada obra era un éxito o no, ya no era relevante. Hacia 1921 Picasso personalmente compendió el éxito artístico: «Otros artistas han cortejado al éxito, se han adaptado a la sociedad, han traicionado sus comienzos —escribió el crítico de arte John Berger—. Picasso no ha hecho nada de esto: ha invitado al éxito como Van Gogh invitó al fracaso. El éxito ha sido el destino de Picasso, y esto es lo que le hace ser el típico artista de nuestro tiempo, como Van Gogh del suyo». Sus ingresos, sin embargo, eran nada típicos entre los artistas de cualquier tiempo: él mismo estimaba que hacia 1921 estaba ganando un milón y medio de francos al año.

Su éxito impulsó a Aragon a crear en su novela *Anicet ou le Panorama, roman*, editada en París el mismo año, al pintor Bleu, una parodia de Picasso. Bleu se yuxtapone en todas sus riquezas y celebridad a Jean Chipre, un personaje basado en Max Jacob, que sufre la pobreza y el olvido. «Nunca he pintado si no era para seducir», concluye Bleu en la novela. Bleu y Chipre habían sido amigos, se pelearon en su juventud y años más tarde, cuando se encuentran otra vez, Bleu, «el genio de nuestro tiempo», lo tiene todo —dinero, fama, y ahora un hijo—, mientras Chipre, resignado a no tener nada, se marcha al exilio.

En junio, Max, convirtiendo la ficción en realidad, se exilió de París y se trasladó al pequeño pueblo de Saint-Benoît, próximo a la basílica románica, a las orillas del Loira. Desde allí escribió al pintor Kisling: «Si hubieras asistido a mi último encuentro con Picasso habrías llorado. Eso es lo que hice yo después. En otros tiempos nos peleábamos, pero era un pretexto para reconciliarnos otra vez; ahora nos hacemos cosas mutuamente, pero hay una frialdad que prevalece. Esta es la muerte de toda mi vida. El está más muerto que Apollinaire».

Hubo encuentros esporádicos, pero algo se había roto entre ellos y nunca se arreglaría completamente. Sin embargo, la adoración de Max por Picasso persistía y no podía dejar de hablar de él. Había sido su primer defensor y, a pesar de su sentimiento angustioso de abandono, continuó siendo su defensor mucho tiempo después de que Picasso dejase de necesitar uno. Nunca intentó devolverle el dolor que había recibido. «El aborrece la incomprensión y la indiscreción», dijo al explicar por qué no había escrito sobre Picasso. «Siento tanto respeto y gratitud hacia él que no querría hacer algo que le desagradara. He visto cómo sufrió por el comportamiento de nuestros mejores amigos, y no los imitaré. Ciertos amigos han vivido de su nombre, cotilleando, chismorreando y perdiendo el tiempo en fantasías. Más tarde, quizá... veremos... pero mucho más tarde, y de hecho, creo que nunca. Nuestros recuerdos comunes son muy dulces, muy sagrados y a menudo muy tristes».

Sin embargo, otros habían empezado a escribir sobre él, y en términos que añadían un nuevo brillo al mito de Picasso y a la leyenda que estaba surgiendo. La editorial de Léonce Rosemberg, L'Effort Moderne, imprimiendo un álbum con cuarenta y ocho ilustraciones y un texto de otro amigo de Picasso de los años de Montmartre; Maurice Raynal, ensalzando el poder de Picasso como un vidente que «eleva al hombre sobre su estricta condición animal y le obliga a creer en la probabilidad de la libertad». André Salmon, otro amigo de la juventud, ya le había descrito como «coronado por la gracia y precedido sólo por el hombre que solía ser». En Londres, Clive Bell, aún más emocionadamente, estaba también analizando el tema del poder de Picasso. «Picasso es el liberador. Su influencia se encuentra en todas partes... Ha nacido *chef d'école*. Es una de las mentes más creadoras de Europa. La invención es tan claramente su supremo don como la sensibilidad es el de Matisse». Y en el periódico de Praga *New Directions*, el crítico checo Václav Nebesky, que no conocía a Picasso, se entusiasmaba por «su esfuerzo después de su más completo y amplio realismo... Coloca luz y sombra en la superficie de la realidad, como si diera besos a su amada. La realidad que bajo sus manos se convierte en un monumento más duradero que la vida misma».

Esta era la clase de poder atribuible a Picasso en fecha tan temprana como 1921: para liberar, para crear una realidad más real y más valiosa que la vida, y para hacer todo esto a solas, «precedido únicamente por el hombre que solía ser». Esta aclamación de la crítica no tenía paralelo con otro artista contemporáneo, y en un pastel fechado el 14 de septiembre de 1921 Picasso dibujó sus manos con las articulaciones salientes, pareciendo las más poderosas y aptas para el trabajo sobrehumano de la liberación y de la creación que las críticas le habían asignado.

El verano de 1921 fue extraordinariamente creativo. Explicando su enorme productividad, le contó a Cocteau el magnífico lema que el conde-duque de Olivares había unido al escudo de armas del rey de España. Su poder estaba inscrito en el brocal de un pozo: «Cuanto más se toma de él, más grande se vuelve». El lugar para sus nuevas exploraciones en la vena clásica y sus frescos experimentos cubistas fue una casa grande y tradicional en Fontainebleau, donde pasó el verano oculto en el papel de paterfamilias, con su mujer, su hijo, los animales, la servidumbre y el mobiliario de caoba. Una vez, cuando la cursilería de la casa se volvió demasiado opresiva, dijo en voz alta que estaba pensando en pedir una farola parisina y un urinario público para alterar la limpia respetabilidad de las tierras en las que se asentaba la casa.

En su lugar creó una perturbadora obra maestra, y después una segunda versión de ella. En *Los tres músicos*, tres figuras, una vestida como Arlequín, otra como Pierrot y la última como un monje, están tocando instrumentos musicales. Las notas musicales eran apremiantes, exigiendo ser escuchadas, a pesar de las pequeñas manos de los músicos y del limitado formato en el que habían sido apretadas. Los dos personajes de la *commedia dell'arte*, embajadores del frágil mundo de la mortalidad, se yuxtaponen al monje, representante de lo que es eterno en este mundo cambiante de ilusión. Hay ingenio, música, pero también oscuridad y un sentido amenazador de claustrofobia en *Los tres músicos*. Era una mezcla que reflejaba los sentimientos contradictorios de su propia vida: su encanto de ser padre, contemplando orgullosamente el desarrollo de su hijo, opuesto a su sentido mordaz de lo absurdo, y el sentirse atrapado en el mundo artificial de Olga, un mundo al que había sido empujado pero que él también había elegido.

Picasso y Olga recibieron el año 1922 con una espléndida fiesta de Nochevieja dada por los Beaumont. Se acercaba la medianoche y uno de los invitados más importantes no había llegado todavía. El anfitrión anunció en su lugar que Céleste, el ama de llaves de Proust, había telefoneado por décima vez para averiguar si había corrientes de aire y si el té de hierbas, cuya receta ella misma había proporcionado, estaba listo. «Por fin a medianoche —escribió Jean Hugo en su diario— hubo una especie de murmullo entre la multitud y supimos que Proust había llegado. Había entrado conjuntamente con el nuevo año, el año de su muerte... Su cara pálida estaba hinchada y había sacado barriga. Sólo habló a los duques. Picasso me dijo: «Mírale, está todavía con su tema». Picasso podía no haber leído a Proust, pero lo había asimilado.

Estaba fascinado por la vida literaria de París. En el estudio de Jean Hugo, en el Palais-Royal, escuchó a Cocteau leer *Le diable au corps*, la novela que Radiguet acababa de terminar. Madame de Beaumont se durmió durante la lectura, pero el libro hizo al amante de Cocteau, de veinte años, rico y famoso. Cuatro años antes, cuando Radiguet era un precoz poeta de dieciséis años con prisas, Apollinaire le tomaba el pelo: «No desesperes, el señor Rimbaud esperó hasta que tuvo diecisiete años para escribir su obra maestra». Radiguet tuvo que esperar hasta los veinte.

Mientras Radiguet estaba escribiendo «con una elegancia regia» novelas que eran reconocibles como tales, los dadaístas continuaban bramando contra toda forma existente de literatura y arte. Picasso estuvo presente cuando Tristan Tzara representó uno de sus espectáculos dadá en el Théatre Michel. La velada incluía algo de poesía de Cocteau, que Breton despreciaba. Junto a Aragon, Breton saltó al escenario para protestar, y en el curso de la protesta, blandiendo su bastón, rompió el brazo de uno de los actores, Pierre de Massot. Picasso, enredándose en el espíritu alborotador, gritó desde su palco: «Tzara, nada de policía aquí». Breton juró que había gritado que Tzara había llamado a la policía. Como fuera, el hecho es que la policía entró justo en ese momento, y Breton, que al menos era tan buen odiador como amante, se enfadó para siempre con Tzara, que a su vez consideraba a Picasso la causa, intencionada o no, de su ruptura con los surrealistas.

La razón era de hecho más profunda y precedió al desbarajuste del Théatre Michel. Desde hacía algún tiempo, Breton estaba dejando de lado a Tzara y actuando de líder del grupo. A principios de 1922 había acusado públicamente «a un cierto personaje que procedía de Zurich» de ser «un impostor ávido de publicidad». Quería dar el paso siguiente al dadá, y a ese efecto había formado el grupo surrealista. En la revista *Littérature*, que había resucitado, declaró que el tiempo del dadá había transcurrido ya, y que su utilidad había sido la de promover un cierto «estado mental que sirviera para mantenernos en una situación de preparación de la que partiremos ahora con toda lucidez y hacia la que estamos llamados». Los mandatos que Breton obedecía eran los de liberar al hombre de su prosaica racionalidad. En el verano de 1921 había estado en Viena para entrevistar a Freud, y ahora instaba a su creciente grupo de seguidores a explorar el mundo de los sueños y escuchar al subconsciente. El movimiento surrealista nació, y Breton se convirtió en su «papa» o «archimandrita», imponiendo a sus prosélitos una disciplina tan estricta como si hubieran pertenecido a la orden de los jesuitas. Necesitaba discípulos, pero también necesitaba ídolos, y Picasso, al que había conocido en noviembre de 1918 en el pasillo de la casa de Apollinaire, formaba parte de ese papel intocable y más allá de todas las críticas a las que sometía a todos los demás.

En junio de 1922, Picasso dejó la búsqueda de los rebeldes por una nueva fe, y todas las disputas concomitantes a sus espaldas, por la paz y la tranquilidad de Dinard. En *Mujer e hijo*, en los dibujos de Paul, los paisajes de Dinard, las voluptuosas diosas paganas, que estaban en todos sus trabajos de esta época, había una gracia y una viveza, una serenidad arcadiana, un sentido del Período Rosa revisado por un paterfamilias que ahora, a sus cuarenta años, había añadido solidez a la introspección y abundancia a su visión del mundo. Y a través de todo esto contemplaría con admiración el asombro de su hijo pequeño por el mundo de su alrededor. «Soy ese niño», decía a menudo, señalando a los niños que poblaban sus lienzos. «Tú me ves aquí, pero ya he cambiado. Estoy ya en todas partes. Nunca estoy quieto». Parecía ver el mundo como un niño, y como en el mundo de un niño, todo era por vez primera y la única constante era que todo cambiaba.

Hablando en una ocasión con Aragon, jugando con el tren eléctrico de Paul desparramado por la alfombra, describió una pintura de Ingres en la que el embajador español acaba de entrar y sorprender a Enrique IV a cuatro patas, haciendo de caballo con un niño sobre su espalda. «Yo, yo voy a pintar un cuadro como ése —dijo Picasso—. Verás al presidente Poincaré con un niño pequeño sobre sus hombros, y al embajador español, señor Quiñones de León, entrando de repente. ¿Eh? ¿Es quizá esto lo que yo debería estar pintando hoy?»

Se apropiaba de un encanto pueril al exponer y explotar la pompa del mundo de los mayores. Le gustaba desobedecer, y cuando Cocteau le pidió hacer los decorados para su adaptación de *Antígona*, la obra de Sófocles basada en el tema de la desobediencia a la autoridad, aceptó con presteza. El objetivo de Cocteau era poner «un nuevo vestido a la vieja tragedia griega, adaptándola al ritmo de nuestro propio tiempo». Para tal fin escogió a Paul Honegger para hacer la música, a Picasso para el decorado y a Coco Chanel para el vestuario, porque, como explicó, «ella es nuestra modista más sobresaliente y no puedo imaginar a las hijas de Edipo patrocinando a una modistilla». El esnobismo de Cocteau era tan momumental que trascendía fácilmente los siglos y las culturas. Cuando se estrenó *Antígona* el 20 de diciembre de 1922, Edipo, Antígona y Sófocles apenas fueron la atracción de la muchedumbre de moda que subió hasta el Théatre de l'Atelier, de Charles Dullin, en Montmartre. Venían a bramar contra los milagros llevados a cabo por «La Santísima Trinidad» (Cocteau, Chanel y Picasso) y la insolencia y el ingenio con el que trataban a la antigüedad y al arte del pasado.

Como un bailarín de flamenco, Picasso tuvo éxito en el juego —el baile— de atormentar, exasperar, asombrar y encantar alternativamente. Dos días antes del estreno todavía no había hecho ningún decorado, y ni siquiera un diseño para un decorado. Cocteau y Charles Dullin, el protagonista, estaban en un estado de pánico cuando finalmente llegó y les presentó un lienzo doblado. «Muy bien, aquí está vuestro decorado», dijo desafiante. Cuando el lienzo violeta y azulado estuvo colgado, convirtiendo al escenario en una caverna, primero creó con tiza roja el efecto del mármol, y luego tres columnas dóricas. «La aparición de estas columnas —escribió Cocteau— fue tan rápida, tan sorprendente, que nos pusimos a aplaudir. Cuando salimos del teatro, le pregunté a Picasso si había calculado su proximidad, si se había envuelto en ellas o si se había sorprendido demasiado por ellas. El me respondió que se había sorprendido, pero que uno siempre calcula inconscientemente que las columnas dóricas surgen, como el hexámetro, de una operación de los sentidos y que quizá él había terminado por inventar tal columna de la misma manera que los griegos la habían descubierto».

En las críticas de *Antígona* fue Coco Chanel quien acaparó muchos titulares por el vestuario que había realizado con pesada lana escocesa que Cocteau le había conseguido. «Chanel se vuelve griega», fue el título de una crítica. Chanel, que era amiga íntima de Misia Sert, había conocido a Picasso en una de las fiestas de moda y, como ella confesaría más tarde, inmediatamente quedó «arrebatada de pasión por él. Era perverso. Era fascinante como un gavilán; me asustó un poco. Lo sentí cuando llegó; algo se encogió dentro de mí. Ahí está. No lo veía todavía, pero sabía que estaba en la habitación. Y luego lo descubrí. Tenía una manera de mirarme... Yo temblaba».

Chanel, cuya casa de alta costura de la calle Cambon se había convertido en un hito de la moda, vivía en un piso decorado profusamente en la calle del Faubourg Saint Honoré. Para Picasso estaba abierto a todas las horas del día y de la noche. Incluso ella había preparado una habitación al lado para él, donde pudiera estar cuando deseara escaparse de Fontainebleau y no quisiera estar solo en la calle de La Boétie al marcharse toda la familia. Picasso admiraba la astucia, la visión y el talento que habían llevado a Chanel desde una pobreza campesina en Auvergne a las alturas de la sociedad parisina. «Esto no puede durar —dijo ella una noche en el teatro, mirando a todas las mujeres vestidas con trajes recargados—. Voy a vestirlas de manera sencilla y de negro». Y lo hizo; y con el cambio se convirtió en multimillonaria y Chanel en un nombre de firma.

Antígona fue otro éxito que dio gran publicidad a Picasso. Su fama se extendía como almiares cogiendo fuego de unos a otros. En mayo de 1923 apareció su primera larga entrevista en *The Arts* de Nueva York. Se la había hecho en castellano Mario de Zayas y estaba llena de una pirotecnia paradójica que encendió sus frases, algunas veces iluminando y otras oscureciendo sus pensamientos. «Sabemos todos —decía— que el arte no es una verdad. El arte es una mentira que nos hace darnos cuenta de la verdad, al menos de la verdad que se nos da a entender. Me gustaría saber si alguien ha visto alguna vez una obra de arte natural. La naturaleza y el arte, al ser dos cosas diferentes, no pueden ser una misma cosa. A través del arte expresamos nuestra concepción de lo que no es la naturaleza... Si queremos aplicar la ley de la evolución y la transformación al arte, entonces tenemos que admitir que todo arte es transitorio». La entrevista estaba llena de unas soberbias reflexiones que él mismo había combatido sólo unos cuantos años antes. El hombre que junto a Braque había estado comprometido en la búsqueda de la pintura absoluta, ahora contaba al mundo que intentaba vivir de una dieta puramente estética; que el arte sólo puede alcanzar la cortina de humo y darle al hombre un acceso a la verdad, pero no es una verdad ni es para siempre.

A su alrededor se gastaban esfuerzos prodigiosos para llevar a cabo tardes brillantes que eran, por definición, efímeras. El 23 de junio, después de la representación de *Les Noces* por el ballet de Diaghilev, los Picasso asistieron a una fiesta en una barcaza en el Sena, invitados por una sorprendente pareja americana, Gerald y Sara Murphy. Guapo y rico, Murphy había empezado a pintar, hasta que se dio cuenta de que «el mundo está demasiado lleno de pintura de segunda fila», y lo dejó. Aquella tarde, Picasso estaba fascinado por Sara, una bella y encantadora anfitriona, con un verdadero don para mezclar el lujo con la espontaneidad bohemia. Admiró los juguetes en miniatura que había colocado en las mesas en lugar de los arreglos florales; vio a Stravinsky intentando saltar a través de una corona de laurel de madera; charló con Cocteau, vestido de capitán, y con Chanel, que estaba haciendo alarde del pelo corto que iba a lanzar como nueva moda para las mujeres. Se quedó hasta que el sol se puso sobre el Sena y la fiesta terminó.

El verano de 1923 lo pasó en Antibes. Parecía como si a sus cuarenta y dos años, Picasso hubiera logrado acceder a todo lo que el mundo podía ofrecerle y hubiera una solidez en su vida que parecía poder durar para siempre, a pesar de todo. Su madre vino a pasar unas semanas con ellos y a conocer a su nietecito. Gertrude Stein y Alice B. Toklas se unieron a la familia y se desenvolvieron de forma muy natural en el desagradecido papel de tías, mirando con asombro a Paul, que hacía flanes de arena en la playa. De alguna manera, y sin los beneficios de un idioma común, Gertrude Stein y doña María entablaron una conversación sobre Picasso. Gertrude Stein se acordaba de cuando le conoció: «Era muy guapo entonces, estaba radiante como si llevara un halo» «Oh! —doña María le contradecía—, si piensa que entonces era guapo, puedo asegurarle que no era nada comparado a cuando era niño». Picasso interrumpió, queriendo saber qué es lo que pensaban de él ahora. «Ah, ahora! —dijeron las dos a la vez—. Ahora no hay tal belleza». «Pero —añadió su madre— eres muy dulce y, como hijo, perfecto». Así que tuvo que contentarse con eso.

Los retratos de su madre y de su esposa de ese verano eran naturalistas y extremadamente aduladores. Pero bajo este cuadro de tarjeta postal de prolongada felicidad familiar, el universo terso y reluciente de Picasso estaba empezando a resquebrajarse. El proceso se aceleró por la época en que estuvo en Antibes con Breton. Hizo su retrato y pasó muchas noches escuchando el discurso del joven orador con su usual elocuencia sobre su fanático compromiso con la «transvaluación» de Nietzsche de todos los valores humanos «más allá del bien y del mal» y «más allá de la belleza y la fealdad». Era una reminiscencia de las mismas largas noches que había pasado en Els Quatre Gats, discutiendo a Nietzsche y rehaciendo el mundo. El contacto más profundo de Picasso con la juventud revolucionaria sacó fuera al rebelde antiburgués que se escondía en su interior. Su voluntad de destruir las apariencias salió a la superficie y el encanto de ser parte de un clan jugador (y a veces trabajador) de sagrados monstruos empezó a dar rienda suelta a su urgencia por detonar los explosivos que llevaba en su corazón. «Abandona todo —había escrito Bretón en *Littérature*—. Abandona dadá. Deshazte de tu esposa. Deja a tu amante. Deja tus esperanzas y tus miedos. Despide a tus hijos en los bosques. Deja la sustancia por las sombras. Deja tu vida fácil y aquella que pasa por un trabajo con futuro. Sal a los caminos».

Picasso estaba preparado para obedecer a la llamada de lo salvaje. Estaba casi preparado. Había otro ballet que diseñar, esta vez para la Soirées de París, una compañía creada por el conde de Beaumont para rivalizar —como así sucedió, aunque sólo por una temporada de dos meses— con el ballet ruso de Diaghilev. Satie escribió la música para *Mercure*, y Massine, que había sido despedido por Diaghilev, hizo la coreografía. La cólera de empresario había disminuido en Massine cuando se enamoró de Vera Savina, una bailarina inglesa de la compañía. Diaghilev había perdido a la vez a un coreógrafo y a una amante, y su ayudante informó que «casi muere de la pena». Su pena se convirtió en rabia cuando Massine se casó con Savina y se unió al Soirées de París; y cuando la fundación del estreno de *Mercure* se aproximaba, Diaghilev se puso aún más nervioso.

Picasso se había lanzado al quinto y último ballet y, como no había hecho desde *Parade*, con un ojo en Breton y en los surrealistas, que detestaban el ballet como desesperanzadamente burgués, y el otro en Braque, Gris, Derain y Matisse, que habían empezado también a diseñar para el ballet. Furiosamente competitivo, Picasso vio esto como un intento de inmiscuirse en lo que él consideraba su feudo. «¡Matisse!», gritó con rabia cuando se enteró de que iba a diseñar el *Chant du Rossignol,* de Stravinsky. «¿Qué es un Matisse? Un balcón con una maceta grande roja cayéndose». Asistió asiduamente a los ensayos de *Mercure*, deseoso de supervisar cada detalle. En un ensayo señaló a Jean Hugo los largos guantes blancos con pliegues en la muñeca. «No hice estos guantes —dijo—; ellos piensan que sí, y es estupendo; es de la clase de cosas que me divierten».

En la noche del estreno, el 14 de junio de 1924, Breton, Aragon y el resto de los surrealistas en ciernes empezaron a abuchear en un principio todo lo que envolvía al conde de Beaumont y a la «aristocracia internacional». Se marcharon aplaudiendo a Picasso. Incluso escribieron una carta llena de elogios que fue publicada en el *Paris Journal.* «Queremos expresar nuestra profunda y total admiración por Picasso, quien, despreciando toda convención sacrosanta, nunca cejó en su creación perpetua de inquietud, de la ansiedad investigadora de nuestros días, ni en darles la más elevada forma de expresión... Picasso, muy lejos de sus colegas, debe verse ahora como la encarnación perpetua de la juventud y el maestro indiscutible de la situación».

En *Mercure*, Picasso había convergido con los surrealistas. Había abandonado las líneas quebradas y rectas por las onduladas formas alucinantes con las que Breton buscó agitar la aparente objetividad de la realidad. «Cuando éramos niños —escribió Breton en un artículo sobre Picasso y el surrealismo— teníamos juguetes que nos harían llorar de pena y rabia hoy... Crecemos hasta cierta edad, parece, y nuestros juegos crecen con nosotros. Al jugar con una parte del drama cuyo único teatro es la mente, Picasso, creador de juguetes trágicos para adultos, ha obligado al hombre a crecer y, algunas veces bajo la máscara de la exasperación, ha puesto fin a su pueril afán».

Picasso se estaba cansando de su propio «afán pueril» y del social murmullo del *beau monde*. Cuando Diaghilev le pidió que usara sus dos gigantas correteando a orillas del mar para el telón de *Le train bleu*, que se iba a estrenar en París dos días después que el *Mercure*, dudó. Su romance con el mundo del ballet había terminado, efectivamente. Al final permitió que se usasen las dos gigantas, pero permaneció al margen de la realización del proyecto, que fue confiado por Diaghilev al príncipe Schervachidze. La única contribución de Picasso a la realización del telón fue escribir «dedicado a Diaghilev» en un trabajo en el que no había añadido ni una sola pincelada, y firmar en él «Picasso 24». Era un gesto que encajaba en el tono surrealista del ballet. «El primer punto sobre *Le train bleau* —escribió Diaghilev— es que no hay ningún tren azul en él. Al ser ésta la época de la velocidad, el tren ha llegado ya a su destino y ha desembarcado a sus pasajeros. Se debe ver a éstos en una playa, que no existe, delante de un casino que tampoco existe. Por encima pasa un avión que no se ve. Y el argumento no representa nada. Pero cuando se estrenó en París, todo el mundo estaba extrañamente embargado por el deseo de tomar el tren azul de Deauville y realizar ejercicios refrescantes».

En 1924 la familia pasó el verano otra vez al lado del mar, ahora en Juan-les-Pins. Pero el único ejercicio que Picasso practicó ocasionalmente fue el de chapotear en el agua con su hijo de tres años, un poco más experto que él. Su imagen atlética, con su torso desnudo, rechoncho, peludo y siempre bronceado, no tenía nada que ver con la destreza atlética. Era una imagen que, sin embargo, cultivó asiduamente entre cuantas mujeres se enamoraron de él, y sin importarle cuánta adoración se amontonase a sus pies, nunca se reconcilió con el hecho de que no medía más de un metro sesenta y cinco.

Hacia marzo de 1925 los Picasso estaban en Montecarlo, asistiendo a fiestas y cenando en Giardino, el restaurante de moda en lo alto de la colina. Pero Picasso, que nunca quiso un séquito, aunque siempre necesitó una corte, estaba hastiado de su actual entorno, especialmente porque se estaba haciendo muy duro reconciliar las exigencias del fuego que le abrasaba por dentro con la vida de moda que estaban llevando. Cuanto más notaba Olga que él se retiraba a su mundo, donde le era negado todo acceso, más frecuentes y extremos se convirtieron sus despreciables e irracionales ataques de celos. Estaba obsesionada con el pasado de él, e hizo todo lo posible por borrar todas las huellas de la existencia de otras mujeres en su vida. Rompió las cartas de Apollinaire y Max Jacob en las que se mencionaba a Fernande, aunque fuera casualmente. Ayudó a expulsar a Max de sus vidas, e incluso se marchó precipitadamente de casa de Gertrude Stein cuando, durante la lectura de sus memorias del Bateau-Lavoir, apareció un pasaje que se refería a Fernande.

La considerable ansia de poder de Olga había cambiado su centro de atención: desde la exigencia de un reconocimiento social a la no menos obsesiva de poseer a su marido en la curva descendente de su matrimonio como nunca lo había poseído en la curva ascendente. El era tanto la causa como la víctima del comportamiento exasperante de Olga. Le había dado a ella un gusto por la vida y una perspectiva de sí misma que nunca había tenido antes. Y entonces, sin ninguna explicación, y por una razón que no pudo entender, se retiró, y el flujo de afirmación y alegría se interrumpió violentamente. Pero para entonces era demasiado tarde. Como una adicta que ha saboreado las alturas artificiales, no pudo volver a su existencia previa. Necesitaba dosis mayores de su atención y su preocupación por ella, y cuando a cambio recibió menos y menos se sintió furiosa y traicionada. Exasperada, ella le salió al paso forzándole a concederle, aunque fuera momentáneamente, la atención que le era negada de otro modo.

El disgusto produjo rabia y la rabia violencia, y en la primavera de 1925 nació *Tres bailarinas*. Era el comienzo de una salvaje descomposición del cuerpo humano y la evocación de la crucifixión, compuesta de un sentido de condena y destrucción que invadía el cuadro. Picasso estaba ya trabajando en él cuando se enteró de la muerte de su amigo Ramón Pichot, que se había casado con Germaine poco después del suicidio de Casagemas. La muerte del amigo le hizo otra vez enfrentarse con el miedo doloroso que la muerte le producía, y su vieja angustia metafísica, la angustia que siempre era nueva, empezó a arrastrarle con un vigor fresco y a irritarle. En cuanto a su ambivalencia con las mujeres, ésta se resolvió temporalmente con un odio incalificable hacia Germaine, que había destruido a Casagemas, y a la que ahora hacía responsable de la destrucción de Pichot; hacia Olga, cuya presencia en su vida estaba haciéndose cada vez más opresiva, y hacia las mujeres que le habían obsesionado en el pasado y las mujeres que podían obsesionarle en el futuro.

El 15 de julio de 1925, mientras Picaso estaba otra vez en Juan-les-Pins con Olga y Paul, apareció el número cuatro de *The Surrealist Revolution*, con *Las Señoritas de Avignon* reproducidas por primera vez, dieciocho años después de que fueran traídas al mundo en el Bateau-Lavoir. «La posición que tenemos ahora —escribió Breton en este mismo número— pudo haberse retrasado o perdido si este hombre hubiera vacilado en su determinación... Por todas estas razones, le consideramos, sin dudarlo, como uno de los nuestros, aun cuando es imposible, y sería impertinente en cualquier caso, aplicar a sus métodos el sistema riguroso que proponemos para crear en otras direcciones». Devolviendo la flor, Picasso rompió su norma largamente establecida de no exponer formando parte de un grupo, y permitió que su obra se incluyera en la primera exposición surrealista en la Galería Pierre en noviembre.

Al principio «la total subversión» abogada por Breton se suponía que era cultural y personal, una llamada a «romper los lazos de la razón, del racionalismo estrecho». «Creo —escribió Breton— en la futura resolución de aquellos dos estados de la mente, el sueño y la realidad, de apariencia tan contradictoria... en una superrealidad». Esta resolución debía lograrse dentro de lo individual, y después, a través de esta transformación personal, le seguiría una deseada transformación social. Pero en 1926, la revolución de dentro a fuera parecía demasiado lenta para cambiar el mundo. De modo que Breton procedió a publicar un manifiesto llamando a los surrealistas para que unieran sus fuerzas con los comunistas. Incluso se ofreció a sí mismo para un intenso y humillante interrogatorio por parte de los dirigentes del Partido Comunista, que no estaban preparados para aceptar al nuevo encantador recluta hasta que hubieran examinado las publicaciones surrealistas y a él mismo. ¿Por qué publicó reproducciones de las obras de ese loco Picasso? ¿Por qué propagaba la libertad sexual y al marqués de Sade? Y, como el ultrajado líder del partido, Michel Marty, le preguntaba repetidamente: «¿Qué significa todo esto?».

Breton se mantuvo firme en la integridad de la investigación artística, pero no cuando llegó la desobediencia a las filas de los surrealistas. Aquellos surrealistas que no estaban de acuerdo con él en unir fuerzas con los comunistas, entre ellos Max Ernst, Jacques Prévert y André Masson, fueron simplemente excomulgados. A pesar de sus manifestaciones de que haría todo lo que estuviera en sus manos para asegurar que el arte «continuase siendo un objetivo, que bajo ningún pretexto se convirtiese meramente en un medio», Breton persistió en la tarea ingrata de buscar la reconciliación del marxismo con el arte independiente a través del realismo social. Picasso continuó estando influido por Breton y el surrealismo, y mucho más por Miró, el joven pintor catalán que había llegado a París en 1919 y que había estado enriqueciendo al movimiento con su trabajo durante los dos últimos años, pero que permanecía por el momento, y por bastante tiempo más, completamente distanciado de cualquier vinculación política. «Lo amo como si fuera la única meta de mi vida», dijo del arte, aunque, como Breton, a menudo desesperó de la estupidez, incompresión y mala fe de su alrededor y deseó un rápido fin a todo lo que las dictaduras se supone que suministran. Su panacea, sin embargo, no era una dictadura del proletariado, sino «una dictadura absoluta»..., una dictadura de los pintores..., una dictadura de un pintor... para suprimir a aquellos que nos han traicionado, para suprimir a los que engañan, para suprimir las trampas, para suprimir los manierismos, para suprimir gracias, para suprimir la historia, para suprimir un montón de cosas. Pero el sentido común siempre se deshace de ella. Sobre todo, tengamos una revolución contra aquélla.»

Su revolución contra todo lo que odiaba a su alrededor y en él se expresaba en una explosión de violencia en su obra. *La guitarra,* que creó aquel año con un linóleo, una cuerda, pintura y pasta de papel, estaba claveteado con diecisiete clavos de cinco centímetros aproximadamente esparcidos por el lienzo, enfrentándose al espectador. Su primera intención era más sangrienta: había querido colocar cuchillas de afeitar en el lienzo para que aquel que lo tocara se cortase.

El 22 de noviembre de 1926, Max Jacob, que seguía estando en Saint Benoît, escribió una carta a Cocteau que arrojó algo de luz sobre la rabia convulsiva de Picasso:

Querido Jean:

Juzgas a Picasso muy acertadamente. Odia sus pinturas como uno odia al demonio, su propio demonio, y a la mujer «adorada». Es un hombre de contradicciones: al mismo tiempo se enfurece por la vida que lleva y por la idea de que podría llevar otra muy distinta. Lo dices correctamente: él odia todo y se odia a sí mismo; al mismo tiempo ama todo y también a sus admirables obras. El es lo que uno llamaría un abismo, un caos. Como Vico dijo sobre Dios, Picasso no es, se hace a sí mismo».

La relación de Cocteau con Picasso se había ceñido a un punto de ruptura temporal debido a una observación que Picasso había hecho a un periodista de un periódico de Barcelona. «No es un poeta —había dicho—. Rimbaud es el único. Jean es sólo un periodista. Apollinaire era un idiota y Reverdy sólo sabe de catolicismo». Los días posteriores a la aparición de la entrevista en un periódico francés, Picasso había ordenado a la criada que dijera que estaba fuera siempre que Cocteau le llamase. Y le llamó muchas veces intentando obtener una explicación suya. Incapaz de conectar con él, se inventó su propia explicación y dijo a la prensa francesa que «la entrevista que le había herido tan penosamente resultó ser una entrevista con Picabia y no una entrevista con Picasso, su amigo». Picabia protestó y dijo que era una mentira, mientras Picasso, a pesar de las súplicas de Cocteau, se negó a retirar las frases que había pronunciado en lo que la madre de Cocteau llamó «aquella vil entrevista». Al final fue Olga quien resolvió la pública disputa, cuando los Picasso se encontraron a madame Cocteau en el teatro una tarde. «Yo, como madre —dijo Olga a Gertrude Stein— no podía dejar sufrir a una madre y dije que por supuesto no había sido Picasso, y Picasso dijo que no, que por supuesto él no había sido, y así se retractó públicamente».

«Fuiste engañado», escribió Max a Cocteau, revolviendo las cosas al mismo tiempo que estaba intentando suavizarlas. «Picasso, como Pascal, es un hombre que ataca con ingenio. Pascal se cuidó de no publicar sus ataques hasta doscientos años después de la muerte de Luis XIV».

Pero Picasso estaba demasiado enamorado de sus aforismos para ejercer un dominio de sí mismo. En cualquier situación era tan probable que diera un puntapié como que mimara a todos los que estaban a su alrededor. Y en un momento tormentoso de su vida como éste, cuanto más cercanos estuvieran, más dependientes de su amor, atención y aprobación, más probable era que les diera un puntapié.

7

DIOSAS Y FELPUDOS

En la tarde, de cortante frío, del 8 de enero de 1927, Picasso paseaba por las inmediaciones de las Galerías Lafayette en el indeciso estado de ánimo recomendado por los surrealistas como el más adecuado para suscitar descubrimientos inesperados y nuevos comienzos, por la intervención de la buena suerte y lo maravilloso. Entre la muchedumbre que salía del Metro vio a una chica rubia y guapa, cuyo semblante, con su nariz de un clásico griego y sus ojos de un gris azulado, él había ya visto con los ojos del pensamiento y en sus cuadros. «El simplemente me agarró del brazo» —contaba Marie-Thérèse Walker, recordando el momento que había transformado su vida—, y me dijo: "¡Yo soy Picasso! Tú y yo vamos a hacer cosas grandes juntos." Para él fue el momento de darse cuenta de una pasión erótica liberada de los convencionalismos impuestos por la edad, su matrimonio y la responsabilidad; de darse cuenta de ella y entregarse a ella.

Si solamente Marie-Thérèse hubiese surgido de las profundidades del Metro sin pasado, sin historia y sin familia, el sueño de Picasso no habría sido estorbado por la realidad, pero ella tenía un pasado, una historia y una madre de origen sueco, con la que vivía en Maisons-Alfort, en las afueras de París, y a quien le gustaba leer literatura clásica y tocar al piano música también clásica. Tenía un medio hermano, una medio hermana y un padre que, según la gente, era pintor, pero a quien nunca había visto; su certificado de nacimiento se limitaba a consignar: «Padre desconocido.» Había nacido en Perreux, en la región meridional del centro de

Francia, el 13 de julio de 1909, el año en que Picasso y Fernande habían abandonado el Bateau-Lavoir para acceder a una existencia menos bohemia. No sabía nada respecto al arte ni a Picasso. Hasta entonces sus pasiones habían sido todas atléticas: nadar, montar en bicicleta, gimnasia y alpinismo. Su cuerpo estaba lleno de vitalidad y energía juveniles, y su cara y su espeso cabello rubio tenían la luminosidad del aire libre.

Marie-Thérèse, a sus diecisiete años, no sabía quién era Picasso; su madre, Emilie Marguerite Walter, sí lo sabía, pero nada hizo para desalentar la natural curiosidad de su hija respecto a aquel hombre extraño, treinta años mayor que ella, con un fuerte acento extranjero y un irresistible encanto.

La siguiente vez que se encontraron, esta vez deliberadamente, fue en la estación del Metro de Saint Lazare, dos días después. Su conversación fue forzosamente limitada, dado el lugar en el que transcurrió, y ella le habló de una película. «Resistí seis meses —diría Marie-Thérèse posteriormente—, pero no es posible resistir a Picasso. Entiéndame bien: una mujer *no* se resiste a Picasso.» El 13 de julio, día de su decimoctavo cumpleaños, se acostaron juntos. Muchos años después, Picasso conmemoraba, en una carta que le escribía, la importancia de aquella fecha en su vida. «Hoy, 13 de julio de 1944, es el decimoséptimo aniversario de tu nacimiento para mí y también de tu nacimiento para este mundo, pues al haberte encontrado yo comencé a vivir.»

La más grande pasión sexual de la vida de Picasso, sin límites ni tabúes, había nacido. Fue una pasión enardecida por la clandestinidad de sus relaciones y por la revelación de la infantil Marie-Thérèse como una amante ilimitadamente sumisa y complaciente discípula que aceptaba cualquier experiencia erótica, incluso el sadismo, con absoluta obediencia a la voluntad de Picasso. Era un objeto que solamente él poseía y una prueba de su poderosa atracción sexual.

Muchos de los grabados con los que Picasso ilustró el libro de Balzac *La obra maestra desconocida* datan de aquel año. Frenhofer, el pintor en la novela de Balzac, había intentado durante años dar vida a la mujer de su obra maestra. «Durante diez años he vivido con esta mujer, que es mía, sólo mía, y que me ama. ¿No he sonreído, con una ancha sonrisa, en cada pincelada que he dado? Ella es un alma, el alma con la que la he dotado. Mi cuadro no es pintura, es sentimiento, pasión. Nacida en mi estudio, ella sigue siendo virgen en él...» Marie-Thérèse era tan creación de Picasso como lo era de Frenhofer la mujer de su cuadro, pero su creador, a su vez, estaba obseso y poseído por su creación, y la obsesión sexual llegó a ser el tema dominante en su obra. En *Mujer en un sillón,* pintada en el mismo mes en que conoció a Marie-Thérèse, van juntos la sexualidad y el terror, en una mezcla de sumisión y brutalidad, y el estilo anuncia las perversiones sexuales que le seguirían.

El 11 de mayo, Kahnweiler envió una nota a Gertrude Stein: «El pobre Juan está muy mal. El doctor cree que el fin está muy próximo.» Juan Gris murió ese mismo día en Boulogne, dos meses después de cumplir los cuarenta años. Picasso, que por su parte había hecho a Juan Gris todo el daño que pudo mientras el pintor vivía, estuvo entre los primeros que acudieron a Boulogne, tan pronto como llegó a sus oídos la noticia de su muerte. «He pintado un gran cuadro negro —dijo—. No sé por qué, pero cuando vi a Gris en su lecho de muerte, allí estaba mi cuadro.» Los auténticos amigos de Gris presenciaron la inconsecuencia, incluso la hipocresía, de su presencia allí. Alice B. Toklas describió cómo «vino a la casa y pasó allí todo el día... Gertrude Stein le dijo, con amargura, que no tenía derecho a llorar, y Picasso le dijo que ella no tenía derecho a hablarle así. "Nunca te has dado cuenta de su significado, porque nunca lo has tenido" —dijo enfadada—. "Tú sabes muy bien lo que he hecho" —replicó él—.» Y dos días más tarde, él, que odiaba los entierros, las honras fúnebres y cuanto se refería a la existencia de la muerte, se unió al hijo de Gris para llevar a hombros el ataúd en el sepelio del pintor en el cementerio de Boulogne. Quien había sido su enemigo, durante la mayor parte de la vida de Gris, le escoltaba ahora hasta su tumba.

La fama de Picasso continuaba creciendo. Ahora tenía un nuevo paladín en Christian Zervos, que había fundado *Cahiers d'Art* y que dedicó su vida a catalogar la obra de Picasso «La pintura es para Picasso lo que la calavera para Yorick», escribió en el *Cahiers.* «Le da vueltas en sus manos con una preocupada curiosidad. Nadie puede saber cuánta es la inquietud de ese hombre que lo posee todo en la pintura y que sabe que lo que hace no consiste en representar las cosas de una u otra manera, sino en abarcar toda clase de soluciones y de posibilidades incalculables. Esas posibilidades Picasso las persigue sin cesar.» El crítico alemán Carl Einstein, escribiendo sobre la obra de Picasso el mismo año, se extasiaba ante «la manera en que el contraste entre sus elementos crea armonías maravillosas... y la verdad yace en la identidad que se oculta bajo la tensión entre los opuestos».

Verdaderamente la verdad emergía de la tensión entre opuestos, en su arte, pero escasamente en su vida; entre su odio a Juan Gris y su llanto cuando murió; entre su matrimonio con Olga y su pasión por Marie-Thérèse; entre su desprecio hacia la vida de sociedad y su participación en ella. Y la tensión, el odio, la cólera —contra Olga, contra la vida, contra Dios— brotaban y se derramaban sobre sus cuadros.

A mediados de julio partió para Cannes, por aquel entonces el punto de cita de la sociedad elegante. *Le Littoral* dio cuenta de la llegada de «los señores Picasso y su familia» al Majestic, el más lujoso de los nuevos hoteles, emplazado en la Croisette, el más famoso paseo de la ciudad. Su círculo familiar: esposa, hijo y niñera, se había ampliado con la inclusión de un chófer, Marcel Boudin, que los llevaba en su Hispano-Suiza arriba y abajo de la Costa Azul. «En cuanto un pintor tiene dinero bastante —dijo Picasso— debe tener un chófer; conducir automóviles es muy malo para las muñecas de un pintor.» Sabía, desde luego, que a Braque le gustaba conducir autos de carreras.

En el ápice de la estación veraniega, la prensa daba cuenta de las idas y venidas de Picasso al mismo nivel que las del príncipe Humberto de Italia, la princesa Galitzine, el príncipe de Borbón Parma, Maurice Chevalier, Somerset Maugham y una amplia colección de gente con viejos títulos de nobleza y de nuevos ricos. Todas las semanas se celebraban grandes bailes en los jardines del hotel, cenas de gala y, el 18 de agosto, una extravagancia que encantó a Olga: que la orquesta estaba integrada por rusos blancos que habían huido de la revolución.

Eso era lo que Picasso estaba haciendo. Lo que pintaba reflejaba una realidad muy diferente, y mostraba, no la reluciente superficie de la civilización, sino sus profundos descontentos, sus tinieblas y fealdades bajo las brillantes fiestas que reseñaba la prensa de sociedad. El historiador del arte William Rubin describía a Picasso como «quizá el más grande psicólogo del siglo, el médico español que ha reemplazado al vienés». El había liberado en el lienzo el dolor y la furia que Freud había descubierto en sus pacientes de Viena, y dado forma visual a la violencia que el doctor vienés había desvelado en su gabinete de consulta. Las elegantes y distinguidas mujeres «de más allá», como las llamaba Picasso, dejaron paso a mujeres torturadas por pesadillas, medrosas y asustadas, y las lujosas terrazas del Majestic, sustituidas por cabañas de madera primitivas y elementales. La primera choza en esta serie de 1927 parecía más bien una tumba que una caseta de playa; era como un *memento mori* en medio de la triunfante procesión de su vida.

Aquel verano fue una especie de baile frenético. «Parecía un prisionero —decía Matta—. No le interesaba el ambiente en que vivía; no le interesaba su mujer; no le interesaba la comida, y no bebía. Podría haber vivido en su cocina, durmiendo durante el día y pasando las noches pintando.» Indiferente a muchos lujos convencionales, en una ocasión le dijo a Kahnweiler que habría deseado «ser capaz de vivir como un pobre con mucho dinero». El alboroto social al que había dado la bienvenida, ahora le molestaba, cada vez más consciente de cuantos tiraban de él para alcanzar notoriedad y muchos de ellos simples visitantes de las cimas de creación que eran su puesto natural. Y ellos, totalmente hechizados y seducidos, estaban ahora dispuestos a aplaudir cualquier cosa que hiciera su mano de brujo. Pero su desprecio por la rutina social seguía asfixiándole. Era como si estuviese rodeado de insectos zumbadores: algunos, es verdad, eran divertidos, algunos bonitos, algunos elegantes y algunos incluso con talento, pero el zumbido le confundía.

A principios de 1928 descubrió un viejo amigo que, además de adorarle como cualquiera de los integrantes de su camarilla, tenía la gran ventaja de ser capaz de enseñarle algo que Picasso quería saber: Julio González, un escultor y metalúrgico que poseía precisamente la clase de habilidad que Picasso quería conseguir en aquellos momentos de turbulencia interior, en los que esculpir y construir tenían la solidez y la semiterapéutica calidad que él necesitaba. Con la ayuda de González creó estructuras de hierro forjado, y, más tarde, inspirado por el propósito de erigir un monumento a Apollinaire, diseños para escultura que podrían representar el tal monumento o bien ocupar todo lo largo de la Croisette en Cannes. Si Braque era «madame Picasso», González era el sobrino listo a quien se le había permitido ser un auxiliar del maestro y, al ayudarle, enaltecerse a sí mismo.

A mediados de julio, Picasso dejó una vez más París para ir a pasar sus vacaciones en Dinard acompañado por Olga, Paul y su niñera inglesa, y precedido por Marie-Thérèse, que se ocultaba cerca, en un campamento de vacaciones para niños. Era un arreglo ingenioso que hacía las delicias de Picasso, no solamente por su secreto hermético, sino también por su perversidad. La idea de visitar a su querida en un campamento infantil añadía un punto de riesgo, surrealismo y mascarada a unas relaciones erizadas de pasión sexual, una pasión que continuaba desarrollándose en la a menudo violenta sumisión de la «mujer-niña» a la voluntad de su amante. Así, cuando Picasso se hubo hartado de coquetear con las chicas más jóvenes y de entretenerse viendo cómo su atlética querida nadaba y retozaba en la playa, la llevaba a una cabaña donde el retozo se hacía una cosa más seria y más intensa. Su obligación estaba clara: obedecer todos los mandatos y caprichos del hombre al que calificaba de «maravillosamente terrible» amante. «Siempre lloraba con Picasso —confesaba Marie-Thérèse más de cuarenta años más tarde—. Me sometía a él.»

«Algunos de los más vívidos y emotivos recuerdos de Marie-Thérèse —según la historiadora del arte Lydia Gasman, que conversó con ella a lo largo de los últimos años de su vida— era precisamente las aficiones sadomasoquistas de Picasso. Recordaba que en los comienzos de su relación, él le había pedido que se sometiera a sus fantasías, y que ella era tan ingenua en aquel entonces, que esas peticiones la hacían reír.» «Pablo no quería que me riese —recordaba Marie-Thérèse—. Siempre me decía que fuese seria.»

La experimentación sobre los límites de la sexualidad eran una cosa muy seria para Picasso, quien buscaba no sólo la satisfacción de sus apetitos sexuales, sino también alcanzar, entregándose a lo que estaba prohibido por la civilización en que vivía, el nivel existencial que el escritor francés Georges Bataille consideraba como la meta del erotismo. Bataille, a quien fascinaba la combinación de la sexualidad, la transgresión y la trascendencia, que Picasso estaba explorando, describía: «La sensación de violencia elemental que despierta toda manifestación de erotismo. En esencia, el terreno del erotismo es el terreno de la violencia, de la violación. Porque el erotismo físico significa una violación del auténtico ser de quienes lo practican, una violación muy próxima a la muerte y al asesinato. Todo el secreto del erotismo reside en golpear en la más profunda entraña del ser viviente para que el corazón se mantenga en pie».

Ese mundo de erotismo, violencia y violación era el mundo en el que vivían Picasso y Marie-Thérèse en Dinard. El hecho de que ella fuese menor de edad y estuviese en un campamento infantil era la causa principal de su ardor erótico. Y por entonces, la «corrupción de menores» podía determinar una severa sentencia de prisión; pero burlar la ley era parte de la excitación que encendía su pasión. Sade había escrito sobre el hombre soberano que tenía autoridad para transgredir e infringir todos los tabúes, y Picasso, que siempre había ansiado que eso le sucediera a él, tanto en la vida como en el arte, estaba ahora desafiando al mismo tiempo la ley, la moral y las normas de conducta en las cabañas de un campamento para niños.

Las mujeres son las que tienen las llaves de la cabaña en la serie que Picasso pintó en Dinard. «Les tengo mucho cariño a las llaves —había dicho—. Me parece muy importante tener una. Es verdad que las llaves a menudo me han fascinado. En las series de bañistas hay siempre una llave grande con la que intentan abrir una puerta.» La puerta era su subconsciente, y durante mucho tiempo Picasso abrigó la esperanza de que una mujer utilizaría la llave del misterio que permanecía en él, pese a sus autoritarias y omniscientes declaraciones. En el erotismo que dominaba su vida y su tiempo, Marie-Thérèse, sin embargo, no era más que la pasiva servidora de la voluntad de su amante.

En el texto de *La cabaña*, que escribió en español en 1935, utilizando un estilo automático que era el favorito de los surrealistas, la cabaña era una vez más el símbolo de su subconsciente, mientras Marie-Thérèse, cuyo nombre no se menciona, aparece como «una raja de melón, que nunca está quieta, riéndose de cualquier cosa a lo largo del verano», como el más azul de los azules, una paloma blanca o lila, el mar o una yegua riéndose. Cuanto más inocente y virginal fuese la imagen de su amante joven, más satisfactoria era su degradación. «La belleza es deseada en la medida en que pueda ser ensuciada —escribió Bataille—, no por sí misma, sino por la alegría nacida de la certeza de profanarla.» Picasso confesó en una ocasión que las mujeres, para él, se dividían en dos clases: «diosas y felpudos.» Pocas cosas le procuraron más placer que transformar diosas en felpudos, y que no solamente se permitieran a sí mismas ser pisoteadas, sino que llegaran a estar deseosas de que las pisoteasen.

En las series de La Caseta, que pintó desde 1927 a 1938, la caseta de la playa era un símbolo de sí mismo en lucha contra Olga y, especialmente, contra los espíritus malignos tejiendo el terrible destino del hombre. El hombre, escribió, no puede hacer otra cosa que «vigilar el hilo que teje el destino», amenazando con sus «mil armas ofensivas». Pero él también creía que «el espíritu, el subconsciente..., las emociones, todo es lo mismo». Y, como añadió en una de sus más perspicaces observaciones que jamás hizo sobre sí mismo, quizá su subconsciente y su malévolo destino enemigo fueron después de todo «una misma cosa».

«Las casas, los volcanes y los imperios... el secreto del surrealismo —escribía Breton por aquel entonces— reside en el hecho de que estamos convencidos de que algo existe detrás de ellos.» Picasso vivía su vida como si ese algo fuese irremediablemente maligno, pero, en algunos raros momentos, vislumbraba la posibilidad de que, en cambio, pudiera ser una tabla de salvación.

Casi siempre, aunque sabía que existía una invisible e intangible esencia tras la apariencia visible, rechazaba, con la maníaca intensidad de quien intenta calmar el mordiente miedo a estar equivocado, la existencia de una realidad trascendente.

El año 1928 comenzó para Picasso con el collage de un monstruoso Minotauro. En el antiguo mito el Minotauro, medio hombre, medio toro, que vivía en un laberinto subterráneo y se alimentaba de carne humana, simbolizaba la fiera devoradora, escondida en el laberinto del subconsciente humano. En el collage de Picasso nada separa la monstruosa cabeza del Minotauro de sus piernas cuando se lanza a volar, impulsado por el falo incrustado entre ellas. Era una imagen que reflejaba su propio comportamiento en aquel año. Huyendo de Olga, con su propia angustia y culpa, buscaba una vía de escape en la «frenética sexualidad de su relación con Marie-Thérèse». Estaba probando que, al menos en su propia vida, decían verdad los que afirmaban que España es un país donde los hombres desdeñan el sexo y viven para él. Pero pagaba un alto precio, porque si lo que él había hecho, y lo había hecho para vengarse, era malo, entonces él era malo, y si *él* era malo, *todo* era malo.

Con renovado placer recibió la noticia de que Max Jacob había regresado a París. Max no sólo era un emisario de los más felices tiempos, sino también un fiel adorador del altar de la culpabilidad sexual; y de vuelta en la «ciudad inhumana y monstruosa», instalado en el hotel Nollet, que no era, como él escribió, «el centro de la virtud», Max tuvo muchas oportunidades para la indulgencia y la culpabilidad. Los dos viejos amigos se encontraban ahora con frecuencia, ya que Picasso no estaba de humor para soportar los gustos y odios de Olga. Dibujó un retrato de Max con una guirnalda de laurel coronando su calva cabeza, y Max le amaba más que nunca. Era una clase especial de amor, el «amor-devoción», como había intentado definirlo en una carta a Cocteau hacía dos años: «El amor-devoción (en el mismo sentido que el de Magdalena a Cristo) que yo tengo por V..., por Picasso y por ti, y el que tú tienes por Raymon Radiguet es un amor admirable, un homenaje rendido a Dios a través de sus mejores criaturas.»

Picasso era una criatura de tanto éxito que ni siquiera el colapso de Wall Street en 1929 le afectó. Los coleccionistas americanos lamían sus heridas, los franceses atesoraban oro y muchos artistas de París se vieron obligados a vender todo lo que poseían. Otros, que tenían poco o nada que vender, se vieron reducidos a inscribirse en las cantinas abiertas en Montmartre y Montparnasse. Picasso, sin embargo, continuó vendiendo las pocas pinturas que había preparado para darles salida a precios cada vez más altos, y los criados, la niñera, el chófer con librea, el Hispano-Suiza y todos los lujos a los que había logrado acostumbrarse continuaron como si tal cosa. Cuando la Black Sun Press le pidió que dibujara un retrato de James Joyce para la cubierta de *Tales Told of Shem and Shaun*, que iban a ser publicados aquel año, se negó a ello rotundamente. Nunca trabajaba por encargo, y en todo caso, James Joyce no le interesaba.

En 1929 pintó el último retrato de su hijo, *Paul vestido de Pierrot con flores.* Paul tenía entonces nueve años, pero en el retrato su padre lo pintó como si tuviese solamente cuatro, gracioso y algo fantasmal. El retrato tenía una más estrecha relación con el recuerdo de su hijo que con la realidad de un Paul que había crecido y que ya no era tanto un objeto de fascinación como algo producido por él, un apéndice suyo. Paul estaba adquiriendo su propia individualidad como ser humano. Y los seres humanos con vida propia no interesaban a Picasso a menos que pudieran ser utilizados intelectualmente, socialmente, sexualmente, financieramente o emocionalmente, lo que era excesivo para un niño de nueve años.

Ese retrato fue un raro intervalo en un período atestado de cuadros de monstruos femeninos, cada vez más parecidos a robots. Sus mujeres fueron reducidas a muñecas, degradadas y esclavizadas, y aún, en su misoginia, Picasso seguía temiéndolas y retratándolas como amenazadoras, atormentadas y destructivas. La angustia y la violencia alcanzaron su culminación en sus dibujos de María Magdalena, cuyo cuerpo desnudo está tan convulsionado por la desesperación que se arquea hacia atrás hasta que su cabeza y sus nalgas parecen unidas, su nariz y sus ojos mirando un aparato genital masculino superpuesto a ella, en una mezcla de tormento, dolor, frenesí y erotismo. Como sucedió tan frecuentemente en el pasado, en tiempos de desesperación, Picasso volvía al tema de Cristo crucificado. El 7 de febrero de 1930 terminó su tan elogiada *Crucifixión,* que era, según precisó William Rubin, no una crucifixión desde el punto de vista del espectador, sino una crucifixión «desde la alucinada perspectiva del hombre en la cruz». No había allí ternura, ni cabida para la compasión, ni siquiera en la faz de la Virgen María, llena de ira y ferocidad. Aun así, el efecto estaba más allá de la blasfemia y el sacrilegio. Ruth Kauffman describía su tema como «irracionalidad humana, en forma de histeria, brutalidad y sadismo». La elección de Picasso de los símbolos universales de la cristiandad era, desde luego, audazmente arbitraria. Había querido expulsar la religión por la puerta y esperar a que volviese a entrar por la ventana. Se declaró ateo, aunque la peor cosa que dijo de Matisse fue que era «Van Gogh sin Dios». Denostaba contra Dios, aunque en sus momentos de desesperación y angustia se identificaba con su hijo e intentaba describir su indescriptible sufrimiento. Consideraba al destino como algo malévolo, y al mundo como algo poblado por los espíritus del mal, mientras él era también penetrado por un sentido de lo milagroso. «Todo es un milagro —dijo a Cocteau—. Es un milagro no desleírse en la bañera como un terrón de azúcar.» Pero necesitaba tener alguien a quien increpar y tenía que ser alguien lo bastante grande como para ser digno de aceptarlo. Así, él había escogido a Dios para hacer de El su antagonista durante toda la vida, siempre presente en ella representando el adversario, puesto que era el Amado para los más devotos místicos.

La realización de la *Crucifixión* fue un momento crítico. Fue como si algo de la cólera y desesperación de Picasso hubiese sido desplazado detrás de la escena de la crucifixión, por lo menos momentáneamente. La parálisis de la voluntad que padecía cuando las tinieblas que soportaba lo asfixiaban, se aliviaba lo bastante como para permitirle dar algunos pasos para suavizar al menos alguna de las complicaciones físicas de su existencia. Compró un castillo del siglo XVII en Biosgeloup, en Normandía, sólo accesible en automóvil. En un sentido, el castillo de piedras grises le proporcionaba espacio lo suficientemente amplio para crear esculturas monumentales. En otro, era un retiro donde podía huir de Olga, que había respondido a su retraimiento con una progresiva inestabilidad. Y era también un refugio para él y Marie-Thérèse. Su nuevo domicilio tenía una capilla gótica a la entrada. Como le había dicho Gertrude Stein: «Si estás mentalmente muy adelantado, eres, naturalmente, aficionado a las cosas antiguas en lo cotidiano.» Sin duda usaba esa afición al elegir sus domicilios cuando tenía el dinero suficiente para permitirse elegir.

Pasó el verano de 1930 en Juan-les-Pins, y en el otoño, cada vez más audaz, y con el propósito de eliminar la excesiva duración de sus viajes, instaló a Marie-Thérèse en un apartamento de la planta baja del número 44 de la calle de La Boétie, frente por frente del piso en que vivían Olga y él. La conveniencia no era su único motivo, ya que existía también el perverso placer derivado de la posibilidad de escaparse por cualquier motivo, de poner ante las narices de su esposa, maniáticamente celosa, su secreto y de mantenerlo así, y de poder imponer sus propias normas y transgredir cualesquiera otras.

Al tiempo de comenzar Marie-Thérèse a vivir en la calle de La Boétie, Picasso aceptó la propuesta de Albert Skira, un saludable joven suizo, de ilustrar las *Metamorfosis* de Ovidio. De mediados de septiembre a la tercera semana de octubre terminó la mayor parte de los 30 grabados, liberándose de todas las deformaciones y cóleras que habían marcado sus cuadros en los cuatro últimos años. Los grabados eran totalmente clásicos, sin nada de fantasía, y con sólo una escena actual de metamorfosis: la de las hijas de Minias, a las que Baco convirtió en murciélagos porque preferían quedarse en casa tejiendo a participar en las orgías báquicas que eran parte del culto al dios. Picasso mostró las alas naciendo de los cuerpos de las aterradas hermanas, al parecer disfrutando tanto del castigo impuesto por el dios como de la moraleja del mito. Por lo demás, la mayor parte de las narraciones que seleccionó para sus grabados prescindían de los dioses y de sus mágicos poderes de transformación. Era una interpretación humanística y despiadada de Ovidio, en el puro estilo lineal de las pinturas de la cerámica griega, y señalaba la temporal metamorfosis de Picasso, desde un artista abrumado por las tenebrosas creaciones de su subconsciente hasta un artista sometido a las normas y proporciones clásicas.

El 25 de octubre, día de su cumpleaños, terminó el grabado de *Júpiter y Semele.* En el antiguo mito, Semele, una mujer mortal que fue amante de Júpiter, le pide que se muestre a ella en el pleno esplendor de su majestad, y cuando Júpiter accede a ello, es destruida por las llamas de su resplandor. Picasso, naturalmente, era Júpiter y Marie-Thérèse era Semele. Una vez más recurría al mito para expresar la naturaleza de sus relaciones amorosas.

Para Marie-Thérèse, Picasso no era menos dios que Júpiter para Semele, y Krishna para las jóvenes de la mitología india. El esperaba que ella se entregase a su voluntad como un dios espera que así lo hagan cuantos hayan dedicado su vida a servirle, y a cambio, como Júpiter y Krishna, les ofrece momentos de exaltación que antes no hubieran estado a su alcance. «Sólo somos tus sirvientas y esclavas» —clamaban a Krishna las jóvenes—. Y cuando el dios no estaba con ellas, «la noche está vacía, sus voces no tienen respuesta, y gimiendo por el Krishna que adoran, ellas se agitan y se retuercen en el suelo». Y si alguna se atreve a quejarse de su ausencia, la respuesta del dios es siempre la misma: él no puede ser juzgado con arreglo a las normas corrientes.

Marie-Thérèse llevaba una vida totalmente sometida a Picasso, estuviera él presente o ausente, por su devoradora pasión hacia él, y el hecho de que su amante fuese un famoso pintor no influía en su amor. No sabía nada del resto del mundo y el resto del mundo no sabía nada de ella.

En abril de 1930, un número especial de *Documents,* el periódico que había fundado Georges Bataille en oposición a André Breton, estaba dedicado a Picasso. En uno de sus artículos, los asombrosos vaivenes en la obra del pintor eran calificados como «series de metamorfosis personales», brotando de «una trágica duda en cuanto a la aparente realidad del universo de las formas. En él y en todo gran artista el espíritu de rebelión es más fuerte que la fe, su fe en el mundo exterior».

Pero el mundo exterior seguía poniéndola en él, y la manifestaba mediante premios y honores. Picasso describió al marchante Pierre Loeb la visita de unos representantes del Gobierno francés para elegir uno de sus cuadros: «Vinieron cuatro. Cuando les vi, con sus pantalones de rayas bien planchadas, sus cuellos duros, sus miradas tímidas y distantes al mismo tiempo, recordé mi juventud, que había sido tan dura, y pensé que aquella gente me habría sido más útil entonces con algunos cientos de francos que ahora con centenares y millares. Comencé a enseñarles algunos cuadros, mis mejores cuadros, pero me di cuenta de que lo que ellos querían eran obras del período azul. Nos pusimos de acuerdo para otra reunión, a la que no iré.» Los honores, e incluso una formidable riqueza, no podían borrar los amargos recuerdos de sus primeros años, el tiempo de privaciones y rechazos que le acompañó durante toda su vida.

Pero sepultado bajo su armadura y su cólera había un amor a la vida que, temblando siempre al borde del horror, a veces le era permitido expresarse. Los comienzos de 1931 fueron un estallido de alegría de vivir en las formas de naturalezas muertas llenas de energía orgásmica. Un «hito privado» que concluyó el 11 de marzo de 1931 con un lienzo que incluyó en su colección privada con la denominación de *Naturaleza muerta sobre una mesa pedestal.* Era, realmente, una naturaleza muerta sólo a primera vista, ya que una inspección más detenida revelaba las lujuriosas curvas de Marie-Thérèse ocultas en el fruto y entrelazadas con un varón escondido en la mesa y más entrelazamientos sexuales en el mantel rojo y negro. En la obra hormiguean símbolos, caóticos misterios, dobles retratos y transformaciones dentro de transformaciones, ya que en Picasso estaba arraigado el amor a los retratos disfrazados, que cuadraba perfectamente con su personalidad amiga de los secretos. «La forma sigilosa de retratar —escribió Linda Langston en su estudio *Dobles retratos disfrazados en la obra de Picasso*— ofrece al artista una exhibición pública de sus más íntimos secretos. El más personal y, por tanto, el más escondido tema es el de su relación entre el artista y sus mujeres y lo que nos cuenta sobre su biografía. Al ocultar su mensaje tras un velo de objetos impersonales, limita el acceso a su pensamiento y su personalidad. En cierto sentido son espejos deformantes, ideados para impedir que quien contempla el cuadro vea más allá de los señuelos: las corridas de toros y los bodegones.»

En 1931, Picasso terminó solamente 28 cuadros y grabados. Cada vez estaba más absorbido por las transformaciones tridimensionales y el montaje de objetos reunidos al azar; «la suerte de encontrar una segadora y un paraguas en una mesa de disección». Las cocheras de Boisgeloup se transformaron en talleres de escultura, y cuando finalizó su estancia veraniega en Juan-les-Pins con Olga y Paul empezó a trabajar allí. Fue cuando comenzó la escultura de Marie-Thérèse y las de cabezas monumentales con sus narices fálicas y sus progresivas distorsiones.

El 25 de noviembre de 1931 cumplió cincuenta años. Empujó a un lado las cartas y telegramas que se apilaban en su piso de la calle de La Boétie, negándose a celebrar su medio siglo de vida o dar muestras de que consideraba una afrenta del destino el paso del tiempo y la proximidad de la vejez. En su lugar se lanzó a los dos únicos caminos que conocía para derrotar a la vejez: una sexualidad sin frenos y un trabajo obsesivo.

La gran exposición retrospectiva que proyectaba la galería de Georges Pettit para junio de 1932 le ofreció la oportunidad de rodearse de 232 lienzos que habían llegado a París procedentes de todo el mundo, soldados en la batalla contra las fuerzas del mal que gobiernan el mundo. Tenía que supervisar la colocación de esos cuadros, recibirlos y volver a verlos. A Tériade, otro joven griego emigrado, que era colaborador de Zervos en *Cahiers d'art,* le describía la exposición como «la vuelta del hijo pródigo vestido de oro».

Un torrente de artículos precedió y siguió los dos hitos de su quincuagésimo cumpleaños y la gran exposición retrospectiva, pero no todos ellos eran favorables. En una serie de artículos, Waldemar George, un prolífico crítico de arte que había llegado a París procedente de su Polonia natal, describía la obra de Picasso como «la más clara expresión de la inquietud moderna», y a sus demonios como «correspondiendo a la realidad colectiva del momento, a una neurosis moderna, una sed de misterio y un escondido deseo de huir que es dominante en una sociedad sin Dios». En uno de los más condenatorios comentarios del arte de Picasso, George le llamaba «una estéril demostración de juego gratuito», enraizado en una enfermedad infantil, una pretensión de exhibicionista de desafiar y asombrar». Para George, Picasso, lejos de ser libre, había caído en la trampa de su excentricidad y su egocentrismo.

En septiembre del mismo año se inauguró otra gran exposición retrospectiva en la Zürich Kunsthaus. Uno de sus 28.000 visitantes fue Carl Jung, y el resultado de su confrontación con la obra de Picasso fue un demoledor artículo que apareció en la *Neue Zürcher Zeitung* el 13 de noviembre de 1932. Impactado por la semejanza entre las pinturas de Picasso y los dibujos de sus pacientes esquizofrénicos, Jung declaró que Picasso era un esquizofrénico que expresaba en su obra el característico motivo recurrente del «descenso al infierno en el subconsciente y el adiós al mundo de más arriba». Comparando las imágenes creadas por sus pacientes con las producidas por Picasso, escribió: «Consideradas desde un punto de vista estrictamente formal, lo que predomina en ellas es el carácter de heridas mentales, que se transforman por sí mismas en líneas rotas, esto es, un tipo de fisuras psicológicas que se desplazan a través de la imagen. Es lo feo, lo enfermo, lo grotesco, lo incomprensible, lo fútil lo que pretende manifestarse, no porque desee manifestar nada, sino para oscurecer; una oscuridad, sin embargo, que no tiene nada que ocultar, pero que se extiende como una niebla fría sobre el páramo desolado. Todo ello absolutamente sin sentido, como un espectáculo que se representase sin espectadores.»

Cualquiera que sea la validez de las opiniones de George y de Jung es innegable que cuando Picasso entraba en la sexta década de su vida había ido más lejos que nunca en su sueño juvenil de crear un arte universal, no por conseguir una completa maestría en cualquier estilo y cualquier sistema que eligiese, sino para trascender todos los estilos, para crear algo absoluto y definitivo. Había tenido el valor de matar muchas expresiones artísticas diferentes y había hecho nacer otras nuevas, pero le faltó el valor de abandonar el trapecio de su monumental egocentrismo y su deslumbrante personalidad y confiar en que había algo más allá de sí mismo para atraparlo. Y ninguna cantidad de magníficos lienzos ni de acrobacias sexuales podría protegerle, salvo momentáneamente, de su permanente sentido de la fatalidad adversa.

8

EL MINOTAURO Y SU MUSA

El año en que Hitler alcanzó el poder, 1933, fue también el año del Minotauro, que había aparecido anteriormente en la obra de Picasso y que ahora irrumpió con total fuerza. Louis Fort, el grabador de planchas de cobre que había presentado Vollard a Picasso, instaló su taller en las cocheras de Boisgeloup, y allí surgieron las series de aguafuertes que iban a ser conocidos como la Suite Vollard. Al principio, los aguafuertes eran casi idílicos: el barbudo escultor se relaja en la cama con su joven y hermosa modelo, absorto en las obras que les rodean, saciado o por el momento indiferente a cualquier promesa de deleite sexual encerrada en el cuerpo desnudo de su modelo. Y entonces aparece el Minotauro, mira de reojo, empieza una orgía a la que el escultor se une con descaro, viola el cuerpo adormecido de la modelo, muere en una corrida y resucita para invadir el estudio del escultor otra vez buscando más bebida y aún más sexo. Cuando a Marie-Thérèse le preguntaron más tarde qué era la felicidad para Picasso, contestó: «Primero violaba a la mujer —como decía Renoir—, y luego trabajaba. Si era yo u otra persona, daba igual, siempre era así».

El 25 de mayo apareció el primer número de *Minotaure*, una revista dedicada al surrealismo. Tenía una reproducción de un minotauro surrealista en la portada: alrededor de un dibujo del minotauro, que había sido unido con chinchetas a un trozo de cartón arrugado, Picasso había colocado trozos de cinta, papel de plata, encaje y flores marchitas de uno de los sombreros de Olga. El monstruo había sido embellecido, pero no resultaba menos monstruoso e irracionalmente destructivo. El minotauro había también invadido la vista de Picasso y le había hecho imposible quedarse en Cannes durante todo el verano. Así que, en un arranque de impaciencia mezclada con la esperanza de que su España nativa le revelase alguna clase de solución, se marchó a mediados de agosto a Barcelona. El grupo oficial que viajaba lujosamente en el Hispano-Suiza, con espejos y búcaros de cristal con flores, que añadían encanto al resplandeciente interior, incluía a Olga, Paul, el perro y, por supuesto, a Marcel Boudin, el chófer, que llevaba librea y guantes blancos. El grupo extraoficial lo formaba Marie-Thérèse, que se reunió con él en Barcelona y, gracias a su hasta ahora perfecta personificación de una sombra invisible, consiguió permanecer inadvertida para la prensa y la familia.

Este triunfo de la discreción fue lo más destacable desde el momento en que llegó Picasso y se instaló en el Ritz, acontecimiento importante para la prensa y trascendental para su familia. «Tenía nueve años —recordaba Jaime Vilató, el hijo de su hermana, años más tarde—. Para mí la llegada de mi tío significó bastante; aparte de que fuera prácticamente un ser mítico, y puesto que mi madre me había hablado de él día y noche, su llegada fue como un espectáculo, un verdadero espectáculo. Llegó con mi primo y con su mujer, e incluso con el perro. Aquello era, a mi edad, casi tan importante como su propia llegada: el perro, el chófer, el coche, el Ritz, todo me parecía algo maravilloso.» En cuanto a la prensa, sus guardias ante el Ritz fueron recompensadas con artículos encabezados por «Picasso no hablará».

Fernande Olivier, que había estado fuera de su vida durante veintiún años, sí que lo haría. Cuando volvió a París, Picasso se enfrentó al primer extracto de las memorias de Fernande en *Le Soir* y *Mercure*. Al principio no podía creer que su sagrada intimidad hubiera sido violada, pero la incredulidad se convirtió en ira cuando todos sus intentos de impedir la publicación de los episodios siguientes de las memorias de Fernande y de su libro resultaron inútiles. No es que *Picasso y sus amigos* fuera un libro ofensivo. No había amargura en el relato animado de Fernande, aun cuando ella estuviera viviendo con aprietos dando clases de francés a extranjeros, mientras el hombre con el que había compartido los años más duros estaba viviendo como un rey. Pero había muchas alusiones al carácter de Picasso, y puesto que la advertencia «conócete a ti mismo» representaba para él un anatema, no le divirtió verse reflejado en el espejo de Fernande. No sólo ella había asestado un golpe a sus ilusiones, sino que también había hurgado en su leyenda. «Un cuadro —había dicho él— vive sólo a través del que lo mira, y lo que ven es la leyenda que envuelve el cuadro.» Lo prefería así. Fernande, sin ninguna malicia o sensacionalismo, había descorrido algunos velos, y a Picasso, incluso más que a la mayoría de los mitos, le disgustaba intensamente cualquier intromisión tras esos velos.

Estaba furioso con Fernande, furioso con Olga por intentar contrariar su voluntad, furioso con Marie-Thérèse por obedecer a todo al instante, furioso consigo mismo por ser brutal y después sentirse culpable. Un día, enloquecido por su indignación, cogió a Olga por los pelos, la tiró al suelo y la arrastró. «Me pidió demasiado»; resumió así las razones del fracaso de sus relaciones. «Fue el peor momento de mi vida» —diría más tarde—. Pero más allá de su agonía íntima, él estaba presagiando en la manera en que sentía, y en lo que pintaba, el horror de ser abandonado en el mundo. Su profunda cólera culminó en julio de 1934, en una serie de cuadros de corridas en las que la barbarie y la brutalidad se desplomaban en nuevas profundidades. Tanto Olga, a veces retratada como un caballo y otras como una arpía, como Marie-Thérèse, representada en el retrato favorito de Picasso como una víctima, fueron los blancos de su cólera. Pero su fuente era más profunda, más antigua, más elemental. Cuando el toro herido devora las entrañas del caballo que acaba de destripar, o cuando Marie-Thérèse, como un matador herido, es transportada a lomos del caballo con sus tripas colgando, mientras el toro observa la escena con una satisfacción sádica, no disminuida por la espada que está clavada en su lomo, otra realidad ha irrumpido: la salvaje realidad de la crueldad y la destrucción que en los siguientes años reclamaría millones de vidas. El toro está aguantando como testigo gozoso de un horror que no tiene absolutamente nada de piedad. En los lienzos de Picasso, la guerra ya había sido declarada.

Fue con un ánimo sediento de sangre como a finales de agosto se marchó nuevamente a España. Pero entonces, como Dionisos, el dios al que más se asemejaba, tenía «muchas formas», y podía fácilmente transformarse: «¡Aparécete como un toro, como un dragón de varias cabezas, o como un león echando fuego!», así llamaba el coro a Dionisos en *Las Bacantes*. Y el dios era todas estas cosas y más: un jabalí, un oso, una pantera, una serpiente, un árbol, fuego, agua. Las metamorfosis de Picasso eran igualmente variadas. Cuando llegó a Barcelona, vía San Sebastián, Madrid y Toledo, el salvaje primitivo se había convertido en el encantador, jovial y mundialmente famoso artista que visita su tierra natal acompañado de su familia. Los directores del museo, que le habían invitado a visitar sus nuevas instalaciones en el Palacio Nacional, no supieron que su amante estaba alojada en Barcelona, esperando, como buena y paciente muchacha del harén, para cumplir las órdenes de su señor, o que madame Picasso y su marido se pasaban la mayor parte del tiempo gritándose el uno al otro.

«La visita de Picasso —escribió Carlos Capdevila en *La Publicitat*— ha mostrado sorprendentemente un aspecto diferente del hombre; hemos entrado en contacto con un Picasso mucho más humano, bastante diferente del enigmático y esquivo hombre que tenía fama de ser... "Tengo que irme a casa —dijo—, debo trabajar." Y mientras su coche se alejaba, pensé que la palabra "trabajo" había adquirido un significado especial. El apunte final de la conversación y el tono de las observaciones cálidas y humanas del pintor me hicieron pensar que Picasso había sufrido un profundo cambio. Pudo haber sido la víctima inconsciente del encanto de aquellas inolvidables horas —no lo sé—, pero por un momento tuve la impresión de que el gran hombre inquieto había dejado de lado el cráneo de Yorick para siempre, después de haberle dado vueltas, y que ahora se enfrentaba al mundo con una alegre humildad, guiada por la lucidez que solamente está garantizada después de largos y fructuosos años».

Esta no fue ni la primera ni ciertamente la última vez que alguien cayó víctima del poderoso encanto de Picasso y fue engañado por el particular disfraz que había escogido para presentarse a sí mismo. Se le atribuyó la posesión de una «alegre humildad» durante uno de los períodos de su vida más atormentados, y esto era una prueba del grado hasta el que había perfeccionado el juego de las máscaras, las imitaciones y los espejos engañosos con los que había jugado en el mundo.

El podía esconder su miedo, confusión y tormento, pero tenía que vivir todavía con ellos. De vuelta a París los vertió todos en los cuatro aguafuertes de gran movimiento de *El Minotauro ciego*. El minotauro, una vez más un símbolo de él mismo, está siendo guiado tiernamente por una hermosa muchacha que lleva una paloma. Hay un aire de tragedia desesperada en la bestia ciega, tan fuerte y tan vulnerable, mientras lucha por encontrar su camino a lo largo de la orilla del mar. La joven muchacha se parece a Marie-Thérèse, pero hay algo transcendente en ella, más allá de cualquier personalidad física, como el «eterno femenino que nos conduce hacia arriba», de Goethe.

En el primer aguafuerte, en la esquina superior izquierda, hay un pequeño dibujo de *La muerte de Marat*, que había terminado el verano anterior, puesto boca abajo y atravesado completamente por una X. De nuevo expresaba la primitiva creencia en el mágico poder de su arte. *La muerte de Marat* giraba en torno al terror, a su propia muerte en manos de una fuerza enemiga, tanto si era su mujer, su amante o un dios malo. Anulando la acción en el papel, anulaba también ésta en la vida: «Mi libro de oración, las primeras anotaciones escritas atrás —escribió— tienen el mágico efecto de cambiar el destino fatal, la "tela de araña", en rosas y bígaros, porque se permite todo tipo de encantamientos.» Y los encantamientos, tanto verbales como visuales, tenían el poder de cambiar la realidad, que fue la convicción mágica de Picasso, excepto durante aquellos momentos de duda de los que apenas podía librarse y durante los que no se convencía de nada.

Cuando su amigo y compatriota el escultor Gargallo murió aquel año, a su misma edad exactamente, no pudo soportar la idea de que se había ido. Un día, al atardecer, estaba en la Galería de André Level en la calle La Boétie, cuando la viuda de Gargallo entró. Viéndole de espaldas, ella pensó que veía al fantasma de su marido: el mismo pelo gris, el mismo cuello, los mismos hombros y espalda. Cuando se dio cuenta de quién era se le abalanzó gritando: «¡Cuando pienso que estás vivo y que Gargallo está muerto, y que tú eres el único que no me has escrito!...» «Quizá soy el único que realmente lo ha sentido» —contestó sin perder un segundo—. Era, por supuesto, totalmente falso, pero era inteligente, rápido y significaba que no tenía motivo para tratar con nada real como las emociones de la viuda o las suyas propias.

Durante años había rechazado las emociones inestables de su mujer. Como escribió en uno de sus poemas de 1935 «el ojo de toro —otro nombre en clave para sí mismo— tiene mil razones para mantener silencio y oídos sordos a la pulga que orina lluvia de tanto café». Era una clara referencia a Olga. Una de las imágenes domésticas más vivas de Picasso era la de verla constante y neuróticamente bebiendo café, algo de lo que se daría cuenta especialmente desde que su estómago sensible le había llevado a los tés de hierbas hacía ya tiempo. Pero muy al principio de 1935 no le era ya posible mantener su pose de madera, esperando a que Olga cesase de chillar, a que Marie-Thérèse dejase de reírse sin motivo, y, excepto cuando puedieran serle de utilidad en algo, ambas desaparecían de su pensamiento. A principios de año, Marie Thérèse se enteró de que estaba embarazada, y Picasso se encontró confundido. Ahora los acontecimientos no admitieron la inercia y frustraron su deseo de que nada perturbara el *statu quo*, lleno como estaba de falsedades y desavenencias.

Estaba nervioso por el niño que iba a llegar y la posibilidad de que sirviera de puente al abismo creciente entre él y Marie-Thérèse; tanto que en un momento determinado durante su embarazo él se arrodilló delante de ella y lloró de gratitud. Al mismo tiempo, aunque quería deshacerse de la presencia física de Olga, estaba paralizado por el pensamiento del divorcio. Cualquier separación final tenía el repique de la muerte, y él estaba dispuesto a tolerar mucho para evitar desenlaces mayores en su vida. En la cumbre de su propio e innato terror había contado con el consejo experto del señor Henri-Robert, uno de los principales abogados de Francia, que le había informado de que el divorcio le supondría partir por la mitad todo lo que poseía, incluida su obra. De modo que la ley francesa de comunidad de bienes y el acuerdo que había firmado cuando se casó con Olga, le habían negado la posibilidad de negociar sensatamente su divorcio. En cuanto a Olga, ella nunca quiso el divorcio en primer lugar. Pero nada de esto hizo que las gestiones de separación fueran menos amargas, desagradables y humillantes, especialmente cuando los abogados, demasiado impacientes, de Olga pusieron sellos oficiales en la puerta sagrada del estudio de Picasso en la calle La Boétie sólo por si intentaba llevarse alguna de sus pinturas antes de que se llegara a un acuerdo.

Incluso entonces el carácter de Olga estalló primero. Por entonces no podía evitar darse cuenta de que su matrimonio había terminado, ni podía ignorar más tiempo el odio creciente de su marido y la presencia de su rival en la obra de él. De modo que a principios de julio de 1935, después del último ataque de histeria bajo el techo conyugal, se marchó de la casa llevándose al confuso Paul con ella. No se fue lejos, sólo a la vuelta de la esquina, al hotel California, en la calle Berri, y en cierto sentido se iría lejos de la vida de su marido, enloqueciendo progresivamente por su obvia incapacidad para provocar, hiciera lo que hiciera, una reacción en él o hacer mella en sus emociones. «Un dios malo —dijo Picasso a Kahnweiler en una ocasión— me ha dado todo lo que detesto, a menos que sea un demonio.» El podía haber dicho también que Dios le había dado todo lo que quería, pero que todo lo que quería no le había proporcionado aquello que perseguía.

Este fue el primer verano que Picasso pasó a solas en la calle

La Boétie. Marie-Thérèse, embarazada de más de seis meses, estaba con su madre en las afueras de París, en Maisons-Alfort, esperando el divorcio que Picasso le había hecho creer inminente, de modo que, como él le había prometido y le había asegurado a su madre, ellos pudieran casarse antes de que naciera el niño, o muy poco tiempo después. El día del vigésimo quinto cumpleaños de Marie-Thérèse, Picasso, paralizado por la ansiedad y la indecisión, en su piso inhabitado que nunca había considerado como su hogar, escribió una carta desesperada a Sabartés: «Estoy solo en casa. Puedes imaginarte lo que me ha sucedido y lo que todavía tengo por delante...» En este momento de profunda crisis en su vida no había nadie en París a quien él pudiera dirigirse. Así que apeló a su amigo de la infancia, a quien no había visto desde hacía más de treinta años, para que viniera y compartiera su vida, le organizase, le cuidase y le protegiese del mundo.

Picasso podía estar desesperado, pero también lo estaba Sabartés, a su manera poco brillante. Después de años de lucha como periodista y novelista en Sudamérica, acababa de volver a Barcelona con su esposa sudamericana y su hijo retrasado mental. Había sido un matrimonio desdichado y la llegada del hijo subnormal había hecho que Sabartés deseara dejar atrás su pasado y escapar hacia una nueva vida. Ahora, bastante sorprendentemente, Picasso le ofrecía esa huida. Casi cuatro meses después de recibir su carta, Sabartés llegó a la Gare d'Orsay; su esposa y su hijo se quedaron abandonados en Barcelona para siempre.

Cuando se enteraron de que se iba a determinar el reparto de bienes, ninguno de sus amigos quería testificar en favor de Olga. Misia Sert se enteró y lo encontró tan injusto que decidió testificar. Cuando los abogados de Picasso dijeron que Olga le había tirado platos, vasos y cualquier objeto rompible, Misia Sert protestó diciendo que creía a Olga «incapaz de romper un plato». Pero cuando le preguntaron a ella sobre las razones por las cuales Picasso quería separarse de Olga, tuvo que acordarse rápidamente de que estaba testificando a favor de Olga y callarse: «Sus señorías, simplemente porque ella es la más "emmerdante", la mujer más aburrida que he conocido en mi vida».

Mientras tanto, Picasso había estado lamentándose de su destino a todo el que le escuchaba: «Desde su proceso de separación —se quejaba Marie Laurencin al marchante René Gimpel— Picasso se ha estado comportando de una forma que uno sólo disculparía en una mujer. Ya no pinta, escribe versos y dice: "Soy un poeta." Intenta comprender esto: ya no pinta porque su mujer le está reclamando millones por sus lienzos. El está como Mario ante las ruinas de Cartago». Aparte de sus preocupaciones por las reclamaciones económicas de Olga, Picasso era emocionalmente incapaz de cruzar el umbral de su estudio, incluso después de que quitaron los sellos oficiales. La poesía que estaba escribiendo en España se erizaba de presagios del mal e imágenes antropomórficas: «la habitación «escucha» y tiene un «hombro», el «limón» tiene «labios», la «catedral... se desmaya», y los «postigos... matan» «el río se arrepiente». «El sol —escribió— los abrasa y los reduce a patatas fritas que deben cantar canciones profundas en la noche, solas en la soledad de los solos esperando encontrar una pizca de frescura».

Siempre había sido un hombre solitario, pero esta vez realmente experimentó «la soledad de los solos». «En la vida —dijo en una ocasión— lanzas la pelota. Esperas que alcance la pared y rebote para que puedas lanzarla otra vez. Bien, casi nunca hay una pared. Sólo hay como viejas sábanas húmedas, y la pelota que lanzas, cuando golpea a esas sábanas húmedas, simplemente cae. Casi nunca vuelve.» Con cada nueva relación, Picasso había esperado que la mujer fuera capaz de devolverle la pelota. Olga no había sido capaz, y ahora parecía hacerse dolorosamente evidente que Marie-Thérèse también era incapaz de devolver la pelota —excepto en la cama, y allí, después de nueve años, Picasso volvía inevitablemente pocas veces. En la poesía que estaba escribiendo, Marie Thérèse seguía siendo «la paloma blanca» y «la niña pequeña», pero él estaba ya aburrido de su pequeña niña de apariencia de paloma.

El 5 de septiembre Marie-Thérèse dio a luz su propia niña. La «femme-enfant» era ahora madre, el lascivo objeto sexual una figura-madre. A la niña la llamaron María de la Concepción, el nombre de la hermana muerta de su padre, pero en su partida de nacimiento la identidad del padre se había declarado desconocida. Poco después, hablando por teléfono con su hermana Lola, Picasso le anunció con orgullo el nacimiento de su hija. «¿Qué quieres decir con que has tenido una niña?», exclamó Lola con sorpresa. «No sabía nada de esto.» «Sí, sí —continuó él— es necesario aumentar la producción.» Pero no dio más explicaciones.

Casi al mismo tiempo que nació su hija, Picasso, que ahora tenía 53 años, conoció a la mujer que iba a reemplazar a su madre. En el Deux-Magots, el sitio favorito de reunión de Breton y la banda de surrealistas, frente a la iglesia románica de Saint-Germain-des-Prés, Picasso fue presentado a Dora Maar. Su nombre completo era Henriette Theodora Markovitch, y había nacido en Tours «el mismo año que *Las Señoritas de Avignon»,* como declararía más tarde. Su madre era francesa y su padre un arquitecto yugoslavo. Fue Paul Eluard quien se la presentó a Picasso, y Paul Eluard, así como Dora, se convirtieron en inseparables en la nueva etapa de la vida de Picasso. La había visto por primera vez unos pocos días antes y se había quedado sorprendido de su perfil, de su abundante pelo negro suelto sobre los hombros, de la intensidad de sus ojos oscuros y del extraño y macabro juego que estaba jugando: la observó mientras se quitó sus guantes —negros, con delicadas rosas bordadas—, cogió una larga navaja entre sus delgadas manos, con sus uñas pintadas de rojo brillante, y pasando una y otra vez la navaja entre sus dedos, la clavaba en la madera de la mesa. Cuando fallaba, continuaba entre los siguientes dos dedos, mientras la sangre le cubría la mano poco a poco.

Como Picasso pronto descubrió, ella era pintora y fotógrafa, una musa intelectual del movimiento surrealista, una amiga íntima de André Breton, y una amante en ocasiones de Georges Bataille. Se había cambiado el nombre de Markovitch por el de Maar, había vivido bastante tiempo en Buenos Aires, hablaba un hermoso y fluido castellano y transpiraba la inquietud, el aturdimiento y la ansiedad de la intelectualidad moderna.

En una conversación con Tériade, Picasso había descrito la mejor clase de pintura como nacida de la unión de un príncipe con una pastora. Su pastora había dado a luz y ahora él parecía convencido de que las pastoras podían ser buenas madres, pero pobres compañeras para los príncipes. Dora Maar no era una pastora. Era tan diferente de Marie-Thérèse como Eva lo había sido de Fernande. La vida de Marie-Thérèse, apartada de Picasso, estaba llena de deporte; la de Dora, de gimnasia mental. La respuesta de Marie-Thérèse a los retratos de Picasso era que «no se parecían a ella»; a sus pinturas, que «no la desconcertaban», y a la pintura en general, que «no le interesaba». Por el contrario, Dora podía discutir con pasión y habilidad los experimentos fotográficos de Corot y cómo se aplicaban al trabajo de Picasso tan bien como cualquier problema técnico o cuestión filosófica que tuviera en mente, podía compartir los amigos y las preocupaciones de Picasso. Tanto la esposa como la secreta concubina tendrían éxito en la amante oficial cuyo atormentado intelecto estaba en perfecta armonía con los años trágicos que había por delante.

Por supuesto, como siempre en la vida íntima de este maestro indeciso nada sucedió inmediatamente. De hecho, el cambio más grande en la vida de Picasso en este momento no era la introducción de una nueva amante, sino la llegada de su amigo de la infancia de Barcelona. «El 12 de noviembre de 1935 —escribió Sabartés en sus memorias— volví a París, esta vez por petición de Picasso, con la intención de vivir con él en su casa de la calle La Boétie. Me esperaba detrás de la verja de la sala de espera de la Gare d'Orsay. Era la quinta vez que llegaba allí y la tercera que me reunía con él... Desde ese día mi vida seguiría a la suya sin preguntarme cuánto tiempo duraría esta ilusión, puesto que habíamos decidido que sería para siempre.»

Pronto el impecable piso de Olga se llenó de montones de recortes de periódicos, catálogos de venta, invitaciones, entradas de teatro, fotografías, velas, cartas, viejos mensajes de teléfono y recuerdos de muchas ocasiones olvidadas durante tiempo. En el centro de la repisa, en el suelo, había una escultura de hierro forjado que era el templo oficial de los recuerdos de Picasso. «A primera vista —escribió Sabartés— produce un efecto espantoso, porque da la impresión de un equilibrio peligroso que es característico de Picasso... Hay un tapón de cierta botella de champán, una pequeña bandera, un pompón, una voluta de hierro, una muñequita sentada en una de las curvas de la espiral, un pequeño plumero, un papel grande de escribir, billetes fuera de circulación, astillas viejas; aquí y allá diversos objetos en miniatura de variadas formas y colores cuelgan de un hilo de plata como arañas, o se adhieren al hierro como vides colgando. Picasso ha encontrado sitio para todo y allí permanecen en la posición dictada por su gusto y su mano.»

«Teniendo en cuenta tu amor por la innovación —le dijo Sabartés en una ocasión— no puedo entender tu manía de guardar cosas.» «Pero hombre, estás mezclando tus conceptos —se apresuró a contestar Picasso—. ¿Qué tiene que ver una cosa con otra? El caso es que no soy un despilfarrador. Tengo todo lo que tengo porque lo guardo y no porque lo ahorro. ¿Por qué tendría que tirar aquello que me es agradable coger con mis manos?» Pero ésa era sólo una razón para el desorden de su vida. Otra era la del horror de Picasso a tomar cualquier decisión, por muy banal que fuese. «Fuera del reino de su arte —escribió Sabartés, un agudo observador de ciertas partes de la vida de Picasso y un ciego en otras— hay una vasta distancia para Picasso entre el pensamiento y la decisión, de modo que el detalle más insignificante le tortura... Observándole de cerca y valorando sus extrañas maneras, algunas veces pienso que quizá no se atreva a ejercer presión por miedo a que el aire desplazado por un gesto brusco pueda hacer pedazos el equilibrio de su vida y cambie su destino.»

Había incluso una explicación racional detrás de su patológica desgana a perturbar el *statu quo*, tanto si era una relación estable como un lío de unos pocos días. Le dio un vocablo estético cuando Roland Penrose, el pintor surrealista inglés y coleccionista, se dio cuenta de que el Renoir que colgaba sobre la chimenea de la calle La Boétie estaba torcido. «Está mejor así —dijo Picasso—. Si quieres matar un cuadro lo único que tienes que hacer es colgarlo de manera bonita con un clavo, y pronto verás que no hay nada en él excepto el marco. Cuando está fuera de sitio lo ves mejor. Y en una relación, cuando algo es discordante o está torcido no lo pongas derecho; añade algo más discordante aún, como otra relación, y luego espera a ver qué pasa.»

En este caótico momento de su existencia se refugió en el secreto mundo de su poesía escribiendo con una pluma o con una puntita de lápiz en un cuaderno que podía ocultar en su bolsillo, y a menudo, cuando se preocupaba particularmente de que nadie echara una ojeada a lo que estaba haciendo, se encerraba en el cuarto de baño. «Me dicen que estás escribiendo —le decía su madre en una carta—. Creo que para ti todo es posible. Si un día me dicen que has dicho misa, me lo creeré también.» Mientras su madre mantenía su absoluta fe en él, la pesadilla de opio que había tenido muchos años atrás en el Bateau-Lavoir se había hecho realidad: no podía pintar. «No, hombre, no te vayas todavía —diría siempre que Sabartés se preparaba para darle las buenas noches y dejarle solo—. ¿Tienes sueño ya? Espera un momento.» Y recurriría a toda clase de tácticas de conversación para evitar que Sabartés se fuera a la cama. «Siéntate, mi querido señor, y por favor cuéntame tu valiosa opinión concerniente al estado de los asuntos...» O «entonces, mi querido señor, ¿tú estás entre aquellos que valoran más las hojas de laurel en un estofado que en una corona?» Unicamente cuando Sabartés se sentaba, se relajaba lo suficiente para dejar de rechinar como un niño nervioso. «Encendiendo un cigarrillo —escribió Sabartés— se quitaría los zapatos y se pondría las zapatillas; yendo al lavabo empezaría a cepillarse los dientes, pero cada vez que me callaba, dejaría su cepillo de dientes y animaría la conversación por medio de sus contradictorios "peros". Este es su "forte".»

Picasso predijo una vez que después de su muerte las enciclopedias le describirían como «Picasso, Pablo Ruiz: poeta español que chapoteaba en pintura, dibujo y escultura». Breton, en el número de *Cahiers d'Art* de 1935 dedicado a Picasso, vio su poesía como parte de «la necesidad de una total expresión que le posee y que le obliga a curarse... la relativa insuficiencia de un arte en relación con otro... Tenemos la impresión de estar en presencia de un diario íntimo, tanto de sentimientos como de sensaciones, como nunca se ha conservado antes.»

En su poesía, Picasso suprimió la puntuación a favor de un estilo de corriente de conocimientos con ecos de la amada escritura automática de los surrealistas. Veinte años después de Apollinaire declaró obsoleta la puntuación —«un taparrabo ocultando las partes íntimas de la literatura»—. Hablaba como si él fuera el padre de esta revolución, aun cuando sólo era un simple buen seguidor andando tras las huellas de Mallarmé, Apollinaire y muchos surrealistas. Pero la corrección nunca estaba en lo alto de su lista de valores. Como dijo a Zervos, quien quería comprobar con él la corrección de las notas que había hecho después de una extensa conversación que tuvieron en Boisgeloup, «No necesitas enseñármelas. Lo esencial en nuestro período de moral débil es crear entusiasmo. ¿Cuánta gente ha leído realmente a Homero? Da igual, todo el mundo habla de él. Así se crea la leyenda homérica. Una leyenda en este sentido provoca un estímulo valioso. Entusiasmo es lo que más necesitamos, nosotros y la generación más joven.»

Siendo él mismo una leyenda, le gustaba tanto ser la fuente de entusiasmo como atizar el fuego que había generado haciendo el payaso de manera seductora y haciendo magia. «Dándose cuenta de mi creciente entusiasmo —escribió el fotógrafo y diseñador Cecil Beaton sobre su primera visita a la calle La Boétie— demostró la ingeniosa pericia manual de algunas piezas: cómo un taburete bajo se convertía en un par de escalones, o una mesa poseía palancas escondidas, cajones y tapas... Los sillones estaban cubiertos de lienzo blanco. De repente, Picasso se entregó a un número de prestidigitación mientras bailaba hacia una de las sillas y con un gesto temerario quitaba su cubierta para destapar una brillante cáscara de naranja. Una a una quitó el resto de las cubiertas para mostrar sillas tapizadas en satenes brillantes que me recordaban de algún modo aquellos caramelos blandos azucarados de mi niñez. Con un golpe rápido de su brazo evocó la caracola de color amarillo cálido; luego, otro trazo azul. Todavía otro carmesí, y ahora otro verde esmeralda, y los ojos de Picasso brillaban con un placer emocionado cuando cada nuevo color aparecía. Estos eran los colores verdaderos de España, valientes, disconformes y luminosos.»

La faceta de Picasso que deleitaba por sorpresa y revelación le encantaba a su pequeña hija. Incluso él lavó algunas veces sus sucios pañales, en parte como una distracción de los tortuosos laberintos de su mente y en parte como un acto de expiación por ser un padre largamente ausente. Pero la mayor parte de su tiempo la pasaba con Sabartés, tanto en el piso como merodeando por los cafés de Saint-Germain. «Casi siempre se les veía juntos, como el viajero y su sombra —escribió Brassaï, que iba a fotografiar a Picasso en diferentes disposiciones de ánimo—, el hombre de ojos más brillantes de París acompañado por el más miope de París, en el Brasserie Lipp, en el Deux-Magots y en el Café de Flore, los tres centros de atracción de Saint-Germain-des-Prés... En el Café de Flore el ceremonial era siempre el mismo: los camareros, Jean y Pascal, se apresuraban a ayudar a Picasso a quitarse su eterna gabardina; monsieur Boubal, el propietario auvernés del Flore, le saludaba y le encendía su siempre presente "gauloise"; Picasso asentía y hablaba a la rubia y sonriente madame Boubal, empingorotada tras el marco de cristal de su pupitre de cajera, y pedía media botella de Evian, que nunca se bebía. Sabartés podía discutir los acontecimientos del día con los amigos españoles, pero nunca dejaba de contemplar a Picasso como una gallina madre.»

La mayor parte del tiempo eran acompañados en sus rondas por *Elft,* el sabueso afgano que fue el último compañero de cuatro patas de Picasso; el perro iba de mesa en mesa, esperando que a pesar de las miradas desaprobadoras de su amo, algún alma compasiva se enterneciese y le diese un azucarillo. Los amigos que Picasso veía y con los que compartía mesa en los cafés ya no eran del mundo elegante, sino de la bohemia de su pasado y de la intelectualidad actual. «A Olga —había dicho— le gusta el té y las pastas, y el caviar. ¿Y a mí? A mí me gustan la butifarra catalana y las judías.» Cocteau describió su nueva vida como «la vida de un vagabundo bajo un puente de oro». Otras veces pasaba el tiempo con los Braque, y veía cada vez más al poeta surrealista Michel Leiris y a su esposa, Louise o Zette, como sus amigos la llamaban, que era la cuñada de Kahnweiler, y a Christian e Yvonne Zervos, y al más importante en vista de su creciente influencia en la vida de Picasso, Paul Eluard.

«Es necesario verte a ti mismo morir para saber que estás todavía vivo» —escribió Eluard en un poema dedicado a Picasso—. Más amable, más cerebral y emocionalmente más maduro que Picasso, Eluard encontró en él al robusto bárbaro que adoraba intelectualmente y que buscaba en el arte africano y polinesio que coleccionaba. En una ocasión se declaró, por encima de todo, feliz de estar vivo en este siglo problemático porque había conocido a Picasso. Después de Gala, su primera mujer, que le dejó para convertirse en la musa, amante y empresaria de Salvador Dalí, se casó con una chica frágil y exótica de Alsacia, a la que había conocido en una calle de París, dispuesta a irse a la cama con cualquier hombre que le diera un poco de dinero para comer algo. Nusch Eluard, que antes había sido una hipnotizadora de pacotilla en el circo y una actriz por poco tiempo, se convirtió no sólo en la inspiración para algunos de los retratos más tiernos de Picasso, sino también durante algún tiempo en su amante. Fue el ofrecimiento de la mujer que amaba tan apasionadamente, por parte de Eluard, al amigo que también amaba con pasión; una forma de repartición primitiva y de unión fundamental, no nueva ni para Picasso ni para Eluard, quien esperaba de su mujer «una fidelidad superior». «Este hombre sostenía en sus manos la frágil solución al problema de la realidad —escribió Eluard en un artículo sobre Picasso en el *Cahiers d'Art*—. Su objetivo era ver lo que ve, librar la vista y lograr clarividencia, y tuvo éxito en este objetivo.»

Picasso al menos correspondía a la admiración de Eluard, mientras que el papel de Sabartés se estaba volviendo claramente definido como el de autorrenuncia al servicio del genio. Picasso era experto en mantener la devoción de Sabartés arrojando en su camino unas pocas migajas de amor y aprecio. Cada una de estas ocasiones suponía un momento dorado en la vida de Sabartés, y cada detalle que les rodeaba adquiría un especial brillo de significación. Uno de tales momentos tuvo lugar el 11 de diciembre de 1935: «Un poco antes de la hora de comer —como Sabartés recordaba— puse un mantel sobre la mesa de mármol y lo dejé caer suavemente; me aseguré de que los platos estaban como le gustaban a él, de que no faltase nada, de que nada le contrariase cuando entrase, de que todo estuviese exactamente como lo había visto la noche anterior para que pudiera pensar que nada había cambiado en el intervalo: los "biscotes" al alcance, la servilleta en su sitio, el cuchillo aquí, la cuchara allá; el queso rallado y la compota a la vista, el agua de Evian; justo a su lado, y el vaso, la cucharilla, etcétera. Luego oí pasos en el pasillo y entonces Picasso, precedido por el perro, apareció en la puerta, agitando triunfalmente un papel en su mano, como si fuera una bandera. Dándomelo me dijo: "Tómalo. Es tu retrato".» Era un retrato en palabras:

Brasa de amistad
reloj que siempre da la hora
bandera que se mueve alegremente
agitada por el soplo de un beso en la mano
caricia de las alas del corazón

que vuela desde el pico más alto
del árbol cargado de fruta al cenador.

Mientras Picasso leía el poema en voz alta al extasiado Sabartés, reafirmaba su lealtad incuestionable, a pesar del conocimiento de Sabartés de que tarde o temprano sería traicionado.

Como toda la poesía que Picasso estaba escribiendo en ese momento, su tributo a Sabartés estaba escrito en castellano. Uno de los muchos trabajos de Sabartés era mecanografiar los poemas claramente y, después de que Picasso hubiera estado haciendo cambios en ellos con sus lápices multicolores, traducirlos al francés. Al haber abandonado para siempre la esperanza de conseguir ser él mismo un genio, le gustaba ser el adaptador y el crítico del genio. Su vida se estaba volviendo más sufrida, y cuanto más se deslizaba en el papel de sombra, más asumía las características de la sombra de Picasso, reforzando sus odios, sus prejuicios, sus miedos y su paranoia. Pero, sobre todo, él siguió siendo su secretario en el sentido original y más profundo de la palabra: el que custodiaba sus secretos, y excepto en algún caso muy ocasional, aunque fuera tentado o provocado, no los divulgaba.

A principios de enero de 1936, Sabartés se fue a Barcelona para asistir a la exposición retrospectiva de Picasso organizada por los Amigos de las Artes Nuevas. En la inauguración leyó poemas de Picasso tras los discursos de Miró, González y Dalí. «El es nuestro —declaró González con orgullo catalán no disfrazado—. Una bandera catalana del tamaño de una cinta, que guarda religiosamente en su bolsillo, os dará a entender el profundo amor que siente por el país catalán, por el país de su juventud.» Dalí fue menos sentimental: «Salvador Dalí se complace en invitar a todos los cuerpos putrefactos sin sepultar, a todos los pintores de árboles torcidos, con tradición más o menos rural, y a todos los miembros y patronos de la Sociedad Coral Catalana, a visitar la exposición *Picasso*. La exposición *Picasso* será la extravagante estación donde veremos por primera vez la llegada a nuestro país del tren expreso —primera clase únicamente— de la intelectualidad y el genio ibéricos, treinta años tarde.» Pero la parte más emotiva del acto la puso doña María, embargada por la emoción, que habló de su hijo.

El 17 de enero, también en Barcelona, Eluard dio una conferencia en honor de Picasso. «Hablo de lo que me ayuda a vivir, de lo que es bueno», empezó. La intimidad de Eluard con Picasso estaba haciéndose profunda, y Picasso la había celebrado con un dibujo de Eluard en la víspera de su marcha a Barcelona, fechado «esta noche del 8 de enero de 1936». Desde Barcelona la exposición fue a Bilbao, y de allí a Madrid, donde los jóvenes poetas, la mayor parte afiliados al triunfante Frente Popular (García Lorca, Alberti y José Bergamín), rindieron homenaje al hombre que era, para ellos, un héroe nacional.

De vuelta a París, los escritos, las reuniones con abogados y las cartas amargas a Olga siguieron atormentando a Picasso y alimentaron su cólera primaveral, descrita por Michel Leiris como «su cólera por haber nacido, mezclada con su rabia (o lujuria furiosa) por la vida». Deseaba escapar, especialmente después de la inauguración de la exposición de sus últimas obras en la galería de Rosemberg, cuando una cola de personas aparecía cada día en la calle La Boétie tratando de verle. Las mujeres hablaban sin aliento del «finalmente prehistórico vuelo en el aire» de sus pinturas, mientras Kahnweiler simplemente exclamaba: «¡Miguelangelesco! ¡Miguelangelesco!» Durante las excursiones nocturnas de Picasso a los cafés, Sabartés cada vez era dejado más atrás. Sus instrucciones para el día siguiente eran frecuentemente deslizadas bajo su puerta. «Ahora son las dos de la madrugada del día 9 de marzo del año MCMXXXVI —decía la nota escrita a los pocos días de la inauguración de la exposición en la Rosemberg—. Sabartés, tú que conoces personalmente cada una y todas las horas, ruega a las ocho y media que salte a mi cama y me despierte.»

Era una petición sin esperanza. Cuanto más grande era su cólera y su resistencia a la vida, más duro se le hacía enfrentarse a cada nueva mañana. La descripción de Sabartés de la lucha diaria tenía todos los ingredientes de la farsa francesa: las cartas, las invitaciones, los periódicos (*Excelsior, Le Figaro* y *Le Journal*), los últimos datos sobre su persona del servicio de recortes de periódicos Lit-Tout, los catálogos de ventas, todo esparcido alrededor de Picasso por la cama, mientras representaba el ritual mañanero de preguntar a Sabartés, cada pocos minutos, la hora que era.

«¿No crees —Sabartés se aventuraría a decir al final— que sería mejor que te levantases?»

«¿Para qué?»

«Simplemente para quitarte ese problema de la cabeza.»

«Hablemos de otra cosa. ¿Qué hora es?»

Por entonces era ya casi mediodía. Y debajo de la frase, una tragedia se estaba representando, la tragedia del hombre cuya «rabia por la vida» le había abandonado y estaba recibiendo la adulación del mundo por sus pinturas en el preciso momento en que era incapaz de pintar, como un viejo impotente alegrándose de las hazañas sexuales de su pasado.

El 25 de marzo, una semana antes de la clausura de la exposición de la galería de Rosemberg, se marchó, en el más absoluto de los secretos, a Juan-les-Pins, con Marie-Thérèse y su hija. Dos días antes había escrito a Marie-Thérèse recordándole que llevara con ella «las pieles y las sábanas» y que «cortara el gas, la electricidad y el agua... Este vigésimo tercer día de marzo, MCMXXXVI —añadía, usando, como era su costumbre, los números romanos para especificar el año—. Te amo aún más que ayer, pero menos que mañana. Siempre te amaré, como se dice. Te amo, te amo, te amo, te amo, te amo, te amo, Marie-Thérèse.»

El cometido de Sabartés era el de escribirle diciéndole lo que estaba sucediendo y mandarle su correo en un sobre grande dirigido a «Pablo Ruiz». «Como cuando éramos más jóvenes», Picasso se reía entre dientes. Quería escapar, pero no podía soportar dejar atrás el mundo. Lo primero que hizo nada más instalarse en la villa Sainte-Geneviéve, «una pequeña casa con un jardín muy mono, cerca del mar», fue dormir. «Desde que he llegado aquí —escribió el 28 de marzo a Sabartés— he estado durmiendo desde las nueve o las diez hasta las ocho y media o las nueve.» Durante el día se iba a Cannes a mirar los barcos del puerto y a tomar el sol, mientras Marie-Thérèse daba el pecho a María, nadaba y la amamantaba de nuevo.

Para Picasso, la parte más reconstituyente de las vacaciones era dormir doce horas al día. Era placentero, confortador y un alivio estar lejos de la calle de La Boétie y cerca de la naturaleza. Pero, a pesar del tono de su última carta a Marie-Thérèse, la vieja pasión no había vuelto. Roland Penrose describió a Marie-Thérèse con claridad como «la única realmente no inteligente mujer, la única mujer vulgar que tuvo parte en la vida de Picasso. Era de la clase de mujer capaz de decir a Picasso cuando venía a comer con ella: "Bueno, Pablo, ¿qué es lo que has hecho esta mañana? Te apuesto a que has estado pintando otra vez".» De hecho, Marie-Thérèse había sido barrida a los diecisiete años por un remolino sexual donde el objetivo era la posesión, fusión y disolución, y fue, por supuesto, su todavía precariamente formada personalidad lo que se disolvió. Nunca se convertiría en una persona totalmente desarrollada, capaz de fascinar a Picasso en niveles no sexuales. Y mucho peor para su futuro: nunca sería capaz de enfrentarse a los golpes que la vida le daría.

En una ocasión Picasso contó la historia «de dos amantes: uno, francés, y otro, español, que vivían juntos, felices, amándose uno al otro, hasta que ella aprendió a hablar su idioma. Cuando él descubrió lo estúpida que era ella, el romance terminó». Su relación con Marie-Thérèse se había nutrido no con la frontera del idioma, sino con la poderosa pasión sexual. Y ahora que el hábito se había apagado y las exploraciones prohibidas se habían vuelto mundanas, Picasso se encontraba en su retiro idílico del mundo sin una compañera apropiada. Como siempre, era muy duro para él estar solo cuando estaba trabajando. En una ocasión incluso le echó la culpa a la invención de los relojes. «Es muy difícil estar solo hoy —dijo— porque tenemos relojes. ¿Has visto alguna vez a un santo con reloj? Yo realmente he mirado en todas partes y no he encontrado ninguno, incluso entre los santos que se dice son los patronos de los relojes.» Siempre esperaba ansiosamente la llegada del correo de Sabartés. Incluso las coléricas misivas de Olga, con sus amenazas y exigencias expresadas en una mezcla extraña de francés, ruso y español, eran una intrusión bien recibida en su mundo actual de sol y tranquilidad.

A principios de abril comenzó a pintar de nuevo. El Minotauro y la joven rubia dominan las pinturas de este período, que ocultó incluso a Zervos y que se dieron a conocer a través de *Los Picassos de Picasso* de David Douglas Duncan en 1961. El alegre Minotauro no tardó en aparecer enfadado, el mismo tiempo que tardó Picasso en impacientarse con Marie-Thérèse. Después de vivir con ella algún tiempo comenzó a encontrarla insoportable. Así es que el 4 de mayo la mató en una de sus pinturas y la retrató desnuda, siendo transportada por dos mujeres igualmente desnudas; una de ellas tenía el mismo cabello oscuro de Dora Maar. Caprichosamente sólo le ocultó a Zervos las pinturas, no así los dibujos.

Sus cartas a Sabartés estaban llenas de ironías. «Te escribo para informarte de que esta tarde dejo de pintar, esculpir, hacer grabados y poesías para dedicarme a cantar. Tu más devoto y humilde sirviente estrecha tu mano, siendo tu amigo y admirador, Picasso.» Pero Sabartés no se dejó engañar. «Sus ironías y bromas en catalán no podían esconder su inquietud.»

Fue un telegrama a Sabartés, más que una carta, lo que anunció la llegada inminente de Picasso a París el día 14. Esperándole en la Gare de Lyon, Sabartés empezó a preguntarse el motivo que había tenido de repente para volver al bullicio del que había deseado ardientemente escapar. Incluso para Picasso el infierno era preferible al purgatorio de la libertad. Al primer amigo que salió a buscar fue a Eluard en la misma noche de su llegada. Al día siguiente el poeta dedicó otra poesía de amor «A Pablo Picasso» fechada el 15 de mayo de 1936:

Qué día tan espléndido cuando volví a ver al hombre que no puedo olvidar.
Al que nunca olvidaré...
Qué día tan espléndido el día que empezó en melancolía.
Oscuro bajo los verdes árboles,
pero que de repente se empapó en amanecer
y entró en mi corazón por sorpresa.

Aquel verano el infierno interno de Picasso se emparejó al infierno que irrumpió en España. El 18 de julio, la noticia de que la guerra civil había estallado entre el gobierno republicano y los sublevados nacionalistas, llegó a París. El asesinato de García Lorca poco después, a la edad de treinta y tres años, conmocionó al mundo del arte. «Aquí están matando hombres —escribió Saint-Exupéry— como si estuvieran derribando árboles.» Indiscutiblemente la lealtad de Picasso estuvo inmediata e instintivamente de parte de los republicanos, que intentaban sofocar el levantamiento militar. Pero fue Eluard quien, en sus interminables conversaciones, le suplicó con el vocabulario de indignación política que usaba al declararse a sí mismo a favor de la república.

Por primera vez en su vida este gran solitario se unió a la corriente de la historia. Desde ahora en adelante su aislamiento se entrelazaría con el sentido de solidaridad y pertenencia. Incluso aceptó con presteza el ofrecimiento del gobierno español de convertirse en director honorario del Prado. Fue el primer y último cargo oficial que tendría, y no era tan honorario como simbólico. Por entonces las tropas nacionalistas de Franco estaban sólo a 30 kilómetros de Madrid, y en agosto, cuando sus aviones empezaron a bombardear la ciudad, los tesoros del Prado tuvieron que trasladarse rápidamente a la relativamente segura Valencia.

El calor sofocante, unido a los boletines políticos, que eran cada día más sangrientos, hicieron París especialmente opresiva. Una noche, a comienzos de agosto, Picasso se marchó en su Hispano, con Marcel conduciendo, a Mougins, un pueblecito en las colinas detrás de Cannes. Se marchó solo, pero Eluard y Nusch le estaban esperando, y, más discretamente, en casa de una amiga en Saint-Tropez, estaba Dora Maar. Aun cuando la libertad sexual era parte integrante del credo surrealista, ella mantenía las apariencias esperando una llamada a unos cuantos kilómetros en una granja cerca del mar. Este viaje tenía un tono diferente a aquel de la primavera a Juan-les-Pins: «Mi querido Jaumet —escribió Picasso a Sabartés utilizando su nombre catalán—, no viajo de incógnito. Puedes dar mi dirección a quien te la pida.» La discreción quedaba fuera con Marie-Thérèse.

Un par de días después de su llegada a Mougins se fue junto a los Eluard, Roland Penrose y la fotógrafa americana Lee Miller, que se había convertido en esposa de Penrose, a la granja donde estaba Dora. Aparentemente era para comer con la escritora Lise Deharme, que era la anfitriona de Dora. De hecho, era una expedición del rey y unos cuantos cortesanos elegidos para devolver a la corte a la mujer escogida para ser su consorte por el resto del verano, por el resto del año, por muchos años. Nadie sabía y todos especulaban. Comieron todos juntos y después Dora y Picasso se quedaron solos en la playa. Durante su paseo ella cruzó el puente de una vida de mujer independiente a su vida como la amante oficial, cada vez más dependiente, de Picasso.

De vuelta al hotel Vaste Horizon de Mougins, Picasso sintió el regocijo de un nuevo comienzo: una nueva mujer, amigos que le querían, o al menos le idolatraban; dos hermosas y coquetas hermanas, una doncella del pequeño hotel, otra recolectora de jazmines; excursiones diarias a la playa y comidas al aire libre, bajo las viñas y los cipreses. En tales momentos deseaba borrar el pasado. Como dijo en una ocasión, levantando no por primera ni última vez el fantasma de Barba Azul: «Cada vez que cambio de esposa debo quemar a la anterior. De esta manera me deshago de ellas. No estarán a mi alrededor complicándome la existencia. Puede que esto me devuelva la juventud también. Matas a la mujer y borras el pasado que representa.»

«Vivir con alguien joven —dijo en otra ocasión— me ayuda a ser joven.» Un cuarto de siglo más joven que él, Dora ciertamente cumplía ese requisito. Pero tenía mucho más que juventud a su favor. «Uno sentía inmediatamente en su presencia que no era una persona ordinaria —recordaba después el historiador del arte James Lord—. No era clásicamente bella, porque había algo de pesadez en su mandíbula, pero era muy impactante. Había un brillo en sus ojos, una mirada extraordinariamente radiante, como el cielo en primavera.» Era un resplandor que reflejaba su inteligencia, y la misma claridad de sus ojos era la de su voz. Según James Lord, su voz era de lo que primero se daban cuenta todos los que la conocían: «Tenía una hermosa voz, muy especial, una voz única.

Nunca he oído a nadie que tuviera una voz como ésa; era como el estremecimiento del hermoso canto de un pájaro.»

Además de su pintura, su fotografía y su voraz apetito intelectual, Dora estaba también absorbida por el budismo, el misticismo y la astrología. Antes de marcharse a Saint-Tropez, Dora había hecho el horóscopo de Picasso, y para su asombro había descubierto que era muy parecido al de Luis XIV. Había un destino claramente colectivo corriendo a través del horóscopo: podía haber sido la vida de un líder más que la de un artista. Así que doña María había tenido razón después de todo. Su hijo estaba destinado a dejar su huella en el mundo, cualquiera que fuera el campo que escogiese para dedicarse.

Nuevamente inspirado, Picasso había dejado de escribir y vuelto a la pintura, lo cual supuso un tremendo alivio para Gertrude Stein: «Ves —le había dicho—, no puedes soportar mirar los dibujos de Jean Cocteau; te afectan, son más ofensivos que los dibujos que son simplemente malos. Ahora pasa exactamente lo mismo con tu poesía, que es peor que la mala poesía... Nunca leíste un libro en tu vida que no estuviera escrito por un amigo, y a veces ni entonces, y nunca sentiste nada por las palabras; las palabras te aburren más que cualquier otra cosa, de modo que ¿cómo puedes escribir?...» «Bueno —dijo Picasso volviéndose ferozmente—, tú misma dijiste siempre que yo era una persona extraordinaria...» «¡Ah! —le dije cogiéndole por las solapas de su abrigo y sacudiéndole—, tú eres extraordinario dentro de tus límites, pero tus límites están extraordinariamente ahí... Está bien que hagas esto para librarte de todo lo que ha sido demasiado para ti; bien, bien, sigue haciéndolo, pero no sigas intentando hacerme decir que es poesía...» «Bueno —dijo él—, aun suponiendo que lo supiera, ¿qué haré?» «Lo que harás —dije y le besé— es seguir hasta que estés más alegre o menos triste y entonces —«sí», dijo él—, pintarás un cuadro precioso, y luego más, y más» —y le besé otra vez—. «Sí» —dijo él.

Y ahora estaba más alegre y menos duro que lo que había estado durante mucho tiempo. Le gustaba tener una corte, y entre sus asistentes estaban Dora, Penrose, Paul, Nusch Eluard y la hija de Eluard, Cécile, y también los Zervos, Paul Rosemberg, el poeta René Char y el fotógrafo Man Ray. Bien estuviera conjurando sus retratos encima de un mantel con una cerilla ardiendo o con el color de una flor cercana, o fabricando animalitos y hombrecillos con corcho y servilletas de papel o haciendo una frenética imitación de Hitler, sosteniendo un cepillo de dientes negro en su labio superior. Picasso, con su jersey de rayas marinero, era un mago transformando a los sofisticados adultos en niños fascinados y boquiabiertos.

Las vacaciones estaban llegando a su fin en agosto cuando un accidente de automóvil adquirió en Picasso las dimensiones de un desastre mayor. Regresando de Cannes, el coche en el que Picasso iba dentro, conducido por Roland Penrose, chocó con un coche que venía en dirección contraria. «Confidencialmente —escribió a Sabartés el 29 de agosto— hace unos días, en el camino de vuelta de Cannes tuve un accidente con un inglés que me ha dejado hecho polvo y casi no puedo moverme. Al principio creí que me había roto unas costillas, pero ayer me hicieron una radiografía y parece que no tengo nada roto, pero sigo estando magullado y lo estaré al menos por unos cuantos días más. Pero no te preocupes.» Por supuesto, Sabartés se preocupó y Picasso, contrariamente a lo que había escrito, se espantaría si no lo hubiera estado. El 14 de septiembre, después de tres semanas del accidente, su carta a Sabartés estaba nuevamente dedicada a su condición física: «Sabartés, amigo mio, ¿qué tal estás? Estoy empezando a recuperarme, pues hasta ahora tenía un aspecto lastimoso, como si el automóvil me hubiera dado una paliza.»

Tan pronto como se sintió lo suficientemente bien para viajar en coche, Picasso, Dora y los Eluard hicieron excursiones por el campo. En una de ellas fueron a parar al pueblecito de Vallauris, que había sido un centro alfarero desde época romana. Picasso estaba cautivado viendo a los alfareros amasar el barro del lugar, moldearlo, y luego meter sus creaciones en el horno. Se plantó una semilla aquel día que daría fruto diez años más tarde, cuando dedicó su genio a la cerámica.

A su vuelta a París, las disputas legales sobre el reparto de bienes con Olga estaban llegando a su fin, y el pensamiento del final de algo —incluyendo tan amarga confrontación, que requería tiempo— le puso los nervios de punta más de lo normal. El acuerdo legal, al que se llegó, se ideó de tal manera que dejó a ambas partes insatisfechas: Olga se quedó con la casa de Boisgeloup, que detestaba y que había sido dominio casi exclusivo de Marie-Thérèse, y Picasso con la casa de la calle La Boétie, ahora una reliquia elegante de su vida de casado. Y legalmente Olga continuaba siendo su esposa.

Sabartés, convenientemente a mano y predispuesto de antemano a ser la cabeza de turco de Picasso, se convirtió en el coleccionista de todas sus cóleras y frustraciones. Para exacerbar aún más las cosas, Sabartés se había unido en la casa de la calle de La Boétie a una mujer que le había seguido desde Barcelona, decidida a casarse con él, a pesar de saber que ya tenía esposa. La bigamia fue sólo un pecado venial en el libro de Sabartés. Mercedes Sabartés se convirtió en la sombra fiel y paciente de su marido, nunca más mencionada en sus memorias, y subsistiendo con casi nada, puesto que Picasso apenas le daba dinero a su marido.

Proyectando sus agravios en Sabartés, Picasso constantemente encontraba o inventaba nuevas cosas de qué culparle. Mercedes era una de ellas. No era tanto la presencia de ella en la calle La Boétie, que la entristecía, como su presencia en la vida de Sabartés. ¿No se suponía que él, después de todo, tenía que estar exclusivamente al lado de Picasso y dedicarle toda su vida absolutamente sin ninguna distracción? Empezó a acusar a Sabartés de entrometerse en el proceso legal y de haberse puesto de parte de Olga. Y por si esto no le hubiera hecho demasiado daño, Picasso afirmaba que Sabartés era un fracasado. «¿Qué es lo que ha conseguido en su vida? —preguntaba a sus amigos—. Nada... Sólo me tiene a mí.»

Como un animal herido, Sabartés intentaba defenderse. Rompiendo su código de discreción, empezó a hablar de su amigo y héroe: de lo cruel que era, de lo tacaño, de lo autoritario, de su exhibicionismo, de cómo pegaba a las mujeres, de cómo había dejado a su madre marcharse sin dinero... Todo esto, por supuesto, le llegó a Picasso, cuya respuesta fue inhumana. Ordenó a Sabartés que se marchara de la casa de la calle La Boétie y que no regresara jamás. Por mucho que Sabartés rogó, suplicó y pidió perdón por sus pecados cometidos e imaginarios, el veredicto no cambió. A mediados de enero de 1937 se marchó con el corazón destrozado, la cartera vacía y Mercedes a remolque. «Después de cerrar la puerta tras de mí —escribió en sus memorias, que se mantuvieron calladas con respecto a las razones de su marcha— pensé en el futuro, en cómo, cuando viniera a verle, tendría que llamar al timbre y esperar como uno que viene en busca de una pizca de amistad.»

Las tareas domésticas de Sabartés fueron asumidas por las dos preciosas hermanas de Mougins, que Picasso y Dora habían traído a París con ellos; la hermana mayor, llamada, como el destino había querido, Sabartés, era la cocinera; y la menor, Inés, la doncella. Inés se convertiría en algo fijo en el mundo de Picasso, en confidente tanto como en ama de llaves, en un punto de estabilidad en el panorama cambiante y desordenado de nuevas mujeres y nuevos hogares.

Tan pronto como Picasso abandonó Boisgeloup, Vollard le ofreció una casa a 30 kilómetros de Versalles, en Le Tremblay-sur-Mauldre. Con el granero transformado en un estudio y su relativa proximidad a París, le proporcionaba el orden perfecto para esta etapa de su vida. Alojó a Marie-Thérèse y a María allí, y durante los fines de semana y también una o dos veces a la semana las visitaba, trabajaba en el granero, jugaba con la pequeña, la contemplaba mientras dormía o —y ésta era la tarea más pesada— intentaba darle de comer ahora que ya no era alimentada por el pecho. «Tan pronto como mi madre me destetó, cosa que sucedió de un día para otro cuando tenía un año y medio —recordaba María—, fue como si me hubiera dicho a mí misma que prefería la leche de mi madre, que no me gustaba el filete con patatas fritas, y por esta razón me negaba categóricamente a comer. De modo que mi padre hacía toda clase de piruetas para hacerme comer, porque siempre había temido que muriese. El niño que no come, muere». El estaba convencido de ello.

Habiendo ocultado a Marie-Thérèse en Le Tremblay-sur-Mauldre se lanzó a su relación con Dora. Estaba llevando a la práctica lo que había declarado en teoría: que cosas contradictorias pueden coexistir felizmente aun cuando «los críticos, matemáticos, científicos y otros entrometidos quieran clasificar todo, poniendo trabas y límites, haciendo triunfar una cosa sobre otra». Por el momento, Marie-Thérèse apenas sabía nada de la existencia de Dora, mientras que Dora suponía —una suposición basada, por supuesto, en la impresión que transmitía Picasso— que el único lazo que quedaba entre Picasso y Marie-Thérèse era su hija.

Segura de su poder intelectual sobre la inculta Marie-Thérèse, Dora también tomaba medidas para hacer más sólida su posición en la vida diaria de Picasso y buscaba un estudio grande, apartado de la casa de la calle La Boétie, que ambos odiaban. Pensaba que trabajaría en el estudio sin tener que retirarse tan a menudo al campo y que los dos podían trabajar juntos en la fotografía, o en sus respectivas pinturas. Las dos primeras pinturas que ella le regaló eran dos cabezas severas e imbuidas de una cualidad sagrada y mística. Una de las posesiones de las que Dora se sentía más orgullosa era una pintura hecha por ambos que firmaron «Picamaar». Entre las más preciadas reliquias de Picasso estaban los guantes manchados de sangre que llevaba Dora la noche en que él la vio hacer aquel juego religioso con la navaja en el Deux-Magots. Picasso admiraba su valor, su espíritu independiente, su inteligencia. Pero casi instintivamente intentaría destruir las cualidades que la hacían a ella irresistible. Y el combate sería más excitante ahora que sus técnicas de domesticación se prodigaban a una leona más que gastarse en una rata.

9

LA GUERRA DENTRO Y FUERA

15 octubre XXXVI

Amor mío:

Tengo que quedarme con Paul. No puedo ir a cenar y más tarde voy a ver a los «catalanes» que están aquí. Mañana podría ir a almorzar lo más pronto posible para verte, que es la cosa más agradable que puedo hacer en esta vida de perro que estoy llevando.

Te amo cada vez un poquito más.

Tuyo, Picasso.

En el centro de aquella «vida de perro» estaba Dora. La carta estaba dirigida a Marie-Thérèse. Según ella recordaba hacia el final de su vida, «seguían pasando cosas raras... Nusch, Dora». También podría haberse enterado de que en la obra más reciente de Picasso ella aparecía cada vez más flaca y más fea, mientras la mujer de cabellos negros nunca parecería tan bella o tan serena como al comenzar el año 1937. El 2 de marzo, Dora había sido incluso retratada dormida. Habiendo usurpado el primer puesto en la vida de Picasso, le usurpaba ahora su abandonado descanso.

«Tiene que ser tristísimo para una chica —había dicho— ver en un cuadro que van a echarla». Sus cartas de amor a Marie-Thérèse se hicieron, en proporción, más apasionadas, al mismo tiempo que su relación con Dora se intensificaba. Y ella lo creía así. No porque fuera estúpida, ni tampoco porque desconociera la existencia de «la otra mujer», lo que era ya sobradamente conocido y una parte importante de la vida de Picasso para quedar secreto, sino porque él había inventado la realidad en la que vivía Marie-Thérèse. Juntos habían quemado los puentes a cualquier otra realidad y ahora no había ninguna a la que pudiera ir. Al mismo tiempo, Picasso había alcanzado una gran victoria sobre Dora: su aceptación dolorida y a regañadientes de que aunque ella era la amante oficial, no era, ni quizá nunca lo sería, la única.

Mientras Picasso se situaba como el incuestionable amo en sus relaciones con Dora, los generales sublevados en España estaban creando lo que el general Mola llamaba «esa impresión de dominio» en el país.

Para conseguirlo, de acuerdo con Mola, «es necesario crear una atmósfera de terror» en el país. Y mientras los republicanos mantenían su dominio sobre Madrid y la mayor parte del norte y del este, las atrocidades deliberadas para producir una atmósfera de terror fueron cada vez más feroces y más generalizadas. A comienzos de 1937, Picasso escribió un poema lleno de violentas imágenes describiendo a Franco, al que se presentaba repugnante, como una babosa peluda, inhumano. «Sueño y mentira de Franco» estaba escrito en español, en su estilo espontáneo que evitaba cualquier regla sintáctica en su gramática. Como había dicho Sabartés. «hubiera preferido inventar una gramática para mí solo, en lugar de ceñirme a reglas que no me van bien». El texto estaba ilustrado por dieciocho grabados de análoga violencia, furia y horror. Franco, la *bestia* que atacaba a España, era otro emisario del archienemigo de Picasso, la fatalidad.

El paisaje de su vida privada estaba cambiando. Al final de marzo se había mudado al nuevo estudio que para él había encontrado Dora, en el número 7 de la calle Grands-Augustins, y ella se había mudado a la esquina del número 6 de la calle Savoie. Tras la remilgada elegancia de la calle La Boétie saboreaba la pintoresca complejidad del edificio de Grands-Augustins. La casa era una perfecta mezcla de amplitud y misterio, con una oscura escalera en espiral conduciendo a los vastos estudios en dos pisos, la secreta escalera interior, los pasillos que parecían frecuentar los fantasmas, los confortables rincones, la infinita sucesión de pequeñas habitaciones que pronto adecuó a sus necesidades: desde un dormitorio dominado por su cama, cubierta por una elegante colcha pulida, hasta una cabina para grabar en la que instaló su magnífica prensa de mano. Instalar a Picasso en la vida bohemia costó una buena cantidad de dinero. Aquella bohemia particular se asentaba en un edificio del siglo XVII, evocador de recuerdos históricos. Antiguo hotel de los duques de Saboya, había sido utilizado por Jean-Louis Barrault como salón de ensayos y fue donde se rodó *Le chef d'oeuvre inconnu,* de Balzac, con su desesperada búsqueda de lo absoluto en la pintura.

Y ahora, gracias a Dora, Picasso había encontrado en «el desván de Barrault» un espacio suficientemente grande para sus más célebres obras. El gobierno español le había encargado un cuadro para el pabellón español de la Exposición Mundial de París. Habitualmente, como detestaba el sentido de obligación derivado de los encargos, él difería su respuesta, trabajaba en otras cosas y rehusaba dar el paso para su realización. Eligió como tema para el cuadro el bombardeo de Guernica el 26 de abril de 1937, para movilizar su frenesí creativo, y el enorme cuadro, de más de ocho metros de largo y más de tres de alto, quedó terminado en menos de un mes. De hecho, muchos de los «estudios de preparación» fueron hechos después de que el cuadro se terminó.

Fue la primera vez que Picasso permitió que hubiese espectadores de su tarea. Dora le acompañaba constantemente, fotografiando cada una de las etapas del cuadro; Eluard era un testigo frecuente, así como Christian Zervos, André Malraux, Maurice Raynal, José Bergamín, Jean Cassou, todos en diferentes ocasiones, mirando a Picasso (en mangas de camisa), comentando los progresos del cuadro y hablando incesantemente de Goya. Mil seiscientos, de los 7.000 habitantes de Guernica, murieron en el bombardeo, y el 70 por 100 de las casas fueron destruidas por los 43 aviones alemanes que la bombardearon; pero el impacto de aquel bombardeo terrorista repercutió más allá del daño hecho a la ciudad y sus gentes. Guernica, con su viejo roble bajo el cual se reunía el Parlamento vasco, se hizo símbolo del triunfo del odio y de la destrucción irracional y ayudó a convertir a un gran número de occidentales a la causa republicana.

Antes de que el *Guernica* fuese expuesto en el pabellón español hubo rumores que ponían en duda las simpatías republicanas de Picasso, pese a su «Sueño y mentira de Franco», y habían corrido rumores de que de hecho era profranquista. Eluard le apremió para que desmintiese aquellas fábulas y estableciese claramente su posición, y así, bajo su guía, Picasso entró en la etapa política de su vida. Aunque al pintar el *Guernica* había manifestado suficientemente su opinión sobre la guerra de España, mientras trabajaba en el mural hizo una declaración, esta vez sujeta a las reglas de la sintaxis y en la que se notaba la mano de Eluard: «La guerra de España es la lucha de la reacción contra el pueblo, contra la libertad. Mi vida artística entera no ha sido otra cosa que una lucha continua contra la reacción y la muerte del arte. ¿Cómo puede nadie pensar ni por un momento que yo podría estar de acuerdo con la reacción y con la muerte?... En el mural que estoy pintando, que llamaré *Guernica,* y en todas mis recientes obras de arte, expreso claramente mi odio a la casta militar que ha hundido a España en un mar de dolor y muerte».

No solamente estaba imprimiendo una dirección política nueva para su futuro, sino que, con la ayuda de Eluard, estaba inventando una conciencia política para sí mismo. La casta militar que había condenado no era, sin embargo, un grupo de generales alrededor de Franco, sino una forma de pensar presente en ambos lados de la guerra civil. El tenebroso autoritarismo que él aborrecía se había convertido en parte de su propia personalidad, castigando con dolor y humillaciones a los que le rodeaban.

Pero los símbolos son más poderosos que los hechos, y el poder del *Guernica* era enorme. Era la quintaesencia de cuarenta años de arte de Picasso, con la mujer, el toro y el caballo horrorizados en un mundo de pesadilla en blanco y negro. El novelista Claude Roy, por entonces estudiante de Derecho, vio el *Guernica* en la Exposición Mundial de París y lo describió como «un mensaje de otro planeta. Su violencia me dejó sin habla, me petrificó con una ansiedad que nunca antes había conocido». Michael Leiris resumió el sentido de desesperación engendrado por el *Guernica:* «En un rectángulo de blancos y negros como el que aparece en una antigua tragedia, Picasso nos ofrece el anuncio de nuestro luto: todo lo que amamos camina hacia la muerte». Herbert Read va más allá: todo lo que amamos, está diciendo Picasso, *ha* muerto. «El arte hace mucho tiempo que cesó de ser monumental. Para ser monumental, como el arte de Miguel Angel o Rubens lo fueron, el siglo en que ha de manifestarse debe tener el sentido de la gloria. El artista debe tener alguna fe en sus compañeros humanos y alguna confianza en la civilización a que pertenece. Pero tal actitud no es posible en el mundo moderno... El único monumento razonable tendría que ser una especie de monumento negativo, un monumento a la desilusión, a la desesperación, a la destrucción. Era inevitable que el más grande artista de nuestro tiempo llegase a esa conclusión. El gran fresco de Picasso es un monumento a la destrucción, un grito de ultraje y de horror, amplificado por el espíritu del genio».

Durante la creación de su monumento público a la destrucción continuaron sin pausa sus juegos destructivos. Un día, Marie-Thérèse, a la que había relegado al margen de su vida desde que había comenzado el *Guernica* con Dora como su musa trágica, llegó al estudio de Picasso mientras él trabajaba en el cuadro. «*Guernica* es para ti», le anunció. Era una mentira descarada, pero entonces Picasso hacía y decía pocas cosas por casualidad. Era una mentira destinada a sojuzgarla, a humillarla a través de la decepción, a destruir la dignidad que podría permitir a Marie-Thérèse distinguir entre la falsedad y la realidad. *Guernica*, de hecho, era no solamente el producto de su genio, sino también de su relación con Dora. Mucho más consciente políticamente que él, ella le ayudaba a fijar su atención en los trágicos acontecimientos de su país natal, alimentaba el fuego de la pasión política, discutía con él los símbolos que había de usar y a veces trabajaba ella misma en el panel. Como dijo Pierre Said, «Nunca sabremos todo lo que el *Guernica* debe a Dora.»

Cuando Picasso no aplastaba a Marie-Thérèse mediante la decepción o la crueldad, la ataba con floridas declaraciones de amor imperecedero. Un día, cuando todavía estaba trabajando en el *Guernica*, con Dora fotografiando los progresos del cuadro, Marie-Thérèse se dejó caer por allí e intentó ejercitar los derechos que le había conferido en declaraciones de su profundo y creciente amor. «Tengo una hija de este hombre», le dijo a Dora, toda su ira dirigida a su rival, más que a su amante. «Mi sitio es estar aquí con él y usted puede irse ahora mismo». «Tengo más razones que usted para estar aquí —le replicó fríamente Dora—. No tengo ningún hijo de él, pero no veo qué diferencia hay».

Durante este diálogo, Picasso continuaba pintando como si la cosa no fuera con él y estuviese allí como un inocente espectador. Finalmente, Marie-Thérèse le pidió que hiciese de árbitro: «Dinos lo que piensas. ¿Cuál de las dos tiene que marcharse?»

Picasso, dueño absoluto de la situación, recordaba el incidente con fruición: «Es una decisión muy dura de tomar. Me gustáis las dos, por diferentes razones: Marie-Thérèse porque es dulce y gentil y hace todo lo que le pido, y Dora porque es inteligente. No tengo interés en tomar una decisión. Estoy satisfecho con las cosas como están». Les dijo que lo arreglaran entre ellas, y se pelearon. James Lord precisaba la ironía que se le había escapado a Picasso: sus dos queridas enzarzadas «en una pelea a puñetazos en su estudio, mientras él, pacíficamente, continuaba su trabajo en el enorme lienzo concebido para censurar los horrores de las luchas humanas».

En el preciso momento en que en su arte él se remontaba como un águila, en su vida se comportaba como una hiena, aprovechándose de las debilidades de otros. Había dicho a ambas, Marie-Thérèse y Dora, que la otra no importaba, que por muchas veces que hubiera mentido o le hubieran cogido en una mentira, ambas todavía querían estar allí. Esto formaba parte del poder que él saboreaba: tratar a las mujeres como si fuesen menos que humanas, y entonces verlas renunciar a su humanidad, y actuar como si eso fuese siempre justo y ellas fuesen no solamente menos de lo que él era, sino menos que humanas.

Así que él continuó viendo a las dos y pintando a las dos, a veces inmediatamente reconocibles —una con curvas y colores brillantes, la otra angulosa y oscura—, a veces en clave, a veces aparte, a veces juntas, y una vez como una pareja de palomas, una blanca y otra negra, empujándose en una jaula pequeña y atestada. A veces había disfrutado teniendo a Marie-Thérèse siguiéndole, en relativo secreto, a cualquier parte donde Dora y él fuesen de vacaciones. Pero como dos mujeres no son un harén suficiente, con frecuencia se aseguraba a través de Paul, su cómplice involuntario, de que Olga también supiese a dónde iba, para que pudiese levantar la voz y presentar sus quejas, atacar a las mujeres que querían ocupar su sitio como esposa legal y, lo que era más importante, aliviar la insaciable hambre de Picasso de poderío sobre los demás.

En el verano de 1937, sin embargo, se desplazó a Mougins con la única compañía de Dora. Pero nada era sencillo en su vida, ni siquiera las cosas que parecían sencillas. Paul y Nusch Eluard les esperaban en el hotel Vaste Horizon, y con el continuo estímulo de Eluard y la descorazonada aquiescencia de Dora, Picasso reanudó con renovado vigor su amorío con Nusch. El desaliento de Dora aparece elocuentemente pintado en su retrato vendiendo flores en la calle sin encontrar quien se las compre, y contribuyó considerablemente al placer de acostarse con Nusch. Al mismo tiempo pintó una serie de variaciones sobre *L'Arlésienne* de Van Gogh, y en la última retrató a Eluard en la figura de un travestí amamantando a una criatura de aspecto gatuno. Aunque le beneficiase, Picasso despreciaba cualquier manifestación de debilidad, lo que se evidencia en su retrato del castrado Eluard, cuya «muestra de amistad» despreciaba más de lo que la apreciaba. Como diría más adelante, reescribiendo de forma pintoresca la historia: «¡Pero si era también un gesto de amistad por mi parte! Lo hice únicamente para hacerle feliz. No quería que pensara que no me gustaba su mujer».

Nusch no era la única «otra mujer» en Mougins. Estaba allí también Rosemarie, con su magnífico pecho, que, entre otras cosas, utilizaba para arrastrar a todos a la playa, desnudos de medio cuerpo para arriba. En 1906, Picasso había pintado *El harén*, con cuatro odaliscas desnudas guardadas por esclavos. Aquel verano en Mougins estaba viviendo fuera de la fantasía. «Alguien me dijo en una ocasión —contaba más tarde—: "Tienes alma de sultán y debías tener un harén". Es verdad. Me gustaría ser un árabe o un oriental. El Occidente y su civilización son poco más que migajas del enorme pan representado por el Oriente».

Aparte de la veta filosófica de esta confesión, era en la tensión entre las mujeres de su vida en lo que él encontraba la excitación de sus actividades sexuales. O incluso en la tensión entre una mujer y un animal favorito. En una ocasión regresaba de un viaje a Cannes con un mono que había comprado en una tienda y al que había empezado a dedicar todo su afecto. Cuando, para su placer, Dora estalló en un ataque de celos, Picasso redobló sus manifestaciones de cariño al mono, hasta que finalmente ella amenazó con dejarle. Electrizado al ver cómo conseguía manipular sus emociones, se dedicó a tratar al mono como si fuese un ser amado, largo tiempo perdido, sabiendo que por muy ultrajante que él fuese Dora no lo dejaría.

No fue Dora sino el mono quien finalmente se hartó, y un día mordió un dedo de su amo. En el alboroto que siguió, especialmente cuando Eluard, echando mano de sus vastas reservas de conocimientos, extrajo de ellas la información de que un rey de Grecia había muerto a causa de una mordedura de su mono, el idilio se rompió inmediatamente y el mono fue reexpedido a la tienda de Cannes. Picasso estuvo preocupado unos días con la posibilidad de que le sucediera lo que al rey de Grecia, y Dora, por su parte, con su rival principal en las atenciones de Picasso excluido de la escena, quedó, al menos de momento, maravillosamente tranquila.

Quedaba únicamente el nuevo perro en la compañía animal de Picasso. *El* había sido exilado a Le Tremblay-sur-Mauldre, con Marie-Thérèse y María, y reemplazado por *Kazbek*, un perro afgano que sería inmortalizado cuando Picasso pintó su figura superpuesta a la de Dora, subrayando así, según explicaba, «la naturaleza animal de las mujeres». Una nueva mujer, una nueva casa, un nuevo perro; la relación de Picasso con los sucesivos perros era, de hecho, muy semejante a la relación con sus sucesivas mujeres: períodos de inmensa proximidad seguidos por períodos de indiferencia total; la oportunidad y la duración, en ambos casos, eran determinadas por su capricho o su conveniencia.

Hubo momentos felices con Dora en Mougins, y algunos felices cuadros de flores y de embarcaciones en la orilla, inspirados por sus excursiones por la comarca. Casi siempre estas excursiones, que ocupaban la mayor parte de sus días de vacaciones, se hacían en el Hispano-Suiza, conducido por Marcel, quien en muchos aspectos reemplazaba a Sabartés como depositario de las confidencias «de hombre a hombre» de Picasso. Tan pronto se separó de Olga y su período *mondaine* llegó a su fin, Picasso le ordenó que se despojase de la librea y no volviera a usarla, lo que perturbó mucho a Marcel, contra lo que Picasso esperaba. «Pensé que le gustaría —dijo Picasso más tarde—, pero de hecho eso me alejó de él. Nunca se es demasiado cuidadoso cuando se trata de las vidas de otras gentes. Una vez, cuando era niño, vi a una araña a punto de matar a una avispa que había caído en su red. Oh, me dije, esa horrible araña va a hacer daño a la pobre avispa. Así que cogí una piedra grande... y entonces descubrí que había matado a las dos». Le gustara o no, Marcel sin su librea había pasado a formar parte de la bohemia lujosa de la vida de su patrón.

Uno de los viajes más frecuentes del Hispano-Suiza era a Niza a visitar a Matisse, que vivía allí desde 1916. Picasso nunca había dejado de despreciarle, pero tampoco podía dejar de pensar en él, y por eso intentaba empequeñecerle con frases como: «En comparación conmigo, Matisse es una señorita»; pero no quería permanecer lejos de Niza, y era porque sabía, lo admitiera o no, que Matisse tenía acceso a un mundo de secretas armonías que estaba cerrado para él.

«Hay tantas cosas... —escribió en una ocasión Matisse al historiador del arte Georges Besson—. Me gustaría entenderlas y sobre todo *entenderme;* tras medio siglo de trabajo duro y de reflexión, el muro está todavía ahí. La naturaleza, más bien *mi naturaleza*, sigue siendo misteriosa. Mientras lo pienso, he puesto un poco de orden en mi caos manteniendo viva la minúscula luz que me guía y que todavía responde enérgicamente a los bastante frecuentes SOS». Era un plateamiento que habría sido totalmente ajeno para Picasso: comprender su naturaleza no le había interesado nunca, y menos poner orden en su caos. Había dibujado a Matisse mientras al mismo tiempo se sentía impulsado a reírse de él, como un escolar que ridiculiza todo lo que está fuera del círculo de su experiencia. «El arte del equilibrio, de la pureza y de la serenidad», con el que Matisse soñaba, estaba muy lejos del arte torturado de Picasso, y era, como mucho, objeto de su incesante fascinación.

Otra vez en París, a mediados de septiembre, comenzó a torturar en serio la cara de Dora. El 26 de octubre, al día siguiente de cumplir 56 años, terminó la *Mujer llorando*. Roland Penrose recordaba vívidamente el momento en que Eluard y él llegaron al estudio de Picasso y vieron el cuadro por primera vez, aún en el caballete, y sin que su pintura se hubiese secado del todo. «Era como si aquella mujer, vista de perfil pero con los dos profundamente apasionados ojos de Dora Marr, vestida de fiesta, se hubiese encontrado de repente enfrentada a un desgarrador desastre. Durante un momento, el impacto de aquel pequeño y brillante óleo nos dejó sin habla, y después de algunas exclamaciones de entusiasmo, pude decir a Picasso: "Oh, ¿puedo comprárselo?," y escuché aturdido su respuesta: "¿Por qué no?" Y le entregué un cheque de 250 libras esterlinas a cambio de una de las obras maestras de la pintura de este siglo».

La explicación de Picasso sobre la monstruosa deformación de la cara de su querida por el dolor fue sencilla: «Durante años le di una apariencia torturada, no por sadismo ni porque hubiese placer en ello por mi parte, sino obedeciendo a una visión que ello me imponía». En efecto, era una visión que él tenía, al menos parcialmente, impuesta sobre Dora. Aunque había en Dora algo del típico intelectual moderno, atormentado por la ansiedad y la inquietud, Picasso realzaba, fomentaba y extraía la parte más atormentada de su personalidad, y sus enloquecidos retratos de ella, espejos de desintegración, se hicieron como afirmaciones negativas, profecías que se alimentaban a sí mismas, de lo que todavía no era, pero llegaría a ser muy pronto, una visión del patito feo dada al bello cisne. Así como hay gente que tiene el talento de cultivar lo que es más saludable para otros, Picasso tenía el don de promover lo que era más neurótico y más enfermo en la gente que le rodeaba.

«Yo no estaba enamorado de Dora Marr —decía más tarde—. Me gustaba como si fuera un hombre, y acostumbraba decirle: No me atraes. No te quiero. No puedes imaginarte las lágrimas y las escenas históricas que seguían a continuación.» La atormentaba al mismo tiempo que se enorgullecía de su inteligencia, su talento y su fortaleza. «Dora piensa que se parece a un enorme renacuajo» —dijo, refiriéndose al perro *Kazbek*—. «Yo lo leí y también Dora» —hablando de un manuscrito. «Dora estuvo aquí y las miramos juntos» —respecto a unas fotografías. Siempre Dora dijo esto, Dora leyó eso, Dora me contó esto, Dora hizo aquello, mientras la manipulaba y esperaba aplastar la fuerza que admiraba.

En sus asuntos de negocios, no menos que en sus relaciones, poco había en la vida de Picasso que no fuera calculado, pese a la predominante apariencia de casualidad. Y el secreto que mantenía respecto al uso que hacía de su dinero, tanto si lo gastaba en sus queridas o lo depositaba en un banco suizo, era una parte de su continuo esfuerzo para evitar «el ojo maléfico» de todas las fuerzas que él temía. El 27 de noviembre de 1937, viajó a Suiza. Esta vez había otra razón, aparte de tratar cuestiones financieras como cualquier otro hombre de negocios. El viaje se camuflaba de vacaciones, o, según un informe, como resultado de un «acontecimiento imprevisto que hacía necesaria una corta visita a Suiza». La verdad era que su hijo, de 16 años, había robado en un almacén de joyería y que el único camino para evitar que fuese encarcelado era alegar que estaba mentalmente enfermo, y así Picasso y «su hijo enfermo», según explicaba el artículo de un periódico, llegaron a Berna; Paul fue recluido en Prangins, una clínica para gente que podía soportar la fortuna en francos suizos que costaba estar alojado allí. Misia Sert vio a su ahijado cuando ella estaba en Suiza para hacerse operar de la vista, y le dijo que en lugar de arriesgarse a ser encarcelado a cambio de unas ganancias miserables —robando almacenes de joyería o vendiendo drogas, lo que Paul confesó orgullosamente que también había hecho— podría haber obtenido mucho más dinero robando uno de los cuadros de su padre y vendiéndolo.

Concluidos sus asuntos paternales y financieros, Picasso fue a comer al campo con Hermann Rupf, coleccionista de sus cuadros que había comprado su primer dibujo de Picasso en el Bateau-Lavoir, en 1908. Kahnweiler le había organizado una visita a Paul Klee, que, huyendo de la Alemania hitleriana, vivía muy modestamente en un suburbio próximo. Picasso llegó tarde a la cita porque le habían enviado con retraso una botella de vino de Dôle y una bandeja de *marrons glacés*. Fue un encuentro extraño entre el maestro alemán de la realidad invisible, enfermo y muriéndose poco a poco, y el maestro español de todo lo visible que se descompone. Tan extraño y tirante, que Frau Klee tocó el piano y llamó en su ayuda a Bach. Después de la muerte de Klee, Picasso lo describió en dos palabras: «Pascal-Napoleón». Aunque no existía nexo entre las dos palabras, Picasso estaba impresionado evidentemente por la poderosa combinación, en Klee, de una fuerte personalidad y una intensa voluntad.

El 18 de diciembre de 1937, *The New York Times* publicaba una proclama de Picasso al Congreso de Artistas Americanos en Nueva York: «Es mi deseo ahora recordaros lo que siempre he creído y sigo creyendo: que los artistas que viven y trabajan con valores espirituales no pueden y no deben ser indiferentes a un conflicto en el que los más altos valores de la civilización están en juego». Era otra de las declaraciones políticas de encargo salida de la «fábrica» de Eluard, con la firma de Picasso al pie. El resultado del manifiesto fue un beneficio mutuo: las opiniones de Eluard se divulgaron mucho más de lo que lo habrían sido sin el nombre de Picasso vinculado a ellas, y la fama de Picasso se extendía más allá de las personas interesadas por el arte.

A comienzos de 1938 Picasso pasaba más tiempo en Le Tremblay-sur-Mauldre. Le atraía allí, más que Marie-Thérèse, María. Ahora, con dos años más y muy parecida a su padre, achaparrada y cuadrada, con ojos penetrantes, ella había llegado a ser la figura más importante en su trabajo. No la idealizó, como había hecho con Paul; había inquietud en su cara y temor observando la forma de abrazarse a su ordinaria muñeca.

María recordaba, mirando atrás cincuenta años después: «Sólo me gustaban las cosas dulces, y por eso me hacían un puré dulce con todas las cosas que tenía que comer, y mi padre me lo daba. Como mi madre acostumbraba decir por aquel entonces, de todas formas toda la comida se mezcla en el estómago, y, francamente, hasta ahora siempre he preferido empezar mi cena con un *éclair* de chocolate mejor que con una buena y abundante sopa. Mi regalo favorito de cumpleaños ha sido siempre una cena compuesta íntegramente de diferentes clases de postres de chocolate. Me habían educado en forma del todo diferente a la de Paul, que estaba siempre vigilado, siempre atendido, siempre elegante, con montañas de juguetes caros. Yo tenía juguetes hechos en casa, que mi imaginación convertía en todo lo que yo quería. Nunca me obligaron a bañarme, ni a soportar una niñera. No éramos una familia normal, en absoluto, absolutamente no...»

Cuando la bautizaron, su padre, que oficialmente no lo era, fue oficialmente su padrino. Cuando los hermanitos de la niña le preguntaron cuál sería su nombre, el padre contestó que sería el de Conchita. «¿Con-qué?», volvieron a preguntarle, sabedores, aparentemente, de que *con* significa en francés «tonto». Por eso sus padres empezaron a llamarla María, que en boca de los niños se convirtió en «Maya». «¡Maya! —exclamó su padre—. Es perfecto: quiere decir la más grande ilusión de la Tierra». Y así María fue desde entonces Maya Walter.

No era el nombre de Maya el único que se prestaba a confusiones en Le Tremblay-sur-Mauldre. Un día Picasso anunció perversamente a todo el mundo que en adelante las dos criadas de la casa se llamarían Marie-Thérèse. «Así —recordaba Maya como si se tratase de un juego— cuando llames a Marie-Thérèse se presentarán las tres.» Pero más que un juego de Picasso, esa decisión revelaba algo distinto: dar a las criadas el mismo nombre que a su amante era otro medio más para disminuir y humillar a Marie-Thérèse, afirmar su condición servil y hacerle recordar continuamente su situación de subordinada.

El año en que Hitler estaba ocupado en comerse Austria y la guerra de desgaste de Franco en poner de rodillas a los republicanos, Picasso estaba convirtiendo con su arte al gallo doméstico en un estímulo de la crueldad y en un precursor de la tragedia. «¡Gallos!, siempre ha habido gallos —exclamó en una ocasión—, pero como cualquier otra cosa en la vida, hay que descubrirlos, de la misma manera como Corot descubrió los amaneceres y Renoir descubrió las bailarinas.» Picasso no solamente descubrió los gallos, sino que cambió todas sus vinculaciones habituales. «El canto estridente del gallo —escribió al historiador del arte Willard Misfeldt— evoca no al heraldo del amanecer, sino más bien a un centinela haciendo sonar una alarma llena de horror y premonición.»

Fue una especie de premonición angustiosa la que tuvo una tarde de abril en la que paseaba a *Kazbek* por Saint-Germain-des-Prés y tropezó con Sabartés. No se habían visto desde hacía más de un año. Fue un encuentro embarazoso: hablaron casi solamente de perros. Picasso, como si nada hubiera sucedido entre los dos, como si no le hubiera insultado cruelmente y no le hubiera expulsado, le invitó: «Nunca has venido a verme. Ven conmigo, ¿quieres?, y te enseñaré mi nuevo estudio en la calle des Grands-Augustins. Está aquí cerquita». Pero las heridas de Sabartés estaban todavía muy recientes. El último año había sido horrible. Su expulsión de la casa de Picasso se le había antojado la expulsión del universo. Había vuelto a vivir malamente escribiendo la misma clase de indigestas novelas históricas que había escrito en Sudamérica y llevando una existencia terrenal sin la excitación y los objetivos que su vida había adquirido en la órbita de Picasso. La invitación del pintor a seguirle a su estudio era un canto de sirena, y como Ulises, que se ató al palo de la nave para resistirlo, Sabartés pensó también en resistir y aplazó la cita.

Pero sólo era cuestión de un poco más de tiempo y un poquito de galanteo astuto. En junio, una carta multicolor llegó al umbral de Sabartés: «Amigo Sabartés, prometiste venir a verme. Sé que no te gusta encontrar gente; si quieres podemos vernos secretamente. Cuando quieras ve a la calle de La Boétie por la mañana. Escríbeme. Tuyo, Picasso. Ahora, otra cosa: Paco Durio quiere verte. Le he dado cita para el próximo martes a las tres y media o las cuatro. Te esperamos. Hoy es jueves, junio 30 MCMXXXVII.»

Esta vez el canto de sirena era irresistible. El estilo extravagante de Picasso (expresado en palabras rojas, naranja, púrpura verdes, sepias y azules), la promesa de reanudar su intimidad, la relación secreta y la perspectiva de ver a un viejo amigo de su juventud, desnivelaban decisivamente la balanza. El 5 de julio, «a la hora prevista», Sabartés llegó a la casa de la calle Grands-Augustins. Habiendo refrescado la memoria de Sabartés sobre cómo era eso de volver al redil, Picasso se fue poco después a Mougins, desapareciendo otra vez de la vida de Sabartés y dejándolo esperar su siguiente llamada.

Fue una partida súbita. Los Eluard, Dora y Picasso estaban en una de sus reuniones de después de cenar en uno de los cafés de Saint-Germain-des-Prés cuando repentinamente decidieron que era el momento de marcharse de París. Corrieron a sus casas, hicieron sus maletas, las metieron en el Hispano-Suiza y emprendieron el viaje a Mougins, bien pasada la media noche. Pocos días después Marie-Thérèse y Maya se desplazaron también a Mougins. Las siguió Olga. Directamente en el caso de Marie-Thérèse, e indirectamente en el de Olga, les había hecho saber a dónde había ido, creando otra vez tanta tensión externa como era posible para reflejar y equilibrar su insoportable tensión interior.

Con Hitler preparando la completa sumisión de Checoslovaquia y Franco intentando la rendición de los republicanos españoles, aquel tiempo era un tiempo de crisis histórica. Pero la tensión política afectaba más a Picasso sólo cuando coincidía con su confusión personal, que fue lo que sucedió aquel verano. El paisaje que pintó desde su cuarto del hotel el 18 de agosto nada tenía que ver con el bucólico campo de Mougins; era un paisaje de tinieblas, destrucción y caos. Pero fue más reveladora la *Crucifixión* que dibujó el 21 de agosto, en la que la Virgen María aparece tragando ávidamente la sangre que mana del costado de su hijo, mientras María Magdalena agarra lujuriosamente las partes genitales del crucificado. La evidente misoginia de esta última *Crucifixión* refleja el comportamiento que siguió para con sus mujeres: anuladas y sufrientes en sus manos, las había invitado, excitado la rivalidad entre ellas, fomentado y saboreado su dependencia, y entonces se revolcó en su autocompasión. El otro aspecto de la personalidad de Picasso era su masoquismo, que le llamaba a inventar sus propios tormentos.

Sabartés, que había compartido tan profundamente la misoginia de Picasso, y sus memorias retratan un fantasmal mundo de sólo machos, alimentaba la autocompasión del pintor, especialmente cuando adoptaba el papel de víctima del principal instrumento del hostil destino que le perseguía, instrumento que eran las mujeres. El 3 de noviembre, muy poco después de su regreso a París, Picasso escribió a Sabartés: «Amigo Jaumet, ¿puedes venir esta tarde a la calle Grands-Augustins? Hazlo y verás cosas que te harán reír y llorar, y además te hablaré de otras cosas...».

Sabartés atendió la llamada aquella tarde, y desde entonces estaba allí todas las mañanas, generalmente antes de que Picasso se levantara. La excusa inicial de Picasso era que necesitaba que Sabartés le pasase a máquina algo que había escrito, y cuando Sabartés protestaba de que lo había hecho ya, Picasso contestaba con irrefutable lógica: «No importa. ¿Qué pierdes con hacerlo otra vez?» Estaban creando un comienzo nuevo con un material viejo. «Tenemos toda la vida por delante», decía Picasso con todavía más emoción, o al menos más convicción, que cuando Sabartés había regresado a París por primera vez para compartir su vida.

Un día, a finales de 1938, cuando Picasso visitaba a Gertrude Stein en la nueva casa de ésta, en la calle Christine, ella le contó qué horrible trastorno le había supuesto la pérdida de su pequeño perro poodle, *Basket*. Muchos de sus amigos le recomendaban que lo reemplazase por otro poodle blanco, pero Picasso le dijo que él había hecho eso en una ocasión y «Fue terrible: el nuevo me recordaba al anterior y cada vez que lo miraba era peor... Suponte que yo me muera. Saldrías a la calle y antes o después encontrarías un Pablo, pero no sería yo y pasaría lo mismo. No, no compres un perro de la misma raza, cómprate un perro afgano». Gertrude disintió de él, compró otro poodle blanco y le puso de nombre *Basket II*. "El rey ha muerto, viva el rey", proclamó Gertrude, y justificó las opiniones de Picasso atribuyéndolas a la incapacidad española de reconocer los parecidos y la continuidad.»

La mañana del 20 de diciembre, cuando Sabartés llegó al estudio, encontró a Picasso en la cama inmovilizado por un doloroso ataque de ciática. Cualquier movimiento era una tortura, y los masajes y las compresas que el médico le había recomendado, junto con un reposo de tres meses en la cama, no le habían producido ningún alivio. Mientras el río de visitantes discurría, Sabartés permanecía en su sitio. La charla era lo único que podía distraer los dolores de Picasso. Sabartés escuchaba mientras Picasso hablaba «de las cosas que uno planea pero no hace y de las que hace sin haberlas planeado». Hablaba de su trabajo y citaba refranes españoles: «Si sale con barba, San Antón, y si no, la Purísima Concepción». «Eso es lo que hay que hacer, y es bueno. ¿Por qué se usan disfraces y artificialidades en el arte? Lo que cuenta es lo espontáneo, lo impulsivo. Eso es la verdad verdadera. Porque lo que nos imponemos sobre nosotros no emana de nosotros... ¡Una guitarra! ¿Sabes que cuando pinté una guitarra por primera vez no había tenido nunca una en las manos? La gente piensa que las corridas de toros que pinto están copiadas del natural, pero se equivocan. Acostumbraba a pintarlas antes de tener dinero para comprar la entrada a ellas.»

El día de Navidad, su fiel amigo fue obsequiado con un retrato suyo, vestido como un noble del tiempo de Felipe II, con gorguera y todo. Era el retrato de un cortesano del siglo XX disfrazado de noble antiguo.

El dolor continuaba. «Por lo que a mí se refiere —se quejaba a Sabartés— no te preocupes. Nunca he estado completamente solo». La perspectiva de pasar varios meses acostado, según la recomendación del médico, le hizo seguir el consejo del marchante Pierre Loeb, a cuyo tío, el doctor Klotz, le permitió tratarlo cauterizándole el nervio, pero tan pronto el doctor enchufó sus aparatos se fundieron los plomos y la operación tuvo que posponerse hasta el día siguiente, si podía encontrarse un transformador apropiado. «Hemos ganado un día», le dijo a Sabartés cuando se quedaron solos. Un día más de ilusión de que la cura funcionaría.

Al día siguiente, mientras el doctor, ayudado por Marcel, conectaba su equipo, Picasso, con irritación creciente, se introdujo en uno de sus papeles favoritos: profetizar que sucedería lo peor que podía pasar. «Me curaré o no me curaré —gritó—, pero lo que es seguro es que esta noche quedaremos en tinieblas y tendremos suerte si la casa no se quema. ¿Por qué me metí en estos líos?» Afortunadamente sus profecías no se cumplieron, la casa no se quemó y los aparatos funcionaron. Fue como un milagro: Picasso saltó de la cama, hizo piruetas, primero con una pierna y después con las dos. Hizo una reverencia, como un artista de circo, y volvió a acostarse, murmurando: «Ahora que ya no me duele, puedo tener paz».

El nuevo año acababa de comenzar cuando Picasso recibió la noticia de la muerte de su madre, el 13 de enero de 1939, a los 83 años, seguida, poco más de dos semanas después, por la caída de Barcelona, el 26 de enero. La causa inmediata del fallecimiento de doña María fue una oclusión intestinal, pero no era dudoso que la guerra civil había cobrado un pesado tributo. De sus seis nietos, sólo dos se libraron de ir al frente: su nieta y el nieto más pequeño, que tenía 14 años cuando se murió su abuela. Ellos y su madre representaron a la familia en el entierro.

Picasso estaba en París. «Podía haber venido —dijo Jaime Vilató—, pero dado su temperamento, prefirió huir de este tipo de situaciones». Cuando se enteraba de que había muerto alguien a quien quería, prefería no volver a hablar de él. Se afligió, pero no se puso de luto, y su dolor se añadió al ya almacenado en su interior, y la muralla que rodeaba su corazón se hizó más espesa. Aquel mismo año, más tarde, escribió un poema sobre el «centro de un vacío infinito» que sintió que estaba arrastrándole hacia sus tenebrosas y oscuras profundidades. El águila, un símbolo para Picasso, «vomita sus alas... Vomita el bien en sí misma», como Picasso rechaza lo que es bueno y amable y compasivo hacia él. Su madre fue un refugio de amor sin condiciones y de aceptación, y aunque habían pasado años sin ir a verla, mientras ella vivía existía también la posibilidad de esa clase de amor. Cuando murió, murió con ella, y le había dejado oscilando entre la autoadulación y la autorrepugnancia, sin un punto de descanso. «Como un dios de irreverencia e inestabilidad —escribió el pintor André Lhote en marzo de aquel año—, Picasso ofrece cada día un símbolo fresco de descomposición universal.»

El 28 de marzo, Madrid se entregó y terminó la guerra civil. «Franco —escribió Paul Johnson en *Modern Times*— hizo la guerra sin pasión, y cuando oyó que había terminado, ni siquiera levantó la vista de su mesa de despacho». Medio millón de refugiados, soldados y civiles, hombres mujeres y niños, cruzaron la frontera para refugiarse en Francia y fueron amontonados por el Gobierno francés detrás de las alambradas, en campos de concentración, en los que fueron tratados como animales. Entre ellos estaban dos sobrinos de Picasso, Javier y Fin. Si alguien reclamaba alguno de los refugiados, las autoridades estaban encantadas de dejarlo salir. Por tanto, Picasso envió a Marcel al campo de Argelés, al sur de Francia, a reclamar a sus dos sobrinos. No había problema en sacarlos, pero sí en estar seguros de que los prisioneros oían el altavoz cuando gritaba sus nombres. La situación del campo era tan caótica, que la respuesta a los altavoces era el único medio de saber si alguien estaba o no allí. No había registros, y se hablaba de refugiados que habían sido llamados por altavoz, pero no se les había encontrado. Marcel volvió a París con Javier y Fin, que pasaron un año allí, hasta que regresaron a España.

Aproximadamente por aquel entonces, un joven republicano español, Mariano Miguel, entró en la vida de Picasso como una especie de secretario político, coordinando las peticiones de ayuda que llegaban a favor de los derrotados republicanos. Los cuáqueros enviaban a Picasso mucho dinero desde los Estados Unidos, y uno de los principales cometidos de Miguel era asegurar que ese dinero llegaba al hospital que había sido erigido en Toulouse para atender a los refugiados civiles. La participación de Picasso era un respetable mascarón de proa, un prestigioso fideicomisario para los donativos de los cuáqueros, un miembro del comité de acogida a los intelectuales españoles, un receptor de cartas. Pero si era necesaria una respuesta más personal, la mayor parte de las veces parecía desinteresado, incluso sin corazón, como si temiera quedar demasiado implicado en la miseria de los demás. Cuando la hija de Gargallo le pidió que ayudase a uno de sus antiguos amigos que se agotaba en un campo de refugiados, no consiguió ninguna clase de ayuda. Cuando una chica de 15 años le pidió ropa que él ya no usara, dejó a un lado la petición con una broma: «Está tan sucia —le dijo— que nadie la querría cuando me la quito.»

Lo único rutinario de Picasso durante los primeros meses de 1939 eran sus visitas diarias a Montmartre para trabajar en sus grabados en el taller de Lacouriére. Había decidido reunir sus poemas en un libro ilustrado con sus propios grabados, y Vollard y él tuvieron muchas entusiásticas reuniones para discutir la idea. Pero todo se interrumpió a comienzos de julio, cuando Picasso decidió tomar el Tren Azul para ir a Antibes, acompañado de Dora y seguido por carretera por Marcel con el Hispano-Suiza atestado de equipaje, lienzos y cuadros. Man Ray les había alquilado un apartamento en el Palais Albert I, y allí vivieron, al ritmo lento de los días de fiesta, que incluía tumbarse en la playa, dormir la siesta, bailes vespertinos en la orilla de la playa con Dora y cartas apasionadas a Marie-Thérèse. El 19 de julio le escribía:

Amor mío: acabo de recibir tu carta. Te he escrito varias que ya debes haber recibido. Te quiero más cada día. Lo eres todo para mí. Sacrificaré todo por ti, por nuestro amor eterno. Te quiero. Nunca podría olvidarte, mi amor, y si soy desdichado es porque no puedo pertenecerte como quisiera. Mi amor, mi amor, mi amor, deseo para ti que seas feliz y que pienses únicamente en ser feliz. Daría todo por eso. Estoy teniendo algunos problemas en Suiza, pero nada de eso es importante. Deja todas las lágrimas para mí si con ello puedo impedir que derrames una. Te quiero. Besos a María, nuestra hija, y a ti te abrazo miles y miles de veces.

Tuyo, Picasso.

El 22 de julio, la vida de vacaciones se hizo añicos por la súbita noticia de la muerte de Vollard. Su chófer, también llamado Marcel, había tenido un accidente a cuarenta kilómetros de París, en el que un pequeño bronce de Maillol que iba en la trasera del automóvil cayó contra el cuello del soñoliento Vollard, fracturando sus vértebras cervicales. Murió aquella misma noche en un hospital de Versalles.

La muerte de Vollard y los detalles que la rodearon impresionaron profundamente a Picasso. La coincidencia de que un comerciante en objetos de arte muriera víctima de uno de ellos; de que se tratase de una obra de Maillol, a quien Vollard quería y al que Picasso odiaba intensamente, y que los dos chóferes se llamasen Marcel, dio nuevo pábulo a sus temores de estar rodeado por fuerzas enemigas. Interpretaba automáticamente cualquier coincidencia o hecho inexplicable como señal de que el destino malévolo actuaba, y, en consecuencia, en lugar de maravillarse por ello, era presa del miedo. Juró no montar nunca más en el coche conducido por Marcel y regresó en tren a París para esperar el entierro de Vollard.

El entierro se celebró el 28 de julio, y a la tarde siguiente Picasso y Sabartés dejaron París hacia el sur de Francia, viajando toda la noche para llegar a tiempo a una corrida de toros en Fréjus. Picasso no había mantenido su solemne juramento y viajaba con Marcel en el Hispano. Como la desgracia de Vollard era tan reciente, su principal preocupación antes de salir fue la de descargarse de toda responsabilidad respecto al viaje traspasándola a Sabartés, como si quisiera informar a los dioses hostiles que el viaje era enteramente asunto de su amigo, de modo que si sucedía algo terrible, sería al instigador del viaje y no a él. «Desde luego, si no quieres hacer el viaje, nadie te va a obligar», dijo a Sabartés, haciendo con cada frase que el viaje pareciera cada vez menos idea suya. «Ya sabes que no me importa una cosa ni otra. Una corrida más o menos no importa, después de todo, especialmente la que vamos a ver... Poca cosa... Te lo advierto.» Sabartés resumió: «De ahora en adelante es como si yo tuviese la culpa de todas las molestias, como si yo me hubiera empeñado en hacer el viaje». Pero todo resultó bien, y después de la corrida se dirigieron a Antibes. Sabartés se alojó en un hotel y en los días siguientes fue obsequiado con un recorrido por la Riviera. Dora fue dejada atrás mientras los hombres visitaban Niza, Juan Les Pins y Montecarlo.

Hacía algún tiempo que se vivía en un ambiente de guerra, pero el 23 de agosto, al firmar Hitler un pacto de no agresión con Stalin, el conflicto se hizo inevitable. Hitler calificó la nueva alianza como «un pacto con Satanás para expulsar al diablo», pero en público abundaron los brindis y las celebraciones. En la fiesta celebrada en el Kremlin aquella noche sucedió lo que Paul Johnson describió como «el inesperado descubrimiento de una comunidad de propósitos, métodos, comportamientos y, sobre todo, de morales. Como asesinos profesionales medio borrachos, errando de un lado para otro en una habitación, enemigos hasta entonces y que tropiezan con sus rivales, que quizá vuelvan a serlo pero que ahora forman parte de la misma banda.»

En todo el mundo los países, los partidos y los individuos luchan para adaptarse al nuevo estado de cosas. Inglaterra, y más a regañadientes Francia, movilizan sus ejércitos. Todos los partidos comunistas abandonan su hostilidad contra los nazis y preconizan la paz con Alemania a toda costa. Los turistas huyen, y en 48 horas la Costa Azul queda desierta y Antibes rebosa de soldados. En los cafés, algunos pequeños grupos están pegados a la radio. Los amigos de Picasso, uno a uno, desaparecen, pero él retrasa hacerlo, esperando que algo, que no sabe lo que es, vuelva las cosas a la normalidad. El portero del edificio en el que se aloja es movilizado, lo que acerca la inminencia de la guerra lo bastante cerca de Picasso para que éste se dé cuenta de la realidad, y al día siguiente, con Dora, Sabartés y *Kazbek*, toma el expreso de la mañana para París, mientras Marcel enrolla los cuadros y le sigue en coche por carretera.

París no era confortable. Muchos de sus amigos, incluso Eluard, se habían incorporado a sus regimientos, y los que se habían quedado no hablaban de otra cosa que de guerra ya inminente. Picasso estaba asustado y, por si fuera poco, no sabía qué hacer, y además estaba enfadado: «Si hacen la guerra para molestarme, lo están llevando demasiado lejos, ¿no te parece? —le dijo a Sabartés nada más llegar a París—. Pero, honradamente, ¿no te parece que es mala suerte? Primero Vollard, y precisamente cuando yo estaba comenzando a hacer algo. Juraría que ahora tengo miedo de trabajar. Por eso no puedo tomar completamente en serio ninguna cosa. Ya ves lo que estoy haciendo: nada, y desde luego me doy cuenta de ello, pero me parece que estoy entrando en calor; estoy empezando a ver clara alguna cosa, y ahora eso. Pero no pienso que sea la primera vez, porque cada año es la misma historia, igual que el año pasado, siempre la misma. Será buena suerte que se detenga aquí». Creía de veras que las fuerzas enemigas conspiraban, a través de la muerte de Vollard y la inminente declaración de guerra y cada año mediante los trastornos que creaban, para interrumpir el curso de sus tareas.

«Era un hombre preocupado, que parecía sin esperanzas, y no sabía qué hacer», según confesó a Brassaï por aquel entonces. Buscaba ansiosamente un medio que le permitiese al menos resistir a su enemigo el destino, del mismo modo que más tarde exhortó a Malraux a no tentar a la suerte enrolándose en la Resistencia francesa después de la ocupación del país. Encargó docenas y más docenas de cajones y comenzó a meter en ellos sus cuadros de la calle de La Béotie y de Grands-Augustins. Brassaï dijo de la tarea: «Tan complicada como la del desmantelamiento del Louvre». Resultó tan pesada que el primero de septiembre la abandonó para sustituirla por un rápido éxodo de París. Se marchó a Royan, acompañado de Dora, *Kazbek,* Sabartés y la mujer de éste. Al mismo tiempo, en vez de hacerse seguir por Marie-Thérèse, había elegido el lugar donde pasaría el verano con Maya, entonces de cuatro años de edad; se alojó en el hotel Du Tigre con Dora, a quien dijo que había alquilado otra habitación en la villa Gerbier, de Joncs, para trabajar allí, aunque no la necesitaba entonces porque había instalado ya allí a Marie-Thérèse y la niña.

Al día siguiente de llegar a Royan se declaró la guerra. A sus terrores hacia ella se añadió otro: él no tenía el permiso especial que necesitaba, al ser extranjero, para permanecer en Royan sin ser molestado por las autoridades, y por eso, con Sabartés a remolque, regresó a París para comprar lienzos pensando quedarse allí todo un día, pero pasó dos semanas en la capital, dedicando su tiempo a sus fantasmas familiares y coleccionando pequeñas noticias y muchos rumores.

Mientras Francia se movilizaba para la guerra, Picasso se cuidaba de los muchos detalles relativos a su formidable éxito, sus numerosas exposiciones en todo el mundo y especialmente la gran retrospectiva de 40 años de su arte que se iba a inaugurar en Nueva York, en el Museo de Arte Moderno, en el mes de noviembre. Como parte de la correspondiente publicidad, pasó un día posando en el estudio de la calle Grands-Augustins, en Lipp's y en el Café de Flore para Brassaï, que le fotografió para la revista *Life*. El había dominado ya el juego de la publicidad antes de que el público se enterase de que ese juego existía, y en muchos casos había ayudado a crearlo y definirlo. Siempre había sabido que existía una relación entre el dinero que ganaba un pintor y la leyenda creada en su entorno, y el dinero, para Picasso, no era un instrumento de cambio, sino el único barómetro inequívoco de su éxito.

Al declararse la guerra, la Embajada de los Estados Unidos invitó a Matisse y Picasso a trasladarse a los Estados Unidos, pero ambos rehusaron la invitación. Por lo que se refiere a Picasso, una ruptura drástica con su modo de vivir, sus mujeres, sus casas y sus costumbres era impensable. Si acaso, la guerra había exagerado su miedo a cortar cualquier atadura, por muy duras que fuesen las contorsiones a que se sometía él mismo y hacía someterse a los demás para mantener el equilibrio inestable de su vida. Había comenzado a visitar regularmente a Olga con la excusa de deliberar sobre Paul, que estaba todavía en Suiza, pero su conducta con ella —como darle personalmente dinero en pequeñas cantidades en lugar de llegar a un arreglo con la intervención de los abogados— revelaba que no estaba dispuesto todavía a cortar el hilo que aún les unía.

De vuelta a Royan, el vaivén entre Dora y Marie-Thérèse continuó, mientras Sabartés lo contemplaba manteniendo una estoica indiferencia. Siempre con *Kazbek*, acompañaba a Picasso todas las veces que éste necesitaba compañía, pero nunca cuando no se requería su presencia, en cuyo caso se retiraba de la escena. Iba siempre con Picasso en las expediciones por la orilla de la bahía, que culminaban en sus visitas rituales a una trapería, que Sabartés describía como «cementerio de souvenirs domésticos», donde Picasso se perdía, absorto en cualquier cosa que encontrase (una lámpara de petróleo rota, la parrilla de una cocina económica, un rabo de conejo o una jaula de loro retorcida y estropeada). «No puedes imaginarte —decía a Sabartés— cuánto me gusta venir aquí. Si pudiera, me lo llevaría todo o me quedaría a vivir aquí.»

A menudo se encerraba en su habitación después del almuerzo y trabajaba hasta el anochecer. Un día salieron a la calle después de haber terminado un cuadro representando una niña, y la primera persona que encontraron fue otra niña exactamente igual a la del cuadro. Picasso quedó aterrado. Una vez más, algo que parecía normal era considerado resultado de la actividad maligna. Tan tremendo era su miedo a situarse en el lado equivocado de las todopoderosas fuerzas del mal, que un día en Royan ni siquiera se atrevió a llamar a la puerta de la casa que quería alquilar (una llamada a la puerta era, según creía, un método seguro para tentar a la mala suerte). Menos mal que en la esquina de la calle había una inmobiliaria en la que se podía entrar sin llamar a la puerta. A mediados de enero de 1940, poco después de este episodio, recibió las llaves del tercer piso de Les Voiliers, la soleada villa que siempre había admirado desde el banco en el que descansaba en sus paseos. Era territorio neutral, lejos de Dora y el hotel Du Tigre y de Marie Thérèse y la villa Gerbier de Joncs.

Andrée Rolland, la propietaria, que vivía con su madre en el segundo piso de Les Voiliers, estaba muy impresionada por su inquilino, especialmente porque ella pintaba algunas veces. Vigilaba sus idas y venidas, que eran escasas. «Nunca vi subir a nadie al estudio del señor Picasso —dijo— salvo el indispensable señor Sabartés.» Era territorio prohibido para Marie-Thérèse y Dora. En una ocasión, Marie-Thérèse pasaba por allí, encontró abierta la puerta de la calle y se atrevió a cruzar el umbral de la villa. Andrée Rolland oyó el ruido y salió a ver quién era. Encontró a Marie-Thérèse mirando, con expresión acongojada, una paleta que estaba en la habitación de la entrada. «¿Sabe usted —le preguntó— quién puso esta paleta aquí?». Cuando la casera le contestó que no lo sabía, Marie-Thérèse se atrevió a insistir: «¿No ha visto subir a nadie?». «A nadie», replicó la propietaria, y tranquilizada a medias, Marie-Thérèse siguió su camino. Poco después Dora fue a recoger la paleta que había dejado en el vestíbulo mientras hacía algunas compras, pero, obedeciendo la orden dada por el maestro, no se aventuró a pasar al interior, como tampoco lo hizo Marie-Thérése, cuyo temor, al ver la paleta de Dora, era que Picasso no hubiera aplicado equitativamente sus órdenes, que hubiese hecho a Dora su favorita y que en consecuencia le hubiese concedido privilegios que le negaba a ella.

El situó a las dos mujeres en sitios diferentes, pero no pudo resistir a su impulso de hacer todo lo posible para hacerlas enemigas entre sí. Es precisamente lo que hizo cuando insistió en que Marie-Thérèse se hiciera amiga de Jacqueline Breton, esposa de André Breton, que estaba viviendo en Royan mientras su marido estaba destinado en Poitiers, y cuya más íntima amistad en la pequeña ciudad era Dora. Picasso, sabiendo de sobra lo que le molestaría esta amistad a Dora, reunió a Marie-Thérèse y Jacqueline, lo que resultó ser interesante desde el punto de vista estético, ya que las dos se parecían mucho, tanto que a veces las confundían. Maya y

Aube, la hija de Jacqueline, se hicieron amigas. Dora se sintió traicionada por Jacqueline, y una vez más Picasso se alegró de haber perturbado su harén.

Cada vez que deseaba apartarse de los líos que había promovido, se retiraba al tercer piso de Les Voiliers. De hecho, dejar a sus mujeres acorraladas parecía ser el propósito principal al alquilar un estudio en Royan. Pintó muy pocos cuadros, encontrando dificultades en acomodarse al brillo de la luz y la belleza de las vistas. «Esto sería ideal para cualquiera que se creyese pintor —decía a Sabartés—, un magnífico espectáculo para el que quiera ser seducido... He pasado la tarde mirando el faro delante de mí y las idas y venidas del transbordador. No llegaré muy lejos si continúo así». La serenidad del paisaje acrecentó su intranquilidad, y a comienzos de febrero, el ajetreo entre Royan y París recomenzó: la mayor parte de febrero, en París; vuelta a Royan en marzo, durante dos semanas; regreso a París y vuelta a Royan a mediados de mayo. En este caso, Dora disfrutaba de privilegios especiales, viajando con él, mientras Marie-Thérèse se quedaba en Royan.

La *Blitzkrieg* desencadenada por los alemanes ha conquistado Holanda y Bélgica y ha invadido Francia, atravesando la «inexpugnable» Línea Maginot. Ahora los alemanes amenazan París y está claro que quedarse en la capital es correr serios peligros. El día 16 de mayo, cuando Picasso decidió tomar el tren para irse a Royan, encontró a Matisse en la calle. «¿A dónde vas así?», le preguntó. «A mi sastre», respondió Matisse. «¡Cómo! ¿pero no sabes que el frente se ha derrumbado, que el ejército está dispersado, que es la derrota, que los alemanes están cerca de Soissons, que a lo mejor estarán mañana en París?», le preguntó. «Pero aun así —contestó Matisse sin inmutarse— ¿qué pasa con nuestros generales? ¿Qué es lo que hacen?» La respuesta de Picasso resumió el desprecio de los dos pintores hacia las normas tradicionales de su arte: «Nuestros generales son los profesores de la Escuela de Bellas Artes.»

A su regreso a Royan recibió la noticia, transmitida por su jardinero, de que los alemanes habían requisado su casa de Tremblay-sur-Mauldre. Ansiaba tener más noticias, aterrado por la suerte que correrían sus cuadros y sus esculturas. Tan pronto como el jardinero le telefoneó para decirle que los alemanes habían salido para hacer maniobras se fue con Marie-Thérèse a Tremblay. Encontraron los muebles más voluminosos amontonados en el patio para ser utilizados en la cantina de los soldados, y las sábanas, los vestidos de seda, las camisas y las ropas de niño utilizados como trapos de limpieza. Pero el propósito de aquel primer viaje era el de salvar los cuadros y las esculturas. Desde entonces cada vez que los alemanes salían de maniobras volvían para robar a los ladrones más cosas. Maya recordaba la estúpida destrucción de Le Tremblay. Su padre se indignó especialmente porque los alemanes habían usado como vela para alumbrarse una escultura medieval de Cristo hecha en cera.

La guerra aparecía en sus cuadros. No aquella guerra, ni ninguna otra en particular, sino las tinieblas y la cólera y el odio que provocan las guerras. En junio, el ejército alemán entró en Royan y Picasso pintó una de sus más brutales y vengativas imágenes de las mujeres: Dora en *Desnudo peinándose*. La brutalidad no era menos frecuente en su vida. El solía golpear a Dora, y muchas veces se marchaba dejándola inconsciente, caída en el piso. La transformación de la princesa en sapo y de la sensualidad en horror era completa, y en los retratos en que Dora aparecía con cara de perro completaba la transformación de la mujer en un animal servil. Según Mary Gedo, Dora, como *Kazbek*, «acudían cada vez que Picasso les silbaba». Más de las dos terceras partes de su trabajo durante el período 1939-1940 consistieron en mujeres deformadas, con caras y cuerpos atormentados furiosamente. Su odio a una mujer en particular se había hecho un odio profundo y universal contra todas las mujeres.

La guerra continuaba cambiando el panorama de su vida. El 12 de junio, Kahnweiler salió precipitadamente de París, uniéndose a los grupos de judíos que huían hacia el exilio. Francia había caído, y el 22 de junio se firmó un armisticio, una de cuyas estipulaciones fue la división del país en dos zonas: una, que incluía París, ocupada por el ejército alemán, y otra, la de Vichy, gobernada por el mariscal Pétain, de quien se decía que era autor de la frase «El sexo y la comida son las únicas cosas importantes.»

En Royan, el 23 de agosto, la señorita Rolland vio cómo Marcel amontonaba cuadros en el Hispano y Picasso montaba en el coche, seguido por Sabartés y *Kazbek*. «Lanzó una triste mirada a Les Voiliers —recordaba—. Nunca volvería a ver la villa, que fue pulverizada en el bombardeo del 5 de enero de 1945». Dora regresó a París en tren; Marie-Thérèse y Maya quedaron atrás. Andrée Rolland se encontró alguna vez a Marie-Thérèse cuando ambas estaban esperando en una de las largas colas que las escaseces del tiempo de guerra habían hecho aparecer.

«Estoy aquí por causa de mi niña.» Marie-Thérèse sentía la necesidad de explicar, y entonces preguntaba si Picasso se había acordado de pagar el alquiler. «¡Es capaz de haberlo olvidado! Si lo olvidó, dígamelo.» Quería que la ayudaran, pero era tristemente obvio que, como la señorita Rolland opinó, «ella quería dejar claro que se mantenía en íntimas relaciones, no sólo en términos de amistad, con el padre de su hija».

De regreso en el París ocupado, Picasso continuó ocupando sus dos pisos, hasta que resultó evidente que no podía mantener el suministro a ambos de gasóleo comprado en el mercado negro, y entonces decidió quedarse solamente con el de la calle de Grands-Augustins. Tenía una monstruosa estufa flamenca instalada porque estaba enamorado de sus curvas y su línea, pero consumía demasiado gasóleo, daba muy poco calor y hacía tanto ruido que finalmente tuvo que deshacerse de ella y reemplazarla con una cocina económica. Hacía la mayor parte de sus comidas en Le Catalan, un restaurante de mercado negro de la calle de Grands-Augustins, dirigido por un bien alimentado marsellés que hablaba catalán. Dora, cerca de la esquina, en la calle de Sévres, esperaba siempre para subir al estudio o encontrarle en la calle para almorzar en Le Catalan. Cada vez que Picasso levantaba el auricular del teléfono para llamar a Dora, *Kazbek* se levantaba y se dirigía a la puerta de la calle. «Sabe cuándo telefoneo a Dora —comentaba Picasso, asombrado—. Dios sabe cómo. Es bastante fácil comprender que su estómago le diga que es la hora de almorzar, pero yo muchas veces telefoneo a otras personas y no rechista. ¿Cómo puede explicarse que huela a Dora en el otro extremo del teléfono?» Muchas tardes Picasso, Dora y *Kazbek* iban al Flore, donde se reunía con ellos Eluard, ya en París después de su desmovilización.

En el otoño, el Gobierno alemán decidió inventariar todas las cámaras acorazadas de los bancos. Picasso fue citado por el Banco Nacional de Comercio e Industria, en el Boulevard Haussman, donde tenía dos cajas próximas a la de Matisse y que contenían Cezannes, Renoirs, Matisses y, naturalmente, Picassos. Con un cuadro de Picasso en la mano, el jefe de los nazis presentes se dirigió a él, asombrado: «¿Es usted quien ha pintado esto? ¿Y por qué pinta así?» Picasso contestó que no lo sabía y que había pintado aquel cuadro porque le divertía. Una ráfaga de comprensión hizo decir al alemán: «¡Ah!, es una fantasía.» Y contento por haber al fin comprendido, firmó todos los papeles requeridos, colocó de nuevo las «fantasías» en su lugar y cerró las cajas.

Cuando más tarde los investigadores llegaron al apartamento de Picasso, se quedaron sorprendidos ante una fotografía del *Guernica* que estaba sobre la mesa. «¿Hizo usted eso?», le preguntó uno de los oficiales. «No —replicó Picasso—. Fueron ustedes.» Al día siguiente, sentado en el Flore, lo contó a un auditorio muy impresionable, entre el que estaba Simone Signoret. «Es increíble —escribió Simone en sus memorias— oír eso de la boca del "charlatán" un día después de haber sucedido el caso. Y para rugir de risa, porque es él quien lo cuenta y no algo que se lea más adelante, solemnemente expresado, en un libro sobre la ocupación.» ¿Contó esto un día después de haber dicho esa frase o el día después de haberla inventado? Sea cual fuera la verdad, la historia fue mejorando en boca de quienes la divulgaron, hasta decir que el interlocutor de Picasso no fue un oficial nazi cualquiera, sino el mismísimo Otto Abetz, el embajador alemán en persona.

Marie-Thérèse y Maya retornaron a París antes del fin de año. Como los alemanes ocupaban su casa de Le Tremblay-sur-Mauldre, Marie-Thérèse buscaba ansiosamente un piso. Encontró uno a un tiro de piedra de la calle Grands-Augustins, y otro en el Boulevard Henri IV. Picasso fue categórico: «Alquila el del Boulevard Henri IV», dijo, y naturalmente Marie-Thérèse le obedeció. El continuó poniendo a prueba los límites de su incuestionable obediencia, e incluso creando situaciones en las que parecía rebasar esos límites. Cuando regresó a París, Picasso le dio la llave de una maleta llena de dinero y le ordenó que no la usara para abrirla. Marie-Thérèse contó a la historiadora del arte Lydia Gasman cómo «al descubrir que le había desobedecido, Picasso reencarnó a Barba Azul y la acusó de graves pecados». Incluso las faltas insignificantes eran gravísimas si las cometía uno de sus íntimos. El se consideraba más allá de lo prosaico, de la realidad de todos los días, y les había proporcionado el sabor de lo extraordinario; y si el precio de ello entrañaba el dolor, así sea, y si suponía la obediencia ciega, que no pregunta el porqué, así sea también.

Junto con una realidad llevada a su punto culminante, Picasso ofrecía a Marie-Thérèse una rutina de una regularidad casi total. Las visitaba, a Maya y a ella, la mayor parte de los jueves y los domingos, y ella vivía para esas visitas hasta que llegaron a suponerle la vida entera. Los otros cinco días ella se quedaba en una habitación de la casa que había alquilado y decía a Maya que su padre estaba trabajando y que no debía molestarle. «Somos felices; eso es lo único que cuenta.» Marie-Thérèse decía años más tarde: «Yo sabía que nada iba a ir mejor, pero por lo menos, y pese al mundo entero o a cualquiera, aquí estamos las dos, y solamente las dos. Ni siquiera los niños, ni siquiera Maya.» En la fantasía que había creado para sostener su vida ni siquiera había una habitación para su propia hija, sino solamente para ella y su amado.

Intentaba desesperadamente rechazar la realidad de que si no hubiera sido por la existencia de Maya, él habría estado menos presente todavía en su vida. De hecho, en sus visitas pasaba la mayor parte del tiempo dibujando a Maya o escenas de circo o entreteniéndola, no atendiendo a Marie-Thérèse.

Marie-Thérèse sólo visitaba a Picasso en su casa de la calle Grands-Augustins cuando él la invitaba. En una de esas visitas, él le enseñó un armario donde guardaba montones de lingotes de oro mezclados con barras de jabón de Marsella. «Si algo me sucede —le dijo— todo eso será tuyo.» Marie-Thérèse, que desde la ocupación sólo podía usar sustitutivos de jabón, le imploró: «Preferiría tener el jabón ahora mismo.» Ignorando su petición, Picasso cerró la puerta del armario, y Marie-Thérèse tuvo que contentarse con las promesas y las declaraciones. «Tú me salvaste la vida», le decía una y otra vez, e insistía en que le escribiera todos los días, «porque sin tus cartas me pongo enfermo». El le contestaba con cartas llenas de flores, palomas y frases ardientes como «Tú eres la mejor de las mujeres» y «solamente te quiero a ti».

Esas frases no eran las de un enamorado que se entrega a la naturaleza infantil de la intimidad y la pasión, sino las de un manipulador de mucha categoría, cada vez más viejo y más experto en sus manipulaciones. Dentro de muy pocos meses cumpliría los sesenta años, y en enero de 1941 dibujó un autorretrato, a vista de pájaro, en el que un viejo calvo y con gafas está escribiendo. Era una obra teatral que ese mismo día había comenzado a escribir y que visiblemente destinaba al Teatro de lo Absurdo y al ritualista Teatro de la Crueldad.

Le llamó *Deseo cogido por el rabo,* y lo terminó en tres días. La prueba de que el personaje Pie Grande es el que más se le parece es que varios de los restantes personajes están enamorados de él: El Agrio, La Ansiedad Delgada, e incluso La Ansiedad Gorda. Todos los personajes, e incluso los que no están enamorados de Pie Grande, comparten la amargura y el cinismo del autor, encapsulados en las palabras de Acido: «Sabes, encontré al Amor. Tiene las rodillas arañadas y mendiga de puerta en puerta, no ha tenido un hijo y busca un trabajo de conductor de autobús suburbano. Es triste, pero ayúdale... Se volverá contra ti y te picará.» Todos los actos terminan en desastre y el último culmina en una bola de oro que abre violentamente la ventana y ciega a todos los personajes. Pie Grande declama las palabras finales: «Enciende todas las luces, lanza vuelos de palomas con toda nuestra fuerza contra las balas y cierra firmemente las casas demolidas por las bombas».

No hay compasión ni esperanza en la pieza teatral, y lo mismo sucede con todas sus obras de aquellos tiempos. La vida está condenada, y por motivos mucho más profundos que las circustancias en que se encontraba, mucho más profundos y más decisivos que la guerra y el terrible primer invierno de la ocupación alemana. Cuando los alemanes le ofrecieron un suministro especial de carbón, se supone que Picasso contestó: «Un español nunca tiene frío.» De hecho, él estaba helado por dentro. «El sol en el vientre, con sus mil rayos», como él había dicho, parecía haber sido eclipsado y sus mil rayos se habían convertido en agujas de hielo. Y la helada malevolencia del corazón de su prodigiosa capacidad creativa estaba en las agobiantes figuras de la infinitamente torturada Olga, en sus deprimentes bodegones, y estaba especialmente en la *Cabeza de muerto.* Esa escultura no era un *memento mori*, ni un grito angustiado contra las devastaciones de la guerra y la vanidad de las empresas humanas, sino un tótem mágico concebido para conquistar la muerte, pero no trascendiéndola, sino desafiándola y oponiendo contra ella el poder de decirlo así, de hacerlo así y la voluntad de su creador. Como siempre, se preocupaba por sí mismo y por su muerte. En una ocasión en que estalló en la cocina una olla a presión, que Picasso creyó que era una bomba, «se escondió bajo una mesa, olvidando el espanto de Marie-Thérèse y que ella y su hija estaban en la misma habitación y esperaban que Picasso las protegiera».

En el transcurso de 1942, la resistencia francesa fue ganando fuerza. El ataque de Hitler a Rusia en el verano de 1941 había determinado un cambio en las devociones de los comunistas franceses, que comenzaron a nutrir las filas de la Resistencia. Eluard dejó a un lado sus anteriores objeciones contra la interferencia del partido comunista en la creación artística y la libertad individual y se echó con toda su pasión en los brazos del partido y en los rigores de la Resistencia. Como muchos otros intelectuales del círculo de Picasso, parecía no preocuparse de alinearse, en nombre de la libertad de su país, con el régimen despiadado y tiránico de Stalin.

Picasso pareció dedicar más tiempo a su casa y cada vez menos a los cafés. Las patrullas nazis, el toque de queda, las amarillas estrellas de David de los judíos, la esvástica ondeando sobre todos los edificios oficiales, los amigos que faltaban, todas las señales de la ocupación le habían robado gradualmente sus excursiones por el barrio de Saint-Germain y la mayor parte de sus placeres. Pero había algo más que le retenía en su casa. Ahora era un hogar más auténtico que anteriormente gracias a la llegada de Inés, que había pasado el comienzo de la guerra en Mougins y se había casado con un joven llamado Gustavo Sassier. Picasso los había instalado a los dos en un pequeño apartamento debajo del suyo en la calle Grands-Augustins. Desde entonces nunca dejó de estar presente en la vida de Picasso. Era guapa, era lista y aceptaba totalmente sus explosiones, sus mujeres, sus mentiras, su desorden, su horario disparatado. Y era lo suficientemente inteligente para opinar sobre una obra y mantener conversaciones que no le aburriesen con una total conformidad. Ella cocinaba también y cuidaba la casa, aunque cuidando de no tocar sus montones de cosas ni quitar su adorado polvo.

Sus trajes se hicieron agresivamente bohemios: pantalones de saco, bolsillos con agujeros sujetos con imperdibles, reloj oscilante sujeto al ojal de la solapa por un cordón de zapato, una boina para su ya completamente calva cabeza. Era en gran parte un disfraz, como lo fueron sus sombreros de copa y las rojas fajas de etiqueta de su período en el *beau monde,* excepto que ahora en lugar de disfrazarse de dandy se disfrazaba de hombre del pueblo.

Raras veces salía antes de la noche y pasaba el día recibiendo a su corte. Los cortesanos variaban, pero el ritual seguía siendo el mismo. Todos esperaban en la antecámara a que Sabartés los anunciara, a veces después de hora, los recibiera o no Picasso. Controlar el acceso a Picasso era el único modo de controlar a Picasso por parte de Sabartés, aunque la mayor parte del tiempo la pasaba cumplimentando órdenes. Como cualquier cortesano en jefe digno de ese nombre, era muy rápido en detectar la deslealtad, o inventarla, y prestaba particular atención a cualquier comentario que sonase a escasa adulación a la obra de Picasso.

Picasso sabía muy bien que no todas las obras de Picasso eran grandes Picassos, y eso confirmaba el desprecio que le inspiraba mucha gente a la que oía desvariar respecto a cualquier cosa que veía. «Desdeñaba a la gente de la calle que aceptaba todo lo suyo», recordaba el marchante Pierre Nerés. «Si hubiese hecho sus necesidades en el piso, ellos le habrían admirado.» A veces miraba algunas pinturas suyas que eran malas, y se reía. «¡Ja! ¡Ja! ¡Expongo eso y ellos lo admiran y son tan felices!»

Podía despreciar a esos adoradores sin sentido crítico, pero los buscaba. La única cosa que le habría afectado más que el largo río de sus visitantes sería su ausencia, especialmente si sabía que en lugar de visitarle a él visitaban a Braque, y Sabartés sabía que siempre lo averiguaba. Sabartés era un maestro en pinchar la paranoia de Picasso y su conspiratoria opinión sobre la vida y en predecirle desdichas y robustecer su profundamente arraigada convicción de que todo era una catástrofe a la vuelta de la esquina. Picasso lo sabía, pero, aun sabiéndolo, no hacía nada para evitar caer en la trampa. «Si me escupes —regañó a Sabartés— es que llueve.»

El 27 de marzo de 1942 murió Julio González, que había guiado a Picasso en sus primeros pasos en la escultura. Picasso estaba dominado por un sentimiento de culpa y de malos agüeros, como le había sucedido tras el suicidio de Casagemas.

«Soy yo quien le ha matado», manifestó al escultor catalán Fenosa pocos días después del entierro de González. ¿Cómo lo había matado? ¿Tachándole de la lista de amigos íntimos que repasaba cada mañana con el intento de protegerles de la muerte? ¿Abrigando deseos de muerte contra él? ¿Por una sobrevaloración de su capacidad para influir en la realidad? (Fenosa le había oído casualmente, doce años antes, decirse a sí mismo: «Yo soy Dios, yo soy Dios»...) ¿O quizá, sencillamente, utilizándole para sus propósitos y, al hacerlo, drenando su vida? Fuera cual fuese la razón de su abrumadora culpa, Picasso intentó exorcizarla mediante siete cuadros sobre la muerte de González. Era su primitiva y mágica superstición la que le llevó a creer que había matado a González, y fue mediante el elemento mágico que existía en su obra como tenía la esperanza de poder expiar su culpa.

«No pinté la guerra —dijo Picasso en una ocasión— porque yo no soy uno de esos artistas que buscan un tema como si fueran fotógrafos.» Pero sin duda la guerra está en los cuadros que pintó entonces. Era, en cualquier caso, su guerra particular, su combate personal contra el universo y las fuerzas hostiles que él creía lo gobernaban y siguió creyéndolo después de que la guerra terminó. En mayo de 1942 descargó su hostilidad pintando un lienzo de casi dos metros de altura y tres de ancho. Una desesperada mujer desnuda está tendida, sus manos alzadas tras el cuello, en el gesto ritual de sumisión, su cara torturada, sus piernas atadas por incisibles ligaduras. Otra mujer está sentada frente a ella, sosteniendo una mandolina sin tocarla. Es *L'Aubade,* o *Desnudo con una música*, que fue descrita como "Una horrorosa y mareante reinterpretación de la *Odalisca con esclava* de Ingres", o también como el descubrimiento por Picasso de "nuevos testimonios plásticos con los que el pintor expresa su violencia". "El espectador —escribió Mary Gedo—, como Alicia en la corte del Rey de Corazones, se convierte involuntariamente en partícipe de un mundo cruel y confusionista.»

Más que entender el mundo de Picasso, o sencillamente más

que aprender a vivir en él, Eluard recibió en su casa la visita de Raymond Trillat, un grafólogo cuyos servicios utilizaba el Hospital Necker en la educación de niños retrasados mentales. Eluard le presentó una carta de Picasso sin, desde luego, descubrir la identidad del que la había escrito. «El utiliza árboles, no brazos —dijo Trillat—. Defiende su pobre personalidad, que está en colisión con las de otros, que está penetrada por otros. No quiere ser arruinado por los demás. Ama intensamente y mata al que ama... Es triste y busca una huida para su tristeza a través de la creación pura. Temperamento sanguíneo, bilioso. Nervios sujetos a grandes explosiones seguidas de apatía.» Eluard, que con cara inexpresiva había ido anotando lo que decía el grafólogo, quedó pasmado. «Para los que conocemos a Picasso es un análisis impresionante.»

«Después de todo, nunca se puede trabajar si no es contra algo —había dicho Picasso a Malraux tres años antes—, incluso contra ti mismo. Eso es muy importante... Cuando trabajo con *Kazbek* pinto cuadros que muerden. Violencia, platillos que resuenan, explosiones... Un buen cuadro, ¡cualquier cuadro!, debe estar erizado de hojas de afeitar.» En la misma conversación, él insistió en que un pintor «debe crear lo que experimenta».

Usaba hojas de afeitar en su vida en forma tan creativa como las usaba en su arte. Siempre pedía a Dora que le telefonease a casa de Marie-Thérèse durante sus visitas semanales porque sabía que eran sagradas para ella. Y Marie-Thérèse nunca dejaba de trastornarse. «¿Quién es?,» preguntaba, para retrasar durante unos segundos la dolorosa confirmación de lo que ella ya sabía. «El emperador de la Argentina», contestaba Picasso muy satisfecho de sí mismo. Y se divertía enviando a Marie-Thérèse un traje idéntico al que había elegido Dora en su modista. En una ocasión envió a Marie-Thérèse el vestido de Dora. Marie-Thérèse, que había soportado peores indignidades impávidamente, se indignó ante esta última. Telefoneó a casa de Picasso, y cuando Inés le dijo que no estaba, corrió a la calle de Savoie para descargar su cólera sobre Dora. Esta la rechazó, mientras Picasso, escondido en la habitación de al lado, lo oía todo y, como recordaba más tarde, se deleitaba con el alboroto que había organizado.

A última hora del día, Marie-Thérése fue a casa de Picasso. Su ira se había convertido en valentía antes de llegar a la casa a la que no se le había invitado, y entonces decidió preguntar por lo que ella más deseaba: unirse con más seguridad y más permanentemente a Picasso. «Hace ya mucho tiempo que prometiste casarte conmigo —dijo—. Tú pensabas en el divorcio.» Era un giro imprevisto, pero solamente hacía un poco más divertidos para Picasso los acontecimientos de aquel día. Hombres menos brillantes en las triquiñuelas se habrían reído en su cara por lo que la mujer decía, pero Picasso, con una dialéctica sutil, le contestó: «Ya sabes, a mi edad es un poco ridículo, y además, por si fuera poco, estamos en medio de una guerra que complica las cosas».

Minutos después, como si la cosa estuviera preparada, se abrió la puerta y entró Dora. Ignorando a su rival se volvió hacia su amante como una niña dolida y perpleja: «Pero, después de todo, ¡tú me quieres!, ¡tú me quieres!», gritó.

Pero el demonio dormido en el interior de Picasso despertó. A la vista de la total vulnerabilidad de Dora se fue hacia Marie-Thérèse y, enlazándola por el cuello cariñosamente, se volvió hacia Dora asestando su solemne *coup de grâce:* «Dora Maar, tú sabes de sobra que a la única que yo quiero es a Marie-Thérèse Walter. Ella está aquí. Es ella». La transformación en felpudo de la intelectual sacerdotisa del surrealismo se había consumado.

Marie-Thérèse, fortalecida por la inesperada declaración, decidió consolidar su situación ordenando a Dora que los dejase. Perdido todo vestigio de dignidad y de respeto a sí misma, Dora se negó a irse y, mientras Picasso contemplaba la escena, Marie-Thérèse insistió en su orden y Dora se negó otra vez. Marie Thérèse la cogió por los hombros y le dio una sacudida. Dora la abofeteó, lo que enardeció a Marie-Thérèse que apelando a todas sus fuerzas la empujó fuera del piso.

Desde luego era una victoria pírrica. Tan pronto como Dora desapareció de la vista, Picasso destruyó las ilusiones que Marie-Thérèse se había hecho de haber ganado terreno. «Conoces perfectamente los límites de mi amor», le dijo. Marie-Thérèse recapituló posteriormente: «Me dio cinco kilos de carbón y volví a mi casa. Eso fue todo». Marie-Thérèse tomó el metro llevando su saco de carbón que, como una mendiga, iba a buscar todos los días a la calle Grands-Augustins, y Picasso telefoneó a Dora. Aquietado, su demonio dormitaba otra vez. Hasta la próxima que despertase.

Cuando convenía a su humor o sus propósitos podía ser endemoniadamente encantador. El 10 de abril de 1942 escribió a la señorita Rolland, en Royan.

Querida señorita Rolland:

Si usted sigue siendo tan amable me gustaría pedirle un favor. Excepto las fundas del colchón, la almohadilla, almohadón, cobertor y almohadas (y mantas si hay alguna), me gustaría que encontrase usted a alguien que quisiera enviarme todas mis cosas aquí, a mi estudio, calle de Grands Augustins, 7, distrito XVI. De la almohadilla haga usted lo que quiera, pero no se moleste por algo tan poco importante, que ya ha sido usted tan amable vigilando todas esas cosas que, ciertamente, han sido una molestia para usted. Si tiene usted que pagar algo, dígamelo. Le enviaré lo que le debo, con un montó de gracias que le envío por anticipado.

Echo de menos el estudio de Royan y echo de menos no haber vuelto a verla. Pienso que vendá algún día a París y que almorzaremos juntos, y que ese día, sea cual fuere, parecerá domingo.

Con esta carta tengo la oportunidad de poner a sus pies el manojo de verdaderamente maravillosos recuerdos que tengo de usted.

Picasso

Dibujó un ramo de flores multicolores y lo incluyó en la carta.

Durante el verano inició el largo proceso que culminó en *Hombre con cordero:* más de cien dibujos del pastor y el cordero, que culminaron en una escultura en bronce cargada de implicaciones religiosas. Pero monstruos femeninos invadían su trabajo. A comienzos de octubre, mientras Picasso pintaba a Dora como prisionera, con rejas, un mendrugo de pan y una jarra de agua, la madre de Dora murió, y al dolor que ya había en la cara del modelo el pintor añadió el dolor por la muerte de su madre. La vistió con una blusa de rayas rojas y verdes y un lazo blanco en el cuello. «Inventé totalmente la blusa —dijo—. Dora nunca la vistió. Pese a cuanto diga o piense la gente sobre mi «facilidad», a veces sucede que hay que pelear, incluso yo, con un cuadro durante mucho tiempo. ¡Cuánto me hizo sudar esa blusa! Durante meses la pinté y volví a pintarla.» Cuando terminó el cuadro, las rejas, el pan y el agua habían desaparecido, pero Dora continuaba siendo una prisionera.

«Para mí, Dora —decía más tarde a Malraux— era siempre la mujer que lloraba. Siempre. Y un día pude pintarla como mujer llorando... Eso es todo. Es importante porque las mujeres son máquinas de sufrir. Y encontré el tema. No tienes una idea demasiado clara de por qué estás haciéndolo. Cuando pinto una mujer en un sillón, el sillón implica vejez y muerte, ¿no? Y por eso es malo para ella. O a lo mejor el sillón la protege... Como las esculturas negras.»

En su retrato de octubre de 1942, Dora ya no es la mujer que llora. Incluso sus últimos deseos de libertad le han sido negados. Mira fijamente hacia delante, todo su ser consumido por un extraordinario esfuerzo para no llorar. Hay algo más trágico en la máscara de rígida compostura y dominio de sí misma de Dora que en el llanto. Es como si al intentar ahogar su llanto hubiese ahogado su vida.

«Los retratos —decía Picasso— pueden poseer un parecido no físico, no espiritual, sino psicológico.» Ese era un parecido psicológico a vivir la muerte. «Necesito absolutamente encontrar la máscara», había dicho Picasso a Malraux. Y ahora la había encontrado. No era la máscara románica «de una cara en armonía con su Dios..., con lo que es sagrado»; no era una máscara de los negros, «en armonía con lo que los escultores negros temían, amaban o desconocían en los espíritus que describían». Era la máscara del vacío viviente. «Los escultores románicos —escribía Malraux, recordando aquella conversación— habían querido dar expresión a lo desconocido revelado, mientras Picasso dio expresión a una forma de lo incognoscible que nada había revelado nunca. Todo lo que él conocía o llegaría alguna vez a conocer sobre ello era su propia sensación, su sensación respecto a un desconocido sin comuniones, sin plegarias, un vacío viviente. Es el arte de nuestra civilización, cuyo vacío espiritual Picasso ha expresado desdeñosamente, de la misma manera que el estilo románico expresaba la plenitud del alma».

Y Picasso lo expresaba brillantemente, a veces desdeñosamente, a veces violentamente, porque él lo había experimentado con plenitud. «Pablo —dijo una vez Gertrude Stein— ha estado persuadiéndome de que yo soy tan infeliz como él.» Pocos hombres se han atrevido a enfrentarse con el vacío de vivir en un universo que les es ajeno tan plenamente como él lo hizo. Y en ese vacío, todo lo que quedaba era una actividad implacable, demoníaca. Ocasionalmente, a través del amor, o de la paternidad, o de la camaradería, había una reconciliación temporal con la vida, pero al final sólo el trabajo podrá representar un alivio o una liberación. El trabajo y una especie de pequeña e insignificante crueldad de cada día. Gertrude Stein tenía razón: no era tan infeliz como Picasso.

Desde luego, el espíritu en él no había muerto, precisamente porque él vivía y trabajaba como si hubiera muerto. De hecho, la mayor parte de las veces lo dirigía hacia aquellos a los que había elegido por cualquier ruta tortuosa, ambigua o atormentada, para hacerlo el centro de sus vidas. Max Jacob era uno de ellos. A comienzos de 1943, Picasso decidió emprender el viaje a Saint-Benoit-sur-Loire para verle. Unos meses antes Max había dicho a su amigo Michel Béalu que había caído en el olvido, que muy pocas veces tenía noticias de André y nunca de Picasso. Tenía ahora 67 años; vivía con sencillez en la aldea, cerca de la basílica; iba a misa dos veces al día, escribía y pintaba sus gouaches, sabiendo que cualquier día la Gestapo iría a buscarle, como había hecho con su hermano, su hermana y su cuñado. Llevó a Picasso a la basílica, le enseñó sus gouaches y pasearon juntos por la orilla del Loire, charlando sobre su juventud y los viejos tiempos. Muy poco después de haberle dejado Picasso, Max fue a la basílica y en su libro de visitantes consignó su nombre y el año de su muerte: 1944.

La oscuridad estaba envolviendo a Picasso, pero no pudo extinguir su pasión por la vida ni su esperanza en el amor. En mayo de 1943, mientras cenaba en Le Catalan con Dora y Marie-Laure de Noailles, tanto su pasión como su esperanza se revitalizaron cuando su mirada se fijó en dos chicas que cenaban con el actor Alain Cuny. Una de ellas tenía cabello oscuro, ojos oscuros y un rostro griego clásico, al que daba realce el vestido de ancho vuelo, plisado, que vestía. La otra, muy esbelta, de cintura muy estrecha, tenía grandes ojos verdes y una cara joven y alerta, puesta de relieve por un turbante verde. Una era Geneviève Aliquot; la otra, Françoise Gilot.

10

UNA VENTANA A LO ABSOLUTO

Madeleine Gilot dio a luz a Françoise el 26 de noviembre de 1921, nueve meses después de que Olga Picasso diera a luz a Paul. Emile Gilot, un próspero hombre de negocios muy interesado en las teorías de la educación, estaba decidido a educar a su única hija como a un niño —un niño muy bien educado—. Como consecuencia, Françoise sabía leer y escribir cuando tenía cuatro años y estaba más familiarizada con los dioses del Olimpo y las fórmulas del álgebra que con los niños de su vecindad de Neuilly. Hasta que tuvo nueve años, en vez de ir al colegio, un tutor venía a su casa a enseñarle bajo la severa supervisión de su padre. Uno de sus mayores placeres era ser confiada a su abuela materna cuando sus padres viajaban. «Con sus ojos verdes y su mata de pelo blanco, sus rápidos movimientos, su amor por la poesía, su espíritu independiente —recordaba Françoise—, ella era el polo magnético de mi vida. En mi pensamiento no había límite para su poder y sentía que podía entender todo.»

Cuando empezó la guerra, Françoise estaba estudiando derecho proyectando, de acuerdo con los deseos de su padre, convertirse en abogado internacional. Pero la guerra y la creciente resistencia, a la que se unieron muchos amigos suyos, le hicieron volver a pensar en lo que realmente era importante para ella. «Le dije a mi padre —recordaba Françoise— que ya no significaba nada para mí ser abogado cuando el derecho, y especialmente el derecho internacional, no existían ya... Así que en 1941 decidí utilizar el tiempo que estaba dedicando a licenciarme en derecho a proseguir mis estudios de arte.» Había estado dibujando siempre desde que era una niña, ilustrando sus sueños o las historias que ella se inventaba, llenas de monos, demonios y fantasmas. Pero como toda su familia tenía talento para dibujar, nadie lo tomó en serio. Sin embargo, su madre accedió a posar para ella, y también su amiga íntima, Geneviève Aliquot.

Geneviève, que era discípula de Maillol, fue la clave para que Françoise dejara el derecho por la pintura. Nacida en la Cataluña francesa, Geneviève era al mismo tiempo terrenal y mística, el perfecto complemento para la intensamente racional mente de Françoise y su belleza andrógina. Su amistad fue profunda y apasionada. Había empezado cuando Françoise tenía doce años y Geneviève trece y medio. «Entró en mi clase a mitad del año escolar —dijo Françoise— increíblemente hermosa, vestida con un suéter rojo y una falda negra estrecha, y pareciendo una estrella visitante más que una colegiala. La sentaron a mi lado y yo estaba tan deslumbrada que no podía dejar de mirarla. A los diez días, después que se adaptó al colegio, se dirigió a mí diciéndome: "Tú, tú me vas a hacer los deberes desde ahora en adelante, porque a mí todo esto me aburre. Tú eres muy inteligente, así que hacer los deberes de dos maneras diferentes será un ejercicio interesante para tu mente y a mí me permitirá dedicarme a escribir y a pintar". Nunca lo habría hecho por otra persona, pero a ella sí se lo hice.»

Al principio, Geneviève llamaba a Françoise su paje porque parecía un niño pequeño «Hasta que tuve quince años —recordaba Françoise— siempre me vestí como un niño y no deseaba por nada del mundo ser femenina. Hasta los quince años no me resigné a ser una mujer. Dejé de ser el paje de Geneviève y empezamos a ser absorbidas la una por la otra.» Claude Bleynie, un pintor que era amigo de ambas, describió la profunda unión entre ellas: «Era la clase de pasión sublimada que a menudo se encuentra entre adolescentes, una romántica fijación que no deja hueco para los intrusos. Había un misterio que destilaban cuando estaban juntas: Françoise, más activa, más angulosa en su voz, su temperamento, su total forma de ser; Geneviève, mucho más mujer, totalmente femenina y armoniosa en sus proporciones, así como en su comportamiento.»

Tratando de descifrar el enigma de la belleza y magnetismo de Geneviève, Françoise hizo innumerables bocetos, dibujos y pinturas de ella. Con esto su autoconfianza como artista aumentó y se acercó a un entendimiento del carácter específico de su arte.

«Todo lo que hice de ella —diría Françoise más tarde— tenía dos o tres años de adelanto con respecto a lo que hubiera podido hacer de cualquier otra persona o cosa. La libertad que emanaba de ella, su innato sentido de la verdad, su belleza real había sido siempre el toque ideal de mi vida como artista.»

El otro amigo íntimo de Françoise era su profesor, Endre Rozsda, un joven pintor húngaro, gran admirador de Picasso. Durante dos años, de 1941 a 1943, fue el guía de Françoise en los misterios de la obra de Picasso. «Cuando empecé a estudiar con Endre —recordaba— estaba loca por Matisse, por el retrato de alegría en el arte, y no estaba tan fascinada, estética y técnicamente, por Picasso. Geneviève y yo habíamos ido al Pabellón Español para ver el *Guernica,* pero no nos conmovió artísticamente; sólo como un acto político. A través de Endre Rozsda descubrí realmente a Picasso.»

Pero Rozsda, medio judío, que se había negado a llevar la estrella amarilla de David, corría un gran peligro en París, especialmente cuando la ocupación se hizo más represiva. Con la ayuda del padre de Françoise, que le consiguió los papeles necesarios, decidió volver a Budapest. Pensaba que al menos podría tener mejor oportunidad de esconderse en su país que en Francia, donde apenas hablaba el idioma. En febrero de 1943 le llevó junto con sus pinturas a la Gare de L'Est. Ella sentía una sensación de muerte inminente. Muchos amigos estaban en la clandestinidad, otros habían ya muerto y ahora su amigo y maestro estaba obligado a escapar para salvar su vida. Cuando el tren estaba a punto de salir llevándoselo de su vida para siempre se sintió de repente sola y con miedo. «¿Qué sucederá, Endre, qué sucederá?» —le gritaba—. «¿Por qué te preocupas tanto? —le dijo él—; antes de que pasen tres meses conocerás a Picasso.» La profecía quedó en suspenso, inexplicada e inexplicable, mientras el tren se iba alejando de la estación.

Antes de que pasaran tres meses Françoise conoció a Picasso. El la había mirado fijamente aquella noche en Le Catalan y se había asegurado de que todos sus ingeniosos aforismos y sus manifestaciones fueran escuchados por ella. Fue como si hubieran cenado juntos antes de que se conocieran por primera vez. Finalmente llegó la hora del postre. Dejando a Dora y llevando el frutero con cerezas frescas como ofrecimiento y motivo introductorio, se encaminó a la mesa de ella:

«Bueno, Cuny —dijo Picasso—, me vas a presentar a tus amigas, supongo.»

«Françoise —dijo Alain Cuny después de las presentaciones— es la inteligente y Geneviève la guapa. ¿No se parece a un mármol clásico ático?»

«Hablas como un actor —fue la respuesta evasiva de Picasso—. ¿Cómo personificarías a la inteligente?»

«Françoise es una virgen florentina» —contestó Geneviève a esa pregunta.

«Pero no del tipo normal —amplió Cuny—; una virgen secularizada.»

«Lo más interesante es que no sea del tipo ordinario. ¿Qué es lo que hacen ellas, tus dos refugiadas de la historia del arte?»

«Somos pintoras» —contestó de nuevo Geneviève.

«Es lo más gracioso que he oído en mi vida —dijo Picasso, riéndose ridículamente mientras hablaba—. Las mujeres que tienen ese aspecto no pueden ser pintoras.»

Era justamente la provocación que necesitaba Françoise para lanzarse a la defensa de la seriedad de su vocación. Le dijo que ambas eran devotas de sus propias pinturas y que de hecho tenían una exposición conjunta en ese mismo momento en la Galería Madeleine Decré, en la calle Boissy d'Anglas, detrás de la Place de la Concorde.

«Bueno... —admitió Picasso—, yo también soy pintor. Debéis venir a mi estudio y ver algunas de mis pinturas.»

«¿Cuándo?» —preguntó Françoise ansiosamente.

«Mañana, pasado mañana. Cuando queráis.»

Era una invitación muy seductora, ya que durante la ocupación a ninguna galería se le permitió exponer el arte «degenerado» de Picasso. Así que el lunes siguiente por la mañana la diosa griega y la virgen florentina llegaron a la calle des Grands-Augustins para ser recibidas por Sabartés, más groseramente que de costumbre. Mientras conducía a las nuevas visitantes al estudio de Picasso contemplaron el *Bodegón con naranjas* de Matisse, que provocó gran admiración en Françoise. Fue severamente increpada por Sabartés, que no permitía ningún entusiasmo que no fuera dirigido a su jefe, especialmente cuando él estaba sólo a unos metros de distancia. Las dejó con Picasso, que ya estaba rodeado por media docena de personas, y volvió a su puesto.

Picasso fue el más encantador anfitrión y guía turístico, poniéndose poético al exponer todos los recuerdos literarios e históricos del edificio, mostrando a Françoise y Geneviève dónde hacía sus esculturas y dónde sus grabados, e incluso dejando correr el grifo del agua caliente hasta que saliera vapor. «¿No es maravilloso?

—dijo Picasso con orgullo—. A pesar de la guerra tengo agua caliente. Podéis venir aquí y daros un baño con agua caliente cuando queráis.» Estaba siendo muy generoso con todo excepto con la única cosa que les había invitado a ver: sus pinturas. Cuando ya ellas se habían resignado a marcharse sin ver ninguna, les enseñó unas cuantas. Pero muy pocas. «Si queréis volver —dijo cuando se iban ya— venid. Pero si lo hacéis, no vengáis como peregrinos a La Meca. Venid porque os gusto, porque encontráis mi compañía interesante, y porque queréis tener una simple y directa relación conmigo. Si sólo queréis ver mis pinturas, mejor que vayáis a un museo.»

«Un minotauro —diría posteriormente a Françoise— no puede ser amado por sí mismo. Al menos no creo que pueda. No me parece razonable en modo alguno. Quizá ése es el motivo por el que participa en las orgías.» Picasso era, por supuesto, el minotauro. Y con Françoise desde el primer momento parecía como si quisiera comprobar si podía, después de todo, amarse a sí mismo. Cuando Françoise y Geneviève visitaron su estudio por segunda vez, trayéndole una maceta con una cineraria, su reacción fue la de reírse: «Nadie trae nunca flores a un viejo como yo.» Luego se dio cuenta de que el color de los capullos iba bien con el color del vestido de Françoise. «¿Hay algo en lo que no pienses?» —le preguntó.

Había ido a ver la exposición de las dos, pero no dijo nada al respecto, y Françoise, que sabía de su visita por la mujer excitada que dirigía la galería, no se atrevió a preguntarle. En lugar de eso, Françoise se limitó a mirar silenciosamente, puesto que esta vez él mantuvo su promesa anterior, cómo colocaba pintura tras pintura en el caballete para que las vieran. Más tarde, al final de esta exposición privada, se volvió y fijó los ojos en ella. «He visto tu exposición —dijo—. Tienes mucho talento para el dibujo. Creo que deberías continuar trabajando duramente cada día. Me gustaría ver cómo evoluciona tu obra. Espero que me enseñes otras cosas de vez en cuando.» Ella salió del estudio como en volandas, decidida a trabajar —duramente— cada día... y volver.

Geneviève regresó al Midi, y desde entonces Françoise iría sola a la calle des Grands-Augustins. En cada visita, Picasso encontraba una nueva excusa para llevarla aparte y alejarla de la corte que le rodeaba. Un día quiso regalarle algunos tubos de pintura; otro, un papel especial para dibujo; un tercero, cuando llegó empapada por haber pedaleado bajo la lluvia, la excusa fue su preocupación por su pelo mojado. «Pero mira a la pobre chica —dijo a Sabartés—. No podemos dejarla en este estado. ¿Vienes conmigo al cuarto de baño y me dejas que te seque el pelo?» Y cuando Sabartés protestó que ese trabajo era el de Inés, Picasso le ordenó: «Deja a Inés donde está.» Llevó a Françoise a su cuarto de baño y él mismo le secó el pelo.

Unos días más tarde, mientras le estaba enseñando a Françoise sus herramientas de hacer escultura, de repente se volvió y la besó en la boca. Ella aceptó encantada este último regalo, igual que había aceptado los tubos de pintura, el papel de dibujar y el secado de pelo, lo cual, por supuesto, irritó a Picasso. «Es repugnante —le dijo a Françoise—. Al menos podías haberme empujado, porque de otro modo podía haber pensado que podía hacer todo lo que quisiera.» Françoise le dijo que estaba a su disposición, aclarando por su tono que era una afirmación de mando más que un reconocimiento de entrega. «Es repugnante —repitió—. ¿Cómo esperas que seduzca a alquien en unas condiciones como éstas? Si no te vas a resistir, bueno, entonces está fuera de discusión. Tendré que pensármelo.»

Una semana más tarde, después de haberlo pensado, decidió que necesitaba algo más fuerte que un beso inesperado en la boca para hacerla perder el equilibrio. Con otro pretexto la llevó a su habitación, le ofreció un libro del marqués de Sade y le preguntó si lo había leído. Cuando Françoise respondió que no, Picasso gritó con orgullo: «¡Ajá! Te he sorprendido, ¿no?» Lejos de estar sorprendida, Françoise ganó este asalto señalando que no necesitaba al marqués de Sade, mientras que él obviamente sí. «¿Estás loco? —añadió Françoise—. Es ridículo incluso hablar de Sade; deja aparte la indulgencia en todo eso cuando hay personas que están siendo torturadas y sufriendo en la realidad y no por juegos sexuales. No tengo ningún interés en ser una víctima ni en convertir a los demás en víctimas.» «Eres más inglesa que francesa —concluyó Picasso desesperadamente—. Tienes esa típica especie de reserva inglesa.»

Era a finales de junio. Picasso, ingenioso hasta el final, escogió un lugar altamente original para su siguiente encuentro. Condujo a Françoise arriba, por la escalera, a una habitación pequeña en el ático de la casa, bajo el alero, desde donde había una magnífica vista de los tejados de París (y la representación no prevista de un falo de más de dos metros de alto que algún obrero de la construcción había pintado en el edificio de enfrente). Mientras contemplaban la magnífica panorámica, Picasso, de manera casual, sujetó los pechos de Françoise con sus manos. «¡Caramba! —dijo él—. Ese dibujo que hay en esa pared, ¿qué crees que representa?» Françoise, completamente tranquila, contestó que era demasiado abstracto para que ella fuera capaz de decirlo. Lentamente, Picasso quitó las manos de sus pechos y, con fina cortesía, la guió escaleras abajo hasta el grupo de personas que estaban en su estudio.

Fue el último encuentro antes de que Françoise se marchara a Fontes, un pueblo cercano a Montpellier, donde vivía la familia de Geneviève. Su padre era el jefe de la Resistencia allí, lo que llevó a Françoise a aproximarse a los peligros diarios de la ocupación alemana. Las dos mujeres fueron en bicicleta desde Fontes a Les Baux, donde estuvieron dos semanas. La estancia de Françoise en Les Baux supuso la mayor crisis de su vida. «Recuerdo cada detalle como si fuera hoy —dijo ella más tarde—. Primero, el lugar en sí mismo, tan especial. Dante estuvo allí durante su exilio de Florencia, y le impresionó tanto que escribió en Les Baux parte de la *Divina Comedia.* Y muy cerca, en Arlés, Van Gogh hizo aquellas extraordinarias pinturas. Mientras estaba allí tuve la más increíble experiencia mística, que cambió todos los aspectos de mí misma y de mi vida. No fue una cosa momentánea: hubo una lucha intensa que continuó durante días, en los que supe que tenía que dejar de identificarme con mi ego y con mi intelecto si debía entrar en ese trascendental estado. Me sentía al borde de un abismo, y luego, por otro lado, me rehacía, poco a poco, desde la nada al ser».

Como resultado de esta experiencia transformadora decidió marcharse de casa, empezar una nueva vida como ser independiente, sin tener que aparentar que iba a continuar con sus estudios de derecho cuando todo lo que deseaba era pintar; sin tener que visitar a Picasso furtivamente, sin tener que mentir, esconderse o explicarse constantemente. Decidida a vivir una vida libre de subterfugios, escribió a su padre una larga carta explicándole los cambios que había experimentado. Su padre se aterró y envió a su madre para que la trajera a casa. «Cuando llegamos a Neuilly —recordaba Françoise— él estaba aún más furioso y me amenazaba con hacerme encerrar si no cambiaba de idea. Me dio media hora para arrepentirme y volver a mi antiguo yo.» Ella aprovechó una breve ausencia de su padre para correr a casa de su abuela en busca de protección. No tardó mucho su padre en seguirla, y exasperado por su desacostumbrada desobediencia empezó a pegarle con todas sus fuerzas. Cuando su abuela se acercó compasivamente, la cara de Françoise estaba sangrando de mala manera, pero la ira de su padre no había disminuido. La presencia y la autoridad de una mujer de setenta y cinco años puso fin a la paliza, aunque no a sus amenazas de hacerlas encerrar a ambas si Françoise no volvía a casa y su abuela continuaba apoyándola en su desobediencia.

La ruptura con su padre duraría muchos años; la ruptura con su vida anterior sería para siempre. Por primera vez, aislada de la riqueza y protección de su padre, Françoise tuvo que ganarse la vida. Mientras fue la preciosa y sumisa hija tuvo todo lo que podía querer: tutores, trajes hechos a medida, viajes al extranjero y tiempo libre para montar a caballo en el Bois de Boulogne. Ahora sólo tenía el traje que llevaba puesto el día que se escapó, y para ganarse la vida empezó a dar clases de equitación a principiantes y a entrenar caballos.

En noviembre volvió a visitar a Picasso. Le encontró en un estado de tristeza total, pero también se sintió más cercana a él que antes. «El impacto de nuestro encuentro —recordaba Françoise— habría sido muy distinto si nos hubiéramos reunido en tiempo de paz. La tragedia que nos rodeaba y el peso de la historia lo hicieron extraordinario cuando de otro modo podía haber sido interesante, pero ordinario, sin la cualidad metafísica que tuvo. Tampoco la perspectiva de una guerra y el hecho de que Picasso fuera cuarenta años mayor que yo significaban nada. Después de todo yo podía haber muerto en cualquier momento. Y en cualquier caso, Pablo parecía más un hombre de cuarenta años que un hombre que cumplía por entonces, en noviembre, sesenta y dos.»

En adelante Françoise se convirtió en asidua de la calle des Grands-Augustins, visitando a Picasso las mañanas en que no daba lecciones de equitación. Otro visitante frecuente, y testigo de la aventura amorosa en ciernes, fue Brassaï, quien llegó al estudio a fotografiar las esculturas. «¿No crees que es guapa? —le preguntó Picasso en una ocasión, señalando hacia Françoise—. Le harás una fotografía algún día, ¿verdad? Ten cuidado, su pelo tiene que estar un poco despeinado, un poco desordenado. Sobre todo, no la fotografíes cuando acabe de llegar de la peluquería. Me espantan todos esos repeinados.» Estaba en consonancia con su horror por los gatos domésticos. «No me gustan los gatos domésticos, ronroneando en el sofá del cuarto de estar —dijo a Brassaï mientras estaban contemplando la escultura de una gata preñada en la que estaba trabajando Picasso—, pero me gustan los gatos que se han vuelto salvajes, con sus pelos de punta. Cazan pájaros, pasean por las cornisas, corren por las calles como demonios. Se vuelven y te miran fijamente con esos ojos feroces, listos para saltarte a la cara. ¿Te has fijado en que las gatas —las gatas libres— siempre están preñadas? No piensan en otra cosa que hacer el amor.»

1

2

Izquierda: *María Picasso Ruiz, madre de Picasso. «Si fueses soldado —le dijo— llegarías a general. Si fueses fraile, llegarías a Papa.»* Derecha: *José Ruiz Blasco, padre de Picasso, su primer maestro y el primero en darse cuenta de su genio y alentarlo.*

3

Pablo con su hermana Lola, cuyo nacimiento, precedido por un terremoto, cuando Pablo tenía tres años, fue un acontecimiento impresionante para él.

4

Pablo, a los quince años de eda
en una reunión familiar, senta
a la derecha de la mesa.

El dibujo, hecho por Pablo, representa a su hermana Conchita, cuya muerte, a la edad de ocho años, convenció a Pablo de la maldad de Dios y de que el destino era un enemigo.

5

Pablo sirviendo a sus primos. Con gorro y un bigote postizo, que según la leyenda familiar pintó el fotógrafo.

Pablo a los quince años. Durante sus estudios en la Escuela de Bellas Artes de Barcelona pasaba mucho tiempo en los burdeles.

8

Retrato de Jaume Sabartés, el primer fanático de Picasso.

Picasso desconcertado, *autorretrato de 1908, con su mirada intentando escudriñar el futuro.*

10

Max Jacob, poeta y homosexual tiranizado por su vicio, fue protector y adorador de Picasso. Durante toda su vida no amó a nadie tan profundamente ni tan incondicionalmente como a Picasso.

Abajo, a la izquierda: *Viviendo en París, en la oscuridad y la pobreza, Picasso, sin embargo, estaba tan seguro de sus proezas físicas como de sus dotes artísticas.*

11

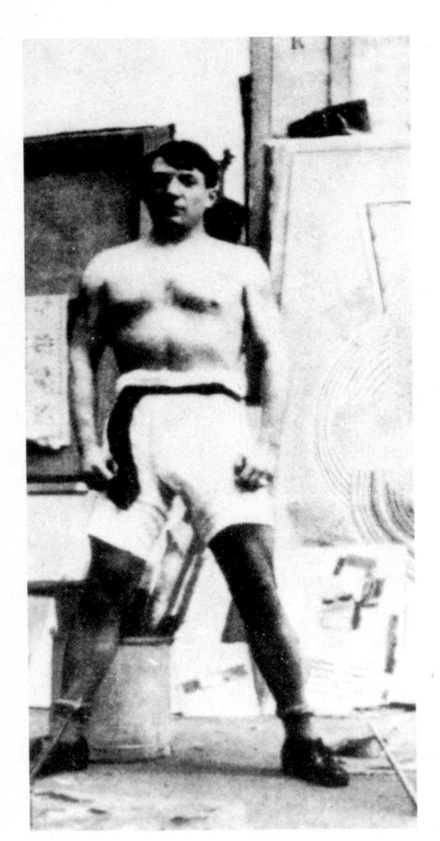

Retrato hecho por Picasso a Pere Manyac, marchante catalán que cayó bajo la seducción de Picasso y se ofreció a guiarle en el mundo artístico parisino.

12

En 1904 Picasso alquiló un estudio en el Bateau-Lavoir, en Montmartre, refugio de muchos artistas que lucharon por alcanzar la fama.

Picasso en Montmartre. Siempre recordaría sus años en el Bateau-Lavoir como la edad de oro de su vida.

14

15

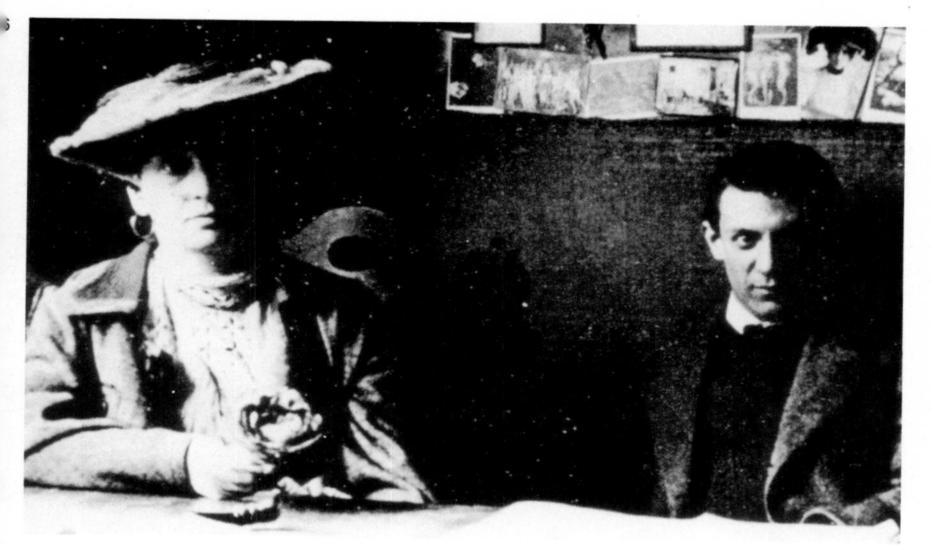

Fernande Olivier, elegante y segura de sí misma, fue la primera amante de Picasso y su puerta hacia lo humano. (En la pág. anterior) Picasso conmemoró con un dibujo la primera vez que hizo el amor con ella, dándose cuenta de que en este caso no se trataba de un mero encuentro sexual.

El abrevadero. *A comienzos de 1906 su obra se pobló súbitamente de muchachos desnudos y de caballos.*

En Gosol, pueblecito de las estribaciones meridionales de los Pirineos, Picasso retrató repetidamente a Fernande, deleitándose en su belleza y su feminidad, pero había cierta reserva en su goce.

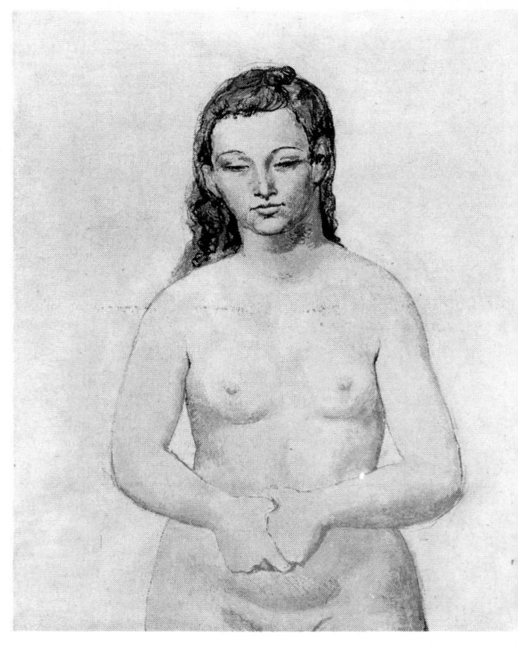

Gertrude Stein, sentada bajo su retrato, terminado en 1906. «Todo el mundo dice que no se le parece —dijo Picasso—, pero eso no importa; ya se le parecerá». La cabeza es una máscara, pero es ella y también la señal de una nueva dirección en el arte de Picasso.

19

Una profunda y salvaje destructividad es el eje de Las Demoiselles d'Avignon. *El intento es nada menos que producir una revolución. Picasso le llamaba su «primer cuadro-exorcismo».*

Daniel-Henry Kahnweiler organizó en su galería de París la primera exposición cubista.

Henri Rousseau, conocido por «el Aduanero». «Usted y yo somos los más grandes pintores de nuestro tiempo —le dijo a Picasso—, usted en el estilo egipcio y yo en el modernista.»

23

Georges Braque fue el compañero de Picasso en el cubismo, la gran aventura del arte del siglo XX. «Braque —dijo Picasso describiendo su temprana amistad— es la mujer que más me ha querido.»

24

Los días de penuria del artista quedaron atrás para Picasso. En septiembre de 1909 se mudó a un nuevo domicilio, en el número 11 del Boulevard Clichy, con Fernande, su gato, sus perros y su cada vez mayor colección de chucherías.

El decreciente afecto de Picasso por Fernande fue reemplazado por una creciente pasión por Marcelle Humbert, a la que dio el nombre de Eva. Cuando Eva murió, en diciembre de 1915, se confirmó en la idea de que la muerte ganaba siempre en el juego de la vida.

El poeta Guillaume Apollinaire fue amigo y paladín de Picasso desde 1905. Su muerte al final de la guerra fue una tragedia para Picasso.

26

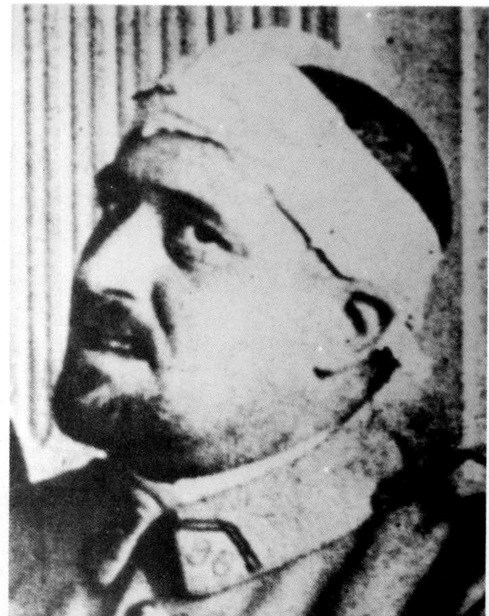

Picasso con el joven poeta Jean Cocteau, que le introdujo en el mundo del ballet. Con ellos, Olga Koklova, una bailarina mediocre, una belleza mediocre, una inteligencia mediocre y de mediocres ambiciones.

Sergei Diaghilev, el brillante empresario del ballet ruso.

Abajo: *Picasso y Olga en París, en 1918, en fechas próximas a la de su boda. El sabía que ella no era la compañera adecuada en su vida, pero sí lo era para acceder a la buena sociedad.*

Stravinsky fue un nuevo descubrimiento para Picasso, y Picasso para Stravinsky. En este dibujo de Cocteau, Stravinsky, con sombrero de copa, se inclina para hablar con Picasso, éste con bombín.

Abajo: *Picasso con los tramoyistas en el telón de* Parade *en Roma. La noche del estreno en París, el 18 de mayo de 1917, nació la leyenda mágica de Picasso.*

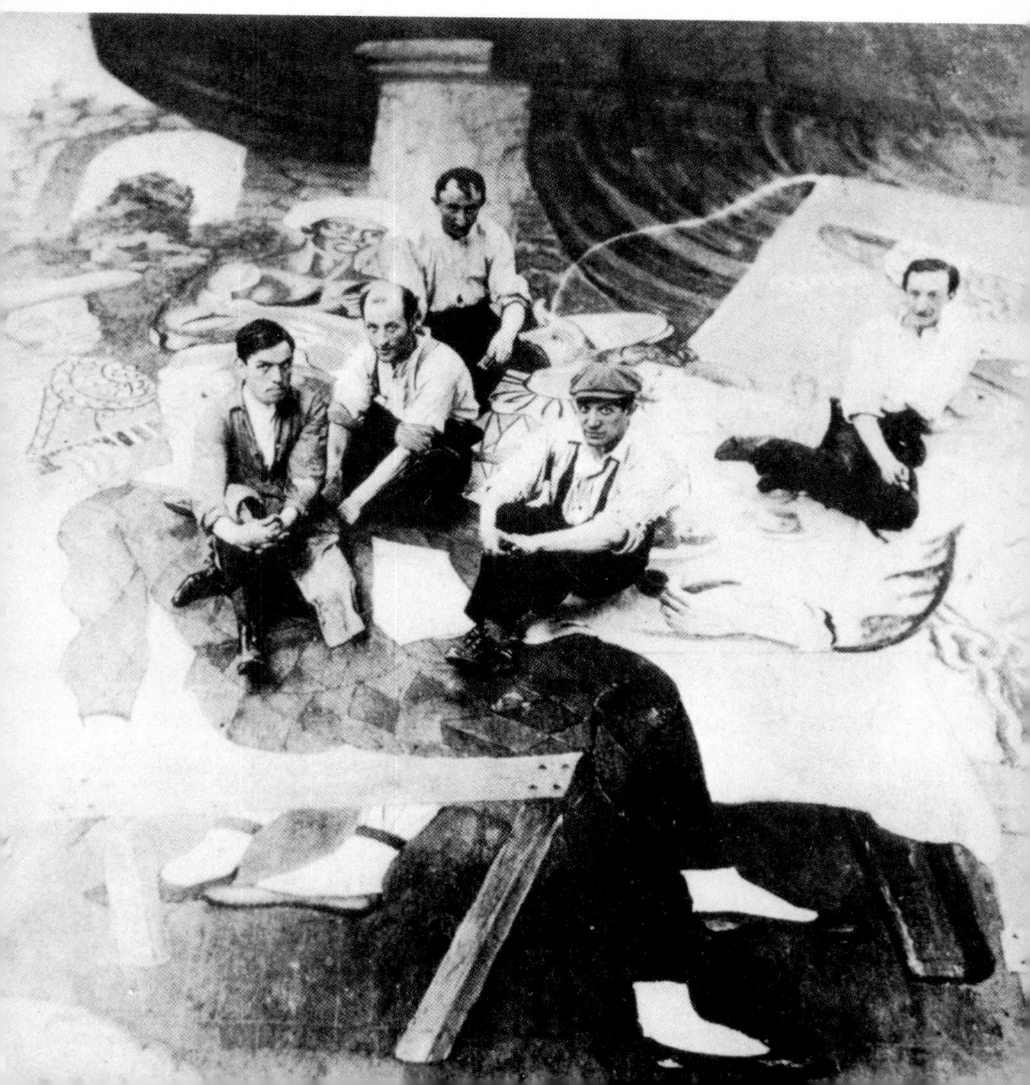

Arriba y a la derecha: *Durante los años veinte, con Olga a su lado, Picasso se dedicó a la vida de relumbrón que antes había ridiculizado.* Arriba, *en un baile, con Olga y la señora Errazúriz, en cuya villa pasaron Olga y Picasso su luna de miel.* A la derecha, *un grupo en la playa de Antibes. Olga y el conde de Beaumont, de la mano. Picasso, en el centro.*

Picasso ante Olga en un sillón. *Ella insistió en que la pintase en un estilo naturalístico: «Quiero reconocer mi cara», le dijo.*

En 1927, Picasso encontró a Marie-Thérèse Walter, que tenía entonces diecisiete años. Fue el comienzo de su mayor pasión sexual, alimentada por la revelación de que la jovencita de cara de niña era de una sumisión sin límites y una voluntaria alumna del sexo.

35

36

Desnudo en un sofá, *en el que está retratada Marie-Thérèse entregándose, su constante respuesta al hombre a quien llamaba «su amante maravillosamente terrible».*

En 1935, Marie-Thérèse dio a luz a Maya. El salaz objeto sexual es ahora un símbolo maternal.

37

. Minotauro llevándose a una mujer. *Medio hombre, medio ro, el Minotauro, en el que Picasso se simboliza a sí mismo, va el desnudo y desmayado cuerpo de Marie-Thérèse, ientras otras mujeres, y entre ellas Dora Maar, están irándole.*

38

39

En Mougins, Picasso sintió el júbilo de un nuevo nacimiento, esta vez con la pintora y fotógrafa Dora Maar, una intelectual musa del movimiento surrealista, tan diferente de Marie-Thérèse como lo había sido Eva de Fernande.

40

41

Dora, bella y brillante, fue transformada por Picasso en la Mujer que llora, *su cara distorsionada por el tormento. La diosa se ha convertido en un felpudo.*

Picasso marchando en la primera fila de una manifestación que celebra la liberación de París. A su lado, su amigo y mentor político, el poeta Paul Eluard. Picasso se convirtió en un símbolo de la supervivencia, de la victoria contra la opresión, en un monumento tan familiar y tan accesible como la torre Eiffel.

Françoise Gilot tenía veintiún años cuando fue presentada a Picasso, que entonces tenía sesenta y uno. «Es usted —le dijo— la única mujer que he encontrado que tenga su propia ventana hacia el absoluto.»

Geneviève Aliquot, la más íntima amiga de Françoise, a quien le suplicó que dejase a Picasso antes que contribuir con su presencia al lado de él a su propia destrucción.

45

46

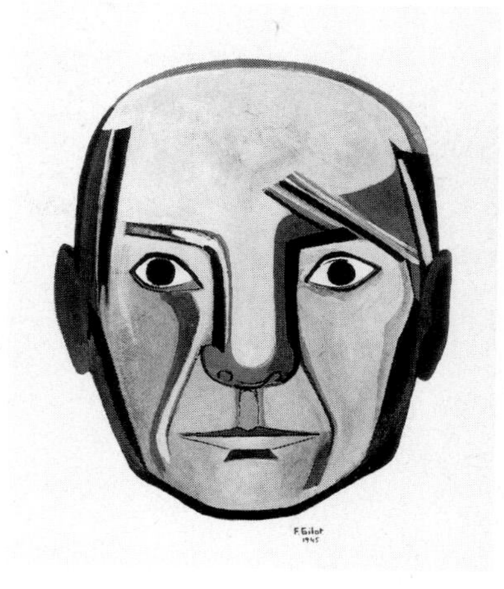

A Françoise le impresionó el parecido de Picasso con el Escriba sentado, *la antigua estatua egipcia del Museo del Louvre, parecido que recogió en su retrato, en forma de máscara, de Picasso.*

Inés Sassier, el ama de llaves de Picasso, brillante, guapa y dispuesta a ›portar todo: sus arrebatos, sus mujeres, sus mentiras, su desorden, las horas xtrañas de sus actividades.

47

48

Picasso con Claude, su hijo (uno de los dos que tuvo con Françoise). Su fascinación por Claude desapareció cuando el niño creció.

Picasso se afilic partido comunista 1944, y muy pronto convirtió en una bu celebridad del parti apareciendo en conferencias, los mítines masas y el Congreso po Paz celebrado en P en 1949 y domin por los comunis

49

Picasso y Françoise con Claude y su hermanita Paloma. «Seguía diciendo lo bonita que era Paloma —recordaba Françoise—, pero estaba intranquilo, agitado. Estaba en una época de esterilidad creativa.»

Retrato de Françoise vistiendo el abrigo campesino bordado que asso le trajo de Polonia. «Era un período expresionista —dijo Françoise—, pero sin el dismo que acompañaba a su obra en otras ocasiones.»

icasso visitó a Matisse en Vence y le encontró trabajando ı un proyecto de una capilla de la orden dominicana. Eres un loco al hacer una capilla para esa gente», estalló. ero después de la muerte de Matisse dijo simplemente: En el fondo sólo hay Matisse.»

53

Después de haber dejado Françoise a Picasso, Jacqueline Roque, una dependienta de la cerámica en Vallauris, decidió convertirse en indispensable para «Monseigneur».

54

Picasso, con Jacqueline a su derecha y más allá Françoise, durante una visita a sus hijos, en el verano de 1954.

55

A petición de Picasso, Françoise participó, a caballo, en la ceremonia de inauguración de la corrida de toros en honor del pintor, en Vallauris. Entre los espectadores, Jacqueline

56

*Pese a su payasada ante las cámaras fotográficas, Picasso aparece aquí solo y desdichado, sobre todo cuando tuvo noticias de que Françoise se había casado con el pintor Luc Simon (*debajo, a la izquierda*). «Prefiero ver muerta a una mujer a verla feliz con otro.»*

58

Françoise lescubrió que los marchantes de rís se negaban a xhibir sus obras. Picasso le había dicho con toda claridad que quienes fueran migos de ella se convertirían en enemigos suyos.

Picasso en una corrida de toros, con Jacqueline y Cocteau. Detrás de ellos, Paloma, Maya y Claude. «Vamos a los toros —decía—. Es la única cosa que nos queda.»

60

Picasso bajo La caída de Icaro, *el desesperado mural que pintó en 1958 para la sede de la Unesco, una organización dedicada a la esperanza. Pero muchos de los que asistieron a su descubrimiento se preguntaron si aquello era una obra maestra o una tontería.*

Dibujo en un cuaderno comenzado en junio de 1962. El sexo como anticipación, en acción, en visión retrospectiva, había llegado a ser el motivo dominante de muchas de sus obras

62

El castillo de Vauvenargues, la segunda de sus tres magníficas moradas. Picasso lo adquirió en sus últimos años, gastando millones para vivir en un esplendor bohemio.

63

Picasso gozó de la adulación de la gente durante la conmemoración de su octogésimo cumpleaños (octubre 1961). Los actos fueron comparados a «una fiesta sacra en tiempos del Renacimiento», con fuegos artificiales, corrida de toros y discursos ensalzando su

64

El aislamiento de Picasso comenzó con su desentendimiento de toda exigencia emotiva. Su hermana Lola, que aparece aquí con sus dos hijos, Jaime y Lola, estaba entre los que excluyó de su vida.

Los hijos de Picasso: Claude, Paloma y Paul, con Bernard, hijo de este último, en un homenaje público a Picasso en 1966. Las Navidades de 1963 fueron, sin embargo, la última ocasión en que Claude y Paloma pudieron estar algún tiempo con su padre. «Cuando la puerta se cerró de golpe —dijo Claude— fue como si se hubiese apagado la luz.»

65

Mujer orinando, 1965. *Un creciente disgusto y odio hacia Jacqueline en particular y el cuerpo femenino en general, son bien visibles en muchas de sus obras, pese a las demostraciones públicas de afecto ante las cámaras fotográficas.*

66

«Tú llevas una vida de poeta —le dijo a Hélène Parmelin— y yo, una vida de presidiario.»

69

Lo que había perdido —y está reflejado en su mirada— era su capacidad de alegría.

70

El 30 de junio de 1972 vio cómo el terror lo consumía, y lo dibujó. Fue su último autorretrato.

Si se había dado cuenta de la superabundancia de gatos callejeros o no, Brassaï no estaba dispuesto a contradecirle. Incluso cuando Picasso le insultaba no le contradecía. Un día, cuando Brassaï estaba colocando y empujando el trípode hacia él, Picasso le gritó: «Mejor es que pares de empujar el trípode y te empujes los ojos» —una referencia barata y ofensiva a la manera en que los ojos de Brassaï sobresalían de su cara—. Françoise, que estaba presente, empezó a educarse en el comportamiento de la corte. «Mientras Brassaï se reía nerviosamente —recordaba ella— tropezó con el trípode y se cayó hacia atrás en el recipiente de agua de *Kazbek*. Picasso sonrió de placer, como si esto fuera lo mejor que había ocurrido en todo el día. Sólo más tarde entendí lo que significaba. Brassaï y yo nos habíamos conocido en el estudio de Endre Rozsda y habíamos pasado mucho tiempo juntos. Al encontrarnos aquel día ambos mostramos delante de Picasso nuestro asombro por vernos el uno al otro; la clase de asombro que surge al ver a alguien que conoces bien en un contexto completamente diferente. Entonces no sabía, por supuesto, que lo prudente hubiera sido saludarnos con los ojos, pero no reconocer que nos conocíamos. Pablo no podía soportar que hubiera vida —no simplemente vida con Picasso—. Quería personas que dejasen de existir cuando dejasen de estar con él, o al menos pretendía que fuera así. Como consecuencia, entre aquellos que le conocían bien nadie hacía nunca ninguna alusión a lo que hacían cuando no estaban con él; nadie admitía la existencia de un mundo exterior. Sabartés nos miró sospechosamente a Brassaï y a mí, como si hubiera descubierto una conspiración, que pudiéramos reunirnos afuera y decir algo de ellos o hacer algo contra ellos. Una sombra cayó de repente sobre el pobre Brassaï.

A la mañana siguiente, cuando llegó Brassaï al estudio se encontró a Sabartés, Inés y Marcel tensos y lamentándose y a Picasso con apariencia de Gran Inquisidor: «¡Mi linterna pequeña ha desaparecido! La dejé aquí mismo, en esta silla... Estoy absolutamente seguro de ello. ¡Y ahora no está! ¡Y si no está es porque alguien la cogió! Me pasé toda la noche buscándola... No toleraré que desaparezcan cosas como ésta en mi casa. ¡Exijo firmemente que se busque ahora mismo!» De repente, Sabartés y Brassaï estaban en la lista de los sospechosos. En esta situación de camaradería inesperada, Sabartés se inclinó hacia Brassaï y le dijo en voz baja: «Ha sido él, sin duda alguna... Debe de haberla dejado en algún sitio y no acordarse después. Ahora acusa a otro... A mí... Le conozco.» A la mañana siguiente, Brassaï preguntó por la linterna.

«La encontré —contestó Picasso impasible—. Estaba arriba en mi cuarto de baño.» Al menos por el momento la paz se había restablecido en el estudio y los acusados habían vuelto al trabajo.

Las personas de su alrededor habían aprendido a adaptarse a sus explosiones y humores cambiantes, y únicamente en contadas ocasiones se permitían expresar sus propios sentimientos de dolor. Una vez, después de que Brassaï casi había terminado de fotografiar las esculturas en la casa de la calle des Grands-Augustins, acompañó a Sabartés al Metro y le habló de las esculturas que quedaban por fotografiar en la casa de la calle La Boétie. «Tendré que volver allí. Picasso prometió llevarme algún día.» Esta frase inocente dio rienda suelta a un torrente de resentimiento encerrado: «¿Prometido? —gritó Sabartés—. Métetelo en la cabeza de una vez por todas: promesa y cumplimiento son dos cosas distintas que raramente coinciden en él. Sé algo de eso. Generalmente yo soy el único que padece sus promesas incumplidas. Sus promesas... Escucha. Me regaló el segundo retrato que pintó en 1901. Pero cada vez que quería llevármelo a París decía: "Te lo daré en Barcelona". Bien, en Barcelona se lo regaló al cabaret donde solíamos ir. Aquel cuadro se vendió y pasó de mano en mano hasta que un buen día lo volvió a comprar. Volvió a la casa de la calle La Boétie. Pero nunca me lo había dado. Aun cuando me dijo que era *mi* cuadro.»

Era muy difícil para Françoise adaptarse al mundo de máscaras, sospechas y sentimientos soterrados que rodeaba a Picasso. Pero era fácil adaptarse a él. «El hecho de que Pablo fuera mayor que mi padre hizo que no me resultase extraño cuando él quebrantaba la ley o cuando me decía lo que tenía que hacer y lo que no. Yo estaba de acuerdo o no, pero no me planteaba ningún problema. Porque pensaba que, bueno, que a su edad él tenía experiencia y que probablemente lo sabía mejor y que yo simplemente era demasiado rebelde. Estábamos demasiado compenetrados el uno con el otro y no había ningún enfrentamiento real entre nosotros, en parte, pienso, porque en ese momento yo no había tomado tierra; estaba todavía como flotando en el aire.»

Y así es como Picasso la percibía: como «flotando en el aire». Un día, hacia finales del año, Sabartés, que se estaba deprimiendo cada vez más por la continua presencia de Françoise en sus vidas, decidió hablar en alto delante de ella y presagiar, como una niñera malhumorada, que nada bueno resultaría de aquello. Picasso le dijo que se metiera en sus asuntos. «No entiendes nada —le dijo—, no te das cuenta de que esta chica está andando por la cuerda floja y está dormida en ella. ¿Quieres que la despierte? ¿Quieres que la haga caer?... Y lo que no entiendes tampoco es que a mí me *gusta* esta chica. La quiero como si fuera un muchacho.»

De hecho, su primera imagen de Françoise fue la de un hombre joven más que la de una mujer joven. Ella le recordaba al poeta Rimbaud; era verdaderamente más andrógina que cualquier otra persona que él hubiera conocido. Como muchos surrealistas, Picasso había estado fascinado por el mito del ser andrógino, que, como Bretón había escrito, «ofrece al hombre una imagen de sí mismo como si él hubiera estado en el pasado y como si estuviera en el futuro: más luminosa, más cercana a la armonía y al poder de lo que está en su condición actual». Françoise también se veía a sí misma como andrógina. Incluso firmaba sus pinturas en ese momento como F. Gilot, viéndose e intentando ser vista como un pintor más que como una *mujer* pintora.

Con el personaje que más se identificaba Françoise era con Ariel en *La Tempestad:* la personificación de los elementos fluidos de agua y aire y las energías espirituales de la Naturaleza. En la obra de Shakespeare, Ariel es invisible para todos excepto para Próspero. Y ésa era la fantasía de Picasso. Después de despedir a Sabartés, le dijo a Françoise que le gustaría que se quedara en el ático de la casa y que desapareciera del mundo: «Te llevaría comida dos veces al día. Podrías trabajar allí arriba con tranquilidad y yo tendría un secreto en mi vida que nadie podría conocer.»

La fantasía le gustaba a Françoise también, especialmente porque en ese momento de su vida las dos cosas que le importaban más eran Picasso y su propia pintura. Trabajando duramente en el estudio grande de su abuela, al lado de su habitación, ella firmaba sus pinturas como «Ariadne». Cuanto más importante se hacía su relación con Picasso, más fascinada estaba por el mito de Ariadne, que había ayudado a Teseo a salir del laberinto después de haber sacrificado al minotauro. ¿Podía ella ayudar a Picasso a sacrificar su propio minotauro? ¿Podía conducirle a la salida de su laberinto? En el mito, Ariadne salva la vida de Teseo sólo para ser abandonada por él en la isla de Naxos. Dominando la habitación de Françoise estaba el mural que ella había pintado de Ariadne abandonada por su amante, con el dios Dionisos bajando del Olimpo para salvarla y hacerla su esposa. En la obra de Françoise de esos momentos había una afirmación de su fuerza interior —sus formas más esculturales, la esperanza más allá de la opresión y la tristeza por la ocupación nazi— más pronunciada. Había una escalera de caracol ascendente en el retrato de su abuela y paz en la cara del retrato de Geneviève en el Café de Flore, con un collar de palomas alrededor de su cuello.

Para Picasso, Françoise era una maravilla, un maravilloso accidente. Con la edad suficiente no para ser su hija, sino para ser su nieta, ella expresaba sus opiniones precoces y tiraba de la alfombra bajos sus trampas de seducción y poder, un respeto envidioso bien conocido en él. Un día, en febrero de 1944, Picasso sugirió que cuando llegara esa tarde le enseñaría a grabar y que no dejaría que nadie les interrumpiese. Ella llegó puntualmente a su lección de grabado, vestida como los personajes de los cuadros de Velázquez, con un traje de terciopelo negro, su cara enmarcada por un cuello alto de encaje blanco y su pelo negro recogido. Una vez más él era quien estaba perplejo. «¿Es ésa la clase de vestido que te pones para aprender grabado?» —le preguntó Picasso—. Ella le contestó que se había vestido no para grabar, sino por lo que ella suponía que él tenía en su cabeza. «Quería parecerte bonita» —añadió ella.

Había tanto una inocencia como una fuerza en su franqueza que le ponían nervioso. Ella continuaba entregándole cartas antes de que él las pidiese. «Haces todo lo posible para dificultarme las cosas —dijo Picasso, levantando sus manos literal y metafóricamente—. ¿No puedes al menos fingir ser engañada de la manera en que las mujeres suelen hacer? Si no caes en mis subterfugios, ¿cómo vamos a poder estar juntos algún día?» El se quejaba, pero al mismo tiempo le gustaba. «Tienes razón realmente —admitió él—. Es mejor de esta manera, con los ojos abiertos. ¿Pero te das cuenta, no es así, de que si no quieres otra cosa que la verdad sin subterfugios estás pidiendo no ahorrarte nada? La plena luz del día es más bien desagradable.»

Picasso le había hecho una advertencia, pero ella, vibrante con todo el valor de la juventud, se sintió invencible. Hasta aquí ella estaba ganando. La chica de veintidós años estaba engañando con astucia al viejo de sesenta y dos años que había explorado hasta los oscuros límites exteriores de la sexualidad. Olvidada la lección de grabado, Picaso le empezó a enseñar los aguafuertes de la suite Vollard. Un desnudo rubio está sentado frente a un desnudo de pelo y ojos oscuros. «Aquí estás. Esta eres tú. La ves, ¿no es así? Sabes, siempre me han fascinado ciertas nuevas caras, y la tuya es una de ellas.» En unos cuantos grabados posteriores un minotauro está contemplando a una mujer dormida. «La está estudiando —explicó Picasso— intentando leer sus pensamientos y saber si ella le ama porque es un monstruo. Las mujeres son tan raras para esto... Es difícil averiguar si él quiere despertarla o matarla.»

Daba igual lo que Picasso dijera, puesto que él no podía lograr perturbar su serenidad. Estaba intrigado por el origen de la fortaleza de ella: sentía que surgía de un lugar más alto que la experiencia, la apariencia o el cerebro. «Tú eres la única mujer que he conocido —le dijo Picasso— que tiene su propia ventana a lo absoluto.» Estaba excitado por la posibilidad de una nueva clase de relación en la que hubiera reciprocidad, quizá incluso amor. «Adivino que moriré sin haber amado nunca» —le había dicho unos meses antes—. Y ella se había reído y le había pedido que no pensara en *eso* todavía. «¿Qué es *eso*, por cierto?» —le preguntó Picasso de repente, mientras miraban los grabados de Vollard—. Había esperanza en el desafío, esperanza de que ella pudiera saberlo o, al menos, saber un poquito más que él. Françoise dijo que no estaba segura, pero sí que había dado los primeros pasos del viaje para averiguarlo. Fue la indirecta que le llevó a Picasso a coger su brazo y conducirla a la habitación. La desnudó y después la examinó. Y entonces se maravilló de cómo su cuerpo encajaba tan perfectamente con la imagen que tenía de ella. Con ternura la puso sobre sus rodillas como una niña pequeña a quien quisiera tranquilizar y le dijo que cualquier cosa que hubiera entre ellos, o que fuera a haber, seguramente sería maravilloso y que los dos debían sentirse completamente libres; que cualquier cosa que fuera a suceder debía suceder sólo porque ambos lo quisieran.

«De repente —recordaba Françoise— me inundaron las mismas sensaciones que había experimentado en Les Baux: la sensación de un nuevo comienzo, una profunda confianza y una sensación de pertenencia. En Les Baux había sentido que ya no era un ser separado, sino uno dentro del universo. Ahora sentí que era uno solo con Pablo.» Picasso estaba acostado a su lado en la cama y mientras le acariciaba el cuerpo con infinita delicadeza le dijo que él también había sentido que este instante era el verdadero comienzo... «Me gustaría ser capaz de detener el tiempo y dejar las cosas exactamente en este punto.»

Françoise sentía en los brazos de él una paz tan profunda y una alegría tan completa, que nada más le importaba y pensaba que nada más le quedaba por alcanzar. Se sintió impenetrable a las dudas, los miedos e incluso el pesimismo que se había filtrado en el profundo ser de Picasso y que ahora asumió. «Todo —le dijo a ella— existe en cantidad limitada, especialmente la felicidad. Si el amor tiene que penetrar al ser, todo está escrito en alguna parte y también su duración y su satisfacción... No debemos vernos muy a menudo. Si las alas de la mariposa deben mantener su brillo, no debes tocarlas. No debemos abusar de algo que nos va a traer luz a nuestras vidas. Todo lo demás en mi vida me oprime y me impide la luz. Esto que me sucede contigo me parece como una ventana abierta. Quiero que se quede abierta. Debemos vernos, pero no a menudo. Cuando quieras verme, llámame y dímelo.»

Ciertamente estaba agitado más profundamente que ninguna vez anterior, pero también temía que lo que creía tan diferente resultase ser lo ya conocido. Pidiéndole que no se viesen tan a menudo, él estaba prolongando no sólo su felicidad, sino también su esperanza de que los sentimientos que habían nacido en su interior floreciesen en amor. No confiaba en la vida lo suficiente para entregarse de lleno a lo que sentía que le traería la luz en su oscuridad, y no tenía confianza en sí mismo para destruirlo. Pidiéndole verla esporádicamente estaba buscando proteger lo que había empezado a surgir entre ambos; protegerlo del monstruo que no podía controlar, según la experiencia le había enseñado.

Françoise se marchó pensando que el gran pintor que había admirado impersonalmente se había transformado en el curso de la última media hora en un hombre al que no podía ayudar, pero sí amar.

11

EL CAMARADA PICASSO

En febrero de 1944, el mismo mes en que Picasso y Françoise establecían sus proyectos de citas periódicas, Max Jacob fue arrestado en Saint Benoît-sur-Loire y enviado al campo de detención de Drancy, primera etapa hacia el largo viaje a Auschwitz o Dachau. Durante el trayecto a Drancy escribió a Cocteau: «Querido Jean, te escribo desde el tren, gracias a la amabilidad de los gendarmes que nos rodean. Muy pronto estaré en Drancy. Eso es lo que tengo que decirte. Sacha, cuando le hablaron de mi hermana, dijo: "Si fuera él, haría algo". Bueno, ahora soy yo. Te abraza. Max». La concisión de su ruego hacía éste más angustioso. Una última llamada, desde Drancy, llegó a sus amigos en París: «Salmon, Picasso, Moricand, pueden hacer algo por mí».

Sus amigos comenzaron inmediatamente a movilizar todas las ayudas que pudieron encontrar. Cocteau redactó una emotiva carta sobre Max, sobre cómo lo reverenciaba la juventud francesa, sobre su renuncia al mundo, sobre su invención de un nuevo lenguaje que dominaba la literatura francesa. Y en una discreta postdata recordaba: «Max es católico desde hace 20 años». La súplica fue presentada personalmente a Von Rose, el consejero del embajador alemán en materia de indultos y revisiones de sentencias, quien, milagrosamente, amaba la poesía y era un admirador de la obra de Max. Picasso no estaba entre los firmantes de la petición. Su silencio en la defensa de uno de sus más antiguos e íntimos amigos era increíble. Cuando Pierre Colle, el albacea literario de Max, fue a la calle Grands-Augustins a pedirle que usase de su considerable prestigio ante los alemanes para intervenir en ayuda de Max, se negó, añadiendo a su indiferencia ante la petición una chanza: «No es necesario hacer nada. Max es un pequeño diablo y no necesita nuestra ayuda para escapar de la cárcel».

El 6 de marzo, Von Rose anunció que había conseguido una orden de libertad firmada por la Gestapo, y un automóvil llevó a algunos amigos de Max inmediatamente a Drancy, donde se les comunicó que Max había muerto el día anterior, víctima de una pulmonía contraída inevitablemente por las condiciones de la prisión y el frío helado de su celda, húmeda y sucia. El «pequeño diablo» había escapado de su prisión, pero hacia la muerte. ¿Sabían los alemanes que Max había muerto ya cuando firmaron la orden de libertad? ¿O era un auténtico indulto que llegaba tarde? ¿Habría supuesto alguna diferencia la intervención de Picasso?

Siempre que Picasso tuvo dificultades durante la ocupación, fuese a causa de que hacía sus comidas en un restaurante del mercado negro que fue objeto de irrupciones de la policía, o porque hacía esculturas en bronce fundido, lo que era ilegal, o, cosa más seria, por haber contrabandeado dinero enviándolo al extranjero, consiguió echar tierra a esas infracciones. Si no podía ayudarle André-Louis Dubois en el Ministerio del Interior, éste hablaría personalmente con el embajador Otto Abetz, y si el embajador carecía de facultades para intervenir, Dubois se dirigiría a gente de la talla de Arno Brecker, el escultor favorito de Hitler, quien podría telefonear inmediatamente al ayudante de Himmler, el general de las SS, Müller. «Si pone usted la mano sobre Picasso —había avisado Brecker a Müller cuando se descubrió el contrabando de divisas— la prensa mundial armará tal escándalo que le volverá loco», y le anunció que si no firmaba los documentos poniendo fin a su acción contra Picasso, recurriría directamente al Führer. Müller, que sabía que por orden de Hitler las estatuas de bronce de las plazas de París habían sido fundidas para proporcionar materia prima para las esculturas de Brecker, se apresuró a firmarlos. Brecker recordaba que Hitler opinaba: «En cuestiones políticas todos los artistas son inocentes, como Parsifal».

Tanto era el poder de la leyenda de Picasso; pero no lo usó para intentar salvar de la muerte a su amigo, lo hubiera conseguido o no. Fue una de las peores traiciones de su vida, tanto una traición a sí mismo como una traición a Max. Y cuando se celebraron los funerales en la iglesia de Saint Rocho, Picasso tuvo miedo de aparecer asociado, incluso a la hora de la muerte de su amigo, a un prisionero de los nazis, y no entró en la iglesia; se quedó en el atrio, fuera de ella; paseante, no participante.

En una ocasión Françoise, que ya había comprendido lo enemigo que era Picasso de correr riesgos, le preguntó por qué se había quedado en París cuando podía haberse refugiado en Norteamérica. «Quedarme aquí —le contestó— no fue realmente una manifestación de valor: solamente una forma de inercia. Supongo que fue sencillamente porque prefiero estar aquí». Su inercia se interpretó como una decisión heroica, una forma de resistencia pasiva, y tal opinión vino reforzada por el hecho de que muchos de sus amigos se habían incorporado a la Resistencia. El 19 de marzo, Michel y Louise Leiris reunieron en su apartamento a muchos de sus amigos para una lectura de la obra teatral de Picasso *El deseo cogido por el rabo.* Los actores eran Jean-Paul Sartre, Simone de Beauvoir, Georges Hugnet, Jean Aubier, Raymond Queneau y Dora Maar; el director era Albert Camus. Entre los espectadores estaban, entre otros, Braque, Eluard, Pierre Reverdy, Jean y Valentine Hugo y el matrimonio Ansorena, argentinos muy ricos que habían implorado en vano a Picasso que pintase una puerta para ellos.

Cuatro años más tarde, en *¿Qué es literatura?,* Sartre dio expresión filosófica al tema subyacente en *El deseo cogido por el rabo,* diciendo con palabras lo que Picasso había dicho con imágenes: «Nos han enseñado a tomar en serio el mal. No es por nuestra culpa ni por nuestros méritos por lo que hemos vivido en unos tiempos en los que la tortura fue un hecho diario: Chateaubriand, Oradour, la Rue des Saussaies, Dachau y Auschwitz nos han demostrado que el mal no es una mera apariencia, que conocer sus causas no lo disipa, que no se opone al bien como una idea confusa se opone a una idea clara, que no es efecto de pasiones que puedan ser curadas, de un miedo que pueda ser superado, de una aberración pasajera que pueda ser disculpada, de una ignorancia que pueda ser iluminada; que no puede ser apartado, sacado a la luz, disminuido e incorporado a un humanismo idealista... Sin embargo, pese a nosotros mismos, llegamos a esta conclusión, que parecerá extraña a las almas sublimes: el mal no puede ser redimido». O, como Pie Grande dice al comienzo del quinto acto: «La negrura de la tinta envuelve los esputos de los rayos de sol». La convicción de que el mal no es redimible traspasaba no solamente el trabajo de Picasso, sino también su conducta, y, en el caso de la muerte de Max, su inercia, cuando había una poderosa razón para alzarse contra ella.

En junio, un rayo de sol perforó la negrura, y el mal pareció ser un hecho habitual, pero no una realidad absoluta. Los ejércitos aliados desembarcaron en Normandía, y en agosto habían llegado a París. A ellos se unieron millares de parisienses que se habían sublevado contra sus opresores. Picasso dejó su casa de la calle Grands-Augustins y esperó el éxito de la batalla que ardía en las calles alojado en la casa de la calle Henri IV, con Marie-Thérèse y Maya. Mientras se producían violentas escaramuzas en las proximidades, él aliviaba su ansiedad dibujando a Maya, una niña feliz ahora que estaba en compañía de su madre, su padre y su abuela. Muchos de los mejores recuerdos de Maya se referían a los ataques aéreos: «Toda la clase de mi escuela, que estaba a la vuelta de la esquina, iba a refugiarse a los sótanos de la casa donde yo vivía. Era maravilloso y a mí me encantaba. Nuestro maestro nos contaba los viejos mitos en la oscuridad, porque no teníamos velas nunca. Era fabuloso. En lugar de contarnos historias de Caperucita Roja nos contaba historias de dioses, de Ariadna, de Baco y del Minotauro, y era sensacional. Imagínense todas esas historias en la oscuridad... Por eso a mi papá le gustaban tanto los ataques aéreos como a mí. Era de lo más feliz porque gracias a ellos volvía a descubrir a mi familia junto con los antiguos mitos. Y encontraba los dioses griegos y romanos muy normales: hablaban como mi padre».

Pronto no fue solamente su hija la que le veía como un dios. La liberación de París, proclamada el 25 de agosto, anunciaba un punto de inflexión en la vida de Picasso. Ya no era meramente un hombre de fama mundial o una leyenda, sino que se convirtió en un símbolo de la victoria contra los opresores, de supervivencia de la gloria de la vieja Europa. Le habían pedido un dibujo para la portada del álbum de homenaje ofrecido al general De Gaulle por los poetas y pintores de la Resistencia. Era una celebridad que podía ser incorporada para añadir más atractivo al triunfo. Y como durante toda su vida había dado preferencia a los símbolos sobre la realidad, Picasso aceptó. En la Resistencia había habido millares de héroes anónimos, y el pintor, que ciertamente no era un héroe, era un monumento, casi tan conocido como la Torre Eiffel y por lo menos tan accesible. Posó para los fotógrafos, con su paloma favorita encaramada a su cabeza o a su hombro; dio la bienvenida a cientos de soldados americanos que hacían cola para visitar su estudio y les decía «Thank you very much», con encantador acento franco-español, para agradecer los regalos: chocolate, café, fruta o latas de conserva; contestaba pacientemente a las preguntas que una y otra vez le hacían sobre cómo pintaba sus cuadros, cuántos hacía el año, cuántos vendía y a qué precios, y cuánto tardaba en hacer uno.

«Cuando el entusiasmo se apaciguó —escribió John Pudney en el *New Statesman* de Londres— y uno lloraba mucho menos cantando la Marsellesa, y menos champagne era obligado a tragar en nombre de la liberación (el gaznate no se prestaba a ello en forma totalmente voluntaria) fui a ver a Picasso... Me dijo que su tendencia en la creación artística era la de estabilizar la humanidad al borde del caos». Otra de las primeras visitas a Picasso fue la de Hemingway. Picasso había salido, y la portera, cansada de que todo el mundo dejase regalos, le preguntó si tenía alguno para dejar a Monsieur. Hemingway fue a su coche y, recogiendo una caja de bombas de mano en la que había escrito «De Hemingway para Picasso», se la entregó a la portera.

Muchos de los que emprendieron la peregrinación para visitar a Picasso se limitaban a esperar. Françoise contó en una ocasión veinte soldados americanos durmiendo en las cercanías del estudio. Pero por más molesta que fuese para Françoise la presencia de aquellos cuerpos cruzados en la puerta de la casa, fue peor la portada de una revista que vio en un quiosco de prensa mientras cruzaba en bicicleta la plaza Clichy: en ella aparecía Picasso con su semisalvaje paloma, que normalmente no permitía acercársele a otra persona en el estudio. «Me pareció que tanto Picasso como la paloma habían sido domesticados y convertidos en algo que podía ser examinado de cerca y tocado por el mundo entero».

De acuerdo al menos con uno de los visitantes, Picasso era, junto con De Gaulle, el hombre del día en la Francia liberada. A él le gustaba el papel y lo representaba íntegramente.

«Para el hombre creador no hay tiempo para fracasar, para acortar su trabajo o para pararlo» —decía a sus visitantes—, añadiendo modestamente: «No se puede hacer otra cosa más que trabajar seria y devotamente, luchar por la subsistencia y esperar ansiosamente la libertad». Y los visitantes divulgaban las palabras del gran hombre. Algunos, los más afortunados, no solamente veían su trabajo, sino que eran admitidos a sus habitaciones particulares y escribían: «El frío enlosado español del dormitorio», y el encantador comentario sobre, por ejemplo, los lavabos gemelos del cuarto de baño: «O una mano en cada uno o una conversación inteligente mientras te lavas». Y todo el mundo se enteraba de que tenía muchas jóvenes y bellas amigas con las que compartir una conversación inteligente mientras se lavaban.

Ahora que tantos veían en él un hombre providencial, elegido por el destino, se sentía cada vez más identificado con su misión de luchar contra ese destino, contra la vida y contra Dios. Después de todo, ahora más que nunca, él era el venerable centro de una religión embrionaria, con un río diario de adoradores del *santuario interior,* como llamaba Sabartés a su estudio. Nigel Gosling, un periodista inglés que le había llevado como ofrendas varios libros Penguin sobre arte inglés y una enorme manzana roja de Normandía, lo describía «como un rechoncho diosecillo oriental. Más pequeño de lo que yo esperaba (siempre lo son los grandes hombres), cetrino y bien plantado sobre sus pies; sus negros ojos de mono, redondos y grandes, centelleando más abajo de su casi completamente calva cabeza y su escaso pelo blanco. Era serio y cortés, y emitía poderosamente la dionisíaca incandescencia del genio».

En toda religión hay, naturalmente, una voz herética entre el ensordecedor coro de las adulaciones. Misia Sert, entonces en sus setenta años, suministró esa voz heterodoxa. «Con las manos que tanto me impresionaban —escribió en sus memorias, refiriéndose a la visita a Picasso después de la liberación—, seleccionó varios cuadros para ponerlos al alcance de mi vista, ya muy escasa. Había docenas y docenas de ellos. ¡Cuánto me habría gustado ser capaz de decirle lo que los adoraba! ¡Qué feliz habría sido él de verme llevar uno! ¡Ay!, en todo lo que estaba pintando no había nada que yo hubiera soportado. Le quería demasiado para ser capaz de decepcionarle con mis opiniones... Me encontré de vuelta en mi automóvil llorando sin control por todo lo que podía haber sido».

Pero disentir y llorar por lo que podía haber sido eran una mercancía muy rara en la calle Grands-Augustins y la atmósfera era de fiesta. Un mes después de la liberación, Eluard, rebosante de excitación conspiratoria, susurró al oído de Roland Penrose, que era uno de los visitantes de Picasso aquel día: «Tengo grandes noticias para usted: dentro de una semana se anunciará públicamente el ingreso de Picasso en el Partido Comunista». El 5 de octubre, la noticia fue anunciada a bombo y platillo en la primera página de *L'Humanité*, completada con fotografías de la recepción del día anterior en la que los dignatarios del partido habían saludado «la profunda humanidad», las «preocupaciones morales» y el «servicio a la humanidad» de su nuevo hermano, y le habían dado la bienvenida en «el seno del Partido Comunista, la grande y fraternal familia de obreros, campesinos e intelectuales».

El diario, órgano oficial del Partido Comunista, se extendía sobre la grandeza de Picasso como pintor, como si intentara convencerse a sí mismo. «Si hoy se preguntase a los artistas de la Unión Soviética, a los de las naciones anglosajonas y, asimismo, a los de las naciones latinas, todos coincidirían en señalar a Picasso como el primero entre ellos y el maestro de la pintura contemporánea». La grandeza por plebiscito.

El ingreso de Picasso en el Partido Comunista se convirtió en un espectáculo circense, y uno de sus más divertidos números fue el espectáculo de funcionarios del partido contorsionándose para demostrarle que su arte, que había sido anatematizado de acuerdo con todos los cánones oficiales del «realismo socialista» era, sin embargo, un gran arte. Hablaban volublemente y gorgoriteaban, y Picasso respondía amablemente. «En toda expresión humana —dijo en una ocasión— hay un lado estúpido», y en sus explicaciones de por qué había ingresado en el partido probó la verdad de esa afirmación. «Y ¿qué pasa con los pobres, con todos los pobres? —contestó a Louis Dubois, su protector durante la ocupación, que le reprochaba su adhesión a los comunistas—. Ellos no van a contentarse solamente con una persona o con una cosa; se defenderán a sí mismos. Habrá huelgas, disturbios, y cuando eso suceda ¿quieres que me quede en la ventana, mirando el espectáculo? No, eso no puedo hacerlo; yo estaré abajo, en la calle, con ellos». De hecho, en los siguientes años, lejos de estar «en la calle, con ellos», se limitó a contemplar la escena desde su ventana.

Su capacidad para inventar la realidad alcanzó nuevas cimas en una entrevista que concedió al diario comunista americano *New Masses,* y que reprodujo pocos días después *L'Humanité* bajo el título «Por qué me he afiliado al Partido Comunista»: «Mi ingreso en el Partido Comunista es la consecuencia lógica de toda mi vida, de toda mi obra, porque —y me enorgullece decirlo— nunca consideré mis cuadros como un entretenimiento o una evasión; porque quería, con el dibujo y el color, profundizar más en el conocimiento del mundo y de los hombres, usando ambas cosas como armas adecuadas para conseguirlo; porque ese conocimiento permitiría a cada uno de nosotros ser más y más libre cada día. Intenté expresar lo que consideraba más verdadero, más honesto, más correcto, lo que naturalmente es lo más bello, como todos los grandes artistas saben muy bien. Esos años de horrible opresión me han demostrado que tenía que luchar no sólo con mi arte, sino también con todo mi ser. Por eso he ido al Partido Comunista sin dudarlo ni por un momento, fundamentalmente porque yo ya estaba con él desde el principio. Aragon, Eluard, Cassou, Fougeron y todos mis amigos lo saben muy bien, y la razón de que no me haya afiliado oficialmente antes fue una especie de "inocencia", porque pensaba que mi arte y el hecho de que en mi corazón ya pertenecía al partido eran ya suficientes, pero era ya mi propio partido. ¿No es el Partido Comunista el que más duramente trabaja para entender y moldear el mundo, para ayudar al pueblo de hoy y al de mañana a ser más inteligente, más libre y más feliz? ¿Han sido o no los comunistas los combatientes más bravos en Francia, como lo fueron en la Unión Soviética o en mi propia España? ¿Qué me habría hecho dudar? ¿El miedo a comprometerme, cuando nunca me he encontrado más libre ni más yo mismo? Siempre he estado ansioso de tener un país propio; he vivido mucho tiempo en el exilio, y ahora ya no estoy exiliado porque el Partido Comunista me ha abierto sus brazos mientras llega el momento de que España vuelva a acogerme, y he encontrado en él a la gente que más admiro: los grandes científicos, los grandes poetas y todas las gloriosas caras revolucionarias de aquellos días de agosto en que París se alzó contra el enemigo. ¡Estoy otra vez entre mis hermanos!»

Nunca había envenenado tan concienzudamente el pozo de la verdad. ¿Era incapaz de comprender la magnitud de los sufrimientos impuestos por el comunismo, los millones de asesinatos o encarcelamientos en los campos de concentración, el hecho de que moralmente Stalin no era mejor que Hitler? ¿O creía que el fin justifica los medios? Los informes llegados de Rusia evidenciaban sin lugar a dudas que Stalin y su jauría hablaban en serio. Picasso rendía culto a la fuerza y despreciaba la debilidad. Picasso olía la muerte en él, porque la debilidad le parecía su muerte y deseaba alejarse todo lo posible de cualquier exhibición de ella. El sistema comunista pretendía un monopolio de la verdad y buscaba el monopolio del poder, lo que encajaba perfectamente con la mentalidad de Picasso. Exigía también una entrega total a los miembros del partido, y eso le resultaba cómodo porque era, en efecto, lo que Picasso exigía a todos los que le rodeaban. Pese a sus manifestaciones dulzonas de preocupación por el pueblo humilde, admiraba el totalitarismo y le fascinaban su aparente eficacia y su completo poder —no votos que conseguir, no un pueblo que necesite ser democráticamente engatusado, adulado y persuadido—. Era justamente el camino que prefería para su propia vida. En ese sentido decía la verdad cuando declaraba que «unirme al Partido Comunista fue la lógica conclusión de mi vida entera». Había sido siempre un auténtico totalitario, y ahora había llegado la hora de encontrar su igual en el partido, y tanto el hombre como el partido actuaban como si abrazar y proclamar un ideal fuese suficiente para suprimir la necesidad de vivir con ese ideal.

Su adhesión al partido acarreó a Picasso una agradable y cómoda sensación de virtud indirecta y gran cantidad de aplausos. Dijo que había sido un exiliado, pero que ya no lo sería en adelante. Pero no era un exiliado de España (había vivido voluntariamente en París desde treinta y siete años antes de la guerra civil), sino de sí mismo, y buscaba huir del hiriente dolor de ese exilio (y de la asfixiante prisión en que le hacía vivir) uniéndose al partido y disfrutando de la sensación, aunque fuese falsa, de encontrarse en su ambiente. Y como había cierto elitismo en el partido del pueblo, para muchos era emocionante pertenecer a él, y para muchas jovencitas del partido era emocionante pertenecer a Picasso, siquiera fuese fugazmente, e iban en tropel a la calle Grands-Augustins en busca de autógrafos de la más reciente celebridad del partido, y allí se juntaban a niñas de escuela de gustos «pequeñoburgueses» que esperaban que el gran artista les concediese una leve mirada y que casi siempre obtenían más que eso. Aunque Picasso era ya viejo, gustaba a sus jóvenes compañeras de cama. En la confusa euforia de la liberación, muchas menores de edad se iniciaron en los misterios del sexo con un hombre lo bastante viejo para ser su abuelo.

Una de estas muchachas que encontró el camino al estudio de Picasso, guiada por Eluard, fue Geneviève Laporte. Por entonces tenía 17 años y estudiaba en el cercano Lycée Fénelon, en el que era presidenta del Frente Nacional de Estudiantes y directora del periódico escolar. Como tal directora fue a pedirle una interviú a Picasso, una explicación de su comunismo y una explicación de su arte, el cual —dijo ella— no lo comprendían sus condiscípulos. «¡Entender! —gritó él—. ¿Qué demonio tiene que ver eso con el arte? ¿Desde cuándo un cuadro es una prueba matemática? ¿Explicar qué, por el amor de Dios? No hay nada que explicar, pero sí despertar la sensibilidad en el corazón de quien mira una obra de arte. Una obra de arte no debe ser algo que deje insensible a un hombre, algo a lo que él se limite a echar un vistazo al pasar. Tiene que hacerle reaccionar, hacerle sentir con tanta fuerza que comience a crear por sí mismo, aunque sólo sea en su imaginación. Hay que sacarlo a tirones de su apatía...»

«Los filósofos solamente han interpretado el mundo en diversas formas; lo importante es cambiarlo», había dicho Marx. Geneviève preguntó a Picasso si había leído a Marx. Picasso no lo había leído. Su conocimiento de la doctrina marxista lo debía, aparte de a Eluard y Aragon, a Laurent Casanova, una de las cabezas del comunismo clandestino, que había huido de la cárcel durante la ocupación y encontrado asilo para eludir la persecución de la Gestapo en el apartamento de Michel Leiris, cerca de la esquina donde vivía Picasso. Geneviève Laporte, por su parte, había leído mucho, intentando convencerse de que debía hacerse marxista e ingresar en el partido. Había leído incluso la obra de Stalin *Historia del Partido Comunista de la Unión Soviética.* «Hice todo lo que pude —dijo—, pero fue en vano, porque había demasiados argumentos con los que yo no podía estar de acuerdo.» En su primera entrevista, Picasso le enseñó su carnet del partido, y ambos coincidieron en que resultaba divertido que en él el pintor fuese llamado «Camarada Picasso». Y él, que no había explicado su arte, intentó, en cambio, explicar sus ideas políticas: «Mire, yo no soy francés, sino español, y estoy en contra de Franco. El único sistema que puedo utilizar para que todo el mundo se entere de eso —añadió el pintor del *Guernica*— es afiliarme al Partido Comunista y demostrar con eso que estoy contra Franco.»

Muy pronto las discusiones sobre política fueron sustituidas por los escarceos eróticos. Pero, al revés de lo que sucedía con el resto de las muchachitas en la vida de Picasso, Geneviève alcanzó permanencia en ella, contribuyendo a la tensión que era siempre, para él, un elemento imprescindible para su excitación sexual. A veces Françoise se la encontraría en la calle Grands-Augustins, sin saber que Geneviève también había sido incluida en el largo y creciente catálogo de las amantes de Picasso como una más de ellas. «Yo le había puesto el mote de *El queso suizo* —recordaba—. Era una chica más bien grande y robusta, y continuaba llevando queso a Pablo». De hecho, Françoise ignoraba la presencia de otras mujeres en la vida de Picasso, salvo Dora, y en cuanto a Olga y Marie-Thérèse, él aseguraba que pertenecían al pasado.

Dora ya conocía la existencia de Françoise, pero no creía poder ser suplantada por «la estudiante», como llamaba despectivamente a Françoise desde las inseguras cimas de su eminencia intelectual. «En la cama, pero no en la mesa», dijo a Picasso, quien inmediatamente le ordenó que invitase a Françoise a cenar con ellos. «Fui —recordaba Françoise—, pero en compañía de André Marchand, que era mi amante y me había retratado muchas veces. Así, en lugar de aparecer como la muchacha que quiere estar con el maestro sea como sea, yo estaba allí con mi propia escolta, que, a los ojos de todo el mundo, era el hombre de mi vida. Y Dora, que ya conocía a André Marchand, le invitó a cenar con Pablo y ella, con la esperanza de que él me llevase consigo. Suponía que cuando Pablo se diese cuenta de las relaciones, bien visibles, entre André y yo, perdería su interés por mí. Naturalmente, sucedió todo lo contrario».

Cuando se inauguró, seis semanas después de la liberación, una gran exposición retrospectiva de Picasso como parte del Salón de Otoño, Françoise fue fiel a su deber, que fue un deber inesperado. Algunos «jóvenes mentecatos», como les llamó André Lhote, muchos de ellos estudiantes de la Escuela de Bellas Artes, y algunos «caballeros de edad avanzada», se sintieron tan insultados por la combinación de la obra de Picasso y sus opiniones políticas, que intentaron descolgar sus cuadros, gritando: «¡Echadlos abajo! ¡Devolved el dinero! ¡Que nos los expliquen!». Desde aquel día Françoise hizo turno de guardia, junto con otros estudiantes, ante los cuadros del pintor. Era una manifestación concreta de uno de los fuertes impulsos que la llevaban hacia Picasso: el deseo de protegerle, de salvarle, ahora de los amenazadores enemigos de su arte y siempre de sí mismo.

Pocos de los que atestaban el Salón de Otoño se manifestaban violentamente, pero muchos estaban perplejos. «Después de la pesadilla de la ocupación —explicaba Françoise— tenía que ser traumático para el público en general verse enfrentado tan de cerca con el espíritu de los años que acababan de vivir.» Ese trauma era también el motivo de la reseña de la exposición que hizo Georges Limbour: «Los cuadros pintados por Picasso en los últimos cinco o seis años, y exhibidos en el Salón de Otoño, son para los visitantes un choque tan violento como pueda llegar a serlo un espectáculo artístico. Sus formas, intensamente precisas, agresivamente extrañas, mayores que la vida, pesando sobre el alma como objetos de una densidad mayor que la que se conoce en el mundo, sean de cuero, porcelana, madera o hueso, nos hunden a primera vista en una inquietud extraña pero fascinante, hasta que recobramos nuestro equilibrio en la atmósfera especial en la que viven». Hubo muchas caricaturas inspiradas por la exposición, y una de ellas muestra un guía explicando a un visitante que está mirando una parodia burlesca de la escultura de Rodin *El pensador:* «Es como si hubieran colgado un cuadro de Picasso delante de él».

Mientras Dora continuaba situándose como la amante oficial de Picasso, Françoise iba siendo llevada por él al pasado del pintor. Al principio se limitaba a hablarle de ello, pero después quería enseñarle sus reliquias de aquellos tiempos. Una tarde ordenó a

Marcel que les llevase hacia la parte más alta de Montmartre, donde se apearon del auto y caminaron hasta el Bateau-Lavoir. «Aquí empezó todo», le dijo con grave expresión, y le señaló el estudio de Juan Gris, el cuarto de Max Jacob, la habitación donde había vivido Soriol, el vendedor de alcachofas, y, finalmente, su propio estudio. «Todo lo que necesitamos es abrir esta puerta —dijo— y volveremos al Período Azul. Tú fuiste hecha para vivir en ese período y deberías haberme conocido cuando yo vivía aquí. Si nos hubiésemos conocido entonces todo habría sido perfecto, porque pasase lo que pasase, nosotros no nos habríamos ido nunca de la calle Ravignan. Estando contigo, nunca habría querido dejar este sitio.» Por primera vez Françoise comprendió lo que el Bateau-Lavoir había sido para él. «Era un tiempo de lucha, pero había un propósito y una esperanza en esa lucha, y todo parecía posible, incluso la felicidad».

Desde el Bateau-Lavoir la llevó a una casita en la cercana calle Des Saules. Allí, yaciendo en una cama, estaba una mujer vieja, desdentada y enferma. Hablaron con ella algunos minutos; él dejó algún dinero en su mesilla de noche, y se fueron. Durante un rato, Picasso mantuvo silencio; luego se volvió a Françoise y le explicó: «Quiero que aprendas lo que es la vida. Esa mujer se llama Germaine Pichot. Es una vieja sin dientes, pobre y desdichada ahora, como has visto, pero cuando era joven era muy guapa e hizo sufrir tanto a un pintor amigo mío que él se suicidó». La lección que había querido darle a Françoise sobre la vida era la misma que él, intencionadamente o no, estaba enseñando al mundo mediante sus obras: que una gran parte de la vida consiste en descomposición, degradación y muerte.

En febrero de 1945 comenzó a trabajar en otro cuadro sobre los mismos temas: *El Osario*. Un montón de cadáveres rotos yace bajo una mesa blanca, con una jarra y una cacerola sobre ella. Penrose calificó a este cuadro «lo más desesperado en la obra de Picasso». Barr lo llamaba «una *Pietá* sin dolor, un sepelio sin enlutados»; numerosos críticos y amantes del arte llegaron a la conclusión de que el cuadro estaba inspirado en el horror de los campos de concentración. Al igual que la lección que Picasso había querido que Françoise aprendiera, *El Osario* era solamente parte de la verdad. Era una crucifixión sin el menor atisbo sobre el posterior triunfo de la resurreción; era el triunfo nazi sin la victoria sobre él. Eran, una vez más, las tinieblas como realidad última.

Resultaba demasiado, incluso para él. A lo largo del año trabajó en el cuadro, le dejó, volvió a él. No lo terminó a tiempo para el Salón de Otoño, y aún no estaba terminado cuando se expuso en la Exposición del Arte y la Resistencia, en presencia del antes fugitivo y ahora ministro comunista de Asuntos de los Veteranos, Laurent Casanova. Casanova ensalzó al «gran artista que halló en la acción heroica de nuestros hermanos los elementos de un nuevo arte moderno», pero, pese a la retórica oficial, hubo entre los compañeros de partido de Picasso muchos rumores respecto al arte que estaba practicando, rumores que él se tomó con calma: «Aunque no me quisieran —dijo— yo seguiría afiliado en el partido». Pero sabía muy bien que ellos siempre le querrían y sabía también por qué: «La verdad de la cuestión es que gracias al *Guernica* disfrutó del placer de dar un testimonio político todos los días en el centro de Nueva York. Nadie más puede hacerlo, ni los ministros ni los políticos pueden conseguir tanto».

«Si los alemanes volvieran —le preguntó Cocteau durante una cena— ¿qué podrías decirles, ahora que estás en el Partido Comunista?». Picasso, evidentemente orgulloso de sí mismo, replicó: «Les diría: ¿No pueden ustedes comprender que era una broma?». Pero mientras los alemanes, afortunadamente, estaban lejos, él se comportaba como un alto personaje del partido, participando en los mítines de masas, leyendo discursos —casi siempre escritos por Eluard— y, cosa más importante que cualquier otra, concediendo entrevistas.

El hombre cuyo lema era «Prohibido hablar al conductor» decía ahora ansiosamente a Jerome Seckler, que le entrevistaba para *The New Masses*: «Créame, yo soy un comunista y mis cuadros son cuadros comunistas», y precisó más: «Pero si fuera zapatero, monárquico o comunista o de cualquier otra tendencia política, no tendría necesariamente que martillear mis zapatos en una forma especial que mostrarse mis creencias políticas». Necesitaba ser entendido claramente, que se supiese que él no era un hombre fuera de la realidad. «He estado siempre en el corazón de la realidad» —repetía—. La pregunta no respondida era: ¿Qué es la realidad? ¿La realidad de un paisaje de Corot y la del cuadro de Rubens que representaba a una pareja enamorada, que adornaban su dormitorio por aquel entonces? ¿O la realidad de *El Osario,* que todavía no había conseguido terminar?

En su introducción a la entrevista, Seckler se refería a la exasperación que tanto él como sus amigos habían experimentado al analizar a Picasso: «La única conclusión a la que hemos podido llegar ha sido que Picasso, durante sus varios, así llamados, "períodos", reflejó con exactitud las febriles contradicciones de su tiempo, pero únicamente las reflejó, no pintando nunca nada que pudiera aumentar el entendimiento de ese tiempo». Conclusión mucho más devastadora de lo que creía Seckler. ¿El arte de Picasso podría considerarse reducido a nada más que una brillante demostración del descontento de su siglo?

El 24 de marzo, algunos días después de que su entrevista con Seckler se hubiera publicado en *New Masses*, apareció otra en *Les Lettres Françaises* en la que Picasso veía su arte creándose a sí mismo en la imagen de los acontecimientos de su tiempo. «¿Pero qué cree usted que es un artista? ¿Un imbécil que tiene solamente ojos si es pintor, oídos si es músico y una lira a nivel de su corazón si es poeta? Todo lo contrario; es al mismo tiempo un ser político, constantemente atento a lo conmovedor, excitante o feliz de los acontecimientos del mundo, creándolos él mismo en sus imágenes. ¿Cómo le sería posible no estar interesado en los demás hombres, o mediante qué indiferencia del que vive en una torre de marfil podría ser indiferente a la vida que llevan? No, la pintura no es para decorar viviendas, sino un arma que debe ser usada en la ofensiva contra el enemigo». Otra vez una pregunta sin respuesta: ¿Y quién es el enemigo?

«Era una invasión —se quejaba a Brassaï en mayo—. París fue liberado, pero yo estuve sitiado y todavía lo estoy.» Se quejaba, pero seguía determinado a conquistar a cada uno de sus sitiadores, y su arma no era su trabajo, que en algunos casos era un factor positivo, sino su capacidad de dedicarse totalmente a cualquiera que estuviera en su compañía, y durante el tiempo que estaba con ellos éstos creían y sentían que era un antiguo amigo. «Me pareció como si le hubiera conocido hace años», escribió Seckler, su entrevistador. Y Marina de Berg, una joven bailarina rusa que llevó a su estudio Brassaï, se hizo eco de la misma impresión. «Es curioso —dijo—. Le vi por primera vez entonces y todavía tengo la impresión de que le he conocido desde siempre». Recibía a sus visitantes en pantalón corto azul, sin otra ropa, y se vestía con un traje color gris-acero solamente un poco antes de que se despidieran. «Confidencialmente —dijo Marina a Brassaï—, estaba mucho mejor en shorts que con su traje gris. Cuando estaba vestido con él parecía, demasiado, un auténtico caballero, y la corbata no le sentaba bien. Pero en shorts era increíble».

Marina hablaba de Picasso muy efusivamente, pero odiaba sus esculturas y sus cuadros. «¡Sólo hay monstruos en ellos! ¡Horrores!», exclamaba. Y cuando estuvo en compañía de Picasso con Brassaï se expresó con igual franqueza: «¡Pero si esos cuadros que usted pinta son espantosos! ¡Me aterrorizan! Sinceramente, ¿te gustan, Brassaï? ¿Los encuentras bonitos? Todos vosotros decís que os gustan por esnobismo».

«Si la entiendo bien —le dijo Picasso, visiblemente divertido por su audacia—, ninguno de mis cuadros le gusta.»

«Pues bien, sí —replicó Marina—. Sí... Si usted quisiera regalarme uno, escogería este retrato.»

Picasso y Brassaï se rieron estrepitosamente. Marina había elegido el único cuadro de la habitación que no era de Picasso; una arlesiana retratada por André Marchand. Picasso arreciaba en su galanteo, recorriendo con su mirada a Marina, que estaba sentada con sus piernas cruzadas y los pies calzados con zapatos de tacón alto, sosteniendo la cabeza entre sus manos. «Pero usted es muy guapa, Marina... Su perfil es adorable. Si solamente fuese un artista...»

«¡Usted quiere retratarme! —le interrumpió, con fingida alarma—. No, gracias, no quiero. Usted me representaría como a todas esas mujeres de ahí, con los ojos en las orejas y la boca dentro de la nariz.»

«Pues no, no quiero retratarla como a otras mujeres —le aseguró—. Quiero pintarla muy bonita. Por cierto, ¿qué edad tiene usted?»

«¿Qué edad cree usted que tengo? Yo nunca digo mi edad», le replicó con coquetería.

«Pero a mí puede usted decírmelo. Dígamelo al oído... Un viejo como yo...»

El juego de la seducción continuó. Picasso invitó a Marina para darle algunos consejos que le serían útiles. Le pidió que bailase en su estudio, y cuando lo hizo, la aplaudió frenéticamente. Le enseñó a sujetar mejor su cinturón de bailarina. Le prometió encontrar las zapatillas de ballet de Olga, que estaban hechas de un cuero muy bueno, y dárselas «dentro de poco», pero ese tiempo no llegó. Picasso quería sencillamente introducirla en una conversación que crease una atmósfera de intimidad y estableciese unos lazos que lo hicieran irresistible, aun cuando eso no tuviera futuro. Marina quedó cautivada, y en este caso por lo que había deseado: la seducción por el placer de la seducción.

Así se difundía la leyenda de Picasso el hechicero, perpetuada siempre por la gente incapaz de asumir ese papel. «La gente siempre me pide las cosas más increíbles», se quejaba, molesto por los efectos secundarios en su imagen de omnipotente. Por lo que a este particular respecta, una chica americana, Katherine Dudley, le había entregado doce billetes de banco de mil francos que había olvidado hacer estampillar dentro del plazo para revaluar el dinero francés. Ahora estaban caducados; ¿podría él hacer algo para arreglarlo? Sí, podría. Como un auténtico mago, los revaluó por una cantidad mayor tallando un bloque de madera e imprimiéndolo en cada billete. La única pega fue que nunca le devolvió los billetes. «Cada vez que le veía —contó Katherine más de veinte años después— alzaba los brazos y me decía: «Sí, Katherine, he revaluado tus billetes y tengo que devolvértelos», cosa que nunca hizo. Le gustaba ser mago y no podía ayudarle quedar como estafador».

Desde el primer momento que puso sus ojos en él, Françoise quedó impresionada por el parecido de Picasso con el *Escriba sentado*, la antigua estatua egipcia del Museo del Louvre. Y ahora se le parecía más que nunca. En una primera edición de un libro de poemas de Mallarmé, debajo del retrato del poeta que había grabado, escribió: «¡No más mechón! París, 12 de mayo de 1945». Lo que quedaba de en su tiempo famoso mechón negro y recalcitrante —una mecha de pelos blancos— había sido extirpado en el libro de Mallarmé. «No se pueden hacer las dos cosas a un tiempo: ser y haber sido», fue su resignado epitafio.

Era una conclusión a la que Dora no había sabido llegar. Había visto que Françoise estaba no solamente en su cama y en su mesa, sino que había comenzado a entrar en su existencia, y aún no podía aceptar que ella, Dora, estaba a punto de ser suplantada; y aunque así fuese, estaba tan hondamente sumida en la vida de Picasso, tan totalmente subordinada a él, que había tapiado todas sus vías de escape. Y así, por mucho que le atormentase el dolor y le pareciera monstruosa su indiferencia, pasaba los días como encerrada en un capullo de gusano de seda en el que él era la única realidad, esperando que Picasso la llamase por teléfono, siempre dispuesta a encontrarle donde él desease o a citarle en su casa. La otra única persona presente en su vida tenuemente era su padre, quien desde que su esposa había muerto vivía en el Hotel du Palais d'Orsay, y hacía una semana, cuando Picasso estaba con Maya y Marie-Thérèse, había cenado con ella, siempre los dos solos y siempre en el mismo sitio: el Hotel Lutetia.

En la primavera de 1945 Dora expuso sus cuadros, en su mayor parte calculados y austeros bodegones, en la galería de Jeanne Buchers en Montparnasse. Una tarde, Françoise se acercó en su bicicleta hasta la galería, vistiendo un traje de rayas multicolores. Dora estaba allí, toda vestida de negro. Poco después apareció Picasso, muy orgulloso y complacido porque la exposición había tenido buenas críticas. Cuanto más admiraba el mundo a Dora, cuanto más se reconocía su talento, mayor placer sentía en su sumisión a él. Su llegada a la galería hizo sentirse incómoda a Françoise, que se encontró fuera de su sitio y descendió precipitadamente los escalones del edificio para coger su bicicleta e irse tan rápidamente como le fuera posible. Picasso la siguió, gritándole: «¿Pero, a dónde vas?».

Esa había llegado a ser la pauta de sus relaciones. En cuanto Françoise se apartaba o se alejaba, Picasso corría tras ella para seducirla de nuevo, pero en el momento en que notaba algún signo de ternura verdadero o de acercamiento en sus relaciones, la empujaba fuera. «No sé por qué te digo que vengas. Sería más agradable ir a un burdel». O bien: «Nada se parece tanto a un caniche como otro caniche, y eso vale también para las mujeres». Una vez, viendo el polvo que brillaba a la luz del sol en la habitación, le dijo a Françoise: «Nadie es importante para mí. Por lo que a mí concierne, el resto del mundo es como esos granos de polvo flotando en la luz del sol. Un escobazo los echa fuera».

Ella lo encajó; siempre lo encajaba. No era ninguna novedad para ella que él viese el resto del mundo como partículas de polvo fáciles de eliminar, pero si eso sucedía, ella, a diferencia de una mota de polvo, tenía la voluntad y la capacidad de dejarle antes de que la barriera. Se marchó y estuvo ausente tres meses. No era un instrumento que él pudiera tocar a su antojo, como empezaba a descubrir, sino una mujer joven con una fuerza que le permitía enfrentarse a él.

Mientras Picasso y Françoise mantenían en sus relaciones una actitud de neutralidad armada, Dora se desintegraba. Una noche Picasso fue a su apartamento y comprobó que ella había salido. Cuando finalmente regresó, con sus cabellos revueltos y su vestido desgarrado, explicó que la había atacado un hombre, robándole su perrito faldero maltés. Diez días después, la llevó a su casa un policía que la había encontrado en el mismo estado desarreglado y aturdido cerca del Pont Neuf. Esta vez la historia era que un hombre la había atacado y la había robado la bicicleta. Cuando la bicicleta fue encontrada indemne cerca del Pont Neuf, Picasso se convenció de que aquellas historias no eran más que un intento dramático de volver a despertar su interés por ella, y resuelto a no caer en la trampa hizo como si no hubiera pasado nada, hasta que resultó inevitablemente claro lo que sucedía.

Una noche, cuando Picasso había llegado para recoger a Dora e irse a cenar con ella, descubrió que el dique que represaba su humillación y su sufrimiento se había roto y que las emociones, hasta entonces sujetas, se habían desencadenado en forma incontrolable. «Como artista —le dijo Dora— puedes ser extraordinario, pero en cuanto a la moral, eres despreciable». El intentó acallarla advirtiéndola que no toleraba esa clase de conversaciones. Ella insistió sin tener en cuenta la actitud de Picasso, exhortándole a arrepentirse mientras era todavía tiempo, y cuando él se le rió en la cara, impávido, le reprochó su vida vergonzosa y le pidió que considerara lo que dejaría tras sí a su muerte. «Tú conseguirás salvarte si te sientes capaz de conseguirlo por ti mismo», le espetó. Pero sus palabras no podían detener el río de sus emociones.

A la mañana siguiente, quebrantando la regla impuesta por Picasso de no visitarle sin ser invitada, Dora se presentó en el estudio de la calle Grands-Augustins sin haberlo sido, ni siquiera anunciada, y encontró a Picasso conversando con Eluard. «Vosotros debéis arrodillaros ante mí —dijo sin más preámbulos—. Vosotros, pareja de ateos —les gritó—. Una voz interior me lo ha revelado. Veo las cosas como son realmente: el pasado, el presente y el porvenir. Si seguís viviendo como lo habéis hecho hasta ahora, atraeréis sobre vuestras cabezas una catástrofe terrible». Y para dar más fuerza a sus palabras, agarró a los dos del cuello e intentó hacerlos poner de rodillas. Sabartés fue inmediatamente enviado a buscar al doctor Jacques Lacan, a quien consultaba Picasso para cualquier problema de salud, incluso para un simple catarro. Llegó al estudio y se fue llevándose a Dora con él. La tuvo en su clínica durante tres semanas, sometiéndola a un tratamiento con electrochoques y comenzando una serie de análisis que continuaron mucho tiempo después de que hubiese abandonado la clínica.

Por primera vez desde que se habían hecho amigos, Eluard estaba furioso con Picasso, el hombre que se había convertido en su ídolo. Tan furioso, que en cuanto se fue el doctor Lacan llevándose a Dora, rompió una silla en pedazos. Recordaba la belleza de la mujer y su orgullo entre los jóvenes surrealistas, con sus tendencias místicas y su aguda inteligencia, y le costaba trabajo olvidar el comportamiento de Picasso con ella, la profunda infelicidad que le había dado, las monstruosas e innumerables humillaciones con que la había torturado; aquellos últimos diez años en los que había conseguido convertir la diosa en una loca furiosa. «Picasso no puede tolerar que su compañera enferme —le había dicho Eluard a Pierre Daix cuando le llevó a ver a Dora después de que ella había salido de la clínica—. Con él ninguna mujer tiene derecho a abandonar la batalla».

Picasso contó a Françoise los infortunios de Dora y dedujo una moraleja para ella: «El presente siempre tiene preferencia sobre el pasado. Es una victoria para ti». Era otra moraleja la que veía Françoise, una que expresaba sus temores y le decía que para ella la historia estaba erizada de dolorosas advertencias: «Deja correr ese asunto —contestó Picasso—. La vida es así, y se las arregla para eliminar automáticamente todo lo que no se adapta a ella... La vida necesita ir adelante, y la vida somos nosotros». Cuando ella protestó que ese camino era demasiado áspero para tratar a alguien menos fuerte que uno mismo, la acusó de soñadora: «Esa clase de caridad no es realista, es puro sentimentalismo, una especie de seudo-humanismo que has sacado del quejica, llorón y falso Juan Jacobo Rousseau. Y además, la naturaleza de cada uno está predeterminada».

Françoise reconoció con preocupación la huella de la filosofía de Nietzsche en aquellas palabras, las del supermán ajeno al amor que ha de suprimir toda compasión. «El amor es el peligro del solitario. Comencé a ver que había aspectos muy extraños en su carácter. Empezaron a desvelarse características de sadismo y yo pensaba que, a pesar de ello, nuestra relación era importante si podía permanecer en un contexto de libertad, separación y distancia.» Picasso, ajeno al efecto que la revelación de su vertiente demoníaca estaba teniendo en ella, la invitó a pasar el verano en el sur de Francia con él y con Dora. Ella se negó categóricamente, decidida a no tomar parte en el juego de enfrentar a dos mujeres una contra otra, y menos cuando el resultado previsible de tal enfrentamiento sería reducir a una de ellas a convertirse en una lisiada emocional. «No cuentes conmigo —le dijo— para estar entre Dora y tú; no cuentes conmigo para molestar a Dora. Moléstala tú solo.» Y fue a pasar el verano en Bretaña para mantener entre ellos la distancia que, como sabía, era necesaria no sólo para que su relación sobreviviera, sino para que ella sobreviviera a esa relación.

El 15 de junio de 1945 fue como si el tiempo se hubiese parado durante una noche. Era el estreno de *Rendezvous,* de Jacques Prévert, por los ballets Roland Petit en el teatro Sarah Bernhardt. Los restos de la buena sociedad estaban allí en masa, con la esperanza de que los tiempos de Diaghilev retornasen. Etienne de Beaumont, Marlene Dietrich, Cocteau y Picasso —con Dora a su lado— estaban entre los espectadores, y también Brassaï, que había hecho los decorados del ballet. Picasso había aceptado el encargo de hacer el telón, pero se acercaba la fecha del estreno y no lo había entregado todavía. Boris Kochno, sucesor de Diaghilev tras la muerte de éste, tomó una naturaleza muerta con una palmatoria, que Picasso había hecho en 1943, y la amplió. Cuando apareció el telón, hubo burlas y abucheos entre los aplausos. «Aparte de un ligero fruncimiento de cejas, Picasso no mostró ninguna reacción ante la acogida», escribió Brassaï, que estaba sentado cerca de él durante la representación.

«Ya había visto cosas parecidas. Durante el intermedio me dijo que el espectáculo de aquella noche era una tormenta en un vaso de agua al lado del escándalo provocado por el estreno de *Parade* en aquel mismo teatro, veintiocho años antes.» Si sus palabras reflejaban el hecho de que su única contribución había sido únicamente un eco del pasado, nada dijo de ello.

A principios de julio, Picasso y Dora se marcharon a Cap d'Antibes, a casa de Marie Cuttoli, a cuyo alrededor, en París o en el sur de Francia, había siempre un grupo de artistas, intelectuales y políticos, entre ellos su marido, que era senador del Parlamento francés. De Cap d'Antibes, junto con Dora y la señora Cuttoli, fue a la aldea de Ménerbes para conocer una amplia casa que había adquirido allí —sin haberla visto— a cambio de una naturaleza muerta, y cuyo propietario había estado esperando a Picasso y esperando también, de muy mal humor, la entrega de su casa, llena de recuerdos de su esposa, fallecida poco antes. Picasso se la regaló a Dora, lo que parecía ser al mismo tiempo un regalo de despedida y el símbolo de unos lazos permanentes.

Desde Cap d'Antibes, Picasso escribió una carta a Françoise informándola de que había alquilado una habitación para ella en Golfo Juan, en casa de Louis Fort, grabador amigo de ambos. «Por favor, ven en seguida —le decía—, estoy terriblemente aburrido». Para su sorpresa, Françoise le contestó que sus vacaciones en Bretaña tampoco eran demasiado divertidas, pero que a pesar de ello continuaría allí. Al mismo tiempo Françoise escribió a su madre: «Me estoy riendo de tu consejo de estar tranquila y no hacer nada, porque como sabes muy bien la pereza es lo esencial en mi temperamento, y si hago algún trabajo es porque me gusta pintar casi más que la holgazanería, que ya es decir. De momento, dibujo todo lo que me encuentro, incluso una cabeza de ternero esta mañana, lo que no es cansarme, sino justamente todo lo contrario, porque para mí dibujar es la cosa más maravillosa, pues me hace entrar en un mundo de ensueño, semiinconsciente, del que me resulta difícil volver a la realidad. Por eso necesito que me rodee una gran calma, para trasladarme del mundo de cada día al otro mundo donde es posible la alegría. Cuando en cuaquier momento tengo que descender a la tierra para tomar el metro o discutir de negocios, es como si el encanto se hubiera roto. Pero aquí aireo mis sueños todo el día. Hay muchas cosas que veo y me gusta no ser una mera espectadora de ellas... Tengo que comprenderlas, que poseerlas, y eso puedo hacerlo mediante el dibujo; por ejemplo, el carácter de una persona se me revela en el momento en que estoy tanteando el perfil de su cara... Y lo más chocante es descubrir las flaquezas escondidas en cada persona, las imperfecciones que hacen conmovedores a los hombres. Te vence una gran compasión cuando encuentras en cada hombre la fuente de las lágrimas».

Había comenzado a hacer bosquejos de Picasso en 1944, buscando en su cara las debilidades ocultas, «la fuente de las lágrimas», pero le impresionaban «la fijeza de su cara, como una máscara, la ardiente intensidad de sus ojos de basilisco, la geometría de su cabeza, sobre su cuello corto, implantada macizamente sobre su ancho cuerpo». Su fascinación por él todavía estaba en el camino de la revelación: la fuente de sus lágrimas seguía estando oculta.

Cuando Françoise regresó a París, en lugar de dejarse ganar por la compasión se entregó a las dudas. Temía (especialmente después de que Picasso le contó que se había desembarazado de Dora) que su ansia de seducirla no se debía al amor, ni al deseo de poseerla, sino al deseo de destruirla. Y por eso puso a contribución su autodisciplina para mantenerse lejos de la calle Grands-Augustins, lo que no era fácil. «La vida sin Picasso ha perdido su sabor, y hay momentos en que mi ternura por él se sobrepone a todo.»

El 26 de noviembre, como regalo de cumpleaños en su vigésimo tercer aniversario, fue a visitarle. En las pruebas de las litografías en las que estaba trabajando entonces, Françoise vio que también Picasso estaba preocupado por ella. Era una serie en la que aparecía Françoise mirando a una mujer que dormía, y Picasso le dijo que no estaba seguro todavía de si esa mujer era Dora o era Geneviève, y continuó modificando esa figura hasta convertirla en un desnudo abstracto, que ahora sí sabía que representaba a Dora, según lo acreditaban dos insectos en el margen. Y explicó a Françoise que para él Dora siempre había tenido una personalidad kafkiana, y por eso había adquirido el hábito de transformar cada mancha que hubiera en las paredes de su apartamento en un insecto. Había también pájaros en el margen de las estampas, pero, dijo a Françoise, esos pájaros eran ella.

Tan pronto Françoise regresó, Picasso inició una intensa campaña para persuadirla de que se fuese a vivir con él. Ella no estaba del todo segura de si debía acceder, porque mientras vivieran separados le parecía que se mantenía un equilibrio en su relación y una protección contra las malas alternativas de su personalidad. «Sé que irme a vivir con él es lo que no debo hacer», dijo ella, con lo que reforzó la pretensión de Picasso más de lo que ella hubiera deseado. Más tarde, él la acusaría de ser la mujer que siempre decía que no, pero por el momento le gustaba el reto de su fuerza y su independencia. Uno de sus pasatiempos era seguirla en auto, con Marcel al volante, cuando ella cabalgaba en el Bois de Boulogne, pero su entretenimiento favorito, sin embargo, era el de irle a contar a Marie-Thérèse, que la nueva y maravillosa joven de su vida era una amazona espectacular. Sabía exactamente lo que más podía molestar a Marie-Thérèse, que se enorgullecía de sus proezas atléticas: otra mujer en su vida que no era una atleta soberbia y, además, más joven que ella.

Marie-Thérèse decidió competir con ella para demostrar a Picasso que aunque la joven fuera muy buena cabalgando, ella podía hacerlo mejor. A tal fin comenzó a cabalgar en el Bois, donde Françoise la veía con frecuencia, reconociendo su bello rostro (que había visto en los retratos que Picasso le había hecho), su cuerpo robusto, ahora regordete y pesado al cabalgar. Era un juego en el que, como bien sabía Picasso, todos los triunfos estaban en manos de Françoise: su cuerpo delgado, casi andrógino, que parecía ganar en prestancia cuando montaba, su orgullosa juventud y, sobre todo, el comodín que había puesto en sus manos: su fresco y creciente hechizo por ella. Marie-Thérèse pronto abandonó la equitación; era otra esperanza más que se derrumbaba al chocar con la realidad.

Marie-Thérèse había sido siempre la amante secreta de Picasso, y poco sabía de Françoise, pero ahora ésta venía participando cada vez más en la vida del pintor, incluso en el taller de Fernand Mourlot, en la calle Chabrol, al que iba todas las mañanas desde principios de noviembre. Braque era quien había puesto a Picasso en relación con el famoso litógrafo, cuyo padre, también litógrafo, había fundado el taller en 1914. El retraído Picasso incluso cultivaba la amistad de los trabajadores del taller, a quienes estrechaba la mano cada mañana y que le enseñaban sus más recientes tesoros: cromos de chicas desnudas y de campeones ciclistas.

La única excepción era monsieur Tutin, el más hábil operario del taller, quien odiaba la obra de Picasso. Incluso cuando Picasso quebrantaba las normas de la litografía, era a Tutin a quien daba a imprimir sus obras, y cuando el operario alzaba los brazos al cielo ante el trabajo y la desesperación que las dificultades técnicas le producían, Picasso le insultaba y le adulaba alternativamente. «Bien, entonces —le decía— alguna tarde llevaré a su hija a cenar conmigo y le contaré qué clase de impresor es su padre», o bien: «Ya sé, desde luego, que un trabajo así puede suponer una pequeña dificultad para la mayor parte de la gente de aquí, pero pensaba, y ahora comprendo que me equivocaba, que usted era probablemente la única persona que podría hacerlo». Eso era eficaz todas las veces, y Tutin dejaba a un lado su disgusto y su desesperación y conseguía lo imposible. Como Fernand Mourlot recordaba: «Picasso miraba, prestaba atención y entonces hacía exactamente lo contrario de lo que había dicho, y el trabajo se hacía».

Casi nadie, entre la gente de su círculo, era capaz de resistir sus manejos y sus aguijonazos; Gertrude Stein lo intentaba, y a veces incluso se los devolvía lo mejor que podía. «¿Ves lo famosa que eres, Gertrude?», se jactaba en una ocasión en que la acompañaba en su ronda de compras y veía que los tenderos doblaban las cantidades, casi siempre escasas, correspondientes al racionamiento a que estaban sometidos los franceses en los tiempos inmediatamente posteriores a la liberación, cosa que los comerciantes hacían porque Picasso la acompañaba, el famoso Picasso. «Lo importante —replicó agudamente Gertrude— es que los dos estamos defendiendo a la humanidad.» Cuando Picasso llevó a Françoise a vivir con él, no contestó ni una sola palabra al largo interrogatorio de Gertrude, que Françoise describió como «una ordalía empeorada por las miradas amenazadoras de Alice Toklas». Al salir, sin embargo, le dijo punzantemente: «Y bien, Gertrude, ¿no has descubierto últimamente a ningún pintor?... Oh, no hay duda, Gertrude, de que tú eres la abuela de la literatura americana, pero ¿estás segura que en lo que se refiere a la pintura has juzgado bien a la generación que nos sucederá? Cuando eran Picasso y Matisse los que había que descubrir, las cosas eran sencillas ¿no es verdad? Luego tú seguiste con Gris, y después de él tus descubrimientos nos valieron mucho».

Era todavía peor intencionado a espaldas de ella. «Es tan gorda como una cerda —le dijo a James Lord en una explosión de furia contra ella—. ¿Sabes? Una vez me mandó un cuadro en el que aparecía ella de pie delante de un automóvil, y no podías ver el auto porque Gertrude, esa cerda, ocupaba todo el cuadro. ¡Y lo que dice de mí y de mi pintura! Oyéndola, todo el mundo pensará que ella me creó pieza a pieza. Pero si quieres ver lo que entiende de pintura, lo único que necesitas ver es la basura que le gusta ahora. Ella dice lo mismo de Hemingway, y los dos están hechos el uno para el otro. Nunca he sido capaz de aguantarle, nunca. Ese no ha entendido de verdad las corridas de toros; no como las entienden los españoles. Siempre lo he sabido, pero Gertrude nunca». Lord se quedó estupefacto; no podía entender por qué, si eso era lo que pensaba Picasso de Gertrude Stein, le había mandado a buscarla, ni tampoco era capaz de comprender que ordenase a Françoise visitarla, o por qué él acompañaba a Gertrude en sus vagabundeos o por qué se molestaba en visitarla yendo a su casa de la calle Christine.

Pero el torrente de sus insultos todavía seguía creciendo, demoliendo en su camino a Hemingway: «Vino a verme después de la liberación y me regaló un trozo de uniforme de las SS, con esas letras bordadas en él, y me contó que había matado al que lo llevaba puesto. ¡Mentira! Quizá haya matado muchas fieras, pero nunca ha matado a un hombre. Si hubiera matado a alguno no habría necesitado exhibir recuerdos de su víctima. Es un charlatán, y por eso le gusta a Gertrude. Y Tolkas, esa pequeña bruja, ¿sabes por qué usa flequillo? Es porque tiene un cuerno». Estalló en carcajadas, pero aún no había terminado. «En medio de la frente, le creció ahí, como a un rinoceronte. Son una pareja perfecta, Gertrude y Alice: el hipopótamo y el rinoceronte. Pero Alice corta el cuerno y se supone que el flequillo oculta el agujero». Continuó riéndose un rato, y se supone que el flequillo oculta el agujero». Continuó riéndose un rato, y luego añadió: «Ahora ya sabes cómo es la verdadera cara de esa puerca de Gertrude». Con este insulto final, quedó exhausto; bruscamente le dijo a James Lord que estaba muy ocupado y le enseñó la puerta.

Lord estaba lo suficientemente trastornado como para no desear irse a su casa directamente, y, como forma de catarsis, anotó la perorata de Picasso en su viejo libro de notas verde. «Había algo satánico en ese hombre —recordaba años después—. Había algo en él que estaba preparado para llegar a intimar con la crueldad, con algo muy negro, casi siniestro. Había algo en su obra que era espantoso, sádico... Supongo que el punto de vista de los genios del mal, como Hitler, es perfectamente razonable. No quiero llamar a Picasso genio del mal, pero ciertamente dañó a gente que le estaba muy próxima. Y al mismo tiempo podía ser muy divertido; podía ser también dulce, tierno y gentil cuando quería serlo.»

Por el momento quería ser todo eso con Françoise, al menos

mientras no la tuviera sometida totalmente a su albedrío. En febrero de 1946, Françoise se cayó en las escaleras de la casa de su abuela y se rompió un brazo. Mientras se recuperaba en el hospital de una operación en el codo, una tarde le fue entregada una azalea monstruosa, de flores rojas y con muchas cintas rosas y azules. «Pablo —recordaba Françoise más tarde— hacía otra vez una mueca al buen gusto. El resultado era muy divertido, y definitivamente más memorable que el del más bello arreglo floral según las normas habituales».

Una vez fuera del hospital, Picasso le presentó un ultimátum: sus relaciones —le dijo— no podían continuar por aquel camino; o bien se hacían completas, yéndose ella a vivir a la casa de Picasso, o bien les daban fin totalmente. El sugirió que ocupase la habitación que había alquilado para ella en casa de Fort, en Golfo Juan, y allí podría poner en orden sus pensamientos. «Por aquel entonces —recordaba Françoise— le quería mucho, pero tenía miedo a dejarme absorber por él. Verdaderamente, no sabía lo que quería, y me pareció que sería una buena idea irme al sur de Francia e intentar poner un poco de orden en mis sentimientos.»

Tan pronto como llegó a Golfo Juan, Françoise escribió a Geneviève pidiéndole que se reuniese con ella. Le parecía que necesitaba a alguien que la ayudara a aclarar los muchos pensamientos conflictivos que giraban en su cabeza, y Geneviève era la persona más próxima a ella. Unos días después escribió también a Picasso, agradeciéndole su oferta de alojamiento, contándole lo mucho que le gustaba estar en la costa mediterránea, cuánto amaba el puerto y que Fort era «un poco chiflado, pero divertido como compañía». Terminaba diciéndole que era bueno para ella estar sola por el momento y que no hiciera ningún esfuerzo para reunirse con ella.

Esta carta no tuvo el efecto esperado. Picasso se enfureció al leer que era mejor para ella estar sola por el momento que estar en su compañía, y lo interpretó como si Françoise quisiera estar sola para siempre. Ordenó a Marcel que le llevase a Golfo Juan lo más pronto posible.

Eran las 6 de la tarde, al día siguiente de llegar Geneviève desde Montpellier, cuando Françoise oyó un alboroto en la calle; se asomó a la ventana y vió el Peugeot azul que usaba Picasso durante la ocupación alemana. Marcel y Picasso salieron de él en un estado de gran agitación. Quedó estupefacta: «Era lo último que esperaba —recordaba— y pensé: ¡Oh, Dios mío! Geneviève está aquí, Pablo está aquí. ¡Vaya lío!».

El encuentro fue tempestuoso. Era su primera riña verdadera.

«Fue un momento extraño —recordaba Françoise—. La guerra había terminado, la paz había vuelto y aquí estaba yo sufriendo la misma violencia a nivel personal. Me agarró por los brazos y apretó su cigarrillo contra mi mejilla, y noté que mi cara ardía; pero yo estaba tan aturdida y pensaba que todo aquello era tan increíble, que le dije: «Puedes destruir mi belleza, pero no me destruirás a mí. Puedes quemarme si quieres, ¡adelante!, pero lo que estás quemando es lo que dices que te gusta». Mantuvo allí el cigarrillo mientras yo hablaba, hasta que finalmente lo apartó. El cigarrillo me hizo un gran agujero, y una cicatriz que me duró años. Tiró el cigarrillo, pero su rabia no estaba aún agotada. ¿Qué podría enfurecerle más que el no haber yo gritado ni haberle implorado hasta el límite, y no haber conseguido quebrarme? Le había desafiado a que continuara, a que se quitase la máscara destruyendo lo que él decía que amaba. Aquello fue tan bárbaro, tan absurdo, tan injustificado, que yo estaba demasiado aturdida para estar enfurecida. Mira esto, míralo —le dije—; es horrible y lo has hecho tú, y tendrás que verlo ahora...»

En aquel momento Geneviève, que estaba fuera, volvió a la casa. Françoise podía haber estado demasiado aturdida para enfurecerse, pero Geneviève estuvo a la vez aturdida y rabiosa. Le llamó salvaje a Picasso y le dijo a Françoise que si continuaba allí después de lo que había sucedido, sería cómplice de su destrucción. Le pidió que le dejara llevársela aquella misma noche, pero Françoise estaba demasiado atormentada y desorientada para pensar en una decisión tan drástica, y Picasso ocupó el vacío de su indecisión. Su primer paso fue echar a Geneviève, pero ella, decidida a salvar a su amiga, se quedó en Chez Marcel, un pequeño hotel calle abajo. Tan pronto como se fue, el siguiente movimiento de Picasso fue pedir a Françoise el olvido de lo que acababa de suceder y que se quedase y se fuese a vivir con él.

Los dos días siguientes, Françoise estuvo en el limbo. «Geneviève —dijo— es la única mujer a la que he querido de verdad en mi vida. No era un amor físico, sino profundamente espiritual, en parte por las experiencias místicas que habíamos compartido en Les Baux. Dos caminos muy diferentes, dos vidas muy diferentes se presentaban ante mí. Me imaginaba quedándome en Golfo Juan, con Genéviéve, y viviendo allí durante el resto de mi vida sin mirar atrás. O quedándome detrás de Picasso y mirando al Minotauro. Me preguntaba si tendría las fuerzas suficientes para sobrevivir si vivía con Pablo, o si Geneviève las tendría para enfrentarse al mundo viviendo conmigo. Si nos decidíamos a juntar nuestras vidas, el mundo, pese a la verdad de los hechos, nos tomaría por lesbianas, y entonces eso supondría ser totalmente rechazadas por mucha gente, empezando por nuestras propias familias. Yo ya había sido rechazada por mi padre, pero ¿podría pedirle a ella el mismo sacrificio? Habíamos ido a la misma escuela, pero ella era interna y nunca había participado plenamente de la vida y la libertad de París. Era la criatura más bella que pueda imaginarse, en el más auténtico estilo griego, pero estaba arraigada en los convencionalismos de la región de donde procedía, muy diferente de París, incluso el París de 1946, y yo temía que su elección de un estilo de vida poco convencional pudiera destruirla.»

Así pues, Françoise no había decidido qué camino no seguiría, qué vida no viviría. Una tarde fue con Geneviève y Picasso a Antibes, a ver a su abuela. Los dos la dejaron allí, y cuando regresó a Golfo Juan encontró a Geneviève furiosa como nunca la había visto antes y a Picasso echando chispas. Naturalmente, cada uno tenía su historia que contar y los dos estaban decididos a defender la propia. Ella quiso oír primeramente la de Geneviève, y fue andando con ella hasta su hotel.

«¿Cómo es posible tener ganas de vivir con un hombre que es un malvado?», gritó Geneviève antes incluso de salir de la casa. Le contó a Françoise lo que había sucedido: Después de haberla dejado en Antibes, Marcel los llevó de vuelta a casa. «Voy a aprovecharme de la ausencia de Françoise, y de ti también», le anunció Picasso minutos después de haberle dicho —con cara sincera, según Geneviève— que quería darle una lección de grabado. «Lo que es más —continuó—: Voy a hacerte un hijo, que es justamente lo que necesitas». Françoise le dijo que ella se habría reído en sus narices en lugar de enfadarse. «Estoy empezando a temer —replicó Geneviève— que hayas perdido tu capacidad de enfadarte». Durante la siguiente hora, usó todos los argumentos que su cariño a Françoise pudo reunir para persuadirla de que se fuese con ella a Montpellier a la mañana siguiente. En otro caso, le dijo, sería dominada por la capacidad destructiva de Picasso. Sabía que ya no tenía más que hacer o que decir y que no ganaría nada permaneciendo en Golfo Juan. Más agotada ahora que enfadada, le presentó su ultimátum: «Tienes la noche para elegir. Yo me voy mañana».

Cuando Françoise regresó a la casa de Fort, Picasso lanzó su ofensiva, acusando a Geneviève de intentar seducirle a espaldas de su mejor amiga y mintiéndole. Y cuando Françoise le amenazó con marcharse a la mañana siguiente con Geneviève, las acusó a las dos de tener «alguna clase de relaciones antinaturales». Françoise se negó a tomar en serio la acusación y le pidió que en cambio «dejase de despilfarrar sus trucos jesuíticos». El comenzó a dar vueltas a su alrededor llamándola «¡pequeño monstruo!, ¡serpiente!, ¡víbora!». Y temiendo que a pesar de todo ella le dejase, en vista de que insultarla había resultado inútil, cambió su táctica y comenzó a lamentarse y revolcarse en su piedad hacia sí mismo. Viviría poco tiempo —gemía— y no tenía derecho a prescindir de «cualquier trocito de felicidad» que le dejasen. Luchaba, decía, no solamente por ganar a Françoise, sino por derrotar a Geneviève y, en ella, a todas las mujeres españolas de su infancia. Le había dicho muchas veces a Françoise que Genéviéve le recordaba a su hermana Lola, y eso, junto con el hecho de que la madre de Généviéve era de origen español y que ella estaba desbaratando sus deseos, había sido bastante para convertirla en símbolo odioso de todas las mujeres que habían dominado sus primeros años.

A la mañana siguiente, Françoise caminó hasta Chez Marcel y anunció a Geneviève que se quedaba. «Yo era casi insoportablemente orgullosa entonces —recordaba Françoise—. Creía que habría de tener éxito en todo lo que intentaba; en consecuencia, estaba realmente convencida de que podría vencer lo destructivo en Pablo y quizá hasta salvarle de sí mismo.

Para Picasso, la decisión de Françoise suponía la victoria total, no solamente sobre sus dudas o temores, sino también sobre Geneviève y todo lo que representaba para él y para Françoise. Cuando las dos jóvenes se vieron frente a frente en Chez Marcel, ambas sabían que su amistad había sido demasiado profunda y demasiado intensa para sobrevivir en cualquier forma diluida. Françoise sabía también que al renunciar a Geneviève estaba cortando sus lazos con la amiga que, al igual que su abuela, había sido la más pura y más constante fuente de cariño en su vida. Geneviève estaba dolorosamente segura de que sucedería algo así. «Vas sonámbula hacia tu destrucción», dijo a su amiga antes de tomar el tren para Montpellier.

12

LA VERDAD NO EXISTE

Françoise había cerrado una de sus puertas de escape, pero todavía no estaba de acuerdo en vivir con Picasso. Y él, después de haber fallado al intentar subyugarla, ahora pretendía seducirla para que escogiera libremente su rendición. Era febrero y hacía demasiado frío para tomar el sol en la playa, pero ambos pasearon por la orilla, comieron en Chez Marcel, hablaron de casi todo excepto de la cicatriz de ella en la mejilla derecha, y fueron en coche hasta Vence para visitar a Matisse. Cuando llegaron a Le Rêve, la finca donde él vivía, enfrente de un convento de dominicos, le encontraron en la cama, donde había pasado la mayor parte del tiempo desde que la operaran cinco años antes. Estaba trabajando en sus recortables: recortando formas de papel ya pintado que posteriormente colocaba en posiciones apropiadas con la ayuda de Lydia Delektorskaya, oficialmente su secretaria, pero en realidad la mujer con la que compartió los últimos años de su vida. Françoise, siguiendo las instrucciones de Picasso, se había vestido de color malva y verde sauce, dos de los colores favoritos de Matisse. Este estaba tan encantado con ella que inmediatamente se ofreció para pintarla, con su pelo verde, su figura azul pálido y sus cejas arqueadas en forma de acentos circunflejos.

A Picasso no le gustó. En el viaje de vuelta al Golfo Juan se molestó por la audacia de Matisse. «Realmente esto está yendo demasiado lejos —gruñó Picasso—. ¿Es que yo hago retratos a Lydia?» Luego le advirtió a Françoise que debería estar preparada para ver cómo una alfombra oriental se convertiría en el motivo principal del cuadro, mientras que su cara se transformaría en una forma oval vacía. Pero siempre dispuesto a poner en práctica las buenas ideas de otros, Picasso admitió que ahora sabía cómo hacer él mismo el retrato de ella.

Cuando se acercaba ya la hora de volver a París, Picasso se obsesionó con la idea de vivir juntos. Magnetizado por su autosuficiencia, él no podía esperar a ponerle fin. Como un buen abogado, Picasso recurrió tanto a las emociones de Françoise como a su inteligencia. Le dijo que la necesitaba, que realmente la *necesitaba.* Y cuando ella le expresó su preocupación por abandonar a su abuela, él se lanzó a un discurso alimentado por sus protestas, en el que se hacía eco de «los hombres designados por el destino en la historia y en la ficción que habían intentado convencerse a sí mismos y al mundo de que todo les estaba permitido». «En lo que respecta a los sentimientos de tu abuela —siguió Picasso—, hay cosas que uno puede acometer y hacerlas comprender, y hay otras que sólo pueden llevarse a cabo por un *coup d'état*, puesto que van más allá de los límites de la comprensión de la otra persona. Es casi mejor dar un golpe y después de que la gente se haya recuperado de él dejarles aceptar el hecho... Hay que pagar un precio elevado para actuar de esta manera, pero hay momentos en la vida en los que no tenemos otra elección. Si hay una necesidad que para ti domina a todas las demás, entonces necesariamente debes comportarte mal algunas veces.»

La necesidad podía estar representada por las súplicas de su genio, su último capricho o la aurora del comunismo a la vuelta de la esquina, pero la filosofía era siempre la misma: el fin justifica los medios. Françoise intentaba discutir con él, señalar la inhumanidad a que conducirían tales creencias. Pero no había sitio para la discusión, sino únicamente para imponer la ley del más fuerte adornada por racionalizaciones civilizadas. «No hay una total y absoluta pureza que no sea la pureza de la negativa. En la aceptación de una pasión que uno considera extremadamente importante y en la que uno acepta para sí una parte de tragedia, uno da un paso hacia fuera de las leyes habituales y tiene derecho a actuar como no lo haría en condiciones normales. En un momento como éste los sufrimientos que uno ha causado a los otros empieza a causárselos también a sí mismo. Es una cuestión de reconocimiento del destino de uno, y no un asunto de falta de cariño o de sensibilidad.»

Françoise nunca le había oído dar tan deliberada expresión a lo que él creía. Normalmente prefería deslumbrar al mundo con sus paradojas concisas que confundían cuanto más revelaban. Ignorando su obvia perplejidad y sus intentos de contradecirle, él avivó su perorata: «Estamos siempre en medio de una mezcla del bien y del mal, de lo cierto y lo erróneo, y los elementos de cualquier situación siempre están enredados desafortunadamente. Lo que es bueno en una persona es antagónico a lo que es bueno en otra. Escoger a una persona es siempre, de algún modo, matar a otra persona. Así que uno tiene que tener el valor del cirujano o del asesino, si quieres, y aceptar la parte de culpa que aquello te supone... En ciertas situaciones uno no puede ser un ángel. Todo tiene un precio en la vida. Cualquier cosa de gran valor —creación, una nueva idea— acarrea su lado negro con ella.»

La respuesta de Françoise fue decirle que hasta ese momento ella sólo había contemplado la posibilidad de que él fuera el malo; ahora estaba segura. Con una creciente sensación de desasosiego ella sintió que el discurso de Picasso habría encajado perfectamente en boca de Raskolnikov en *Crimen y castigo*: «No quería matarla —repetía Raskolnikov—, sucedió así... Napoleón tenía razón: al verdadero líder se le permite todo... Todos los demás son simplemente enanos, sanguijuelas, esclavos, escombros, abono para el futuro; ellos viven vidas obedientes, les gusta obedecer, están forzados a obedecer porque es su suerte, ¡la ley de la naturaleza! Porque es claro como el día... El problema es cómo sabes quién eres, un gusano o un hombre, un hombre que tiene el derecho..., el derecho de transgredir, de traspasar los límites.»

Picasso no dudaba; él era un hombre que tenía el derecho de traspasar los límites en busca de cualquier cosa que quisiera. Y ahora lo que quería era a Françoise —total e incondicionalmente—. Mezclado con su exigencia de posesión y dominio estaba su rico instinto por la vida que le instaba a encontrar la mujer que pudiera llenar su vivir incompleto y ayudarle, de un modo misterioso, de una manera indefinible, a lograr la no menos misteriosa e indefinible meta: la pintura «definitiva», una lucha de la que a menudo hablaba a Françoise. A sus sesenta y cinco años y después de una sucesión de alegres ninfas y sirenas, la urgencia era sobre todo apremiante, e incluso desesperada. Picasso reconocía su necesidad de Françoise; él había calculado las posibilidades abiertas por su relación: que ella era, después de Olga, la única mujer junto a la que había querido vivir. Pero él no estaba preparado para ceder en su otra necesidad, que se había convertido por entonces en adicción: el total control a través de una manipulación constante.

En el camino de vuelta a París, Françoise encontró en Marcel un inesperado aliado. Interrumpía el bombardeo de palabras de

Picasso una y otra vez para apoyar los argumentos de Françoise, pidiéndole que le diera a ella más tiempo, instándole a no presionarla, subrayando el sentido común de lo que ella estaba diciendo. Como Picasso y Françoise estaban sentados con Marcel en el asiento de delante del coche, él estaba idealmente situado para la personificación del coro griego.

De nuevo en París, la presencia de Dora en la vida de Picasso ocupó el primer lugar de la lista de razones de Françoise para no vivir con él. Picasso la tranquilizó diciéndole que todo había terminado entre él y Dora. Una mañana él incluso arregló el que ambos «se encontraran por sorpresa» con Dora en la exposición de tapices franceses, y al instante la invitó a unirse a ellos para comer en Chez Francis. Era la clase de situación embarazosa y difícil para los demás con la que él disfrutaba. Dora enterró su dolor en montones de caviar y en todo lo más caro del menú, y en una representación brillante de aforismos, gracias y conversación chispeante. Picasso se negó a reírse de sus chistes, y en cambio se dedicó a lanzar éxtasis de aprecio cada vez que Françoise apenas abría la boca. «¿No es maravillosa? —le decía a Dora—. ¡Qué cerebro! Realmente he descubierto a alguien, ¿no es así?»

Ante Dora era la mente de Françoise por la que se deshacía en elogios; delante de Marie-Thérèse era su destreza atlética. Como siempre, él era un experto en causar dolor con la precisión de un cirujano. «Bueno, no necesitas que te lleve a casa, Dora —fue su irónica despedida—. Ya eres una mujer mayor ahora.» Dora hizo un desesperado intento de respuesta aguda: «Por supuesto que no —dijo sonriendo—. Soy perfectamente capaz de regresar a casa por mí misma. Pienso que tú necesitas apoyarte en la juventud sin embargo. Aproximadamente quince minutos deben bastar, yo diría.»

Esta era la única esperanza que le quedaba a Dora: que la relación de Picasso con Françoise se terminase pronto. Un par de semanas más tarde, cuando Picasso arrastró a Françoise al piso de Dora para que pudiera escuchar directamente de ella que ya no había nada entre ellos, Dora echó mano de la misma esperanza.

«Eres muy gracioso —le dijo—, tomas tantas precauciones para embarcarte en algo que no va a durar más allá de la vuelta de la esquina.» Dora continuó diciendo que se extrañaría si Françoise no estaba fuera «del montón de basura antes de que pasasen tres meses». Pero Dora también hizo lo que Picasso le había pedido y le dijo a Françoise que no tenía que preocuparse por causar la ruptura entre ella y Picasso. Lo dijo con orgullo y con algo de desprecio mientras bajaba la mirada a la «colegiala», que con sus zapatos planos, su falda de cuadros y su jersey flojo parecía como si no sólo veinte años, sino toda una época las separase. Más interesante para Françoise que la certeza por parte de Dora de que no le quedaba nada que romper fue su acusación de despedida: «Nunca has amado a nadie en tu vida —le dijo al hombre con el que había compartido diez años—. No sabes cómo amar.»

Françoise se conmovió profundamente por esta confrontación. Estaba preocupada por la insensibilidad de Picasso al promover una reunión que sería un nuevo golpe para el frágil equilibrio de Dora; preocupada por lo que Dora había dicho, preocupada por una señal de alarma más coronando todo lo que había dicho antes. Tan pronto como salieron, Françoise le dijo a Picasso cómo se sentía. El reaccionó con la misma clase de violencia que le había llevado a marcar su mejilla con un cigarrillo encendido: la amenazó con arrojarla al Sena, acusándola de ser incapaz de «sentir intensamente algo» y de no tener «ni idea de lo que es la vida realmente». La empujó hacia un extremo del puente contra el pretil y la obligó a bajar la cabeza para que viera el río que estaba debajo de ella. Sabiendo por entonces que nada incitaba al demonio que él tenía dentro tanto como el miedo y la debilidad de sus víctimas, ella le desafió a que la tirara al río. (Era primavera, dijo ella, y nadaba muy bien.) El la sostuvo todavía un momento y luego la soltó, y ella huyó de él tan rápidamente como pudo.

Pero regresó. Sabía, sin embargo, que su indiferencia ante las señales de alarma necesitaba una explicación. «Picasso era como un conquistador, caminando a través de la vida, acumulando poder, mujeres, riqueza, gloria, pero nada de aquello era ya satisfactorio. Yo creía que habiendo conquistado todo lo que quería conquistar, estaría dispuesto para alcanzar conmigo lo que es sublime en la vida y divino en nosotros. También sabía que el camino de Pablo estaba salpicado de víctimas, y yo misma había experimentado su lado destructivo de primera mano, pero recordé que mi abuela solía decir que amas a las personas por lo que son, no por lo que hacen. Y yo era lo suficientemente arrogante y confiada para creer que podía enfrentarme contra la oscuridad que había en él y reforzar la luz. Sabía que era una gran desafío, pero estaba preparada para asumir los riesgos y encararme contra aquello.» A finales de mayo de 1946 ella, finalmente, decidió librar la batalla plenamente. Se trasladó a la calle des Grands-Augustins, o más bien al final de una noche juntos ella no regresó a casa. Fue Picasso quien le dictó las cartas que escribió a su abuela y a su madre, para anunciarles, sin dar muchas explicaciones, que no iba a volver y que viviría una clase de vida diferente.

Fue desde el principio una batalla mucho más feroz de lo que ella había pensado. Recordándola, Françoise la llamó vivir «como Juana de Arco: llevando una armadura desde la mañana a la noche, demostrando tu fuerza veinticuatro horas al día». También ella se dio cuenta de que, aunque había accedido a vivr con él, era un «sí» con reservas: «Estaba jugando al escondite. Algunas veces me sentía invisible y por esta razón no tenía que descubrir de mí misma más de lo que quería. No todos los errores fueron suyos. Una parte de mí nunca aceptó que yo había estado de acuerdo en vivir con él. Nunca le abracé con todo mi ser. Pude haberle dado más de mí misma. Pude haberle dado todo de mí, pero no lo hice.»

Habiendo visto la destrucción que Picasso había creado a su alrededor, ella estaba decidida a protegerse. Sabía que su relación no podía ser completa sin una entrega, pero también sabía que sería fatal rendirse. Llamó a su vida con él una «corrida». El persistió en su omnipotencia defensiva, mientras ella estaba decidida a no cruzar la línea invisible entre la rendición y la sumisión, demasiado desconfiada para permitirse ser vulnerable. Sin embargo, se sumergió en la vida de él, interrumpiendo el contacto no sólo con su familia y amigos, sino también con toda su generación.

Empezar a vivir en la casa de la calle des Grands-Augustins fue un gran trastorno para Françoise, y también una mayor prueba para Inés y Sabartés. Inés acababa de dar a luz un niño, a quien llamó Gérard, y su adaptación a ser madre se hizo más difícil con la llegada de Françoise. Por supuesto, siempre hubo muchas mujeres en la vida de Picasso, pero nunca ninguna, en su propia experiencia, que viviese con él. La casa había sido el reino de Inés y ahora había una princesa residente. Uno de los encantos de Inés era su hermosa y acogedora sonrisa; con la llegada de Françoise sonrió menos y se retiró más a menudo a su pequeño apartamento debajo del estudio de Picasso; de techos bajos y mal iluminados, era como una capilla de su amo, ya que las paredes estaban tapadas con aguafuertes, guaches, litografías y retratos de ella que Picasso le había regalado en sus cumpleaños.

Sabartés se mostraba ambivalente sobre el trastorno de su llegada: no había mujeres en el mito privado que se había creado en su vida con Picasso, de igual manera que no había mujeres en la narración de la vida de Picasso que fue publicada bajo el título *Picasso: Retratos y Memorias,* dos meses antes de que Françoise se mudara a la casa de la calle des Grand-Augustins. La instalación de una mujer en el sitio en el que mantenía sus barrocas relaciones con el mundo exterior era una intrusión mal recibida: manchaba la atmósfera de misterio y drama que necesitaba para crear y que a Picasso le gustaba respirar. Pero había compensaciones para Sabartés por la presencia permanente de Françoise en la familia. Trajo consigo el fin de la era de Dora, a quien él siempre había despreciado. Aportó una gran paz a la vida de Picasso, de lo que Sabartés estaba agradecido, puesto que él era la víctima normal de sus explosiones. Y más sorprendentemente aún, le trajo una auxiliar muy competente en el esfuerzo de atender las obligaciones de Picasso con sus mujeres e hijos y con todas las complicaciones de sus asuntos de negocios.

Françoise describía la necesidad de Picasso por Sabartés como «la necesidad de un osito de peluche para dormir». Poco a poco, sin embargo, descubrió que había «muchas espinas en el osito». En público era siempre Picasso quien increpaba a Sabartés, llamándole estúpido y desechando sus escritos como «nada». Pero Françoise pronto averiguó que en la intimidad era Sabartés quien silenciosamente se deslizaba en el papel de juez y ejecutor y, bajo la cubierta de suprema rectitud y virtud, mordisqueaba a Picasso como un buitre, socavando sus relaciones, alimentando el histriónico elemento de su carácter y, como Casandra, profetizando que únicamente el mal vendría de todas las cosas.

Al principio, Françoise pasaba la mayor parte del tiempo en casa mirando cómo Picasso pintaba, asombrada de su fuerza vital mientras permanecía delante de un lienzo a veces siete u ocho horas de un tirón. Le preguntó en una ocasión que si no se cansaba. «No —contestó él—; ésta es la razón por la que los pintores viven tanto: mientras trabajo dejo mi cuerpo al otro lado de la puerta, de la misma manera que los musulmanes se quitan los zapatos antes de entrar en una mezquita.» Una tarde de mayo, Picasso le pidió que posara para él. Era el comienzo de lo que se convertiría en *La mujer-flor*. Françoise se abría en una flor. «Todos somos animales, más o menos —le explicó él— y aproximadamente tres cuartos de la raza humana parecen animales. Pero tú no. Tú eres como una planta creciendo y me he estado preguntando cómo podría hacer comprender la idea de que tú perteneces al reino vegetal más que al animal. Nunca me he sentido empujado a retratar a nadie de esta manera. Es extraño, ¿verdad? Sin embargo, creo que es así. Te representa a ti.»

Más tarde, en las leyendas celtas que a ella le gustaba leer,

Françoise aprendió el mito de Blodeuwedd, la muchacha-flor, que fue creada por un dios con polen de flor y dada en matrimonio al héroe que había sido maldito y que no podía casarse con una mujer mortal; después de muchas aventuras y desgracias ella fue transformada en un búho y se escapó durante la noche. «Ni Pablo ni yo —dijo Françoise— sabíamos nada del mito entonces. Pero justamente después encontramos un búho de verdad en Antibes y Pablo empezó a incorporarlos a muchas de sus pinturas.»

A principios de julio de 1946, Picasso anunció que se iban al sur de Francia y quería parar en Ménerbes para enseñarle la casa de Dora. Para sorpresa de Françoise, tan pronto como llegaron, Picasso le dijo que allí era donde iban a pasar las vacaciones. «Le hice entregarnos la casa —dijo Picasso—. Y ahora quiero asegurarme de que tú te quedarás aquí conmigo.» No fueron unas felices vacaciones. Françoise sentía que escoger la casa de Dora para unas vacaciones era una muestra de insensibilidad y que mostraba una total indiferencia tanto hacia los sentimientos de Dora como hacia los de ella. «Todo era una trampa. El era un perfecto colocador de trampas y su cronometraje no podía haber sido peor, puesto que Dora se estaba justamente recuperando de un ataque de locura y yo acababa de empezar mi vida con él.» La sensación de malestar de Françoise se intensificó por los enjambres de escorpiones que llenaban la casa durante la noche. Cuanto más preocupada estaba más se divertía Picasso. El le dijo que a Marie Cuttoli le había picado un escorpión el año anterior cuando estaban juntos en la casa. «Como ves —añadió— no se murió. Por supuesto, estuvo enferma durante algún tiempo.» Una noche Françoise se dio la vuelta y para su horror vio a tres escorpiones arrastrándose hacia su cabeza. «Esa es la clase de corona que quiero verte puesta —se rió Picasso—. Son mi signo del zodíaco.»

Para añadir algo más a la atmósfera trepidante, había cornetas. Todas las noches, los cornetas esparcidos por las granjas de alrededor del valle ensayaban para la celebración del Día de la Bastilla. El infierno empezaba a la puesta del sol y continuaba hasta después de las diez, destrozando la paz de la vida campestre. Françoise no sabía dónde esconderse. Por el contrario, Picasso, que no tenía oído para la música, pero sí pasión por la corneta, estaba encantado con el coro disonante. Después de la liberación, soplar 30 notas en su corneta del ejército francés se había convertido en su ritual diario más querido. Así que el 14 de julio, cuando llegó el momento de la retreta a la luz de las antorchas, Françoise no pudo apartarle: «Era casi una celebración para machos de salvajismo desatado. Los hombres desnudos hasta la cintura con las cornetas y las antorchas, mientras las mujeres quedaban olvidadas. Tradicionalmente, los hombres y las mujeres bailaban juntos para celebrar el Día de la Bastilla, pero no en Ménerbes, cosa de la que Picasso se alegró. No le gustaba bailar. De hecho, lo consideraba inmoral y depravado, mientras que dormir con incontables mujeres le parecía el orden natural de las cosas.»

Después del Día de la Bastilla, la tortura de la corneta finalizó, pero Françoise seguía deseando marcharse de Ménerbes. Aun cuando estaba físicamente a solas con Picasso, parecía que Dora vagaba por la casa, mientras que Marie-Thérèse era una presencia definida en las cartas embelesadas que él recibía de ella todos los días. Françoise, que había deseado pasar este tiempo fuera como una especie de luna de miel después de haber empezado a vivir juntos, tenía que escuchar cada mañana los pasajes apasionados escogidos de las cartas de Marie-Thérèse, puntualizados por el comentario de Picasso: «De ningún modo te veo escribiéndome una carta como ésta... Es porque no me amas lo suficiente. Esa mujer realmente me ama... Eres demasiado inmadura para entender cosas como éstas. No eres una mujer totalmente desarrollada, ¿sabes? Eres simplemente una niña.» Lo que no le leía a ella eran sus cartas no menos apasionadas a Marie-Thérèse. Estaban —según Maya recuerda— «llenas de te amo y te amo y sólo te amo a ti y tú eres lo mejor del mundo».

Acosada por los escorpiones, las cornetas, las cartas de Marie-Thérèse y las flechas venenosas de Picasso, Françoise empezó a soñar con escapar de todo ello y de la opresiva presencia de su pasado tan lejos como a Túnez. Luc Simon, un pintor amigo, le había arreglado un trabajo para hacer dibujos que representaran las artes decorativas de ese país antes de que desapareciesen. Lo planeó todo en su mente, y una tarde, cuando Picasso estaba fuera, ella se marchó. Puesto que no tenía dinero, había decidido hacer auto-stop hasta Marsella y allí pedir dinero prestado a unos amigos para su viaje al Norte de Africa. No llevaba mucho tiempo en la carretera cuando un coche se paró. Todo parecía estar de acuerdo con su plan, excepto por una cosa: el coche era un Peugeot azul con Marcel al volante y Picasso en el asiento delantero. La primera reacción de él fue de cólera e incomprensión. «Debes estar fuera de ti» —le gritó—. Pero entonces, como siempre que ella quería abandonarle, él sabía con una extraña exactitud qué decirle a ella para que regresara: «Puede que haya unas pocas dificultades para adaptarnos, pero ahora que estamos juntos es cosa nuestra construir algo unidos. No debemos echar a perder esta oportunidad tan fácilmente... No debes escuchar a tu cabeza en cosas como ésta, ya discutirás a fondo contigo misma las cosas más profundas de la vida. Lo que necesitas es un hijo. Eso te devolverá a la naturaleza y te pondrá a tono con el resto del mundo.» Por entonces ya la había metido dentro del coche, besado y acercado a él.

Una vez que volvió nada parecía más alejado de sus pensamientos que Túnez. De hecho decidió seguir el consejo de Picasso y pensar menos y obedecer más a su corazón, dondequiera que la llevase. «No sabrás lo que significa ser mujer hasta que no tengas un hijo» —le dijo Picasso—; y ella, que había desechado hasta entonces la idea de la maternidad, ya no estaba tan segura. «Antes de irme a vivir con él —recordaba— ésa era la única cosa que tenía decidida: no quería tener hijos. Pero éste era un tema sobre el que Picasso también se había decidido: yo tendría hijos.» Poco después de un mes, de vuelta en casa de Fort, donde se establecieron después de que afortunadamente dejaron Ménerbes, ella estaba embarazada.

Estaban empezando, como Picasso había expresado, «a construir algo juntos». Para Françoise, uno de los más duros cambios fue aprender a ser ella misma en un mundo en donde todo giraba alrededor de él. Dominique Desanti recordaba haber llegado una mañana a Golfo Juan para entrevistar a Picasso; había cogido el primer tren desde París y llegado a casa de Fort mientras Picasso estaba aún dormido. «Françoise —dijo— se ofreció para llevarme a la playa hasta que Picasso despertase. Paseamos y charlamos, entre otras cosas de su embarazo, y de repente se paró y dijo: «Estoy contenta de que haya venido temprano porque puedo tener la ilusión de que ha venido un poco por mí y no sólo por él.» Esa fue la primera señal de nuestra amistad, porque al momento comprendí todo. ¡Qué difícil tenía que resultar ser la esposa, la mujer, con un hombre como él, que incluso si no hubiera sido un poco sádico, aunque no hubiera pretendido ser cruel, no podía evitar ser voraz! El tenía sus horas, sus maneras, sus temperamentos, y estaba acostumbrado a que todo el mundo centrase en él su vida. Era un genio muy consciente; tenía un impulso irresistible para conducirse como un genio, y en lo que a él respectaba nada podía compararse en importancia a lo que él tenía que hacer.»

Mientras Françoise estaba aprendiendo a mantener su propio centro en medio de este tornado que absorbía todo a su paso, Picasso estaba aprendiendo a vivir con una mujer que, como le había dicho a ella en una ocasión, tenía «su propia ventana a lo absoluto.» El estaba intrigado por la práctica regular de la meditación por parte de Françoise. Ella le dijo, en una de esas raras oportunidades en las que hablaban de ello, que le ayudaba a liberar algo dentro de sí misma. El no podía comprender esto; pero años más tarde comentaría su obra con estos términos: «Si hay una libertad individual en lo que uno hace, es la liberación de algo que está dentro de uno mismo. E incluso ésta no dura.» Para un hombre que equiparaba la vida a la actividad y la pasividad a la muerte, había algo muy molesto en la calma de las meditaciones de Françoise. Pero también existía aquella sensación vaga y temerosa que le penetraba a él más a menudo cuando estaba junto a ella que al lado de cualquier otra persona, y quizá fuese, después de todo, «una misteriosa e inescrutable divinidad en el mundo —un dios—; un ser positivamente presente en todas partes». Así es como Pierre la había expresado en el libro de Herman Melville *Pierre o las ambigüedades*, un libro que Picasso había descubierto antes de la guerra y que le había afectado profundamente.

Un día, al salir del museo de Antibes, Picasso condujo a Françoise a la capilla de al lado. Se paró delante de la pila de agua bendita. «Vas a jurar aquí que me amarás siempre» —le dijo Picasso—. Habiéndole escuchado tantas veces pregonar su ateísmo y blasfemar contra Dios, Françoise se quedó sorprendida. «Pienso que es mejor hacerlo aquí que en otro sitio —le explicó—. Es una de esas cosas que nunca sabes. Debe haber algo en todo este asunto de las iglesias. Puede hacer todas las cosas un poco más seguras. ¿Quién sabe? Creo que no debemos desperdiciar la oportunidad. Podría sernos útil.» Así que en la oscura capilla ella juró amarle siempre, y él juró amarla siempre. Luego se marcharon y Picasso volvió a su tarea vital, que todo lo gastaba, de intentar vencer con maña a su creador. Pero al mismo tiempo, tanto acudiendo a santificar las promesas de ambos en la iglesia como conservando una antigua imagen catalana de la Virgen en su estudio, se aseguraba de cubrir todas las salidas.

El castillo Grimaldi, que albergaba al Museo de Antibes, se convirtió en este momento en el estudio de Picasso. Se había empezado a sentir entumecido y frustrado en casa de Fort cuando Dor de la Souchére, el conservador del museo, le ofreció todo el piso de arriba del castillo. Su generosidad fue pagada con creces, puesto que Picasso, durante los meses siguientes, cubrió enormes paneles con pinturas de ninfas, centauros y faunos en celebraciones paganas con Françoise como ninfa abandonada y bailando en *La alegría de vivir*. El museo moribundo había sido transformado.

Hasta entonces, de lo único que podían alardear era de una colección de documentos sobre Napoleón, que había desembarcado en el Golfo Juan en su retorno de Elba.

Cuando estaba trabajando en el viejo castillo, Picasso encontró un pequeño búho herido, que se convirtió en su constante compañero; prodigó en él sus cariños reprimidos y la compasión que raramente se permitía sentir por otros seres humanos. Entablilló su pata y cuidó de él hasta que llegó el momento de regresar a París a finales de noviembre. Comiendo en Chez Marcel con Françoise, la víspera de marcharse, conoció a Lionel Prejger, un hombre de negocios y amante del arte que había ido allí, como él mismo decía, «no al azar, sino porque sabía que Picasso estaría allí y quería conocerle a toda costa». Prejger no sólo le conoció sino que acabó con el búho confiado a su cuidado hasta la vuelta al sur de Picasso. El le pidió una carta autorizándole a quedarse con el pájaro, y Picasso, que normalmente se erizaba ante una pizca de sospecha de que alguien pudiera aprovecharse de él, esta vez le dio gustosamente un autógrafo a condición de que su búho estuviera bien cuidado.

El 28 de noviembre, unos cuantos días después de la llegada de Picasso y Françoise a París, Nusch Eluard tuvo un ataque y murió en la calle. Paul Eluard estaba en Suiza cuando recibió la noticia y volvió a París destrozado. La muerte se había introducido nuevamente en la vida de Picasso, pero esta vez la presencia de Françoise, la nueva vida que ella llevaba dentro y su propia y serena aceptación de la muerte, le hizo más fácil soportar el amargo trago. «Françoise está esperando un niño —anunció Sabartés a Brassaï—. Eso le hace estar joven otra vez. Nunca ha estado tan contento, tan feliz, tan rebosante de energía.»

Después de la muerte de Nusch, Eluard pasaba casi todo el tiempo con Picasso y Françoise. Pronto descubrió cuánto echaba de menos a Nusch y cuánto odiaba no estar casado. «No podía soportar estar solo —recordaba Françoise—. Quería estar casado y tener un matrimonio "abierto".» La primera persona en quien pensó fue en Dora. Un año antes, Eluard le había dicho: «No puedo imaginar mi vida sin Nusch. No puedo contemplar la idea de perderla. No podría arreglármelas sin ella». Ahora había pensado en Dora para sustituir a Nusch. Amando a alguien que Picasso había amado, acostándose con alguien con quien Picasso se había acostado, convirtiéndose en un vehículo para que Dora volviese al círculo como madame Paul Eluard, creando e ideando un grupo de cuatro con Dora, Françoise y Pablo, de repente le pareció el mejor arreglo en su visión del mejor de todos los mundos posibles.

Habiéndose asegurado primero del consentimiento de Picasso, Eluard pidió a Dora que se casase con él, suponiendo que Dora, sola y rechazada, le aceptaría rápidamente. Pero ella no le aceptó. «Después de Picasso, sólo Dios», fue su respuesta inesperada. El doctor Lacan, que continuaba tratándola en sesiones de terapia y con electrochoque, la animó a estructurar sus inclinaciones místicas y experiencias por medio de una conversión al catolicismo. Así que Dora esquivó la oportunidad de convertirse en madame Eluard y empezó el camino de la conversión, que culminó con su unión a las oblatas de la Orden de San Sulpicio mientras todavía vivía en la calle de Savoie. «No fue tanto su episodio de locura lo que destruyó a Dora —dijo Françoise—, sino el tratamiento de electrochoque. Lacan me contó que había logrado estabilizarla para que fuera capaz de llevar una vida normal, y según él, era lo más que podía esperarse. Pablo le estaba pagando las sesiones con Lacan, pero nunca le envió los cheques a ella, como hacía con Olga y Marie-Thérèse. Y Dora nunca le pidió nada. Ella sobrevivió porque nunca perdió su dignidad como ser humano. Picasso logró, sin embargo, matar la artista que llevaba dentro de ella. Su pintura había sido muy hermosa, muy sutil, muy suya y siempre original; en muchos sentidos era bastante ajena a Picasso. Pero algo se rompió en su interior y se reflejó en su obra desde entonces.»

En el invierno de 1946 Picasso estaba casi feliz de estar vivo: uno de los beneficiarios de su desacostumbrada benevolencia fue el marchante americano Sam Kootz, que llegó de Nueva York después de Navidad, deseando reforzar el prestigio de su grupo de pintores americanos de la galería —Gottlieb, Motherwell, Baziotes— con unos cuantos Picassos. «Nunca tuvo la más leve noción —escribió Brassaï, quien le vio en París durante su estancia— de si estaba en la orilla izquierda o la derecha; en Montparnasse o en la Place de l'Opera. Nunca vio la Torre Eiffel ni el Folies-Bergére. Nunca salía del taxi lo suficiente para arriesgarse a dar unos cuantos pasos por una calle parisina. Le pregunté si había ido al Louvre. "¿El Louvre? No es lo suficientemente abstracto para mí", me respondió. Sólo tenía un pensamiento en la cabeza: Picasso». Y tuvo suerte. Picasso le invitó a comer en la Brasserie Lipp y le vendió nueve pinturas que él mismo había seleccionado, sin ninguna de las torturas a las que sometía a Kahnweiler o a otros marchantes.

Su buen humor no fue la única explicación de este cambio de comportamiento; había tomado la decisión de darle una lección a

Kahnweiler, pues este último se había negado a pagar los precios tan elevados que le exigió Picasso después de que se enteró que el marchante había vendido algunos Braques por un precio mayor comparado con el de los Picasso que estaban vendiendo entonces. Era inútil decirle a Picasso que Braque pintaba muchísimos menos cuadros al año, y por esta razón podía en alguna ocasión pedir precios más elevados, especialmente porque Picasso estaba enfurecido por el libro que Jean Paulhan, el editor de *Nouvelle Revue Française*, había publicado a principios de año bajo el título de *Braque, le Patron*. Picasso no leyó el libro nunca; fue el título lo que le irritó. Sólo había un único *Patrón*, un único maestro indiscutible, y no era Braque, ni siquiera Matisse, y no ciertamente Roualt, al que Paulhan se había atrevido a poner al mismo nivel. Ahora y para siempre era Picasso.

En Nueva York, al menos, la gente del arte parecía estar de acuerdo. «Inauguramos la exposición —escribió Sam Kootz— a mediados de enero de 1947 con una enorme masa de gente, con cordones de policía para dejar entrar. Habíamos vendido todo a las tres de la tarde... Llamé por teléfono a Picasso para darle la buena noticia. El se sorprendió, pero reprimió mi deseo de volver a París para comprarle más cuadros. Aprendí en el acto que a Picasso le gustaba tomar sus propias decisiones.»

Hubo muchas personas que estaban deseosas de adular y seguir sus reglas, pero Braque no fue uno de ellos. «Picasso solía ser un gran artista —diría Braque—, pero ahora es sólo un genio.» Picasso no podía soportar la idea de que Braque no estuviera sometido a él o de que a algunos de sus amigos comunes les gustara más Braque que él; al mismo tiempo no podía dejar de tener la evidencia de que así lo hacían. Incluso mandó espías a casa de Braque, o fue él mismo, para averiguar quién estaba allí y cuánto tiempo se quedaba. Si resultaba que entre los muchos visitantes había amigos suyos, como Zervos o Fenosa, René Char o Pierre Reverdy, primero estallaría en cólera y después se compadecería de sí mismo. «No me gusta ya Reverdy —dijo Picasso en una explosión de petulancia maníaca—. Además es el mejor amigo de Braque, así que ya no es mi amigo... ¿Sabes? Braque es realmente un bastardo. Encuentra el modo de apartar a mis amigos de mi lado. No sé qué les hace, pero debe ser algo raro, algo que yo no puedo hacer. El resultado es que ya no tengo amigos. Las únicas personas que vienen a verme son un montón de imbéciles que quieren algo de mí.»

A menudo soltaba ráfagas parecidas sobre «los imbéciles» que corrientemente se tomaban la molestia de visitarle. Françoise intentaba hacerle ver que él estaba haciendo todo lo que podía para alejar a las personas comportándose tan desagradablemente. Pero la lógica, aunque irrefutable, era inútil para mantener su cólera y su malhumor a raya. El persistía en ello, defendiéndose con argumentos que se hacían obsesivos: «Si realmente me quisieran vendrían de todas formas, aun cuando tuvieran que esperar en la puerta tres días antes de que yo quisiera dejarles pasar.»

Muchos de sus días empezaban con esta confesión de autocompasión. De hecho era entonces cuando sus letanías de calamidades eran más largas y retorcidas, como si la fuerza que le había propulsado a sus actuales alturas de repente le hubiera dado la espalda y se hubiera retirado sin ninguna advertencia. Un dolor de estómago era cáncer; su médico estaba sólo interesado en su pintura, y no en él, de otro modo estaría a su lado todos los días; le dolía el alma; nadie le comprendía, lo que no era de extrañar teniendo en cuenta la estupidez de la mayor parte de la gente; la vida era un peso terrible y su pintura iba de mal en peor; se desesperaba; nadie podía ser más desgraciado, y se preguntaba por qué tenía que seguir existiendo. Con cada palabra de angustia profundizaba en el agujero en el que se estaba hundiendo.

Françoise tuvo que esforzarse en sacarle de allí, en demostrarle que la vida valía la pena vivirla, que todo el mundo le quería, que su trabajo era maravilloso y lo que podría hacer si se levantaba de la cama sería aún más maravilloso. Al final, él estaba preparado no sólo para comenzar el día, sino para animar las cosas causando tanta injusticia como fuera posible. Cuando el sol se ponía era un hombre diferente: invencible, un mago, un genio inmortal. El amanecer volvería de nuevo a destruir el precario equilibrio entre lo invencible y el derrotismo, entre la inmortalidad mundial y la muerte inevitable; y otra vez Françoise, su trabajo y la adoración de su grupo de amigos le devolverían la confianza.

Françoise no era de ningún modo la favorita de la corte. Su belleza, su precocidad intelectual y su renuncia a adular a nadie o aguantar bromas de buena gana la dejaron abierta a la hostilidad, así como la idea primitiva de que era una ambiciosa joven pintora que se aprovechaba del apasionamiento del viejo maestro la había dejado abierta a sospechas. Tanto éstas como la hostilidad eran mantenidas muy cuidadosamente a raya por su intimidad con la fuente de poder y favores, muchos de los cuales eran tan buenos como la legítima ternura. Su embarazo añadía más peso a la creciente sensación de que no sería echada fuera tan fácilmente.

A principios de mayo, Françoise, ahora embarazada de casi

nueve meses, decidió pasar por alto las objeciones de Picasso y ver a un médico; el niño podía nacer en cualquier momento y no se habían hecho arreglos para un ginecólogo o un hospital. No era un descuido por parte de Picasso: por el contrario, el nacimiento de su hijo era tan importante para él que la manera de propiciar al destino y de asegurarse de que todo iría bien era no hacer nada, lo que, siguiendo su mágico razonamiento, engañaría al destino y le haría creer que él se rendía a sus deseos, cualesquiera que fuesen. «Es mejor —le había dicho a Françoise— no actuar que actuar, siempre que exista elección.» Así, Picasso no había querido consultar con un médico, convencido de que «trae mala suerte contemplar las cosas tan detenidamente.»

Al final llamó al doctor Lacan, quien, después de recuperarse del susto de saber que Françoise estaba próxima a dar a luz y todavía no había visto a un ginecólogo, le presentó al doctor Fernand Lamaze. Una semana más tarde, el 15 de mayo, en la clínica Belvedere, en Boulogne, Françoise dio a luz un niño. El sueño que había tenido hacía más de tres años se había convertido extrañamente en realidad. En el libro de sueños que guardaba había escrito los detalles: ella estaba en el cobertizo de una cabra con un cochecito de niño en el centro y dos pinturas al lado; una de las pinturas era un pequeño retrato de mademoiselle Rivière, de Ingres, y la otra *Los representantes de las potencias extranjeras*, de Douanier Rousseau, que más tarde averiguó que pertenecía a Picasso. Cuando llegó a la clínica, Françoise descubrió que la enfermera se llamaba madame Rousseau, y la comadrona, madame Ingres; se peinaba con los cabellos a los lados de una raya central, como en los retratos de Ingres. Cuando llegó el doctor Lacan, Picasso, que se acordaba de haber leído el sueño de Françoise, le preguntó fascinado por el significado del cobertizo con la cabra. Era un símbolo del nacimiento de un niño, le explicó el eminente psicoanalista.

Si su padre se hubiera salido con la suya, el niño se habría llamado Pablo. Era como si Picasso, insatisfecho con su primer hijo, esperase un heredero más valioso en este segundo, y por ello quería que tuviera su mismo nombre, pero esta vez con su total gloria española. Pero Françoise se daba cuenta de que tener dos hijos con el nombre más o menos igual era demasiado, y el niño abandonó la clínica como Claude Pierre Paul Gilot; Claude por el profesor de Watteau, Claude Gillot, que como Picasso, era aficionado a los arlequines.

«Fue bastante traumático tener un hijo —recordaba Françoise—. Primero, porque yo no tenía ningún hermano ni hermana y no tenía ni idea de lo que se suponía que debía hacer con el niño. Así que empecé a leerme todos los libros y me sumergí en mi papel de madre.» En junio, la madre, el padre y el niño volvieron a casa de Fort, en el Golfo-Juan. Pronto se hizo visible que la llegada de Claude había introducido ciertos cambios en su relación. «Ya ves, conseguir que una mujer tenga un hijo —confesaría Picasso más tarde a Geneviève Laporte— supone para mí tomar posesión, y ayuda a matar cualquier sentimiento existente. No puedes imaginarte lo a menudo que siento necesidad de liberarme a mí mismo.»

Françoise describiría a Picasso como «un sobreviviente de una viejísima civilización. Lo que hacía tan difícil tratar con él no era que yo tuviera 25 años y él 65, sino que yo tenía 25 y él sesenta y cinco mil. Quería darles hijos a sus mujeres para hacerlas más pesadas, incapaces de moverse y más dependientes de él. Al mismo tiempo era una exigencia de intimidad y un desafío a la mujer para abrir todas sus puertas y ventanas emocionales, que él luchaba por mantener cerradas».

Años más tarde se jactaba de que había hecho a Françoise cuidar ella misma de los niños y que se había negado a emplear a una sirvienta. «Mis fidelidades se dividían —recordaba Françoise—: Si Claude lloraba o tenía hambre o lo que fuera, Picasso ya había reclamado mi atención primero. Aun cuando era Pablo quien había querido un niño, la experiencia me transformó a mí, pero no a él. Yo podía no haberlo deseado, pero una vez que fue adelante con él y que nació, en parte seguía siendo la misma y en parte no.»

Por el momento, Picasso estaba fascinado con Claude, que se parecía cada vez más a él, y feliz de poder tomar a través de él mayor posesión de su madre. «El siempre la había querido a ella muy cerca de él —dijo Dominique Desanti, que les visitó unas cuantas veces en el Golfo-Juan durante el verano de 1947—. Eran una pareja muy chocante. Ella era tan hermosa y él tan realmente asombroso que estéticamente producían un efecto impresionante al mirarles.» Viéndoles juntos era también como ver un juego tribal del que únicamente ellos conocían las reglas. «El le hacía observaciones agresivas para degradarla y humillarla delante de los demás, y ella se reía y hacía que lo que le decía fuese inofensivo. El se refería a ella como "la mujer". "¿Qué es lo que ha hecho la mujer para cenar?", le preguntaba. O miraba a una mujer eróticamente vestida de una tarjeta postal y suspiraba: "¡Qué sueño tener a esta mujer delante de uno!" Y Françoise se reía y le contestaba: "Es muy sencillo; podemos hacer esto: tú me consigues un vestido como ése y yo me lo pongo; sería un disfraz muy divertido." Ella nunca parecía enfadada o humillada; siempre te hacía pensar que ellos estaban representando un papel. Esa era la manera de ser de Picasso: si le apetecía, era cruel tanto si estaba con su mujer, sus amigos o con cualquiera a su alrededor. Así que si decidías vivir con él necesitabas una fuerza extraordinaria y una madurez fuera de lo común para encontrar tu papel en la obra e improvisar el texto.»

Picasso tenía una explicación para «su modo de ser». «Max Jacob me preguntó una vez —dijo Picasso— que por qué yo era tan agradable con la gente que en realidad no me importaba y tan duro con mis amigos. Le dije que no me importaban los primeros, pero que, puesto que me preocupaba mucho por mis amigos, me parecía que tenía que poner a prueba nuestra amistad de vez en cuando sólo para asegurarme de que seguía siendo lo suficientemente fuerte». Era una contradicción forzar a aquellos que le eran más cercanos a alejarse, mientras él tenía pánico de que pudieran abandonarle efectivamente.

Cuando no estaba ocupado en ahuyentarlos le encantaba entretenerles, sobre todo cuando el sol y el mar mitigaban la cólera y el dolor. Entonces en la playa del Golfo-Juan o cenando en Chez Marcel, se colocaba una nariz falsa, se disfrazaba de Charles Chaplin, dibujaba en los manteles de papel con el dedo mojado de vino, resaltando sus diseños con mostaza y café; o cuando una mujer se le acercaba a pedirle un autógrafo se ofrecía a dibujar algo en su piel desnuda, especialmente si estaba en traje de baño. Y la mujer autografiada no se bañaría en días. Mientras tanto, Françoise observaba sus extravagancias y jugaba con Claude. Sus mejores momentos eran aquellos en que estaban ocasionalmente solos por la noche. Ella cogía un libro de poesía y se lo leía, y él por su parte recitaba a sus poetas favoritos: Rimbaud, Mallarmé, Góngora, y a Eluard más a menudo.

Con Sabartés de vuelta en París, Françoise asumió parte de las obligaciones de él, tratando los asuntos de negocios de Picasso y haciendo los cheques para Olga, Paul y Marie-Thérèse. Picasso comenzaba la mañana leyendo el correo que Sabartés le había enviado desde París, que siempre incluía una carta suya críptica y en clave y los últimos recortes de prensa del Lit Tout, servicio que mantenía a Picasso al día de todo lo que se había publicado sobre él, incluyendo, por supuesto, sus últimos chistes: «Pero, Maître, nunca le vemos pintar» —se quejaba una periodista—. «Pero, mademoiselle —le contestó él—, también hago el amor y usted no me ve nunca hacerlo.» Cualquier cosa que había hecho o dicho, él la vería pronto en un recorte. También había muchas viñetas en el fardo, muchas de ellas imitaciones de su estilo de distorsionar y deformar. En una de ellas, un hombre estaba copiando una pintura de Picasso y otro comentaba: «No está mal. Pero pienso que el pie derecho no está lo suficientemente a la izquierda.»

A menudo, por la noche, Picasso se sentaba a escribir a Sabartés con un torrente de lucidez. Luego releía la carta y se reía: «Es realmente divertido. Me pregunto si será capaz de entender lo que quiero decir.» Algunas veces leía pasajes a Françoise. «Eran un poco como sus obras y sus poemas —recordaba Françoise—, llenas de imágenes visuales flotando o repeticiones de color: "el azul del azul del azul del blanco del caballo y del perfume de la arena de Nimes...".» Las frases nunca terminaban y era imposible encontrar un significado lineal en ellas. Pero sus cartas, con sus series inconexas de imágenes visuales, tuvieron su impacto, casi como el de una pintura. El estaba probando toda clase de pensamientos absurdos y erráticos en Sabartés, mezclados con instrucciones sobre lo que debía o no debía hacer. Eran muy largas y, para un extraño, incomprensibles.» Para Sabartés suponían una gran compensación por el tratamiento injusto que a menudo recibía de manos de su amigo y por su minúsculo salario, del que incluso se suponía que tenía que pagar el billete de tercera clase cuando visitaba a Picasso en el Sur.

«Ser injusto —dijo Picasso a Françoise— es divino.» «Una vez, regresando de una corrida de toros —recordaba ella— tuvimos una discusión sobre esto. Le dije que mi verdadero propósito en la vida era convertirme en totalmente humana para reencarnarme en mi misma carne. No es de ningún modo fácil volverse humana, pero ésta es mi búsqueda: comprender las necesidades de los demás, ver sus puntos de vista, ser justa. Picasso me dijo que no tenía ningún interés en ser justo, y que en realidad a él le gustaba, de *verdad* le gustaba, ser injusto. Le hacía sentirse como un dios primitivo.»

Si ser injusto le hacía sentirse divino, rodearse de conflictos le hacía sentirse vivo, por lo que era tan renuente a dar un paso que pudiera resolverlos. Incluso le agradaba la costumbre de Olga de seguirle cuando se marchaba de París. Ese verano no fue una excepción: Olga estropeó la paz de una mañana en la playa con sus amenazas, insultos o simplemente sus exigencias de atención. Otra vez, cuando Olga se puso demasiado grosera mientras seguía a Françoise, Claude y Picasso, por las calles de Golfo-Juan, él se volvió y la abofeteó. Cuando Olga empezó a gritar, él la amenazó con llamar a la policía. Ella continuó siguiéndoles y casi todos los días le mandaba misivas en una mezcla de español, ruso y francés. El tema principal de ellas, que adquiría innumerables variaciones, era que él había bajado de sus alturas previas: «Tu hijo es un inútil también, y está yendo de mal en peor, como tú». Una de sus variantes favoritas era incluir una reproducción de Beethoven y decirle a Picasso que nunca sería tan grande como él; otra era incluir un cuadro de Rembrandt con lo siguiente: «Si fueras como él, serías un gran artista.»

Invariablemente Picasso se entristecía con sus cartas, e invariablemente las leía de principio a fin, por mucho que Françoise le instase para que no las abriera, puesto que por entonces él ya sabía lo que contenían. Picasso y Olga estaban unidos uno al otro por lazos de mutuo hastío que ninguna cantidad de sentido común podría aflojar. Ella le necesitaba para afirmar su existencia, y curiosamente él necesitaba que siguiera absorbida por él, aun cuando esta absorción fuera negativa. Cuanta más gente viviera exclusivamente para él, más energías reunía dentro de sí y más poderoso se sentía. Cuantos más ríos fluyesen en su dirección, más se convertiría en un inmenso océano.

A pesar de esto, el verano de 1947 significó un momento de inercia y descontento. Fue a todas las corridas de toros que se celebraban en los alrededores. Volvió al Museo de Antibes e hizo el tríptico *Ulises y las sirenas*. Y escuchó su propio canto de sirena. Georges y Suzanne Ramié, que dirigían la fábrica de cerámica de Madoura en Vallauris, fueron a Golfo Juan en agosto a invitarle a ver las tres piezas de pequeño tamaño que habían moldeado el año anterior, ahora cocidas y listas para su inspección. Picasso fue y se quedó. Los Ramié pusieron a su mejor alfarero, Jules Agard, a su disposición y Picasso empezó a trabajar. Fue un escape de la agonía del blanco lienzo, especialmente en un tiempo estéril; suponía un compañerismo con los ceramistas y con la tierra que trabajaban; las energías y experiencias de ellos le llevaban a recargarse a sí mismo y a multiplicar sus poderes, suponían un nuevo medio de expresión. No sólo decoraba la cerámica, sino que transformaba aquella que sostenía en sus manos: una vasija se convertía en búho, mujer o diosa, evocando los ídolos antiguos. Su versatilidad, su vitalidad, su agudeza de visión, su inventiva mágica, todo había encontrado ahora una nueva forma para asombrar al mundo. Y puesto que sus diseños podían ser copiados, aún más mundo podría asombrarse.

Ese mismo verano la gente empezó a congregarse en el Museo de Antibes para admirar las pinturas del mundo pagano que él simplemente había dejado olvidadas el verano anterior. Una noche, cuando Picasso y Françoise estaban cenando en Chez Marcel con los Cuttoli, el señor Cuttoli le dijo que sería una buena idea que hiciera su regalo oficial al museo. «Más aún —continuó, pisando donde los ángeles tenían miedo a pisar— ha vivido aquí tanto tiempo, que debería nacionalizarse francés. Si lo hiciera se podría divorciar y casarse con Françoise.»

Picasso se enfureció por la impertinencia del senador: «¡Le he traído aquí como mi invitado y usted se atreve a decirme estas cosas! Por supuesto que dejo todas esas pinturas al museo, ¿pero quién le da derecho a alguien a empezar a hablar de regalos y donaciones? Puesto que todo el mundo es tan aficionado a citar la observación que una vez hice: "No busco, encuentro", le daré ahora una nueva para poner en circulación: "No doy, tomo". Y en cuanto a su idea de cambiar mi nacionalidad, yo represento a España en el exilio. Estoy seguro de que Françoise no aprobaría que me la cambiase, y creo que Françoise comprende que ella y nuestro hijo están después de la España republicana en mi escala de valores. Y usted debe comprender desde ahora mismo que no tengo intención de someter mi vida a las leyes que gobiernan las miserables vidas de sus *petits bourgeois*.»

Todavía no había terminado. Tiró el plato al mar, pataleó y gruñó ante su cautivado y frío público. «Bueno, ¿por qué no come? ¿Esta comida no es lo suficientemente buena para usted? ¡Dios mío, lo que encuentro en tu casa algunas veces! Pero yo como en todo caso, por la amistad. Usted tendrá que hacer lo mismo.» Ellos comieron y le tranquilizaron, y le hablaron de otros temas. La cena continuó y, asimismo, su amistad. Como él alardeaba tantas veces: «Nadie deja a Picasso voluntariamente.»

Los Cuttoli no eran los únicos que instaban a Picasso a ser generoso. Jean Cassou, conservador jefe del Museo de Arte Moderno de París, y Georges Salles, el director de los Museos Nacionales franceses, insinuaron, sugirieron, dieron a entender y, en resumen, hicieron todo menos pedirle algunas pinturas para el Museo de Arte Moderno. El hecho de que no habían intentado directamente influir en su decisión, junto a que Braque y Matisse iban a estar ampliamente representados, hicieron a Picasso decidirse a donar diez cuadros. Como testimonio de su gratitud, Salles había llevado los cuadros al Louvre antes de que fueran colgados en el Museo de Arte Moderno, y cuando Picasso volvió a París en diciembre le invitó a ser el primer pintor que escogiera los pintores al lado de los que le gustaría ver sus propias obras expuestas. Picasso inmediatamente eligió a Zurbarán, y después a Delacroix. «Ese bastardo —le dijo a Françoise a la salida del Louvre— es realmente bueno.»

Entre los pintores vivos, con el que Picasso más disfrutaba discutiendo sobre cuestiones estéticas era con Alberto Giacometti, en parte porque él era demasiado visionario para pensar en ellas en términos puramente estéticos. Giacometti se había ganado largamente el respeto secreto de Picasso al no adularle ni reverenciarle nunca. Los dos hombres se veían a menudo, y algunas veces, como niños traviesos, iban al café de al lado y estudiaban detenidamente las revistas pornográficas que Picasso había llevado. Otras veces trataban del trabajo. «Picasso aceptaba las críticas de Giacometti —decía James Lord—, pero al mismo tiempo se ofendía por hacerlo, y el lado perverso de su naturaleza, siempre poderoso, le conducía a reírse de Alberto a sus espaldas... Arrojando luz a la ansiedad y la frustración del escultor, Picasso decía: "Alberto intenta hacernos lamentar las obras que no ha hecho".»

Cuando Picasso estaba de tan buen humor como para ser sincero, admitía que la obra de Giacometti representaba «un nuevo espíritu en escultura». Sin embargo, desplegó una mezquindad gratuita en una ocasión, en el estudio de Giacometti, cuando una expresión de aprecio podía haber supuesto una diferencia en la subsistencia de aquél: Picasso estaba allí cuando Zervos apareció inesperadamente con un coleccionista italiano; por tres veces Zervos le preguntó a Picasso si estaba de acuerdo con él en los méritos de una escultura en particular que él esperaba que pudiera comprar el coleccionista italiano, y por tres veces Picasso se negó a contestar. El resultado fue como Picasso había imaginado: enfrentado al silencio conspicuo del pintor de más fama mundial, el coleccionista italiano se fue con las manos vacías. «Me asombra —dijo una vez Giacometti— como lo haría un mostruo, y creo que él sabe tan bien como nosotros que es un monstruo.»

En febrero de 1948, después de pasar el invierno en París, Picasso abandonó su estudio, los cafés, sus visitas por sorpresa a Giacometti y a Braque y volvió a Golfo-Juan con Françoise y Claude, seguidos una vez más por la sombra de Olga. Pronto se reunió con ellos la abuela de Françoise, que alquiló una casa un poco más arriba de la de Fort. Ella no estaba contenta con la nueva vida, tan poco convencional, de Françoise, pero la había aceptado; además, estaba encantada con su bisnieto. Sin embargo, estaba aterrada por la mujer medio loca que les seguía siempre que sacaban a Claude a pasear en su cochecito. Si su oído hubiera sido mejor y su incredulidad menos fuerte se habría sorprendido al descubrir que aquella mujer era la esposa legítima de Picasso, que amenazaba a Françoise con cosas atroces por haberle robado a su marido.

Al pasar los días, lo que era una intromisión y una irritación se convirtió en algo insoportable. Olga, enloquecida de celos y furia, y ya no contenta con gritar insultos, empezó a atacar a Françoise, pellizcándola, arañándola, abofeteándola, especialmente si tenía a Claude en brazos. Para empeorar las cosas, madame Fort se puso de parte de la esposa legal y empezó a invitarla al té todos los días. Olga se sentaba al lado de la ventana e informaba a todos los visitantes de Picasso que, como podían ver, ella estaba viviendo de nuevo con su marido. O si Françoise estaba fuera esperaba a que ella volviera y le gritaba que la casa pertenecía a ella y a su marido, y que ella no tenía nada que hacer viniendo allí.

Françoise, que podía sentir la miseria y soledad de Olga, no se permitía defenderse. Al mismo tiempo, no podía continuar viviendo en ese estado de sitio. Le dijo a Picasso que deberían buscar otra casa. Su ruego se oponía a la filosofía de estoica inacción de Picasso, pero al final él se dio cuenta de que Françoise sería inflexible en este tema; así que pidió a madame Ramié que les ayudara a encontrar otro hogar. Ella lo hizo, y en mayo de 1948 se mudaron a La Galloise, una casa pequeña y bastante fea en medio de una gran extensión, en la colina de Vallauris.

El día de su traslado, Picasso volvió a pensar por segunda vez: «No sé por qué tenemos que seguir adelante con esto. Si me tuviera que mudar cada vez que las mujeres empiezan a pelearse por mí, no tendría tiempo para otras cosas en la vida». Dicho esto continuó con la cerámica, dejando a Françoise, a Marcel y a su hijo que llevaran a cabo la mudanza. Subiendo y bajando la colina que conducía a la casa hasta que se quedaba sin aliento del esfuerzo, Françoise recordaba la historia apócrifa de un famoso ceramista que quemó todos sus muebles para que su horno no se enfriase. A Picasso le gustaba contar la historia y siempre añadía con orgullo: «Yo arrojaría gustosamente a mi mujer y a mis hijos si fuera necesario para mantener el fuego».

Françoise no podía comprender el impulso de sacrificar en bien de la creación; ella no quería ser inmolada. En la nueva casa, que Picasso había comprado y a la que había puesto el nombre de ella, Françoise convirtió una habitación en su estudio y trabajaba muchas horas mientras Picasso estaba en el alfar. Con él fuera de casa se permitía incluso el lujo de trabajar con música clásica de fondo, que siempre molestaba a Picasso, al que no le gustaba otra música que no fuera el flamenco y un tema de la *Petruska* de Stravinsky, que solía silbar. «Aprendí mucho de él en el trabajo de dibujar y en arte gráfico —recordaba Françoise—, pero estaba decidida a mantener mi propio estilo... Asimilé mucho de él como si él fuera un elemento más. Como en un elemento, digamos el agua, yo nadaba, pero el elemento no me estaba diciendo cómo se nadaba.» Aunque Picasso nunca tuvo en cuenta el trabajo de Françoise, tampoco lo despreció. Realmente Françoise se convirtió en la posesión más apreciada a los ojos de Picasso al ver que era capaz de continuar creando, a pesar de las exigencias de él respecto de su tiempo, sus emociones y su sentido común.

La vida en Vallauris transcurría casi enteramente en público. La gente llegaba diariamente de todas partes del mundo para verle, a veces de manera esperada, otras inesperada. La compositora Germaine Tailleferre, a quien Picasso no había visto desde sus días de Diaghilev, le invitó a un concierto en su casa del dúo de pianistas Robert Fizdale y Arthur Gold, que habían llegado de Nueva York recientemente. El declinó la invitación y en su lugar invitó a los tres a visitarle en Vallauris. Llegaron juntos con la hija jovencita de Tailleferre, que se parecía notablemente a su madre en la época en que Picasso la había conocido. «A ti es a la única que conozco —le dijo Picasso a la hija—. ¡No a ti!», dijo a la madre, en un tono que implicaba que ella tenía la culpa del paso del tiempo, de que la edad se le notara y de que la muerte estuviera más próxima para él y también para ella—. Y Picasso lo dijo una y otra vez, como si la repetición hiciera menos triste el que Germaine se diera cuenta de ello.

Hablaron de las personas que conocían; nada devolvía mejor el buen humor a Picasso como el cotilleo. El preguntó por Stravinsky: «¿Cómo está?... Y madame Stravinsky, ¿quién es ahora?» «Pero si ella es la misma que tú conociste —contestaron Gold y Fizdale, que acababan de llegar de Nueva York—. Madame Vera Stravinsky, la misma Vera que ha sido durante años.» «Siempre la misma Vera. ¡Imaginaos!», gritó Picasso con estupor ante el pensamiento de tales extrañas costumbres de casamiento. Un guardián del banco en el que almacenaba muchos cuadros le había dicho una vez a Picasso que él era muy diferente a los demás clientes que había estado observando: un año sí y otro también con la misma mujer, más vieja, mientras que él siempre con una nueva mujer, cada vez más joven que la anterior. A Picasso le gustó esto. Era una manera —pensaba él—, de burlarse del destino y de la muerte.

A principios de agosto, Picasso y Françoise se desplazaron a Vence para visitar a Matisse, que había estado trabajando en el proyecto de una capilla de los dominicos y cuyo coste había decidido sufragar. «Estás loco haciendo una capilla para esa gente —empezó a bramar Picasso—. ¿Crees en todo eso o no? Si no, ¿por qué debes hacer algo por una idea en la que no crees?» «¿Por qué no construyes un mercado en su lugar? —le gritó en otra ocasión—. Podrías pintar frutas y verduras.» Matisse informó de este arranque al Padre Couturier, el dominico y defensor del arte moderno que estaba posando para los bocetos preparatorios del panel de Santo Domingo. «Nada podría importarme menos —le dijo Matisse, impasible en su ecuanimidad y convicción—; yo tengo verdes más verdes que las peras, y naranjas más naranjas que las calabazas. Así que ¿por qué construir un mercado?»

Cuando Picasso y Françoise volvieron a visitarle y Picasso criticó de nuevo el proyecto, Matisse fue menos aforístico y más explícito. «En lo que a mí respecta, esto es esencialmente una obra de arte. Es simplemente que me pongo a mí mismo en el estado mental de lo que estoy trabajando. No sé si creo en Dios o no; creo, realmente, que soy un budista en cierto modo. Pero lo esencial es ponerse uno mismo en el marco de la mente que está cercana a eso de la oración.»

Y más tarde, puesto que Picasso no dejaría su furia obsesiva al pensar en la capilla, Matisse le diría, «Sí, rezo; y tú también rezas, y lo sabes demasiado bien. Cuando todo va mal, nos lanzamos a rezar... Y tú lo haces; tú también. No hay por qué decir que no.» Matisse había empezado a tratar a Picasso como a un recalcitrante pero brillante y valioso hijo. Picasso le escuchaba, pero no tenía intención de prestar atención a lo que él decía.

La visión de Matisse era clara y apremiante: crear un simple «espacio religioso» donde la gente pudiera venir «a sentirse purificados y libres de sus cargas». «Al final —le dijo a Picasso— no es necesario ser tan inteligente. Tú eres como yo: lo que estamos buscando todos en el arte es redescubrir la atmósfera de nuestra Primera Comunión.» La Primera Comunión era un símbolo poderoso para Matisse, que englobaba la serenidad que él mismo irradiaba.

Era esta serenidad, esta paz más allá de su entendimiento, contra la que Picasso estaba luchando con sus explosiones respecto a la capilla. Y había algo más. Matisse lo expresó en la dedicatoria de la capilla: «Esta capilla es para mí la culminación de un vida entera de trabajo y el florecimiento de una enorme, sincera y difícil labor. No es una labor que escogí, sino para la que el destino me eligió al final de mi camino... La considero, a pesar de todas sus imperfecciones, mi obra maestra, un esfuerzo o resultante de una vida dedicada a la búsqueda de la verdad.» Picasso también deseaba tal culminación, la pintura «última», pero se sentía cada vez más y más lejos de ella. «Uno traga algo, se envenena y expulsa lo tóxico», era la descripción de su proceso de trabajo. Puesto que creía que no había ninguna verdad que se revelase al final del camino, ¿es que realmente pintó como una catarsis, simplemente para echar fuera lo tóxico, atrapado más en su propia virtuosidad?

Cuando el Padre Couturier fue a verle a Vallauris, Picasso le cogió del brazo y le dijo riéndose: «Me debería confesar todos los días; lo necesito más que nadie en el mundo». «Pero el Padre Couturier —recordaba Françoise— prefería discutir de arte. "Cuando Picasso pinta, lo hace con su sangre" —dijo él—. "¿No piensa —protesté yo— que él pinta con la sangre de otras personas?" Yo me eché a reír, pero él me miró como si hubiera dicho algo muy, muy malo.»

El alma de Picasso estaba otra vez dolida, pero el escudo de cinismo se mantenía firme sobre su dolor. Se lanzó a la cerámica y a vivir de la adulación que le rodeaba. El y Françoise casi nunca comían a solas; de hecho, sus comidas se convirtieron para Picasso en ocasiones para mostrar y deslumbrar a aquellos ya deslumbrados con sus monólogos, chorreando de paradojas familiares que ellos se llevarían y con las que cenarían durante meses. Su contribución más importante a la conversación de los demás era un estimulante *in absentia*. Mientras él estaba presente, todo lo que se requería era reír, estar con la boca abierta y admirar. «Muchos amigos de nuestro alrededor eran amigos en un sentido especial —dijo Françoise—. Me recordaban a la gente que los antiguos romanos llamban "clientes", gente que no pertenecía a una de las familias importantes, la *gens*, pero que se unían al cabeza de una de aquellas familias, al *paterfamilias*, y seguían su estela. Y cuanto más importante era la persona, más clientes tenía.»

Dos recientes añadidos fueron el pintor Edouard Pignon y su mujer, la escritora Hélène Parmelin, clasificados como clientes y comunistas. Penrose en un ocasión comentó la conversación que había escuchado entre Picasso y Pignon: «Pignon intentaba explicarle sus motivos con claridad, mientras que Picasso siempre hablaba en metáforas sin ninguna idea de justificación. El oyente se daría cuenta de que Picasso estimaba que la verdad nunca es fácilmente accesible». De hecho, las opiniones de Picasso sobre la verdad eran mucho más drásticas. «¿Qué es la verdad? —le dijo a Parmelin—. La verdad no puede existir... La verdad no existe.»

«Me costó bastante tiempo darme cuenta del consumado mentiroso que era —dijo Françoise—. Uno de los problemas de tener una constante corte alrededor de nosotros era que teníamos que resolver nuestros asuntos en público, lo que puso de manifiesto sus cualidades histriónicas. Y siempre había personas, a las que yo apenas prestaba atención, que tiraban las pieles de plátano y minaban la tierra cuando yo no miraba. Mi madre, a quien volví a ver nuevamente después de que naciera Claude, me advertía: "Recuerda, son siempre los personajes secundarios, como Yago, quienes representan el principio del drama". Y yo me reía de ella. Había aprendido de mis estudios espirituales que la oscuridad es sólo la ausencia de luz, y había interpretado ansiosamente esto como que no había otra cosa que oscuridad. Mi madre me había señalado a Sabartés y a madame Ramié como dos personas que ella creía que me deseaban el mal y me traerían mala suerte. Pero aunque a mí nunca me gustó madame Ramié y yo sabía que a ella no le gustaba yo, nunca creí que me pudiera hacer en realidad algún daño hasta que fue demasiado tarde. En cuanto a Sabartés, la llegada de Claude terminó con cualquier amistad que hubiese habido entre nosotros. Ya no eran sólo Pablo y él contra el mundo. Ahora Pablo tenía una nueva familia, lo que significaba que mi presencia no iba a ser tan efímera como Sabartés había pensado.»

Entre los diversos amigos, clientes y compradores que pululaban en la órbita de Picasso, Françoise había empezado a hacerse sus propios amigos. Javier Vilató, el sobrino de Picasso, también pintor y sólo un poco mayor que ella, era uno de ellos, como lo era también su novia griega, Matsie Hadjilazaros. Ambos pasaron largos períodos en Vallauris, y cuando no estaban juntos, Matsie escribía a Françoise largas cartas desde París. En una de ellas, después del primer cumpleaños de Claude, Matsie se deshacía en alabanzas de las fotografías de Claude que Françoise le había enviado: «Las palabras no pueden expresar mi regocijo. Es muy atractivo, de porte tan viril, y tan sereno y con tanto aplomo.» Cuando Claude tenía un año era ya un hombrecito a imagen de su padre.

Javier y Matsie llegaron a pasar parte del verano de 1948 con Picasso y Françoise en Vallauris. «No vivían en nuestra casa, que era muy pequeña —decía Françoise—, pero estaban realmente con nosotros, lo que significaba que había una verdadera intimidad.» Un día, mientras estaban en la playa de Golfo-Juan, se les unió un amigo griego de Matsie, Kostas Axelos. Este último tenía veinticuatro años, era alto y moreno y tenía a una multitud de mujeres en París enamoradas de él. Había abandonado Grecia en 1945 y al mismo tiempo había abandonado el Partido Comunista. De la Universidad de Atenas se fue a la Sorbona y de allí a Basilea, donde estudió filosofía con Karl Jaspers. Acababa de trasladarse a París y estaba traduciendo a Heidegger mientras escribía un libro sobre Heráclito.

«Prefiero Heráclito a Platón», le dijo Picasso cuando se conocieron. No había leído a ninguno de los dos, pero él tenía una manera misteriosa de absorber la esencia de lo que quería conocer. Platón desconfiaba de la brujería personal de los artistas, que apartaban a los hombres de la verdad. Picasso había oído esto en sus discusiones filosóficas con sus amigos poetas; como consecuencia, no le gustaba Platón. Pero le gustaban los aforismos de sonido paradójico de Heráclito. Así que él y Kostas Axelos empezaron a llevarse bien, y el buen comienzo se volvió aún mejor cuando se hizo claro que Axelos no era la clase de hombre que practicara la adulación. De hecho, miró las pinturas de Picasso le enseñó y no dijo nada. En lo que a él se refería, el arte, que en los antiguos tiempos había unido el cielo con la tierra, estaba acabándose. «El arte de Picasso —dijo él— había entrado ya en su período de decadencia. Y él lo sabía.»

A Picasso le gustaban las ideas de Axelos, su feroz independencia y su belleza clásica. «Básicamente, tú siempre has amado la belleza clásica», le había dicho Braque a Picasso en una ocasión. «Es cierto —contestó Picasso—. Incluso ahora sigue siendo cierto: No se inventa un tipo de belleza cada año.» Axelos, sin embargo, estaba mucho más interesado en Françoise que en Picasso. Estaba asombrado de la belleza de ella y de la profundidad de su pensamiento. «Eramos los dos bastante excepcionales para nuestra edad —recordaba Françoise—: Siempre, desde que era una niña, me sentía unida a otra dimensión. Sentía que estaba viviendo allí tanto como en el mundo real. Y nunca había conocido a nadie que estuviera tan agudamente consciente de las ilusiones de este mundo como Kostas. El y yo alcanzamos profundidades en nuestras discusiones que yo no había alcanzado con ninguna otra persona.»

Pero poco tiempo después Axelos volvió a París y a Heráclito, mientras de nuevo en Vallauris, Picasso y Françoise decidieron tener otro hijo. «Sé lo que tú necesitas —le dijo Picasso—. La mejor receta para una mujer descontenta es tener un hijo... Tener un hijo trae nuevos problemas y desvía la atención de los viejos.» Las razones de Françoise eran diferentes: al haber sido hija única, no quería que Claude lo fuera también. Con Claude, ahora en su segundo año de vida, Françoise recordaba con nostalgia su embarazo, cuando Picasso había tenido tan buen humor y optimismo como nunca anteriormente. Antes de que acabase el verano, Françoise estaba embarazada otra vez.

13

LA PERDIDA DE LA INOCENCIA

Françoise estaba en el primer mes de su segundo embarazo cuando Picasso viajó a Polonia para tomar parte en el Congreso de Escritores por la Paz, patrocinado por los comunistas y que se celebraba en Broclau. Todos los que conocían lo que le molestaba viajar se asombraron de que aceptase la invitación. Tres días antes del fijado para emprender el viaje, y para asegurarse de que no había dado marcha atrás a su propósito de desplazarse al Congreso, la Embajada polaca en París envió a Vallauris a una mujer cuya misión era la de arrastrarle y anticiparse a cualquier decisión de última hora contraria a ir a Broclau. Se hicieron gestiones especiales para conseguir que fuese directamente a Polonia sin pasaporte, ya que se había negado a aceptar el que le ofreció el gobierno de Franco. Nunca había subido en un avión, y hacerlo le aterraba. Pero la emisaria polaca estaba decidida a que lo hiciese, y también Eluard, quien opinaba que la presencia de Picasso en el Congreso proclamaría ante el mundo la seriedad de su adhesión al partido comunista.

Por muy importante que fuese su influencia, lo era más para Picasso buscar nuevos estímulos. La cerámica ya no le interesaba, puesto que había quedado atrás el momento en que la descubrió, y creía que ya había agotado todas sus posibilidades. En consecuencia, y acompañado de Marcel como ayudante, compañero y ayuda de cámara, voló a Polonia, tras prometer a Françoise que le escribiría diariamente y que estaría en Polonia no más de cuatro días.

De hecho estuvo tres semanas. «No cesaba de hablar de sus experiencias —recordaba Dominique Desanti, que asistió también al Congreso—. Estaba bajo la impresión de que ahora conocía y entendía todo sobre los países comunistas, cuando en realidad no había visto absolutamente nada más que lo que querían enseñarle, ya que todo estaba regulado por las autoridades polacas. Le enseñaron las destrucciones causadas por la guerra, la reconstrucción de Varsovia, y vio mujeres trabajando duramente, lo que no olvidó mencionar a Françoise, a mí o a cualquier otra mujer de su entorno que se atrevía a decir que estaba cansada. Dices que estás cansada —repetía—, pero si hubieses visto aquellas mujeres de Varsovia sabrías lo que de verdad es estar cansado.»

El segundo día del Congreso, Fadeiev, el secretario de la Unión de Escritores, ocupó la tribuna y proclamó la necesidad del pensamiento marxista, de la literatura marxista y del arte marxista, y procedió a lanzar un ataque sin precedentes contra Sartre, uno de los más eminentes intelectuales comunistas, al que llamó «chacal armado de una pluma» y «hiena de la máquina de escribir». Dominique Desanti estaba sentada entre Picasso y Eluard, que estaba perplejo, lo mismo que la mayoría de los asistentes a la conferencia. Picasso se quitó los auriculares y comenzó a hacer pequeños dibujos de todos en el papel secante de su carpeta. Más tarde, en una de las cenas oficiales, un miembro de la delegación soviética se levantó durante los brindis y deploró la pintura decadente de Picasso y su estilo «impresionista-realista». Picasso respondió dándole una lección de arte y diciéndole que al menos debía utilizar correctamente su terminología y condenarle no por ser «impresionista-surrealista», sino por haber inventado el cubismo.

«Todo lo que soy, y lo que quiero ser y lo que me interesa —había dicho Giacometti— es considerado decadente por los comunistas. ¿Por qué iba yo a adoptar una posición que me eliminase a mí mismo?» Picasso continuó prefiriendo ignorar esa evidente contradicción, incluso después de haber sido seleccionado como víctima de los ataques. Y el gobierno polaco seguía creyendo que el valor propagandístico de Picasso compensaba de sobra su violación de la ortodoxia oficial en materia artística, e incluso olvidaba su violación de las reglas de honestidad pública al quitarse la camisa en una conferencia de prensa y exhibir ante los fotógrafos sus músculos hermosamente bronceados, fotografías que recorrieron el mundo. Menos mal que no se permitió que la pudibundez se interfiriera en el acto de entrega a Picasso de la «Cruz de Comendador con Estrella de la Orden del Renacimiento Polaco», reconociendo así su contribución al Congreso gracias a su presencia en él, al considerable peso de su fama y prestigio y al corto discurso que pronunció denunciando la detención de Pablo Neruda en Chile.

El día en que debía regresar pidió a Dominique Desanti que le ayudara a buscar un regalo para «la mujer». «El tono de su voz —recordaba Dominique— indicaba claramente que cuando decía "la mujer", pensaba realmente en "la perra". Esta fue, a lo largo de toda su vida, su ambigüedad respecto a las mujeres: eran la médula de su existencia y al mismo tiempo las despreciaba cuando su demonio corría desbocado y le dominaba. El desprecio era su método de exorcizar su miedo al poder de las mujeres.»

De Varsovia, donde le había sido concedida la ciudadanía de honor de la ciudad, Picasso voló a París y se quedó allí durante una semana antes de retornar a Vallauris. No sólo había faltado a su promesa de no estar ausente más que cuatro días, sino que tampoco había escrito todavía a Françoise. Peor todavía, había dado instrucciones a Marcel para que le enviase cada día un telegrama, cuyo texto dejó entregado a la iniciativa de su chófer, de lo que Françoise no tardó en darse cuenta, ya que su apellido estaba mal escrito, el telegrama estaba firmado «Picasso» y no «Pablo» y las despedidas eran siempre «Bons baisers», expresión preferida por las clases trabajadoras.

Picasso, naturalmente, había sabido que se daría cuenta. Muy pocas veces hacía daño por accidente o por descuido. Tenía el propósito de dejar claro que *él* establecía las reglas y ella tendría que someterse a ellas; que era su prerrogativa, si así lo quería, romper cualquier promesa, hacer exactamente lo que deseara, como enviarle telegramas redactados por el chófer destinados a tranquilizarla y, aun cuando su promesa de regresar hubiese sido anulada por su retraso, exigir a su amante que estuviese esperando su regreso para darle la bienvenida a casa. Françoise había tenido tiempo para pensar mientras él estaba lejos, para sentir su pena y, mientras cuidaba a su primer hijo y llevaba en su seno al segundo, adoptar un decisión: «Si quiere que vivamos bajo sus normas, y yo estoy preparada para soportarlo, entonces es importante para mí saber lo que voy a hacer y tener el valor de decirle: Si estoy dispuesta por amor a ser una esclava, seré una esclava del amor, pero no una esclava *tuya*. Si mi amor se extingue, dejo de ser esclava».

Se lo dijo, pero no inmediatamente. Picasso subió las escaleras de la Gaulloise exhibiendo su irresistible sonrisa, y le preguntó si estaba contenta de verle. «Esto es por tus "bons baisers"» —le replicó, abofeteándole, y yéndose a dormir al cuarto de Claude—. Su amor por él era todavía grande y por eso ella continuó viviendo según las normas de su amante, pero no sin algunas protestas. Y cuanto más ella protestase, más sería una reina a sus ojos, y no un felpudo.

En octubre regresaron a París, y poco después Picasso la pintó vistiendo la chaqueta campesina bordada que le había traído de Polonia. Había cierta serenidad en su obra de aquel tiempo. «Era un período expresionista —dijo Françoise—, pero sin el sadismo que acompañaba a otros períodos. No había rabia ni violencia en sus cuadros de entonces, por lo que eran más tranquilos y, en opinión de mucha gente, más débiles.» En noviembre hubo una exposición de su cerámica en la Maison de la Pensée Française, que fue ocasión para un desbordante júbilo entre sus amigos comunistas. Leon Moussinac lo describió en *Les Lettres Françaises* como «el precursor del papel social que el artista desempeñará en la sociedad del mañana... La arcilla y el fuego, en manos de Picasso, se hacen para nosotros viviente representación de la materia y el espíritu, su lucha y su victoria.» Otros, que no tenían intereses ideológicos que les condicionaran, juzgaron los trabajos ingenuos y deliciosos, pero difícilmente los mejores testimonios de su genio creador. «Esperan ser espantados y aterrorizados —fue la respuesta de Picasso—. Si el monstruo se limita a sonreír, se sienten decepcionados.»

De momento, en su vida íntima con Françoise, el monstruo sonreía. Le gustaba la forma llena del cuerpo de Françoise, sobre todo mientras llevaba una parte de él. Estaban siempre juntos. «Hasta cuando trabajaba —recordaba Françoise— salía frecuentemente, fumaba un cigarrillo y charlaba conmigo. Era una relación de todo el día. Hay hombres que en el amor dan tan poco de sí mismos que con ellos no es posible experimentar el aspecto trascendental del amor. Pablo no era así; cuando se daba a sí mismo se daba totalmente. Era fácil para la mujer sentirse como Psiquis en el mito del Amor y Psiquis: habiendo gustado el amor divino, iría hasta el fin de la Tierra para volver a encontrarlo. En el caso de Pablo, ella querría permanecer, no importaba por qué. Era engañoso, especialmente porque la mujer aparecía glorificada en los cuadros por el más conocido artista del mundo.»

Françoise sabía que era muy importante para su relación que él se sintiera amado por él mismo y no porque era un gran pintor y podía eternizarla en sus cuadros. «Le dije muchas veces

—recordaba Françoise— que sería muy feliz presenciando el nacimiento de un gran cuadro, pero si era o no un retrato mío no me importaría nada. También, francamente, no reconocí nunca mi ser esencial en los retratos que me hizo.» «Tú exaltas mis formas exteriores —le dije una vez—, pero todavía no *me* conoces, y tampoco intentas conocerme. Mi forma física era todo lo que le importaba; la pintaba incluso antes de conocerme. El podía trabajar a partir de las formas para lograr una representación formal de ellas, pero, como le dije muchas veces, es mucho más importante para mí trabajar desde el alma para una interpretación personal de ese alma, sea en forma figurativa o abstracta. Nunca lo hizo. Nunca buscó el acceso a mi espíritu. Siempre me confundió con una fuerza, y era como si reprodujese brillantemente un automóvil sin el motor.»

Estaba totalmente implicada en el trabajo de su amante, intentando explicarle sus puntos de vista, ayudarle a darse cuenta de que trabajar a partir del alma podría ser el camino para llegar a la pintura definitiva. «Creo que no hubo comprensión, porque en esa cuestión estábamos completamente separados» —contaba Françoise—. Pero continuaba intentándolo. Obligada, incluso cuando estaba embarazada, a pasar las noches con Picasso hasta muy tarde y las primeras horas del día con Claude, y continuando con su dedicación a su propia pintura, sacrificaba su sueño, que llegó a ser de menos de cuatro horas cada noche. En cuanto a Picasso, se aferraba a las nuevas honduras de la intimidad que había alcanzado con Françoise. En los cuadros y litografías que la retrataban a comienzos de 1949, la serenidad se codeaba con la agresión, y el caos con un cielo sembrado de estrellas. El amor y el odio, la lealtad y la traición luchaban en lo más recóndito de su alma, y por miedo a sondear las tinieblas para decidir la batalla en la luz, él comenzó a huir de esa recién encontrada intimidad.

El 19 de abril, el día de la inaguración del Segundo Congreso de la Paz en París, Françoise fue a visitar al doctor Lamaze. El bebé no debía nacer hasta el mes siguiente, pero el médico la encontró tan agotada, que le aconsejó un reconocimiento inmediato en la clínica Belvedere. Volvió a su casa, le contó a Picasso lo que le sucedía y le preguntó si Marcel podría llevarla a la clínica. Irritado ante la mera posibilidad de ser molestado el día de la inauguración, Picasso le contestó que necesitaba a Marcel para llevarle al Congreso. «Si necesitas un auto —le dijo incisivamente—, puedes buscar otra solucion: ¿por qué no llamas a una ambulancia?» Fue como si pensara que ya le había concedido demasiado. Si él le había dado las mayores cosas, si se le había dado él mismo, si habían poseído juntos el universo, ¿cómo era tan mezquina como para pedirle minucias tales como un coche para llevarla a la clínica?

Afortunadamente, aunque Marcel no tenía sensibilidad para lo literario redactando telegramas, sí tenía en cambio un sentido pragmático de las prioridades. Intervino, pues, en el problema y sugirió que nada sería más fácil que dejar a la señora en la clínica y seguir viaje al Congreso. Pero incluso un desvío era para Picasso un inconveniente excesivo; finalmente se consiguió una solución de compromiso: Marcel le llevaría a él al Congreso y regresaría para llevar a Françoise a la clínica.

Llegó a la clínica a las cinco de la tarde. A las ocho dio a luz una niña. Picasso recibió la noticia en el Congreso, y cuando fue a ver a Françoise y a su hija recién nacida se deshizo en disculpas por su conducta anterior. Carteles con su famosa paloma, anunciando el Congreso, estaban pegados en todas las calles de París. En la escalinata del edificio donde se celebraba el acto, Picasso se encontró con Hélène Parmelin, y le dijo que había decidido llamar Paloma a su hija. «Estaba preocupado o pretendía estarlo... Preocupado por si al dar ese nombre a su hija la gente se reiría. Estaba muy preocupado. No era cosa de broma». Finalmente la niña recibió los nombres de Ana, por la abuela de Françoise, y Paloma, por la paloma de Picasso: Ana Paloma Gilot.

Aquella noche tuvo a cenar en su casa a Eluard y a Ilya Ehrenburg, el escritor ruso y «agitador de la cultura soviética». Charlaron sobre el comunismo, la paz y las palomas. «A Picasso le gustan —escribió Ehrenburg—, y siempre tiene algunas; riéndose dijo que las palomas eran unos pájaros glotones y pendencieros, y nunca había entendido por qué se habían convertido en símbolos de la paz.» Ciertamente ésa no había sido la intención de Picasso. Fue Aragon quien, después de que Picasso había fracasado en crear un cartel para el Congreso, había encontrado una litografía maravillosa de un pichón. Picasso la había completado a principios de enero transformando el pichón en paloma y la había convertido en símbolo de la paz. Había dejado el estudio de Picasso el día anterior a la apertura del Congreso, y a las cinco de la tarde de ese día el cartel había aparecido en todo París. De allí, la paloma voló a los cinco continentes, y Picasso fue para millones de personas en todo el mundo no el hombre de la paloma, sino el hombre de la paz. «Pobre Aragon —dijo entre dientes Picasso cuando su amigo se fue del estudio—. No sabe nada de pichones, y la paloma es un mito: no hay animal más cruel. Tenía algunas aquí y picotearon a un pobre pichoncito hasta matarlo porque no les gustaba. Le sacaron los ojos a picotazos, le hicieron pedazos. Era horrible. ¿Qué os parece, para un símbolo de la paz?»

«Este famoso Picasso —escribió Parmelin— hizo la paloma de la paz para el Movimiento por la Paz. Había un poder internacional de ese título. Era el poder del arte, sentido consciente o inconscientemente, y había audacia. Era el poder de su fama y celebridad.» Y había, sobre todo, el poder del mito, que transformaba un hombre en guerra con el universo en «el hombre de la paz», y un ave peleona en el símbolo de la paz.

De la noche a la mañana, como nunca antes en su vida y como ningún otro artista antes, Picasso se apoderó de la imaginación del público. Había palomas en todas partes, incluso en las solapas de las chaquetas masculinas y los abrigos femeninos. Periodistas y fotógrafos intentaban irrumpir en la habitación de Françoise al día siguiente del nacimiento de Paloma para fotografiar al bebé. Y *L'Humanité* ya no era sólo el órgano oficial del Partido Comunista, sino también el cronista oficial del más famoso miembro del partido, publicando fotografías de Picasso vestido y a medio vestir, en la playa o en su estudio, solo o con su fotogénica pequeña familia.

Con todas aquellas referencias a «nuestro hermano Pablo Picasso», el único hermano que, sin embargo, tenía Picasso en el partido era Paul Eluard. Nunca tuvo la misma amistad con Aragon. Hacía mucho tiempo que se había enfriado su cariño hacia Paul, quien, tres semanas después del nacimiento de Paloma, se convirtió en padre de un niño, al que puso de nombre Pablo y que fue conocido como Pablito, el primer nieto de Picasso. Picasso no se interesaba lo más mínimo por los nietos, tanto en el plano espiritual como en la realidad, así que Pablito no estrechó los lazos entre su padre y su abuelo. La verdad es que Picasso nunca perdonó a su hijo por no ser extraordinario, y de hecho parecía frecuentemente como si quisiese castigarlo. Con el pretexto de no echarlo a perder, lo había separado de los autos de juguete con los que aún jugaba cuando ya era un adolescente y le había obligado a mendigar en los Campos Eliseos durante horas, mientras su padre lo vigilaba.

Cuando Pablito nació, Paul tenía veintisiete años. Había permanecido en Suiza durante toda la guerra y regresado a París después de la liberación, sin haber hecho el servicio militar. Sin trabajo, subsistía gracias a una mínima pensión que le daba su padre, y era todavía adicto a las drogas y al alcohol, siendo su máximo placer correr en una motocicleta Norton. Hasta ahora, sólo había seguido los pasos de su padre en lo de engendrar hijos fuera del matrimonio. Un año después, Emilienne Lotte, la madre de Pablito, se casó con Paul, pero su vida en común continuó siendo vivida dentro del círculo de los anillos concéntricos del miedo, el enfado y el dolor sofocado, que Paul intentaba hacer soportable emborrachándose espléndidamente o drogándose.

Su amor propio era tan escaso que jamás intentó sacudirse de la dependencia respecto a su padre. Cuando su pensión semanal se había evaporado, lo que sucedía mucho antes de que la semana terminara, iba a pedirle ayuda. Incapaz de atravesar la barrera que lo aislaba, pedía un poco más de dinero. Y cuando sus relaciones con su padre eran especialmente tensas, pedía a Marcel que intercediera. Desde que había dejado de interesar a su padre (es decir, desde que había dejado de ser el niño vestido de arlequín), Marcel había hecho de figura paternal para él, y todavía imitaba su manera de hablar y de andar. En el mundo de autos y motos que los dos compartían podía huir de su neurótica madre, cuya vida giraba obsesivamente y para siempre alrededor de su marido, y huía también de su propia obsesión por un padre cuyo cariño nunca había conocido.

Cuando Picasso y Françoise se fueron a Vallauris, en junio de 1949, Paul comenzó otra vez a pasar el tiempo con ellos, alojándose en Chez Marcel, en el Golfo-Juan, donde también se hospedaba Marcel. Ser padre no había introducido ningún cambio en su vida: no merecía atención. Una noche él y un amigo llevaron al pequeño hotel una pareja de chicas con las que habían ligado en uno de los bares de Juan-les-Pins en el que habían estado; a primeras horas de la mañana, habiendo agotado todo lo que podían hacer con ellas, y profundamente borrachos, intentaron tirarlas por la ventana, pero las chicas gritaron y aullaron tan vigorosamente que apareció un policía, y Paul habría pasado en la cárcel lo que quedaba de la noche si no hubiese sido el hijo de Picasso. Pero Isnard (el policía) se enorgullecía de ser amigo de Picasso, a quien visitaba frecuentemente para regalarle los oídos con los más recientes chismorreos sobre las actividades delictivas de la Riviera, que a Picasso lo hacían muy feliz.

Pocas horas después de haber impedido a Paul que tirase por la ventana a las chicas, Isnard estaba en el dormitorio de Picasso describiéndole la manera exacta en que su hijo había sido detenido por «perturbación de la paz». Picasso ordenó a Françoise que encontrase a Paul y lo llevase a casa inmediatamente. Cuando entró en la alcoba de Picasso, su hijo, de un metro ochenta de estatura, intentaba ocultarse tras Françoise. Tan pronto como Picasso le vio, comenzó a hablarle de manera rimbombante, llamándole «hijo de la rusa blanca» y lanzando contra él —y también contra Françoise mientras ésta estuvo delante— todo lo que pudo encontrar y que no estaba sujeto al suelo, incluyendo sus zapatos y los libros que tenía en su mesilla de noche. Cuando Françoise protestó diciendo que ella no era culpable de nada, Picasso le dijo que no intentase escurrir el bulto. Inventando sobre la marcha las normas, continuó: «Este es mi hijo. Tú eres mi mujer y, por tanto, también es tuyo. Equivale a eso. Además, eres la única mujer que hay aquí. Yo no puedo salir a buscar a su madre. Vas a ponerte de pie y asumir tu parte de responsabilidad».

Paul no decía nada mientras su padre vociferaba tan alto como podía, llamándole «bicho despreciable» y «la más baja forma de existencia animal». Recuperó el habla, sin embargo, cuando Picasso manifestó que no creía posible que nadie hiciera una cosa tan absolutamente insensata como tirar a una mujer por la ventana. Le dijo a su padre que alguien tan familiarizado con el marqués de Sade no tendría ningún problema para comprender pecadillos como ése. Al final, el «despreciable» hijo había encontrado un sólido trozo de terreno común con su padre. Pero Picasso no estaba dispuesto a discutir sobre sus gustos en materia de intensificación de los placeres eróticos mediante el dolor (el de otro, desde luego) con su primogénito. En cambio, le llamó «el hijo más repugnante del mundo» y «un burgués anarquista», insulto este último que había oído a sus compañeros comunistas, y pasó el resto del día en la cama, enfadado. No podía soportar la contemplación de sus aficiones en el espejo deformante de la conducta de su hijo.

Todos los jueves y los domingos Marcel llevaba a Picasso a Juan-les-Pins, donde Marie-Thérèse y Maya pasaban sus vacaciones de verano, a menos de 15 kilómetros de la nueva familia de Picasso. Hacía ya algún tiempo que Françoise batallaba para que finalizase esa situación artificial. Le parecía absurdo ocultarla tras un muro que ya no existía, pretendiendo que no había nadie más en la vida de Picasso. ¿Por qué —preguntaba— Maya no vivía con Claude y Paloma, y Marie-Thérèse con Françoise? ¿Por qué Maya continuaba viviendo en la mentira, oyendo en el colegio o leyendo en los periódicos cosas que invariablemente su madre desmentía en casa? «Es el mejor sistema para terminar locos —le dijo Françoise a Picasso—, no sabiendo si al mediodía ves el sol o la luna. Tú pretendes que eres peculiar; pues déjanos llevar una vida peculiar en lugar de jugar al escondite con la verdad.» A Picasso no le gustó la idea de Françoise de poner fin a sus juegos, pero estaba intrigado por las posibilidades que ofrecía un encuentro. Al final accedió a que Marie-Thérèse y Maya les visitasen en la Gaulloise. «Con un poco de suerte —dijo a Françoise— llegaréis a las manos.»

Pero Françoise había empezado a desenredar la estrategia de Picasso. «El siempre puso a todos los que le rodeaban en competición unos con otros: una mujer contra otra, un marchante contra otro, un amigo contra otro. Era un maestro utilizando a una persona como bandera roja y a otra como toro. Mientras el toro embestía contra la bandera, Pablo podía, inadvertido, asestar sus estocadas. Y mucha gente ni siquiera pensaba en mirar quién se ocultaba detrás de la bandera.»

Ya era muy tarde para Marie-Thérèse. Desde hacía ya años, Françoise había sido la bandera roja con la que Picasso la había provocado y ella se había dejado, irrevocablemente, enredar en la estrategia de Picasso: dividir y conquistar. «Ella cultivaba su odio a Françoise —decía Maya—, y quería que yo la odiase también». Cuando, en el verano de 1949, Marie Thérèse se encontró por fin frente a su adversaria, solamente había una cosa que deseaba decirle, y tan pronto como estuvo un momento a solas con ella se la dijo: «Crea usted lo que crea, no podrá romper nuestra unión y ocupar mi sitio».

«Yo no ocupo su sitio —le replicó Françoise—. El sitio que tengo aquí estaba vacante.» Françoise sabía que Marie-Thérèse era únicamente la bandera roja y no el enemigo, y sabía también que «una verdad no anula otra verdad, y unas relaciones no anulan otras, de la misma manera que no se ama menos al primer hijo por tener un segundo hijo».

Quitarse la venda fue al principio muy duro para Maya. De repente, a los 13 años, la hicieron encararse con un pequeño medio hermano, una niñita medio hermana y otra mujer en el centro de la vida de su padre. «Cuando vio a los niños, quiso matarlos —recordaba Françoise—, pero eso le había sido instigado por su madre. Cuando se permitió tener su propia experiencia de la nueva familia de su padre, todo cambió, y fue muy feliz de que su primer deseo hubiese desaparecido.» Muchos años después, Claude le decía al marido de Maya: «¿Sabes? Los primeros niños que tuvo Maya fuimos Paloma y yo».

Maya tenía el cabello rubio de su madre, pero en cambio se parecía mucho más a su padre. De él tenía su estrafalario humor y su filosófico enfoque de la vida. Sus ojos eran azules, «pero —decía ella— no del color del cielo del sur de Francia, sino del cielo azul de París, que es más gris que azul». Estaba recién llegada de Inglaterra, donde había aprendido poco inglés, pero se había aficionado a las palomitas de maíz y al pudín y había aprendido otra cosa mucho más importante: «He hecho todos esos nuevos amigos y todos ellos estaban tan preocupados por los exámenes que eso me ayudó a ver claramente que no merece la pena dar importancia a nuestras derrotas y a nuestras victorias; basta cruzar la frontera y una derrota francesa se convierte en una victoria inglesa: Trafalgar. Es maravilloso darse cuenta de eso. Aparte de ello, las palabras más importantes que he aprendido han sido *¡Niña traviesa, niña traviesa*! En cuanto a mi padre, siguió mandándome cartas y tarjetas postales sin otro mensaje que «Escríbeme, escríbeme».

Pese a los intentos de Marie-Thérèse de envenenar a Maya contra Françoise, muy pronto ambas se hicieron amigas. Maya estaba agradecida a Françoise porque merced a ella ahora era parte de una tajada mucho mayor del mundo de su padre, y Françoise disfrutaba de su alegría y su capacidad de inventiva. Maya lo pasaba muy bien inventando historias de batallas, de bodas y de travesuras para su hermanito, y le tenía fascinado durante horas. A veces modificaba cuentos muy conocidos con variaciones de su propia invención: «En mi cuento de Caperucita Roja, el lobo se la come y ella come al lobo desde dentro de él». Había ocasiones, sin embargo, en que llegaba a la conclusión de que sólo una buena azotaina era el sistema de tratar con Claude. «Era el rey de los enredadores —decía—. No, no el rey: el zar, el emperador, el dios de los enredadores, especialmente respecto a Paloma. Estaba convencido de que los niños eran superiores a las niñas y los hombres superiores a las mujeres, y la primera mujer a la que podía imponer su machismo era su hermana.»

«Claude era muy posesivo —recordaba Françoise—, y por lo tanto el nacimiento de Paloma se le hizo cuesta arriba.» Lo que envenenó más la cuestión fue que Françoise halló un placer sensual en su niña. «Parecía ser la culminación de todo. Cuando nació Claude yo no sabía nada del cuidado de los niños, de modo que estaba preocupada y con miedo, especialmente porque el bebé tenía un defecto congénito en la cabeza. Con Paloma las cosas eran muy diferentes. Aunque había nacido a los ocho meses de mi embarazo, era muy saludable y no tuve ninguna dificultad para criarla, por lo que estaba mucho más tranquila que cuando nació

Claude y pude disfrutar de ella. Y también era muy bueno tener una parejita de niños. Me sentía completada. ¿Qué más podía pedir?»

Pero sí parecía que tenía todavía que pedir otras cosas, y así, gradualmente y al principio en forma casi imperceptible, pareció evidente que su vitalidad se iba perdiendo, lo que comenzó por su salud. Tenía fuertes hemorragias, y se notaba agotada físicamente. Le fue muy difícil recuperarse después del parto de Paloma, y su debilidad física y sus hemorragias hicieron imposible que ella y Picasso continuaran su activa vida sexual. «Pablo tenía unas tremendas exigencias sexuales, y yo comencé a sentirme acosada, y también sometida a una carga tremenda con los niños, todas las obligaciones de nuestra vida y la atención a nuestros amigos, especialmente porque Pablo hacía difícil para mí conseguir una organización estable de la casa que me permitiera deshacerme de alguno de los trabajos. Siempre era: «No, no la quiero. No, no lo quiero. No, no quiero eso». Casi siempre, durante la noche, la despertaba media docena de veces, insistiendo en que algo estaba equivocado en alguna cuestión relativa al «dinero», como llamaba a los niños, o que no les oía respirar y se levantaba para ver si estaban bien. Había establecido esas pautas con Claude y las continuó con Paloma. Para asegurarse de que todo iba bien con los niños solía despertarlos, y Françoise necesitaba mucho tiempo para conseguir que se volvieran a dormir, antes de que pudiera volver a la cama.

Cuando llegó el otoño, Picasso añadió otra ardua tarea a sus ocupaciones habituales. Había comprado una antigua perfumería en la calle Fournas, a la que convirtió en su estudio de pintura y escultura, e insistió en que Françoise era la única que podía encender las estufas por la mañana para que el taller estuviese caliente por la tarde, cuando él comenzaba a trabajar allí. Y todas las mañanas, a partir de octubre, y fuera cual fuese la hora en que se había acostado, llenaba la estufa en La Galloise y se iba en bicicleta a la calle Fournas a encender las estufas de allí. Picasso dormía hasta el mediodía la mayor parte de las veces y se levantaba malhumorado pero descansado, mientras la salud de Françoise iba empeorando cada vez más.

Sus cartas a su madre estaban llenas de peticiones de ayuda para ponerse en relación con el doctor Lamaze y consultarle sobre lo que podía hacer respecto a sus constantes hemorragias: «El doctor Lamaze, que es muy amable, pero tiene mucho trabajo y es algo distraído, todavía no ha contestado a mi carta y aún no sé si debo ir a París o tratarme aquí. Si no es mucha molestia, haz el favor de telefonearle el lunes a primera hora de la tarde y decirle que eres mi madre y que te gustaría conocer su respuesta a la carta que le envié y en la que le explico lo que el médico de aquí me ha dicho... Si por casualidad mi carta no le ha llegado, le escribiré otra vez... Necesito saber si puedo ser tratada aquí, y si es así cuál será el tratamiento». Pocos días después escribió otra carta preocupada a su madre: «Deduzco de tus telegramas que no quiere que me operen aquí, está claro, pero ¿tengo que *tratarme* aquí o tengo que ir a París?... Te abrazo con todo mi corazón, Françoise. Posdata: Acabo de intentar hablar con el doctor Lamaze. No estaba. Le dejé un recado diciéndole que no he recibido su carta».

No había teléfono en La Galloise, y Françoise tenía que ir y volver al taller de cerámica para telefonear al doctor Lamaze, y si no estaba cuando le llamaba no le era fácil volverle a llamar. Pero no era ésa la única razón para pedir ayuda a su madre: seguían sus hemorragias, estaba exhausta y necesitaba que alguien se preocupase por ella lo bastante para telefonear, telegrafiar o escribir las cartas necesarias. Picasso, bien lejos de ayudarla, se quejaba constantemente de su estado de salud. «No me gustan las mujeres enfermas» —repetía—. «Yo tenía la culpa de todo —decía Françoise—, y comencé a sentir que era injusto, que yo había hecho lo máximo para satisfacer sus deseos, desde tener hijos hasta encender lumbres, aparte de dirigir y hacer madurar nuestras relaciones, y todo había sido inútil. Mi salud nunca había sido peor, nuestra relación sexual se había deteriorado y él me estaba diciendo, tanto a través de sus palabras como con sus actos, que ya no le convenía como le había convenido. Y, además de todo ello, me sentía culpable, intentando dominar la debilidad de mi cuerpo y trabajando todavía más para compensarla. Era el comienzo de mi resentimiento y de mi profundo desencanto».

Lo peor era el distanciamiento de Picasso. Hasta el nacimiento de Paloma, excepto por su viaje a Polonia, ella y él habían estado siempre juntos. Ahora anunciaba de repente que se iría a París por unos días y ella se quedaría sola con los niños. «Nunca había supuesto que nuestras vidas serían así —dijo— en esos tiempos en que estaba tan unida a Pablo, que los momentos en que no estábamos juntos me parecía que casi no podía respirar. Era como una simbiosis entre los dos, como si nuestra separación fuese no como si me cortasen un brazo, sino como si me hubieran partido el cuerpo por la mitad. Era muy difícil asumirlo, y para hacerlo necesitaba volver a entrar en mí misma, para en primer lugar saber qué estaba sucediendo y, en segundo lugar, saber qué iba a hacer».

«Al principio, cuando empecé a considerar qué era lo que pasaba, las cosas me parecieron bastante borrosas: acontecimientos mezclados con emociones y hechos simples con pensamientos complicados.» Gradualmente sus pensamientos se precisaron: recordó la primera vez que Picasso fue a la clínica a visitarla después del nacimiento de Paloma. Le había dicho: «Ya estarás contenta». «Sí, desde luego» —le había contestado, sin que se le ocurriera pensar que él podía estar un poco menos contento—. Ahora, recordándolo, se daba cuenta de que el tono de su voz había sido extraño, nada demasiado evidente, sólo una pequeña señal de que todo *no* iba tan bien. «Así que *estás* complacida», había dicho él.

«No sabía yo entonces que era una pauta que volvía a manifestarse —dijo Françoise—, pero después del nacimiento de Maya, Pablo comenzó a abandonar a Marie-Thérèse y pareció incapaz de continuar su trabajo. El nacimiento de una niña en su familia era para Pablo un trauma. Había hecho un pacto con Dios respecto a su hermana, y ahora estaba volviendo a vivir aquel dolor del pacto con el nacimiento de su hija: podía morir, y si eso sucedía, él se consideraría culpable, o viviría, y entonces su trabajo se resentiría de ello. Y sus miedos no resueltos se reactivaron una vez más. El seguía diciendo lo bonita que era Paloma, pero estaba impaciente e inquieto. Fue un tiempo estéril para la creación, e incluso empezó a hablar de tomar otro apartamento para los niños y yo cuando estuviéramos en París. Eso no me gustaba, porque o bien yo estaría con él o en otro caso... El comenzó a separarse, no con palabras sino con hechos, y yo me di cuenta de ello, de manera que llegué a sentir como si estuviera cayéndome de un octavo piso. Y mientras nuestra salud venía de nuestro entero ser, era mi cuerpo el que pagaba el precio, incluso antes de saberlo.»

Se preguntó qué vendría después. «La respuesta era una norma clara: concentrarme en mi trabajo cada vez más, concentrarme cada vez más en los niños, y concentrarme, si no en Pablo, sí al menos en mis deberes hacia él, en lo que los hindúes llaman *dharma,* atendiendo a que tuviera la vida tan equilibrada como fuese posible, y liberarle en la medida de mis fuerzas de los problemas y la gente que pudieran distraerle de su trabajo». Dedicó horas a dibujar y pintar a los niños. En una de las largas cartas que escribía conjuntamente a su madre y a su abuela, describió sus esfuerzos para dibujar a Paloma dormida.: «La pobre niña es realmente una mártir. Intento por todos los medios que esté despierta a las horas en que no trabajo para mí, y que esté dormida cuando yo estoy agotada, lápiz en mano. Si se mueve durante su sueño, la coloco en la postura que tenía antes, y acabo despertándola. Estoy haciendo una gouache sobre un tablero contrachapado, con Claude vestido de tirolés, sentado en el suelo, con la barbilla sujeta por la mano. Mira a su hermana, que está acostada sobre el estómago». Claude continuaba con su preocupación por la llegada de Paloma. «Mi mamá fue a un mal hotel —decía refiriéndose a la clínica Belvédere—, y trajo una hermanita que no me gusta, porque yo quería una colorada y ésta es toda blanca, es demasiado blanca».

Era un chico brillante y encantador. En otra carta a sus *Chères Dames,* como a veces llamaba a su madre y a su abuela, Françoise, orgullosamente, les contaba ejemplos de su inteligencia: «Claude sabe de todo. Ayer cogió vuestra última carta, y lanzándome una mirada maliciosa comenzó a imitarme. *Chère Françoise,* bla, bla, bla, pretendiendo con sonidos inarticulados desempeñar el papel de quien leía la carta en voz alta. Al final dijo: "Esta carta es de la abuela", y rompió a reír. También me reí yo, porque nunca había leído ninguna carta delante de él. Ha tenido que darse cuenta de lo que era eso por sí mismo. Parece cierto que hay en él un conjunto de conocimientos innatos y sólo unas pocas claves bastan para desencadenar su memoria y para que comprenda».

De vez en cuando Picasso leía alguna carta de la madre y la abuela de Françoise en la que decían que estaban rezando por ella. «Pero ellas debieran rezar por mí también —se quejaba—. No hay derecho a que me dejen fuera». Y cuando Françoise le decía que siendo un ateo que se proclamaba tal, no debía preocuparse de que le excluyeran de sus oraciones, insistía: «Sí, pero me preocupa. Quiero que recen por mí. La gente como ellas cree en algo y sus plegarias ciertamente hacen algo en favor suyo. No hay razón para que me nieguen ese beneficio».

Había apodado a la abuela de Françoise «el gran director de orquesta alemán», por su voz resonante y su impresionante personalidad, mientras que lo mejor que ella decía de él era que tenía un cutis muy liso, «como un trozo de mármol pulido». Aparte de eso, a ella no le gustaba, y le había dicho en su cara: «Usted no me preocupa, me preocupa solamente mi nieta. Si cree usted que vengo a verle, se equivoca; vengo solamente a verla a ella. Mi nieta es mi nieta, le guste a usted o no».

El no podía hacerse a la idea de serle indiferente a alguien, e intentó seducirla, pero ella no se dejaba. Una noche le preguntó: «¿A dónde quiere que la lleve a cenar?». «¿Cenar con usted? No me interesa. Prefiero ir al casino, porque allí siempre tengo bastante buena suerte. No creo que tenga usted energía para aguantar allí; me gusta quedarme mucho tiempo».

Era, en efecto, algunos años mayor que Picasso, y aunque tenía una suerte increíble jugando, no iba a ir al casino aquella noche; solamente quería ponerle en su sitio, para que supiera que no todo el mundo esperaba recibir órdenes de él.

Una cosa que no se le pasó por la cabeza, ni en presencia de ellos ni en sus cartas, fue que Françoise, viviendo con un multimillonario, pudiese necesitar dinero. «Nunca fui pobre en mi vida —contaba Françoise—, hasta que estuve viviendo con Pablo. Es duro de confesar, pero era así. Marie Cuttoli tenía vestidos hechos para mí, ya que yo no podía permitirme un ropero propio. Era un sistema más para ejercer su poder sobre mí: obligarme a pedirle cosas, ya que él creía poder poseerme emocionalmente si yo le necesitaba desde el punto de vista financiero. Y yo no necesitaba eso, especialmente porque le quería y sabía que si él podía humillarme perdería su respeto hacia mí. Si le pedía cualquier cosa material, entonces me acusaba de estar atrapada en el juego burgués de la posesión, y él quería ser el único libre de ello. De acuerdo a su forma de pensar, yo no sería nadie y él volvería a estar solo en la cima de la montaña. Era tan agudamente consciente del equilibrio de poder en unas relaciones personales... Por eso no le pedía nada. Nada para ropa, nada para una casa mejor, incluso cuando vivíamos en una casa pequeña y fea. Y cuando le pedía más ayuda para los niños y la casa, encontraba toda clase de ingeniosos métodos para negármela.»

Cuando nació Paloma, Picasso le regaló a Françoise un bonito reloj. Por entonces, ella estaba atenta a cualquier desplazamiento del equilibrio del poder, y así en las Navidades siguientes le devolvió el favor regalándole a él otro reloj muy hermoso. «Quizá —decía— ambos sentimos la necesidad de recordarnos que el reloj seguía funcionando.»

El tiempo iba pasando, pero no a la misma velocidad para los dos. Françoise había pasado rápidamente desde la adolescencia a la plena floración de su feminidad con el nacimiento de sus dos hijos, mientras para Picasso el tiempo transcurría, compasivo, más lentamente, haciendo evidente su paso más en sus hijos que en él. Los dibujaba y los pintaba generalmente con *Yan,* el nuevo cachorro de boxer, pero había algo de impersonal y desligado en aquellos cuadros y dibujos, en los que era más evidente la ingenuidad del artista que el calor del cariño paternal.

«Le molestaban los niños... Le perturbaban —recordaba Françoise—. Yo había creído que harían nuestra relación más estable, pero había sucedido todo lo contrario. Comenzaron a estorbarle». «No son niños, son elefantes —se quejaba—. Ocupan toda la habitación.» Sonaba mejor en francés: *les enfants, les éléphants.* «Entonces empezó a hablarme de lo maravilloso que sería si le diera tantos hijos como Oona le había dado a Charles Chaplin. Le contesté que lo que me decía era muy extraño, querer más niños cuando no podía soportar el ruido y las molestias de dos. Le gustaba la idea de una nueva vida cuando se acercaba a los setenta años, pero no quería preocuparse por ello».

En el otoño de 1949, Gallimard publicó su segunda obra teatral, *Las cuatro niñas,* que revelaba un mundo lleno de congojas: «Juguemos a hacernos daño», dice la primera muchachita, y abraza a cada una de las otras haciendo horribles ruidos... «Haz lo mejor que puedas, haz lo mejor que puedas con la vida. En cuanto a mí, envuelvo la tiza de mis deseos en un manto desgarrado y cubierto de manchas de tinta blanca, que chorrean de manos ciegas buscando la boca de la herida.» «En todas nuestras cabriolas —anuncia la cuarta muchachita— estamos gritando la alegría de estar solo y loco.» Para Picasso, como estaba entrando en su sexagésimo noveno cumpleaños, sacar mejor partido de la vida consistía en estar lejos de La Gaulloise con tanta frecuencia como podía. Françoise ya había quedado atrás, y él comenzaba una vez más a dar rienda suelta a sus deseos, practicando la seducción y la conquista sin tregua, intoxicado con sus piruetas, con sus casuales líos con mujeres, con la prueba continua de su virilidad.

La Gaulloise vino a ser menos su casa que su plataforma de lanzamiento para las expediciones a París. Un día, su viejo amigo el doctor Raventós fue a visitarle a la calle Grands-Augustins, acompañado por Pierrette Gargallo, la hija del difunto escultor. Acababa de llegar de Barcelona y llevaba a Picasso una carta de su hermana. «¡Qué suerte tiene usted! —le dijo— Tiene usted éxito, riqueza, salud, una bella mujer a su lado, niños... Lo tiene usted todo.» «No —replicó Picasso—, me faltan cinco centímetros.» Había algo irrevocable en su insatisfacción, tan irrevocable como su estatura. «Si no fuésemos desdichados —le había dicho a Matisse aquel verano—, no pintaríamos. Pintamos porque no somos felices.» Y porque no era feliz, cazaba a su alrededor, cada vez más preocupado por la muerte. La muerte era la máxima preocupación en *Las cuatro niñas.* «¿No es estúpida?», decía despectivamente la tercera niña refiriéndose al olvido por la primera niña de la amenaza de la muerte. Asustado porque se le estaba acabando el tiempo, Picasso estaba agarrándose a la felicidad, o al menos a una interrupción temporal de la infelicidad.

Entre tanto, Françoise, a quien Khanweiler le había ofrecido un contrato, se perdía —y se encontraba— a sí misma en su trabajo y sus niños. Gracias al contrato con Kahnweiler era, por primera vez desde que se había ido a vivir con Picasso, económicamente independiente. «Era un salvavidas —dijo—. El creía que dándome hijos me tendría más sujeta y no podría dejarle, pero ahora estoy ganándome la vida, y si es necesario puedo hacerme cargo de mis necesidades y de las de mis hijos.»

Se extasiaba con su hijita. «En cuanto a lo más hermoso de lo más hermoso —escribió a su madre y a su abuela—, estoy haciendo una serie de dibujos de ella junto a mí. No trabajo del natural, pero intento poner de manifiesto la poesía que emana de su fugaz frescura: una cabeza pequeña, a la manera de las de Louis David, mechones de cabello en la frente, ojos con pestañas como pájaros rápidos, la dulzura de su sueño en contraste con la mujer a su lado, más amarga y preocupada de lo que yo lo estoy realmente, pues puedo liberarme mediante mis dibujos, que se siguen rápidamente los unos a los otros modulando su sonido como las líneas de un poema. En la pasión por mi trabajo alcanzo un cierto grado de felicidad, porque no es cuestión de conquistar una nueva forma artística ni un vocabulario nuevo, sino más bien de entregarme a mí misma completamente de una forma que no deje lugar para la reflexión ni para la añoranza; sólo para poder abrir las puertas del lirismo. Es bueno para mí estar aquí, entre la naturaleza y los niños. Absorbo su influencia y mis pensamientos se enriquecen y se clarifican.»

Sus cartas a su madre y a su abuela no hacían mención de Picasso. Eran informes sobre esa parte de su universo en la que solamente existían su trabajo y sus hijos. «Si sólo le hubiesen vacunado contra la cólera como lo hicieron contra el tifus», escribió cuando Claude golpeó a la niña "a hurtadillas". En otra carta anunciaba con alegría que los masajes médicos a Claude habían hecho su tórax menos estrecho. En otra describía el paquete de cosillas que había preparado Claude para su abuela. «Tienes que enviarlo inmediatamente con el balón grande, para que se divierta la abuela» —le dijo a su madre—. Y Françoise escribió una carta de dos páginas describiendo el paquete en lugar de mandárselo.

Era un mundo en el que Picasso sólo era un visitante de paso. «Producir bebés a mi edad es verdaderamente ridículo» —había dicho—. Y ahora rechazaba hasta la más superficial participación en la vida de su joven familia, mientras Françoise se mantenía en una distancia defensiva que excluía toda gran intimidad. El siempre había usado el *tu* francés para dirigirse a ella, pero ella siempre se dirigía a él empleando el *vous,* como si hubiese hablado a un desconocido o a un profesor. «Eso le ponía fuera de sí —decía Françoise—. Se había convertido en símbolo de la distancia que yo quería mantener. Mirando atrás, no necesitaba haberlo hecho; podía haberle llamado *tu* o *mon chéri,* pero nunca lo hice. Al convertir él nuestra relaciones en una verdadera batalla, yo también tuve que usar cualquier arma que pude encontrar.»

Marcel tenía un papel en este drama, porque llamaba a Françoise «mademoiselle». «Deja de llamarla mademoiselle —le solía decir Picasso—. Es ridículo. Ella está aquí con dos niños. Tienes que llamarla madame». Cuanto más enfadado estaba Picasso, más insistente se hacía Marcel. «No, no. Es muy joven. Para mí siempre será mademoiselle». Finalmente llegó la pelea con Eluard y Paul llamándole a Picasso *le malheureux fils père* (el desdichado padre soltero). Pero lo que peor le sentó fue cuando al llegar a un hotel con Françoise, Paul y los niños, el recepcionista le entregó una llave para él y otra para «su hijo, su nuera y sus nietos».

Cuando Picasso estaba en Vallauris, pasaba la mayor parte de su tiempo en «La Factoría», como denominaba a su nuevo estudio, al que todo el mundo llamaba Le Fournas. Había dado una fiesta para celebrar su inaguración, como si se tratase de su verdadera casa. «Picasso cena en casa de Picasso», rezaba un gran cartel colgado encima de la chimenea. El pintor Manuel Ortiz cantó flamenco y entre otros que le hicieron coro estaban Edouard Pignon y Hélène Parmelin. Picasso les había invitado a compartir «una vida de pintor» con él, y vivían y trabajaban en otras habitaciones encima de su estudio.

«Todos éramos comunistas —escribió Hélène Parmelin—, y situados en el centro de la furiosa pelea sobre pintura de la extrema izquierda. Nuestros ocios, nuestra comidas y nuestras diversiones, todo tenía asiento en una atmósfera compuesta de pasión ardiente, furia, anécdotas, drama y melodrama, rebelión activa, argumentos eternos, risas y depresión. Cuando nos enseñaron las ventanas ovales a través de las cuales el propietario de aquel antiguo molino acostumbraba vigilar a sus trabajadores, Picasso nos contó que las había abierto para que nosotros le vigilásemos a lo largo del día, para estar seguros de que se atenía a la línea del partido. Cuando introducía visitantes en el pasillo, invariablemente decía que nosotros estábamos allí para ver si seguía la línea, y que antes de nuestra llegada había sido siempre desviacionista. Pero ahora, en cuanto ven que me desvío —decía—, basta con que den unos golpecitos en el cristal o me silben para que yo inmediatamente vuelva a la línea con una regla».

Fue entonces cuando Picasso terminó su *Cabra,* en yeso, con dos cántaros para leche, de barro, para las ubres; una rama de palmera para la espalda, un cesto de papeles estropeado para su estómago, y ramas de vid para los cuernos. «Cada noche la cabra perdía su nariz de yeso, y cada mañana Hélène Parmelin recogía la nariz y volvía a pegársela». A Picasso le gustaba recoger y coleccionar desechos obtenidos en el montón de basuras y chatarra convenientemente situado cerca de su estudio y transformarlos en escultura. A veces Françoise le acompañaba empujando un cochecito de niño, en el que transportaba lo que había cautivado la fantasía del pintor. «¡Abajo el estilo! —había proclamado a Malraux—. ¿Tiene Dios un estilo? El hizo la guitarra, el arlequín, el perro dachshund, el gato, el búho, la paloma. Como yo. El elefante y la ballena, bien, pero ¿el elefante y la ardilla? ¡Un verdadero batiburrillo! El hizo lo que no existe. Yo también».

Era un batiburrillo lo que entraba en la ejecución de *Muchacha saltando a la cuerda,* incluyendo un cesto de papeles que usó para su cuerpo y dos voluminosos zapatos, los dos del mismo pie, que había encontrado en el montón de desperdicios. Quería que ella no tocase el suelo. «Pero estás saltando, ¿cómo voy a subir en el aire?» —preguntaba retóricamente—. «Apreté la cuerda al suelo: nadie se dio cuenta». Tenía un método para su magia, pero no era menos mágico y su poder no menos inexplicable por eso. «Los ojos del artista —dijo— están abiertos a una realidad superior; sus cuadros son evocaciones».

Continuó luchando con su creencia de que su obra era «algo sagrado». «Nosotros debemos ser capaces de decir esa palabra o algo como ella —le dijo a Parmelin—, pero la gente la ha tomado en un sentido equivocado... Debemos ser capaces de decir que cualquier cuadro es lo que es, con su capacidad para el poder, porque ha sido "tocado por Dios", pero la gente lo interpreta mal. Y aun así, es lo más cerca de la verdad a que podemos llegar».

El 6 de agosto de 1950, toda la gente de alrededor de Picasso, que había interpretado mal una obra de arte «tocada por Dios», se reunió en la plaza central de Vallauris para la inauguración del *Hombre con una oveja,* que Picasso había regalado al municipio comunista de la localidad. Françoise, con un traje brillante floreado, estaba al lado de Picasso mientras el alcalde lo proclamaba ciudadano honorario de Vallauris, y Laurent Casanova gritaba con emoción: «¡Saludad a Picasso, nuestro compañero de armas!» Casanova estaba allí para la inauguración. Había publicado recientemente *El Partido Comunista, los intelectuales y la nación,* en el que declaraba, con la autoridad papal que era el sello de todas sus declaraciones, que «el arte religioso ya no es la fuente de inspiración de los artistas». El Ayuntamiento de Vallauris, claramente en la línea de Casanova, ofreció a Picasso una capilla secularizada fuera de la plaza mayor para que la decorase de acuerdo con los dictados de su secular inspiración.

Eluard, Tzara y Cocteau fueron, los tres, testigos del descubrimiento de la escultura; Cocteau, que había flirteado con el Partido Comunista, observaba el acto desde un balcón, con su gran amiga madame Weisweiller. Cuando estaba en el sur de Francia, lo que era cada vez más frecuente, él y Edouard Dermit, su último amante, conocido por Doudou, siempre se alojaban en casa de ellas en Saint Jean Cap Ferrat. Yendo a visitar a Picasso a La Gaulloise desde la lujosísima villa Santo Sospir, de la Weisweiller, le tomaba el pelo por la «ostentosa simplicidad de su vida». «Tienes que ser capaz de permitirte el lujo para ser capaz de despreciarlo», le respondió el ciudadano honorario de Vallauris.

La implicación de Picasso en el Partido Comunista continuaba, como si él esperase descubrir a través de ella el sentido y el significado de su vida, lo que desde hacía tanto tiempo había perdido. Françoise, que mantenía correspondencia con Endre Rozsda, su profesor y amigo, que ahora vivía en Hungría, pidió a Picasso muchas veces su intervención a través de sus contactos comunistas para que Rozsda pudiera ir a Francia, al menos para una visita. «Nunca me gustó pedir nada a Picasso —recordaba Françoise—, pero lo hice por Endre. Era un pintor abstracto-realista y se dio cuenta de que le era imposible pintar los cuadros social-realistas que eran el único género permitido, así que para ganarse la vida terminó haciendo muñecas y pintando decoraciones teatrales, e incapaz de funcionar bajo el sistema comunista, había tenido una depresión nerviosa».

La primera vez que Françoise pidió a Picasso que intercediera por Rozsda, el pintor replicó: «Absolutamente *no*. Si no es feliz en un país comunista, tiene que ser una mala persona».

«Por favor, no me vengas con eso —dijo Françoise—; sabes tan bien como yo que él es un artista al que no se le permite expresarse. Tú, que eres un artista, si te sucediese lo mismo, ¿no agradecerías cualquier ayuda para salir de ella?»

«Ciertamente que no —dijo él—, porque yo soy un buen comunista». Françoise volvió a intentarlo, una y otra vez, esperando cogerle en un momento en que estuviese de buen humor y no se sintiese demasiado *buen comunista.* Pero la respuesta fue la misma todas las veces.

En noviembre le fue concedido el Premio Lenin, y en el mismo mes llegó a la estación Victoria de Londres para tomar parte en el III Congreso Comunista por la Paz, que iba a celebrarse en Sheffield. Salió solo del tren, y como explicó a Roland Penrose, que había ido a esperarle, a todos los que viajaban con él se les había negado la entrada en Inglaterra en Dover. Tanto el Gobierno británico como la opinión pública eran vociferantemente opuestos a un congreso dedicado a la propaganda comunista mientras se luchaba en la guerra de Corea. «Y yo —preguntó Picasso—, ¿qué puedo haber hecho para que ellos me permitan entrar?» Sin duda, ser considerado por las autoridades como un revolucionario inofensivo, lo que su discurso de un minuto en Sheffield justificó: «Estoy a favor de la vida y en contra de la muerte. Estoy a favor de la paz y en contra de la guerra». Esa fue su alocución, y no había ser viviente que quisiera, al menos verbalmente, impugnarla.

En enero de 1951, todavía bajo el dominio de su filiación comunista, pintó *Masacre en Corea.* Basada en el cuadro de Goya *Los fusilamientos del Tres de Mayo*, quería que se interpretase como la protesta de un gran artista contra la intervención norteamericana en Corea. Fue al revés, según lo describió James Lord: «un débil balido en el pandemonium de la propaganda política», demasiado pálido para sus camaradas del partido, a los que aspiraba complacer, y demasiado deprimente para sus admiradores no comunistas. «Como producción formal —escribió Lord resumiendo su decepción—, hace un uso fácil de los símbolos estéticos de la muerte, que desde hace mucho han usado los pintores. Es su más verdadera imagen de la violencia. Algo le ha sucedido a Picasso: ahora es un hombre diferente, y también como artista. Se ha rodeado de comparsas mediocres y de artistas de tercera fila, ninguno de los cuales podría recordarle qué momentos de mayores logros estuvieron al alcance de su mano».

A comienzos de marzo Kahnweiler fue a visitarle en Vallauris. Había llegado a Niza por vía aérea, y allí le recogió Marcel, que le llevó directamente al estudio. Sólo faltaban ocho meses para que Picasso cumpliera los 70 años, y parecía preocupado por la vejez. Imitaba a un anciano, levantándose con dificultad. «¡Eso es lo terrible! Ahora somos capaces todavía de hacer lo que queremos. Pero cuando queramos hacerlo y ya no podamos, ¡eso será terrible!». Añadió, sin embargo, que de momento se sentía como si tuviera 40 años por miedo a la inminente vejez; así era como se estaba comportando. Iba rodando en cualquier dirección en sentido opuesto a Françoise, y una dirección apuntaba a Geneviève Laporte. «Siento un constante impulso a destruir lo que he construido con muchas dificultades» —le dijo—, y parecía decidido a destruir lo que había construido con Françoise. «¿Tenía Picasso miedo a su felicidad? —se preguntaba Geneviève Laporte—, ¿miedo a sucumbir a una emoción más profunda que la que él de buena gana soportaría?»

Incluso cuando estaban juntos, Françoise le encontraba muy lejano a ella. Ella se retiraba a su propio mundo, guardaba para sí sus sospechas y sus miedos y comprobaba cómo su relación con Picasso empezaba a ser, cada vez más, como una asociación de negocios. Ella dirigía sus tratos con las galerías, los editores y el mundo, y se sumergía en su propio trabajo. Picasso estaba muy complacido de que ella tuviera un contrato con Khanweiler; complacido de que también Paul Rosenberg hubiera pedido representarla (pero ella estaba ya comprometida); complacido de que sus dibujos y litografías ilustrasen muy pronto libros de poemas de Verdet y Eluard. Y Françoise agradecía algunas señales, aunque espasmódicas, de que ella existía para él como algo más que un adjunto habitual. Al mismo tiempo se encontraba «helada por el creciente reconocimiento que yo tenía que pagar por cualquier signo de afecto por su parte y por el dolor que me causaba cuando cambiaba inmediatamente y se volvía áspero y cruel. El le llamaba a eso "el alto coste de la vida", pero era realmente el alto coste de vivir con Pablo. Algunas veces era amable y se preocupaba por mí, y yo me permitía relajarme y ser abierta y vulnerable, pero entonces él cambiaba y la batalla volvía a entablarse. El resultado era que yo nunca podía bajar la guardia».

Cuando no estaba atendiendo a sus negocios, a su propio trabajo o a los niños, el principal descanso de Françoise era llorar. Como siempre, el olor del dolor incitaba a Picasso a provocar más dolor. «Cuando te conocí eras una Venus —le dijo en una ocasión, cuando la vio llorando—, ahora eres un Cristo, un Cristo románico, con las costillas tan visibles que podrían ser contadas. Espero que te des cuenta de que no me interesas así... Deberías avergonzarte de dejar que tu aspecto y tu salud se estropeen de ese modo. Cualquier otra mujer procuraría remediarlo después de haber dado a luz, pero tú no. Pareces una escoba. ¿Piensas que las escobas enamoran a nadie? Desde luego que a mí, no».

El *coste de la vida* con él aumentaba cada vez más. Cuando, a comienzos de 1951, Teriade le pidió que escribiera un texto para el número especial de *Verve* dedicado a la obra reciente de Picasso, respondió: «Desde luego, no». Era su manera de volver a luchar, decir «no» cuando Picasso quería que dijera «sí», y fuera cual fuera la fuerza de persuasión de Picasso o de Teriade, no cambiaría de manera de pensar. Ayudó a Teriade a seleccionar los cuadros y dibujos destinados a su reprodución fotográfica, pero escribir el texto representaba para ella dar un paso en el camino de someterse a ser absorbida otra vez por su amante. «No veía por qué, además de todo el resto, tendría que ser obligada a escribir un texto hagiográfico sobre él y sus obras. En el fondo, desde luego, no se trataba más que de un absurdo acto de desafío, que no demostraba nada». Era otra expresión del antagonismo que hervía en sus relaciones. «Eres el hijo de la mujer que siempre dice que «no», se quejaba Picasso a Claude, quien, a los 4 años de edad, poco podía comprender al respecto.

El 14 de junio de 1951, Picasso y Françoise estaban asistiendo como invitados a la boda de Eluard con Dominique Laure. Se habían conocido en una pequeña galería de cerámica en París, y poco después, y por casualidad, habían vuelto a encontrarse en Méjico. Aun antes de su matrimonio, vivían juntos en el apartamento de Dominique en Saint Tropez, que dominaba el puerto, pero pasaban el tiempo yendo y viniendo de Saint Tropez a Vallauris. Una vez, cuando regresaban a su apartamento, Dominique comentaba lo bien que había estado el almuerzo. «Sin ningún género de dudas —respondió Eluard—, en este justo momento Picasso está hablando mal de nosotros.»

Y así era. «Si Paul piensa que voy a concederle otra vez el honor de acostarme con su mujer, se equivoca —le dijo a Françoise—. Cuando no me gusta la mujer de un amigo, dejo de tener interés en ver a ese amigo. Ella está bien, pero la combinación, no. Ella no es la esposa que Paul debiera tener.» Creía que Dominique habría sido una mujer adecuada para un escultor, pero se parecía demasiado a una amazona para ser la esposa de un poeta. Y la siguiente vez que vio a Eluard, le dijo: «Una mujer como ésa, bien aplomada, que parece tan sólida como el Peñón de Gibraltar, no es apropiada para un poeta. Acabarás siendo incapaz de escribir ni una línea. Puedes estar suspirando y sufriendo por una chica pálida, pero a una que no lo es la echarás pronto a patadas».

Pero lo que realmente le molestaba de Dominique no era su solidez (después de todo, él prefería que *sus* mujeres fueran sólidas), sino su negativa a integrarse en el coro de sus adoradores. «Una cosa que encuentro insufrible —había dicho ella— es la perpetua reverencia a Picasso. El atizó mi deseo de provocarle, de lo que se venga siempre. Cuando, por ejemplo, me dijo que quería retratarme, le dije que nunca sería capaz de representarme con un busto tan bonito como el de los dibujos que me hizo Valentine Hugo. No estaba acostumbrado a que le dijesen cosas como ésa, y se vengó haciendo una docena de dibujos sobre mí, poniéndolos todos en un sobre, atándolos con un cordel y rasgándolos en mi presencia.

«No hay amor —había dicho Picasso a Françoise—. Hay solamente demostraciones de amor.» Y le gustaba someter a cada uno a constantes pruebas. Insistió en que Dominique posase para él en una oscura y húmeda habitación del sótano de La Gaulloise, junto a Françoise vistiendo un traje verdaderamente horrible, que había comprado para ella en un mercado callejero, y ambas luciendo los collares hechos con chatarra que había comprado en Vallauris. Françoise pasó su prueba particular vistiendo el traje y poniéndose el collar, y fue recompensada con el regalo de uno de los collares de plata que había hecho Picasso, pero Dominique fracasó en la prueba al no ponerse más que el feo collar, y, en consecuencia, no recibió ningún regalo, para castigarla.

«Eluard estaba fascinado por Picasso —recordaba Dominique—. Le amaba como si fuese una mujer; era una especie de homosexualidad mental». Y Picasso confesó a Dominique Laporte: «Yo soy una mujer. Todo artista es una mujer y deben gustarle otras mujeres. Los artistas que son pederastas no pueden ser verdaderos artistas porque les gustan los hombres, y como ellos mismos son mujeres, vuelven a la normalidad».

Ahora que Picasso no parecía deseoso de reconstruir con Dominique el triángulo que en tiempos formaron Eluard, Nusch y él, Eluard quería aportar alguien que le conectase con el pintor a través de la cama. Fue él quien, en 1944, presentó a Geneviève Laporte a Picasso, y ahora, siete años más tarde, hizo cuanto pudo para facilitar una nueva aventura amorosa entre ellos, actitud que no compartía Dominique. «Picasso estuvo en nuestra casa con Françoise y los niños —dijo—, y ocho días después volvió a aparecer con Geneviève, y cuando no quise recibirles, atacó mis puntos de vista «de la clase media baja». Sigue pareciéndome mal que con Françoise a sólo 100 kilómetros de distancia, llevase a Geneviève a un sitio tan público como Saint Tropez, donde todo el mundo los conocía y les miraba». Su marido, sin embargo, gozaba y se extasiaba de su papel de alcahuete; escribió una carta a Geneviève informándola de que, según instrucciones de Picasso, había encontrado un apartamento cercano al de los Eluard para la temporada de verano. Picasso estaba ya en París, y al día siguiente Marcel les llevó, a él y a Geneviève, a Saint Tropez.

«Aunque seas enteramente libre para escoger —dijo Eluard a Picasso—, no hay respuesta que te haga completamente feliz.» Pero por el momento Picasso estaba ocupado inventando un pasado y volviendo a crear un presente para hacerlos más seductores para Geneviève. «Nunca he sido capaz de pensar en mí, y nadie se ha preocupado nunca por mí —le dijo—; siempre he tenido miedo a hacer daño a otras personas, quizá por cobardía. Por ejemplo, Françoise. Nunca la he querido y ahora es como una copa llena de recuerdos que yo no deseo beber por más tiempo, pero, por otra parte, tampoco quiero destruirla. ¿Qué voy a hacer?»

Desde luego, la última cosa que deseaba era un consejo. Como Eluard dijo a Geneviève: «Picasso sólo ha hecho en la vida lo que ha querido hacer». Representar el papel de quien es víctima de largos sufrimientos era parte de lo que se proponía. «Sabes, o no —le dijo a Eluard en un momento en el que sabía que Geneviève estaba oyéndole—, que todos mis asuntos amorosos fracasaron por las desavenencias y los sufrimientos: dos cuerpos envueltos en alambre de espino, rozándose uno contra otro, desgarrándose las carnes. Con ella todo ha sido dulzura y miel; es una colmena sin abejas». Geneviève, en efecto, oyó todo el párrafo y sin duda se alegró de las virtudes que se le atribuían.

«El quiere alabar la amabilidad de una muchacha guapa», canta Leporello a Don Juan. «Una morena es la constancia, una de pelo blanco es dulzura... Mientras vistan falda, sabrás cuál es su juego.» Geneviève Laporte era «la otra mujer» oficial, pero Picasso no tenía la intención de que fuese la única en su vida durante aquel período de sensualidad furiosa, alimentada por el miedo a la muerte, a la vejez, al agotamiento que aún no se había manifestado. Mientras Picasso retozaba por la Costa Azul añadiendo «mujeres de todos los rangos, de todos los tamaños, de todas las edades» al catálogo de Leporello, Françoise estaba casi siempre en París, visitando a su abuela en la clínica en Neuilly, donde estaba desde que un ataque de parálisis le había inmovilizado un lado de su cuerpo. Un día, cuando había regresado a Vallauris y Picasso estaba en Saint Tropez «visitando a los Eluard», según le había dicho, madame Ramié llevó a Françoise a un rincón y le contó que Picasso estaba efectivamente en Saint Tropez, pero con otra mujer. Se lo contaba como amiga —le dijo— y por su propio bien, y porque no quería que se enterase de eso por un extraño. Era únicamente la aventura más reciente —continuó—, pero esta vez había creído que era su deber contárselo, porque había oído decir que Picasso proyectaba irse a Túnez con esa mujer.

«Me sentí como si me hubiesen envenenado y se me escapase la vida —recordaba Françoise—. Desde luego, ya lo había sospechado, pero había desechado ese temor, y descubrirlo a través de alguien que yo sabía que sólo quería mi desgracia, lo hacía mucho más duro.»

Cuando Picasso volvió a casa, ella le preguntó sin rodeos: «¿Es eso cierto? Por favor, dime la verdad; soy una persona adulta y puedo soportar la verdad. Dime solamente la verdad».

«Debes estar loca —contestó con la mayor convicción— para creer en esa chismorrería. No hay nada de eso.»

Lo dijo tan firmemente que Françoise dudó. Quizá madame Ramié lo había inventado, quizá sus sospechas eran imaginarias, quizá él de verdad sólo había ido a visitar a los Eluard, o ido a una corrida de toros o a cuidar de sus negocios en París...

Las siguientes semanas estuvieron llenas de la angustia de saber y de todavía no saber. Noticias de los amoríos de Picasso empezaron a aparecer en los periódicos, pero él continuaba calificándolas de infundadas y maledicientes. Los temores de Françoise a ser traicionada se aquietaban por un tiempo y luego volvían a brotar, llenando todos sus pensamientos y haciéndola más desdichada. En ese estado de ánimo recibió, en los primeros días de agosto, la noticia de la muerte de su abuela. Estaba en el taller de cerámica cuando el empleado de Correos telefoneó, y creyendo que era madame Ramié quien estaba al aparato, le anunció escuetamente: «La abuela de Françoise Gilot ha muerto».

Salió inmediatamente para París, y allí, en el funeral de su abuela, vio a su padre por primera vez en ocho años. «Al principio fue embarazoso —recordaba Françoise—, pero muy emocionante. Cogió mi mano y me pidió que volviera a casa al salir de la iglesia, aunque decía que lo hacía por mi madre.»

Pero también lo hacía por ella. También él había leído en la prensa las informaciones sobre los devaneos amorosos de Picasso, y quería que Françoise supiese que el pasado había pasado, que no volvería a poner en pie las cosas que los habían separado, y que si ella necesitaba de él en aquel difícil momento de su vida, allí estaba para ayudarla. «Cuando yo era todavía una niña —recordaba Françoise—, mi padre me imbuyó la idea de que la verdadera aristocracia es la gente que tiene bastantes recursos interiores para enfrentarse a cualquier situación en la que estén aprisionados y liberarse de ella. Lo que estaba diciéndome después del funeral de la abuela era que si yo tenía esos recursos él me prestaría la ayuda emocional y también haría testamento a favor de los niños.»

Aquél era el momento, más que ningún otro, en que Françoise veía claramente lo que había sucedido. «No hay duda de que cuando decidí irme con Pablo y vivir con él, junto con mi amor y mi admiración por su persona había un fuerte deseo de rebelarme contra mi educación burguesa y de destruir de una vez por todas la autoridad de mi padre sobre mí. Y ahora allí estaba mi padre, sintiendo piedad por mí y ofreciéndome su dinero y su protección. Por primera vez supe que mi situación emocional era de conocimiento público. Era humillante, especialmente cuando mi padre me dijo que había seguido en la prensa lo que había sucedido y que le parecía claro que si Picasso hubiera querido tener un amorío, lo habría podido tener, si hubiese querido, en la reserva más absoluta, sin que nadie se enterase, y que la publicidad sobre el asunto demostraba que él *quería* que yo lo supiese. Así, mi padre había hecho el diagnóstico y yo tenía que enfrentarme a sus conclusiones.»

Regresó a Vallauris sintiéndose muy sola y vulnerable, y deseando ansiosamente hablar con Picasso, pero apenas éste regresó, volvió a marcharse para asistir a una corrida de toros en Arlés. Mientras estaba lejos, madame Ramié la llevó aparte, con aire de conspiradora, y en su propio provecho, desde luego, le hizo saber que la mujer con la que estaba Picasso en aquel mismo momento era Geneviève Laporte.

Ahora, el objetivo de Françoise estaba claro: oír de labios del propio Picasso cuál era la verdad. «Te pido que tengas el valor —le dijo tan pronto como estuvo de regreso— de decirme la verdad; cuándo empezó eso, cuánto tiempo viene durando y cuánto esperas que continúe. Entonces sabré lo que debo hacer. Desde hace más de un año no te he hecho ninguna pregunta, y has tenido tiempo de sobra para hablarme de ello. Ahora sí que te lo pregunto.»

Picasso lo negó todo. Le dijo que nada había sucedido, que nada había cambiado y que no tenía ni idea de a qué se refería ella. Y añadió: «En lugar de preguntarme sobre cosas inexistentes debías saber algo que es real: cuando una persona entra en las relaciones de otras dos, de una u otra parte las dos la han invitado, quizá la una en forma activa y la otra pasivamente, pero son las dos responsables de que esa tercera persona haya entrado».

Ella le preguntó si pensaba que era suya la culpa, quizá por su mala salud, quizá por su participación pasiva, de que una tercera persona entrase en sus vidas. El negó que existiese esa tercera persona, y cualquiera que fuese el motivo de la pregunta, siguió negando una y otra vez. «Aquél —precisa Françoise— era el error. Siempre hay equivocaciones de uno y otro lado en las relaciones de una pareja, pero aquél era un error intolerable. Yo había aceptado su largo y azaroso pasado y todo lo que en él había usurpado nuestras vidas, y habría aceptado incluso el presente si él me hubiera hablado francamente de lo que estaba sucediendo, pero que siguiera negándose a admitir lo que todo el mundo comentaba, y querer seguir tratándome como a una loca, era privarme totalmente de la autoestima que me hubiese quedado.»

Como la decimotercera campanada de un reloj, ella comenzó a cuestionar todo lo que había precedido, y de repente empezó a ver la trama de mentiras anteriores a la gran mentira: una por una todas las excusas y todos los pretextos que había dado él para desaparecer durante días se hicieron transparentes. «Era la pérdida de la inocencia y el fin de la confianza —dijo—. De entonces en adelante no había día en que no descubriera otro cadáver más en otro oscuro rincón de un armario. Me di cuenta de cómo había ido metiéndome en un asqueroso pantano. Todo mi universo se había venido abajo, y la muerte de mi abuela, sobrevenida aproximadamente por aquel entonces, intensificó mi soledad y mi desesperación.»

Para soportar aquella temporada comenzó a incluir a Geneviève Aliquot en sus cuadros. «Es irónico —dijo Françoise— que fuese el descubrimiento del amorío entre él y una Geneviève que fue la causa de que se desenredase todo, y mi reflexión sobre mi cariño a otra Geneviève, a través de mi pintura, lo que comenzó a restaurar mi equilibrio y mi confianza en la vida. No la vi ni me puse en contacto con ella, pero recordar que ella me quiso y que yo la quise a ella tan hondamente me ayudó a vivir de un día para otro.»

14

«NADIE DEJA A UN HOMBRE COMO YO»

En agosto de 1951 las autoridades sellaron las puertas del piso de la calle La Boétie. Habían fracasado los procedimientos legales que se oponían al desahucio de Picasso. Había una falta aguda de viviendas, el piso estaba vacío y no había vivido en él durante años, pero él seguía sin creer que las autoridades insistieran en tratarle como a uno más ante la ley. Se negó a ayudar en la mudanza. Sabartés, Inés y Marcel se encargaron de embalar todas las obras que habían sido abandonadas en la calle de La Boétie durante años y que habían acumulado polvo y estaban desordenadas. Picasso había comprado recientemente dos pequeños pisos en la calle Gay-Lussac para Françoise y los niños, y como la amenaza de requisa se cernía sobre ellos también mientras permanecieran inhabitados, Picasso decidió trasladar allí a toda la familia por un tiempo.

Pero antes, el 25 de octubre, su setenta cumpleaños lo celebró con el pueblo entero de Vallauris. Marcel no estuvo presente entre la multitud. Después de veinticinco años al servicio de Picasso, Marcel había sido despedido por haber llevado a su mujer y a su hija a dar una vuelta a 100 kilómetros de París un domingo conduciendo el Oldsmobile y haber chocado contra un árbol. Françoise trató inútilmente de mantener a Marcel en su empleo. «No puedes despedir a un hombre —le dijo a Picasso— sólo porque ha tenido un accidente como ése. No a un hombre como Marcel, que te ha sido tan fiel, y después de veinticinco años. Le podía haber pasado a cualquiera». Picasso fue inexorable: «Se supone que él sabe que no debe usar el coche en sus días libres». Marcel, como siempre, dijo lo que pensaba: «Usted piensa que puede hacer lo que quiera a todo el mundo —gritó—. Después de lo que he hecho por usted, me despide sin darme otra oportunidad. No tiene corazón. Sufrirá por ello; ya verá. La gente decente se apartará de usted, y la próxima en abandonarle será mademoiselle». Y con esta profecía suspendida en el aire Marcel salió de la vida de Picaso. Sin inmutarse, Picasso compró un Hotchkiss y le dijo a Paul que si quería más dinero tendría que ocupar el puesto de Marcel y hacer de chófer, y Paul obedeció.

Después de que terminaran las celebraciones de su cumpleaños Picasso se tuvo que meter en la cama con un ataque de lumbago. Fue allí donde en noviembre recibió la visita de Giacometti, quien inmediatamente se convirtió en el blanco de su mal humor. «Ya no te gusto tanto como antes —gruñó Picasso—. Ya nunca vienes a verme». No vivir en el sur de Francia era una excusa inaceptable: la distancia no era un obstáculo cuando concernía a sus verdaderos amigos. «Entonces —escribió James Lord— Picasso representó una de esas escabrosas e impredecibles piruetas de estilo tan típicas de él: le lanzó una invitación. Qué cosa tan extraordinaria sería —dijo— si Alberto viniera a quedarse con él allí en Vallauris. Eso sería la prueba de su amistad... Alberto se alojaría en una habitación húmeda en el sótano, donde había alojado recientemente a Eluard y a su enfermiza novia, pero esto no debía saberlo nunca. La invitación, por supuesto, suponía un cruel insulto. Picasso presionó alegremente a Alberto para que aceptara. Veinte años antes, cuando ambos se conocieron, Alberto había querido asegurarse de que Picasso viera que él no estaba a sus pies. Picasso lo había visto, lo había valorado, pero su deseo de ver a la gente en esa postura no había cedido con los años sino que se había hecho más arrogante, y ahora quería una demostración de fuerza que probara que podía hacer a Goiacometti condescendiente con su capricho.»

Para añadir otro detalle a la invitación, Picasso no la hizo extensiva a la mujer de Giacometti, pero sugirió, en cambio, que ella se quedase en la habitación de un hotel en Cannes o en Antibes. Y para evitar cualquier retraso en el acatamiento de sus antojos quiso que Tériade, que había acompañado a Giacometti, volviese inmediatamente y cogiese sus maletas.

Pero no sucedió así. Giacometti se negó a ser manipulado. Picasso se enfureció. «No puedo aguantar a la gente que me dice que no», gritó.

«Yo no estoy interesado en tener una relación contigo si no puedo decir sí o no como a mí me apetezca», contestó Giacometti.

«He llegado a un punto en mi vida —continuó Picasso— en el que no quiero ninguna crítica de otra persona.»

Giacometti dijo la última palabra: «Entonces has llegado al punto en el que yo me voy y no vuelvo». Este fue el fin de su amistad. La opinión de Giacometti sobre Picasso como hombre siempre había sido condenatoria. No menos devastador fue su resumen, quizá en un momento de rencor, de la vida de Picasso como artista: «Picasso es en conjunto malo, completamente sin interés desde el principio, excepto en el período cubista, e incluso en ese momento, malentendido. Artista francés, ilustrador periodístico... Feo. Pasado de moda, vulgar, sin sensibilidad, horrible con el color y en el no color. *Muy mal pintor, de una vez por todas.*»

Picasso estaba haciendo todo lo posible por aislarse de todos sus amigos que se atrevían a tener espíritu y pensamiento propios y que se negaban a decirle sí automáticamente. En este sentido hizo realidad su constante queja de que estaba solo y que no había nadie que pudiera igualarse a él. El ya había reñido con Chagall, a quien acusaba de no volver a su Rusia natal porque no podría hacer dinero allí. «Soy como un mosquito zumbando alrededor de Picasso —se quejaba Chagall—. Le pico una vez, le pico dos veces, y ¡pum!, me aplasta». Más tarde, cuando Picasso se encontró inesperadamente con Chagall en Antibes, Picasso orgullosamente le enseñó el carnet del Partido Comunista: «Sí —fue la respuesta aguda de Chagall—. ¿Y el día que te obliguen a hacer cuadros que no quieras...?»

«Ellos nunca lo harían» —dijo Picasso—.

«Entonces veo muy bien —dijo Chagall— que tú eres tan comunista como yo.»

La opinión de Chagall sobre Picasso como artista no era mucho más amable que la de Giacometti: «¡Qué genio, ese Picasso! —dijo—. ¡Lástima que no pinte!» Una noche Françoise y Picasso se encontraron con la hija de Chagall, Ida, en el ballet. La esposa de Chagall le acababa de dejar. «Papá está muy disgustado» —les dijo Ida, lo que provocó risa en Picasso—. «No se ría —le reprochó ella—. Le puede pasar a usted.» Picasso se rió incluso más. «Es lo más ridículo que he oído en mi vida» —dijo Picasso—.

Como Pablo y Françoise empezaban su primer invierno juntos en la calle Gay-Lussac, la idea de que ella pudiera dejarle realmente le parecía ridícula. Ella no era feliz, pero se había convencido a sí misma de que quedarse era lo más correcto: en vez de buscar su felicidad personal, ella cumpliría sus obligaciones con los niños y Picasso, al menos con el fin de suministrarle algo de estabilidad y aunar todos los elementos diferentes de su vida. Incluso sugirió comprar una casa grande y juntar bajo el mismo techo a sus hijos y Marie-Thérèse, Maya, Paul, Emilienne, Pablito y su nueva hermana recién nacida. «Mi sensación era la de que éramos un barco en una tempestad y que teníamos al menos que salvar a las personas aun cuando significase tirar el cargamento, las aventuras casuales, las mentiras y los misterios innecesarios. Creía que con cada nueva persona a bordo, por muy casual y corta que fuera la participación de Pablo, habría menos afecto y atención que repartir. Había visto claramente su ejemplo de decir a una persona que todo lo malo era por culpa de otra persona en su vida y yo pensaba que poniendo a todos juntos lograríamos terminar con aquello. Podríamos haber tenido una casa juntos lo suficientemente grande para que todo el mundo tuviera una parte propia, y en cuanto a Marie-Thérèse, podría haber supervisado toda la casa. Así que mi intento era una especie de integración, frente a la desintegración, que estaba empeorando cada vez más.»

Picasso se horrorizó de la sugerencia de Françoise y lo mismo Marie-Thérèse. «Ella seguía pensando —decía Françoise— que yo me iría finalmente y Pablo sería todo suyo. Eso es lo que él le había hecho creer. En cuanto a Pablo, estaba furioso con mi idea porque en el fondo él era muy convencional y se sentía atrapado por sus propias trampas en un círculo vicioso de mentiras y culpas, recriminaciones y autocompasión.»

Sin embargo, Françoise contactó con un agente inmobiliario y empezó a buscar una casa grande en París. Incluso encontró una. «Era una enorme mansión en la ciudad de Varennes —dijo ella—, un palacio, comparado con la casa de la calle Gay-Lussac, que era pequeña y horrible. Pensaba que nuestra vida excéntrica podría ser más fácil si al menos viviéramos con comodidad. Supongo que cuando estás desesperada estás dispuesta a sujetar tus esperanzas con cualquier cosa. Finalmente convencí a Picasso para que fuera a verla. El salió diciendo que no le gustaba el estilo de la arquitectura.»

La octava década de su vida no había empezado bien, con un ataque de lumbago, el ineludible conocimiento de su edad avanzada y la necesidad de volver a París para ocupar los pequeños pisos de la calle Gay-Lussac. La corriente vital que normalmente le atravesaba, ahora había tenido un cortocircuito y se había quedado seco y malhumorado, incapaz de pintar o incluso escribir. Padecía un frío interminable y pasaba indiferente las horas viendo a Françoise trabajar preparando su exposición primaveral con Kahnweiler. Los niños también estuvieron enfermos, primero con resfriados y después con anginas, y había una nube negra rondando la calle Gay-Lussac.

Françoise cumplió 30 años en noviembre. El regalo de Picasso fue informarle de que «cualquier chica de 18 años es más guapa que tú». Pero durante los últimos meses, Françoise había aprendido poco a poco a desconectar parte de sí misma, y lo que él dijera ya no le dolía tanto. «Fue como una mutilación —dijo ella—, pero al principio no me di cuenta. Había intentado frenar el dolor de la traición y sentí que en el camino me había amputado una parte de mí misma y de nuestra relación.» Había sido educada para conceder el máximo valor a la dignidad y el autocontrol no demostrando nada de su dolor y no expresando ninguna de sus necesidades. «Te callas conmigo —le dijo Picasso en una ocasión—. Ponte sarcástica, un poco amarga, distante y fría. Quisiera verte alguna vez desparramar tus tripas en la mesa, reír, llorar, jugar a mi juego.» Pero ella no lo hizo. En su lugar se volvió más fría y distante. Y se volcó en el trabajo para su primera exposición importante.

Había un libro de visitas en la galería con el título escrito por Louise Leiris: *Exposición de Françoise Gilot*. Debajo estaba la fecha de inauguración: 1 de abril de 1952. La primera entrada es la de Paul Eluard, la quinta la de Sabartés, y la séptima la de Picasso. Tres meses más tarde, Paul y Dominique Eluard escribieron a Françoise diciéndole lo mucho que estaban echándolos de menos a ella y a Picasso en el sur de Francia. La postdata resumía la opinión de la exposición. «Seguimos estando fuertemente impresionados por tu exposición. Y no somos los únicos. Sigue con tu trabajo, Françoise.» Cocteau también se impresionó: «La pintura de Françoise —escribió— utiliza la sintaxis de Picasso pero con un vocabulario femenino, lleno de gracia. Esta sintaxis es la columna vertebral de su pintura». Y poco después de la inauguración de su exposición recibió una solicitud del Estado para comprar con descuento un bodegón que a un tal señor Cognia, que ostentaba el cargo de Inspector Principal de Bellas Artes, le había gustado particularmente en su exposición.

De vuelta en Vallauris, Françoise, animada por la acogida de su exposición, dedicó aún más tiempo a la pintura. Picasso, todavía incapaz de trabajar, continuó, en cambio, sus correrías por el campo francés, de corrida de toros en corrida y de mujer en mujer, mientras Françoise se encerraba durante horas en su estudio. Paloma, a quien le gustaba dormir, nunca se quejó. De hecho, cooperaba tanto que se ganó una coletilla de su padre: «Será una mujer perfecta, pasiva y sumisa. Así deberían ser todas las niñas. Tendrían que permanecer dormidas justamente hasta que tuvieran veintiún años.»

Por otro lado, Claude quería mayor atención y siempre la conseguía, algunas veces siendo rebelde, otras seductor. En una ocasión, cuando Françoise estaba enfrascada en su pintura, Claude llamó a la puerta de su estudio. «¿Sí?», respondió Françoise distraídamente. «Mamá, te quiero» —dijo Claude—, y cuando su madre contestó «yo también te quiero, cariño» y continuó pintando, él esperó unos minutos y entonces intentó otro nuevo plan. «Mamá, me gusta tu pintura» —dijo—. «Gracias, cariño, eres un ángel» —respondió ella, pero siguió con la puerta cerrada—. Claude no estaba dispuesto a admitir la derrota: «Mamá, lo que haces es muy bonito. Tiene fantasía, pero no es fantástico». «Déjalo de mi mano» —recordaba después Françoise—, pero no dije nada. Pensó que yo dudaba. Levantó la voz ahora mucho más. "Es mejor que la de papá" —dijo—. Fui a la puerta y le dejé entrar.»

Los niños pasaban muchas horas pintando y dibujando, como era normal. Claude, que era misteriosamente astuto a los cinco años, sabía cómo provocar una reacción en su padre al firmar, cuando pintaba, como «Henri Matisse» y después mirar inocentemente y exclamar: «¡Ahora existe un *verdadero* pintor!»

Nunca fallaba, siempre funcionaba. Claude quería irritar a su padre, Paloma adorarle. Siempre que durante las comidas Picasso empezaba a dibujar en el mantel, a hacer cosas mágicas con servilletas de papel, corchos del vino o pétalos de flor, ella miraba, completamente absorta y fascinada. Algunas veces ella misma empezaba a pintar. Su padre la animaba, pero nunca la aconsejaba. Era contrario a dificultar la libertad y espontaneidad de un niño al dibujar con una experta dirección. «Cuando yo tenía su edad —dijo después de visitar una exposición de niños— podía dibujar como Rafael, pero me llevó muchísimo tiempo aprender a dibujar como ellos». Cuando Inés le llevaba dibujos que su hijo había hecho, Picasso dibujaba cosas en los márgenes, pero nunca corregía las creaciones del pequeño.

Cuando el famoso torero Luis Miguel Dominguín le pidió «unas cuantas nociones básicas de pintura», Picasso adoptó la misma actitud: «Llegará el momento en que de repente tú te des cuenta de que sin ninguna ayuda exterior has aprendido todo lo que necesitas saber. Hasta entonces todo lo que pueda explicarte no tendría ningún sentido». Picasso podía confiar en muy poco, pero confiaba en un cierto instinto de naturalidad en pintura. «Basta de Arte —dijo a Hélène Parmelin—. El Arte es lo que nos mata. La gente no quiere hacer ya pintura: hacen Arte. La gente quiere Arte. Y se les da. Pero cuanto menos Arte hay en pintura, mejor pintura es.»

«A pesar de la práctica de una ciencia casi olvidada, puesto que es intuitiva, el arte de Picasso se une a los garabatos infantiles de un período de la vida en el que el dibujo no es todavía un lenguaje» —escribió Maurice Raynal en *Le Point* en octubre de 1952—. Al mismo tiempo, Picasso estaba terminando los murales *Guerra y paz* para la capilla de Vallauris, donde su arte «se junta con los garabatos infantiles». «Ninguna de mis pinturas —dijo Picasso a Claude Roy— ha sido pintada con tanta velocidad como la superficie cubierta... En pintura moderna, cada pincelada se convierte en un acto de precisión y es parte de una maquinaria de reloj... Quise pintar como uno escribe, pintar tan rápido como ocurre el pensamiento, dentro del ritmo de la imaginación.» Picasso empezó con *Guerra*: «Lo que primero se impuso en mi pensamiento fue la trayectoria extraña y movida de uno de esos carros fúnebres provincianos que uno ve pasar por las calles de las pequeñas ciudades, tan lastimosos y chirriantes. Empecé a pintar por el lado derecho, y alrededor de esta imagen se fue construyendo el resto de la pintura». Hay una batalla de corceles enjaezados en *Guerra*, y en *Paz*, peces en una jaula de pájaros y pájaros en un acuario: una afirmación de las posibilidades ilimitadas.

Mientras estaba trabajando en *Guerra y paz*, Picasso recalcó admirativamente a Cocteau que Matisse nunca había sucumbido a la solemnidad de lo antiguo. Y que él quería asegurarse de no hacerlo tampoco. Era una manera de superar en estrategia a la muerte. Las corridas de toros eran otra. El duelo de los toreros con la muerte era el suyo propio. «Un torero nunca puede ver la obra de arte que está realizando —dijo Picasso—. No tiene oportunidad de corregirla, tal y como tienen un pintor o un escritor. No puede oírla como un músico. Sólo puede sentirla y oír la reacción de las masas. Cuando la siente y sabe que es grande, toma posesión de él de tal manera que no le importa nada más en el mundo.»

Picasso había conocido esta urgencia y esta absorción en su estudio; la revivía en la arena, donde los premios eran la vida y la muerte. «Una cosa es —escribió Hemingway a Dominguín— vivir para ser el número uno en el mundo en su profesión y saber que es la única verdad de su vida, y otra cosa es matarse cada vez que se sale a probar esa preeminencia.» Los grandes toreros parecía como si hubieran vencido el miedo a la muerte —los más grandes quizá sí— de manera que tal vez tuvieran un secreto que pudiera proteger a Picasso contra la adversidad, o al menos contra el miedo creciente que inspiraba el adversario. Ir a una corrida significaba para Picasso observar todos los ritos, desde inspeccionar a los toros y discutir con el criador sus méritos relativos, hasta asistir al solemne ritual (para aquellos lo suficientemente importantes para ser invitados) de vestir a los matadores con sus magníficos trajes bordados. Picasso, que era un adicto a toda clase de rituales de buena suerte —incluyendo el de dejar la casa para un viaje después de haber observado un minuto de silencio todos, hasta los niños— creía que el torero perdía mucho poder si no había observado todos sus ritos.

«El primer matador —escribió Françoise en una carta— siempre brinda el toro a Picasso; es decir, que si el toro es muerto con brillantez, es para él.» En la misma carta describía una corrida que habían ido a ver a Arlés, donde uno de los toreros era Conchita Cintrón, una joven chilena que, aquel día, rejoneó dos toros a caballo: «Era muy guapa y montaba con mucha elegancia. Sólo desmontó para matar a los toros. Fue gracioso que después de la corrida, y puesto que estábamos con el mayoral, el hombre que había traído los toros desde España y que llevaba su traje característico, mucha gente me tomó por ella y me hicieron firmar autógrafos». A Picasso le había gustado esto tanto que, cuando Françoise informaba a sus «fans» de que ella no era la persona que buscaban, él le dijo que «dejara de discutir y que simplemente firmase». Ella lo hizo, y todos se quedaron contentos. «Un hombre me dijo con conocimiento de causa —recordaba Françoise— que entendía muy bien el motivo por el que quería preservar mi anonimato firmando con otro nombre, pero que a él no le engañaba: él sabía que yo era Conchita Cintrón.»

«Vais a pensar que tengo gustos sanguinarios —escribió Françoise al final de su larga carta—, pero es que la combinación de los ritos, el espectáculo, la masa, el sol y el polvo hacen una sorprendente mezcla. Además, es un poco como en los tiempos en que competía yo a caballo: hay una nobleza en todo esto, una caballerosidad delante de cada peligro real que trasciende a todo lo ordinario.»

Hacia finales de 1952, ella se estaba enfrentando a algunos desafíos extraordinarios en su vida. Más que nunca, vivía con Picasso en un estado de neutralidad armada, en el que todo lo que se quedaba sin una sumisión completa por su parte era percibido como una deslealtad capital. Un día Picasso trajo de la fundición tres pequeñas esculturas que había hecho para ser lucidas como collares y se las regaló. Françoise cogió dos de los collares, le dijo cuánto le quería, se puso uno y le dio el tercero sugiriéndole que se lo regalase a otra persona. Zette Leiris, que estaba allí de visita, dijo que le gustaría tenerlo; añadió que era realmente bonito, y en su opinión, el mejor de los tres. «Ves —dijo él—, hay gente que aprecia todo lo que hago, y que no es tan quisquillosa como tú. ¿Cómo te atreves a encontrar feo algo que he hecho yo? Bien, se lo daré a Zette y ya está.»

«Estoy muy contenta de que lo hagas —dijo Françoise—. Así ella está contenta, yo estoy contenta, tú estás contento y todo el mundo está contento.»

«Yo no estoy contento, de ninguna manera» —protestó él—.

«Estaba furioso, en realidad —recordaba Françoise—, sobre todo porque sabía realmente que la torpe cabeza del sátiro del collar era un fracaso. Pero no quería que se discutiese la calidad de su obra. Y había demasiada gente a su alrededor diciéndole que todo lo suyo era maravilloso como para no tener que serlo. La verdad, por supuesto, es que un Picasso no es tan bueno como otro; algunos eran irresistibles, otros inacabados o mediocres, y decir que eran todos maravillosos suponía dar escasa importancia a aquellos que lo eran. Pero odiaba totalmente que yo alguna vez dijese que una obra era más bonita que otra; él no podía soportar que hubiera una diferencia de calidad en sus obras. Pero sí la había, y él lo sabía, y si tú no lo sabías o fingías no saberlo, él se llenaba de desprecio por tu juicio. Así que no podías ganar; sólo había diferentes maneras de perder. Pero él tampoco podía ganar. No daba importancia a la adulación falta de sentido crítico de los que estaban a su lado, pero cuanto más dudaba de la dirección y del poder de su obra más se aislaba de todo menos de la adulación. Para establecer un criterio de valor de su obra empezó a equipararla con el dinero que podía obtener de ella. Era una mala confusión para un artista, puesto que el dinero no tiene nada que ver con el proceso creativo, pero él hablaba de su obra cada vez más en términos de dinero.»

A finales de octubre de 1952, Picasso anunció que se iba a París. Dejando a un lado su orgullo, Françoise le pidió una y otra vez que la llevara. El se negó y por primera vez ella le advirtió que cuanto más tiempo pasasen separados, más oportunidad tendría ella de dejarle. El se rió de la idea: «Nadie deja a un hombre como yo. Además, la gente que amenaza con cosas como ésta nunca las hace». Y se marchó a París. A pesar de todas las defensas de que se había revestido, Françoise estaba hecha pedazos. «De repente —dijo ella— me encontré a mí misma del otro lado de la Montaña Mágica que mi profundo amor por él había creado. Al principio de nuestra relación él a menudo hablaba de subir juntos a la Montaña Mágica. E incluso después de todas las desilusiones y el dolor del último año, todavía quedaba algo en aquella montaña. Ahora que yo estaba del otro lado de ella, y durante las semanas que Pablo estuvo en París, me di cuenta de que ya no había amor y que la Montaña Mágica había desaparecido.»

El 18 de noviembre Picasso llamó a Françoise desde París: Eluard había muerto de angina de pecho. Durante los últimos veinte años, Eluard había sido lo más parecido a un íntimo amigo en la vida de Picasso. «De hecho —dijo Dominique Eluard— fue Eluard el amigo de Picasso (al revés) sólo en la medida en que Picasso era capaz de una amistad». En su funeral, Picasso estaba sentado al lado de la viuda, ambos rodeados por las lumbreras del partido. Fue el partido el que había organizado el funeral, y se rindió homenaje aquel día al Eluard miembro del partido más que al Eluard poeta. «Todo el mundo estaba allí, componiéndose, descomponiéndose y recomponiéndose» —había escrito Eluard de la obra de Picasso—. Su muerte se añadió a la descomposición de la vida de Picasso, privándole de un amigo cuya brillantez podía respetar, especialmente desde que quiso voluntariamente subordinar su vida a la de él y ofrecerle un amor incondicional a cambio de su restringida amistad.

De vuelta a Vallauris, Picasso se enfrentó con la posibilidad de otra pérdida. Durante su ausencia Matsie Hadjilazaros había ido a quedarse con Françoise y la había instado a que dejara a Picasso. Françoise, todavía deshecha, le hizo otra advertencia a Picasso: le dijo que ya no podía encontrar ningún «significado profundo» a su unión y por lo tanto no veía «ninguna razón para quedarse». Era una advertencia, pero además una súplica encubierta de que quizá hubiera tiempo todavía para resucitar aquel significado y darle a ella una razón para quedarse. La respuesta de Picasso fue actuar como si quisiera darle una buena razón para marcharse: su vida durante los últimos meses de 1952 se convirtió en una comedia del Don Juan consentido —un hombre viejo correteando por el campo— guiado no tanto por el deseo como por el miedo a una pasión decadente. Resultó ser una ocupación infinitamente más agotadora que el trabajo, y cada vez que volvía a La Galloise, ojeroso y cansado, le preguntaba a Françoise desafiantemente si ella *todavía* quería abandonarle. «Empecé a aborrecerle —decía Françoise— y no podía perdonarle por haber convertido a un hombre a quien había amado en un hombre que aborrecía. Se había convertido en un viejo sucio, y era todo tan grotesco y ridículo que yo ya no podía estar celosa.»

Al mismo tiempo que murió su amor por él, también lo hizo su deseo, y el mero pensamiento de acostarse con él la llenaba de aversión. Encontraba sus continuas exigencias sexuales repugnantes, y deseaba su ausencia tan fervientemente como había deseado una vez su vuelta a casa. «Nuestra relación había perdido toda la poesía y el romanticismo, por lo que el sexo se había vuelto algo sórdido —dijo ella—. Este no era un progresivo deseo apaciguado y disminuido; esto era la señal verdadera de lo definitivamente que algo se había roto para siempre. Lo que lo hacía particularmente molesto era que la parte sexual de nuestra relación había sido siempre un lazo fuerte entre nosotros. Podría haber ayudado que yo hubiera ido a un psiquiatra, que quizá me habría mostrado el camino a través de los resentimientos acumulados, pero nunca lo hice. En su lugar continué sintiendo todo el peso de la injusticia. Soy mucho más joven —pensé—, y esto debería ser mi estación, mi estación de primavera; en cambio, estoy siendo pisoteada. De alguna manera tenía que abrirme paso a través de todos los pensamientos y sentimientos amargos, así que le pedí que me dejara coger a los niños y pasar los siguientes seis meses en la montaña. Pensaba que allí podría reflexionar sobre todas las cosas sin tener que enfrentarme, cada noche que él estaba en casa, tanto al punto de discusión que el sexo había llegado a ser entre nosotros, como a la constatación de que me había vuelto sexualmente alérgica a él. El se negó en rotundo.»

Siempre, desde la niñez, Françoise había tenido una creencia casi mágica en que la cualidad sagrada de ciertas cosas dependía de su integridad, del hecho de que fueran un todo. No podía soportar tener nada roto a su alrededor, tanto si era porcelana del siglo XVIII como una jarra ordinaria que le gustase. El consejo de su madre era que si ella se preocupaba tanto con las cosas que se rompían, las guardase en una caja y que no las utilizase. «Pero nunca pude hacer eso —explicaba ella—. Cuanto más me gusta una cosa más quiero usarla todos los días, y si se rompe o se hace pedazos, entonces simplemente la tiro, porque no puedo soportar la idea de que ya no es un todo. Era lo mismo con Pablo: si nuestra relación no podía tener una totalidad, si había degenerado en algo trivial, entonces preferiría no tener absolutamente nada. Siempre había sido un poco categórica en todo esto, un poco demasiado categórica y demasiado apasionada. Sé que no es un entendimiento muy juicioso de la vida, pero es como lo sentía.»

A pesar de sus sentimientos, Françoise continuó trabajando durante todo el otoño de 1952 ayudando a preparar las grandes exposiciones de las obras de Picasso en Roma y Milán. Para fortalecerse y encontrar algo de armonía cuando todo era una confusión, ella iba a la pequeña iglesia católica de la Croisette en Cannes. «Estaba muy tranquila, y siempre llena de flores —recordaba ella—. Cada vez que iba, veía a Olga rezando allí. Ella obviamente prefería esta pequeña iglesia a la ortodoxa, a donde yo esperaba que fuera. Nunca hablamos, pero en la oscuridad de la iglesia yo sentí que hicimos las paces mentalmente la una con la otra.»

En Vallauris casi nunca estaba con Picasso en el estudio o en la alfarería. Así que ella no sabía que él pasaba bastante tiempo allí charlando en castellano con una joven vendedora mientras trabajaba. Era una prima de la señora Ramié, de veintitantos años, que había sido traída para ayudar al final de la época turística, cuando no tenía otra cosa que hacer que divertir a Picasso con su castellano entrecortado. Era del Rosellón, y menuda —al menos cinco centímetros más baja que Picasso—, con grandes ojos castaños. Divorciada recientemente, se había trasladado con su hija de seis años a una casa entre Golfo-Juan y Juan-les-Pins. La casa se llamaba Le Ziquet —El Cabritillo— y el mote que Picasso le dio fue el de Madame Z. Se llamaba Jacqueline Hutin, pero poco después de su llegada a Vallauris volvió a su nombre de soltera, Jacqueline Roque, barriendo así de su vida tanto al esposo, ingeniero, como a los momentos que había pasado con él en Africa. Catherine Hutin, su hija, era el único lazo de unión con su pasado. Y Jacqueline se aseguró de que ella no representase una distracción en su aparente objetivo de distraer al señor Picasso. La señora Ramié estaba más que feliz de que su nueva vendedora ocupase su tiempo así.

Hacia finales de año, Françoise se marchó a París para discutir los decorados y el vestuario que le había encargado para el ballet *Heracles*, de Janine Charrat, que iba a estrenarse en la primavera. Mientras estaba allí escribió una carta a Picasso contándole todo lo que ella había tenido dificultad en expresarle en persona: la tragedia del amor negado en el que se había convertido su relación; los modos en que él había desfigurado y violado su cariño; su traición, no sólo a ella, sino a lo que habían tenido juntos, e incluso, más importante, a lo que su amor podía haber florecido; toda la angustia que le había causado a ella y lo que le había sido más duro de aceptar: su continua negativa a admitir la verdad sobre las otras mujeres de su vida, incluso después de haberle hecho enfrentarse a ellas. Acababa la carta diciendo que no volvería a Vallauris, ni a su lado, a menos que se lavara bien las manos, a menos que finalmente él dijera la verdad.

Picasso corrió a París. Sabía, con el instinto infalible de todos los grandes manipuladores, que había llegado el momento de una confesión teatral. Llegó a la calle Gay-Lussac sosteniendo en su mano la carta de ella. «Lo que has escrito en esta carta es verdad —admitió Picasso—. Y es una carta tan bonita, ¡escribes tan bien! Y en absoluto de una manera degradante para mí». Entonces se echó a llorar. Por primera vez desde que ella le había conocido, él lloraba y le pedía perdón. Y para demostrar lo que quería decir, le contó que en ese mismo momento Geneviève Laporte estaba esperándole en el restaurante de la esquina y que iba a bajar a decirle que todo había terminado. Se marchó, y rápidamente volvió y lloró un poco más. Pero Françoise no lloró; se dio cuenta de que tan pronto como se fue de Vallauris para ir a confesarse a ella y pedirle su perdón, él había acordado una cita para reunirse con Geneviève en un restaurante de la vecindad. Françoise no podía creer, como hubiera deseado, que el hombre que estaba delante de ella con lágrimas cayéndole por la cara fuera un hombre diferente, pero al mismo tiempo decidió, con los ojos abiertos, intentarlo otra vez. Sí —le dijo—, se quedaría y daría otra oportunidad más a su vida juntos.

Al día siguiente, a las 6 de la tarde, mientras pasaba por el restaurante, Françoise vio a Geneviève Laporte a través del escaparate, sola y esperando. Al día siguiente a la misma hora, ella seguía todavía esperando, y también al otro día. Durante dos horas esperaba cada noche al hombre que había dicho «Nunca lloro por una mujer», mientras se enjugaba las lágrimas y dejaba su «refugio de felicidad» para volver a Françoise. Nunca regresó al restaurante, que había sido uno de los lugares normales de encuentro, no porque él hubiera realmente dado la vuelta a la página, sino simplemente porque ya la había llenado con ella. Y había tantas otras esperando en la cola que no había tiempo que perder.

«Picasso era todo un sol en sí mismo —escribió Geneviève Laporte en sus memorias—. Encendía, quemaba, consumía y reducía a cenizas a todo el que se le acercase, sin gastarse a sí mismo.»

Como Marie-Thérèse antes que ella, y animada por todas las mentiras con que Picasso había alimentado el tiempo en que estuvieron juntos, inventó una mentira para sostenerse: «¿Cómo puedo encontrar el valor para escribir "Creo que fui el único amor profundo en la vida de Picasso y probablemente el último"?»

De esta forma Geneviève engrosó las filas de todos aquellos —hombres, mujeres y niños— que creyeron que ellos eran el único amor profundo de un hombre que ni siquiera era capaz de amar superficialmente y mucho menos de amar profundamente. También engrosó las filas de aquellos que, felices, se ofrecían a sí mismos como sacrificio al Sol Picasso. Mucho tiempo después de que dejara de esperar en el restaurante de la calle Gay-Lussac, todavía su breve aventura con Picasso continuaba siendo el mayor acontecimiento de su vida; para ella era claramente preferible ser «reducida a cenizas por el Sol que quedarse viva y completamente fuera de su órbita».

No era así para Françoise. De vuelta en Vallauris, ya no permitió a su vida implicarse alrededor de él y de su trabajo. Cuando por la mañana Picasso empezaba con su normal rutina de autocompasión, de qué horrible era todo y todos, ella ya no se agotaba intentando aliviar su desesperación. En su lugar estaba de acuerdo con él, e incluso predecía que todo iría probablemente peor. Y luego ella seguía con sus propios asuntos. Después de que esto continuase durante días, cuando Picasso se sintió atrapado en su propia red amenazó con suicidarse. «Esa sería ciertamente una solución efectiva a todos tus problemas —le dijo Françoise, decidida a no ser absorbida en el melodrama—, y no pienso hacer nada por impedírtelo.»

«Tú, que eras tan dulce y amable, ¿en qué te has convertido? —le preguntó él con total incredulidad—. Tú has perdido la Montaña Mágica. Solías ser una especie de sonámbula, y andabas por el alero sin darte cuenta, viviendo en un sueño o en un hechizo.»

El tenía más razón de lo que pensaba. Ella *había* estado bajo un hechizo y, de manera diferente a los demás que habían estado bajo el mismo hechizo, se estaba despertando de él. Ella *había* perdido la Montaña Mágica y, todavía insegura de su orientación sin ella, iba andando a tientas hacia la realidad. En marzo de 1953, Picasso pintó dos cuadros de Françoise atacando a su perro *Yan*, que eran expresiones violentas de cómo se sentía él, puesto que por primera vez en su vida ya no tenía el control en su relación con una mujer. «La impotencia del perro mientras yace inmóvil en el suelo —escribió Mary Gedo— puede reflejar la impotencia sentida por el propio Picasso en el enfrentamiento con su amante.»

En el mismo mes Picasso experimentó su impotencia al enfrentarse con el Partido Comunista. Cuando se había afiliado al principio, él estaba absorbido por un sentido casi ilimitado de poder; no sólo había sido tratado como un héroe entre la gente, sino que había demostrado satisfactoriamente su creencia (ante los miedos de Kahnweiler) de que, incluso en medio de la guerra fría, el mundo de la burguesía que él despreciaba compraría menos cuadros de Picasso porque era miembro del Partido Comunista. En los últimos nueve años había permitido que lo convirtieran en instrumento de propaganda comunista, asistiendo a conferencias, dejando que sus obras fueran utilizadas como carteles, suministrando dibujos y litografías para los órganos principales del partido, *Les Lettres Françaises* y *L'Humanité*. Incluso había hecho un dibujo alegre para el sesenta cumpleaños del hombre que, en poco tiempo más de lo que Picasso había sido miembro del partido, había sido responsable del asesinato de medio millón de personas. En el dibujo había un saludo a mano de Picasso: «A tu salud, camarada Stalin».

El 5 de marzo, a la edad de 74 años, Stalin murió de una trombosis que le había dejado sin habla tres días antes. Aragon envió un telegrama a Picasso a Vallauris pidiéndole urgentemente un retrato de Stalin; tenía que estar listo para el día siguiente. Trabajando con una fotografía de Stalin de 1903, Picasso realizó un dibujo que Françoise le dijo que se parecía más al padre de ella que a Stalin. «Quizá si intento hacer un retrato de tu padre —le dijo él riéndose— puede que se parezca más a Stalin.»

El dibujo se publicó en el siguiente número de *Les Lettres Françaises* bajo el encabezamiento «Lo que debemos a Stalin». El furor que siguió, aunque ciertamente risible, no fue cosa de risa para los fieles injuriados del partido, para quienes el dibujo de Picasso no había dignificado suficientemente a Stalin ni le había dado la apariencia de un hombre de Estado. El 18 de marzo, *L'Humanité* publicó en primera página un comunicado del liderazgo del Partido Comunista: «El Secretariado del Partido Comunista Francés desaprueba categóricamente la publicación en el número de *Les Lettres Françaises* del día 12 del retrato del gran Stalin del camarada Picasso. Sin cuestionar la integridad del gran artista, cuya adhesión a la causa de la clase trabajadora es conocida de todos, el Secretariado del Partido Comunista Francés lamenta que el camarada Aragon, miembro del Comité Central y director de *Les Lettres Françaises*, que por otra parte lleva a cabo una lucha valerosa para el desarrollo del arte realista, haya permitido su publicación. El Secretariado del Partido Comunista Francés desea extender su agradecimiento y felicitación a los camaradas que han hecho saber inmediatamente su desaprobación al Comité Central. Una copia de sus cartas será enviada a los camaradas Aragon y Picasso.»

Al día siguiente Aragon reprodujo el comunicado en *Les Lettres Françaises* junto con su propia autocrítica, en la que, de manera aduladora, agradeció a los líderes del Partido su repulsa y anunció que él la había hecho suya. Para completar su humillación publicó, como el Secretariado le había ordenado hacer, extractos de las cartas airadas enviadas desde las diferentes células comunistas: «No encontramos en el retrato ni el genio, ni la inteligencia siempre alerta, ni la amabilidad, ni el humor que uno ve en las fotografías del camarada Stalin...» «Nuestro camarada Picasso se ha olvidado de que él fue el primero de todos en dirigirse a los trabajadores enlutados, afectados por este terrible golpe...» «Consideramos esto como un error político, y porque amamos y honramos a Stalin, que siempre permanecerá entre nosotros, pensamos que es nuestra obligación de comunistas decirle lo que pensamos...» Había también una carta, al estilo de Salieri, de André Fougeron, el pintor modelo del realismo social del Partido, que finalmente encontró una oportunidad de dar salida a su amargura hacia el afamado colega y camarada: «Quiero dar gracias al Secretariado del Partido por su crítica del dibujo del camarada Picasso que pretendía ser un retrato del gran Stalin. La corrección era absolutamente necesaria... Mi mujer y yo nos quedamos sorprendidos cuando vimos este dibujo... La bondad y la nobleza que caracterizan a Stalin en su más alto grado estaban totalmente ausentes... Hubiera sido mejor reproducir una fotografía, o mejor aún, una interpretación honesta de un artista soviético —y afortunadamente no hay falta de ellos en la madre patria— del hombre cuya terrible muerte ha puesto de luto a la humanidad consciente y que nos ha hecho apretar los puños antes de volver a la lucha».

Picasso permaneció mudo. Unos años más tarde, le dijo a Cocteau que «un gobierno que castiga a un pintor por elegir el color equivocado o la línea equivocada sería un gobierno impresionante». Era una frase que expresaba de manera extraña la parte culpable de él que quería ser castigada y se enfrentaba con cualquier persona lo suficientemente poderosa para hacerlo. No se dio de baja del Partido, ni se defendió a sí mismo ni a la libertad artística.

Sólo después de que se apagó el alboroto, Picasso preguntó con rabia: «¿Cómo puede Aragon, un poeta, aceptar la opinión de que es el público quien debe ser el juez de la realidad?». Pero en los momentos de controversia él se refugiaba en su respuesta rutinaria concerniente a cualquier problema con el Partido: «Siempre hay peleas dentro de una familia». Cuando la prensa se acercó a Vallauris y rodeó La Galloise, el artista rebelde se transformó significadamente en un miembro obediente del Partido. «Supongo que el Partido tenía derecho a condenarme —dijo a los reporteros que se reunieron allí—, pero es ciertamente el resultado de un malentendido, porque yo no tuve mala intención. Si mi dibujo sorprendió o desagradó a alguien, eso es otra cosa distinta. Es un asunto estético que no puede ser juzgado desde un punto de vista político». Hubo muchos que se negaron a considerar al miembro Picasso y su continuo apoyo al Partido Comunista como una excentricidad caprichosa del artista. Breton fue uno de ellos. Cuando Picasso se lo encontró en una ocasión en Golfo-Juan, incluso se negó a estrecharle la mano: «No apruebo tu afiliación al Partido Comunista ni la posición que has tomado en lo concerniente a las purgas de intelectuales después de la Liberación». Pero Breton no estaba ya a su alrededor, ni Giacometti, ni Braque, ni ningún otro que pudiera levantar una voz desvergonzadamente disidente.

A finales de marzo, Françoise se marchó a París para trabajar en los decorados y el vestuario de *Heracles*. En sus ratos libres veía mucho a Kostas Axelos. «Estaba tan sola entonces que él era realmente un don del cielo —dijo ella—. Al principio parecía todo tan natural y oportuno, que no pensé a dónde podía conducir.» Luego, poco a poco, él empezó a combatir todas las razones que ella alegaba para quedarse con Picasso. Cuando hablaba de sus obligaciones, él le decía que era una cobarde, que evitaba todas las ansias de su propia generación al vivir con alguien que se había situado por encima de la lucha. Cuando ella hablaba de estar preparada para sacrificar su felicidad personal, él le decía que de hecho estaba escogiendo lo que más le convenía: una posición que le daba mucho poder gracias a su asociación con Picasso. Cuando ella hablaba de no defraudar a los niños, él hablaba de su traición a sí misma. Entrenado en las artes de la persuasión, Axelos era un formidable contrincante. «Luchó contra mí centímetro a centímetro, personal y filosóficamente —dijo Françoise—, con todas las armas de su arsenal. Grecia siempre me había fascinado, y allí estaba Kostas, el joven y guapo príncipe filósofo.»

A finales de abril, Picasso llegó a París con los niños. Sabía que había recuerdos poderosos de la vida que habían construido juntos, y poderosos aliados que silenciosamente defendían su caso. Asistió obedientemente al estreno de *Heracles*, sentándose en un palco con Françoise y Maya. Al final de la representación, Françoise abandonó el palco para ir a escena y recibir el saludo con el coreógrafo y el director de la orquesta. Kostas Axelos la estaba esperando detrás del telón; la besó, la felicitó y desapareció en la noche, mientras Françoise se iba con Picasso a una cena de gala organizada por André Boll, que había escrito el guión del ballet, en su piso del Quai d'Orsay. Fue su noche, y los invitados se reunieron a su alrededor para cumplimentarla y felicitarla. Picasso decía en voz alta para sí mismo: «Los ballets siempre me traen mala suerte».

En la casa de la calle Gay-Lussac, Picasso estaba escribiendo poemas en castellano, llenos de soledad, violencia y dolor: «Las pequeñas mulas negras del entierro empezaron a tocar las campanas y a enfriarse en el fuego... sentadas en una esquina o más bien yaciendo desnudas con los extremos boca arriba despedazados por los colores del arco iris... Un niño de cartón vomita su vestido de torero y enciende las bombillas de petróleo de la carretera... La rueda planta sus dientes en la herida y hunde su mirada en el pozo del ojo... Las uñas golpean el tejado con un sol».

«Hubo de repente un vuelco total a lo que había sido nuestra vida —dijo Françoise—. El era ahora quien estaba esperando a que yo estuviera lista para regresar a Vallauris, y cuando le dije que quería pasar más tiempo en París sola, cogió a los niños y volvió al sur de Francia para esperarme allí. Kostas y yo seguíamos siendo amigos íntimos, pero nada más. Una noche de junio, poco después de que Pablo se marchara, fuimos a ver la película de Jacques Tati *Les vacances de monsieur Hulot*. La encontré tan absurda que nos fuimos a la media hora. Esa noche significó el punto culminante de nuestra relación. Kostas dejó a un lado sus argumentos filosóficos y se dirigió a mí como de hombre a mujer. Me dijo que me amaba y que aun cuando yo no le amase todavía, él podía por el momento amar por ambos y ayudar a sostenerme mientras reunía fuerzas suficientes para dejar a Pablo. Nos convertimos en amantes, creo que no tanto por un irresistible deseo sexual como porque él quería asegurarse, antes de que yo volviera a Vallauris, de que nuestra relación era verdad a todos los niveles, incluido el sexual.»

Tan pronto como volvió a Vallauris, Françoise se vio inundada de telegramas y cartas de Axelos, todas con la intención de reforzar su propósito y todas con el mismo final: «Te amo». Picasso le preguntó qué estaba sucediendo; ella se lo dijo y añadió que había decidido marcharse con los niños el 30 de septiembre. «Había llegado finalmente a la conclusión de que mi vida con Pablo era como una enfermedad —dijo ella— y sabía que tenía que eliminar todo lo que tuviera enfermo en mí.» Matriculó a los niños en la Escuela Alsaciana de París e incluso hizo las reservas del tren, pero Picasso seguía convencido de que todo era una representación. Repetía una y otra vez que nadie dejaba a un hombre como él, un desafío que sólo consiguió aumentar sus deseos de marcharse: «Espera y verás —le dijo al final— si nadie deja a un hombre como tú; en tal caso vas a ver algo que no has visto antes».

Fue un verano caluroso y tenso, mitigado por la presencia de Maya, quien supo comprender a ambos y tuvo la habilidad de bromear y ridiculizar todos los momentos violentos que atravesó la familia. La llegada de Totote Hugué, la viuda de Manolo, y de Rosita, la hija adoptiva, también ayudó a disminuir la tensión por un tiempo. Habían traído con ellos a los condes de Lazerme, que inmediatamente invitaron a Picasso y a Françoise a visitarles en Perpignan. Françoise declinó la invitación. Picasso había hecho clara su fascinación por la alta y guapa condesa, y Françoise no veía ninguna razón para añadir excitación, con su presencia, a la nueva persecución de Picasso.

El 12 de agosto, Picasso llegó a Perpignan con Paul y Maya. Fue lo más próximo que estuvo a España desde hacía tiempo. «Le gustaba subir por los senderos de las montañas —decía Paule de Lazerme, que a menudo le acompañaba— y quedarse por un tiempo en una meseta desde donde pudiera ver España. El seguía hablando de su país, y le gustaba escuchar a la gente que hablaba catalán en las calles.» Tanto Paule como Jacques Lazerme estaban conmovidos con su presencia, y para inducirle a volver, transformaron el ático de su enorme casa en un estudio para él. «Todo lo que tocaba tenía vida —recordaba melancólicamente Paule de Lazerme—. Todo era siempre diferente con él, improvisado de un día para otro. No puedo entender por qué Françoise quería dejarle.»

Picasso pasó parte de agosto y septiembre yendo y viniendo de Vallauris a Perpignan, con algunos viajes a Nimes y Collioure para las corridas de toros. Volvió a casa, de su último viaje a Perpignan, el 29 de septiembre y alardeó de que había sido inseparable de la señora Lazerme una vez más. Aquella noche y la mañana siguiente, cuando Françoise estaba ocupada haciendo las maletas en el último momento para ella y los niños, Picasso se negó a enfrentarse con el hecho de que en verdad se marchaba Françoise, como si su negativa a admitir la realidad con su atención fuera a alejarla. Contempló silenciosa e incrédulamente cómo el taxi llegó para llevarles a la estación, cómo el chófer les ayudó a meter las maletas, y primero los niños y después Françoise entraban en él. Desde el primer momento se había negado a decirles adiós; mientras el taxi se alejaba, él pronunció sólo una palabra, «Merde», y se volvió a casa.

Ahora, con su pena, él, que en el pasado no había hablado a nadie de su vida privada, habló de ella a todo el mundo. Y ahora la corte, que había puesto caras largas a los rumores de la aventura de Françoise con Axelos y la decisión de ella de abandonarle, sacó sus cuchillos. Alimentar la ofensa a Picasso se convirtió en la ocupación preferida de aquel otoño. Françoise fue acusada de egoísmo, de perversidad y, lo que era peor, de haber fracasado al no comprender al genio de nuestro tiempo. «El cotilleo sobre ella era horrible —decía Dominique Desanti—, pero lo que surgió de todo era que *tú no dejas a Picasso así como así*. Ella no era una íntima amiga entonces y yo no sabía las razones que había tenido para dejarle, pero sentía como una mujer y comprendía su lucha por ser ella misma. Puesto que yo no pude soportar vivir con Picasso durante una semana, la había realmente admirado a ella por soportarle durante años. Y también sabía que en un momento determinado, si ella quería sobrevivir, dejando aparte su desdoblamiento y su desarrollo, tenía que dejarle.»

La otra voz que se levantó en defensa de Françoise fue la de Elsa Triolet, la mujer de Aragon. Dijo a todo el mundo que dejar a Picasso era lo más valiente que Françoise podía haber hecho, y le dedicó su último libro con la siguiente dedicatoria: «Nadie ama ya a nadie, todos se acuestan con todos: parece que no es así, pero es realmente así».

La historia de su separación llenó las columnas de cotilleo, sobre todo por la presencia de un joven y apuesto griego detrás del asunto. «Su cita favorita —decía Françoise— era una observación que nunca hice: No podía continuar viviendo con un monumento histórico». De hecho, ella no hizo caso de las peticiones de entrevistas y se concentró en organizar su vida sin Picasso. No todo fue como esperaba. Había pedido a Picasso que no hablara con nadie de sus planes, que intentaran encontrar un medio de relacionarse el uno con el otro, con amistad, si no era ya con amor. Pero ella pronto se dio cuenta de que esto iba a ser imposible. «El no podía soportar la idea de que yo era libre de dejarle, de que no dependía mi vida de él. Era un sádico, y lo que le hacía gozar era apretar el tornillo, y aquí yo le estaba privando de esa oportunidad. Además él, que siempre necesitó comprender las cosas con profundidad, que como un niño desarmaba todo para ver lo que había dentro, sentía que yo me había apartado de la escena antes de que él hubiera terminado conmigo. Nadie se lo había hecho antes. Era la derrota, la vejez, la muerte.»

La decisión de Françoise de abandonarle mientras la muerte se estaba aproximando era realmente un símbolo de la vida, que le dejaba; de la muerte, que desplazaba la vitalidad que siempre había sido su sello. El hablaba de su traición a todo aquel que le escuchaba, como si dejando salir su cólera pudiera vencer su pena. Pero sufría a solas, y el 28 de noviembre, un mes después de cumplir 72 años, dejó de hablar, tomó su desesperación en la mano y empezó a trabajar. Trabajó fervientemente y en poco más de dos meses realizó 180 dibujos. Michel Leiris llamó a esta serie «un diario visual de una temporada odiosa en el infierno, una crisis de su vida privada que le condujo a cuestionarse todo».

Françoise había lamentado su transformación, en los últimos años de su vida juntos, en un viejo repelente que ella odiaba. Ahora que ella se había ido, como en una revelación nacida del horror frío de su angustia, él se vio cruelmente como ella le había visto, e incluso peor. En sus dibujos confesionales, no es sólo un viejo grotesco, sino feo y enano, fofo y patético, intentando capturar a través de su arte la vitalidad que le eludía en su vida. El es extremadamente habilidoso, un buen artesano, lleno de imaginación y sabiduría en todas las maneras en que se retrata a sí mismo y a las modelos, pero hay un aire de insensatez que ronda toda la empresa de su arte. Y la mujer joven, el eterno femenino de diferentes apariencias y disfraces, lo sabe. Ella se divierte con él, pero no puede tomarle en serio como artista, y ciertamente no como amante; goza más jugando con un mono o abrazando a un gato contra su piel. Como Rebecca West escribió, «suave contra su carne blanda, su energía nerviosa crujiendo contra su serenidad, su facultad de aceptación que lleva al animal a su unión con ella misma. Ella es tan fuertemente afirmativa como una diosa griega». Es el árbol de la vida y el árbol del conocimiento. Y la desesperación del pintor no supone que él sea un viejo gritando contra el tener que dejar «su sitio en el festín del placer sensual». Es algo mucho más trágico: que él es un viejo que morirá sin saber por qué ha vivido y por qué ha pintado. Ni sus dotes, ni sus aventuras sexuales incesantes le han aproximado al secreto de la vida, que la mujer joven parece que conoce y de donde parece sacar su serenidad y su profunda aceptación de todo, incluyendo al pequeño y absurdo viejo.

«Nunca Picasso se parecerá a la fotografía de Matisse, con su blanca perilla, gafas y sombrero, ofreciendo una dulce visión de la edad plácida de la vejez en armonía con el mundo —escribió la historiadora de arte Christine Piot—. Los amantes españoles siempre tuvieron los reflejos arrogantes del desafío y la insolencia, en la mejor tradición del espíritu anarquista e impertinente de don Juan delante de la estatua del Comendador al final de la ópera de Mozart.» La serie de dibujos que terminó el 23 de febrero de 1954 fue lo más próximo que estuvo Picasso al arrepentimiento, al fin de la autodecepción y a la voluntad de enfrentarse a la dolorosa realidad. Como había escrito en 1935, llegar a «lo profundo del pozo» podía llevarle a alcanzar el paraíso. Podía haber sido el primer paso de un viaje hacia la verdad, de cuya existencia él dudaba o negaba; hacia el secreto de la vida, que continuaba intentando descifrar «como un criptograma»; hacia un cierto entendimiento y dominio de sí mismo; hacia lo fundamental en la pintura, que él todavía deseaba. Podía haber sido, pero no fue.

En Navidades, Françoise había llevado a los niños a Cannes, y la señora Ramié los había recogido en la estación y los había llevado a la casa de su padre. Poco tiempo antes de las vacaciones de Semana Santa Françoise le escribió y le dijo que le gustaría llevar ella misma a los niños y verle a él. Esta vez, después de que parte de su cólera se sublimase a través del trabajo de los últimos meses, Picasso estuvo de acuerdo en que ella y los niños pasaran las vacaciones de Semana Santa con él. Había oído que había roto con Axelos y esto había sido un bálsamo para su ego. «Sabía —le dijo a Françoise— que no serías capaz de entender a otro que no fuera yo.» La verdad era que ella no se había sentido preparada para un nuevo compromiso. Axelos había querido irse a vivir con ella, mientras que Françoise necesitaba su propio tiempo para curarse. «En lo que a mí respecta —dijo ella— mi relación con Kostas ha sido un gran éxito: ha reforzado el propósito de seguir con mi vida.»

Pero no vio razón para decirle todo esto a Picasso, puesto que ya se había decidido. El continuó con su monólogo, pintando un cuadro progresivamente más horrendo de la vida sin él: «Te voy a hablar ahora como el viejo filósofo habla al joven: no importa lo que hagas de ahora en adelante, tu vida siempre será vivida frente a un espejo que te recordará todo lo que has vivido a través de mí... Esto es por lo que yo te he dicho que estás vagando por un desierto, aun cuando pienses que te estás moviendo hacia la comprensión y la comunicación. Tú iniciaste tu vida conmigo, yo puse mi propio sello de ansiedad en ti y tú lo asimilaste. Así que ahora, incluso una persona que pueda desear dedicarse únicamente a ti no sería capaz de salvarte más de lo que tú fuiste capaz de salvarme a mí».

Era una profecía, una maldición, una extraña admisión de que él necesitaba salvarse, y, sobre todo, un preámbulo poderoso para pedirle a ella que volviera y empezaran su vida juntos como amigos, sin preguntas de lo que habían hecho ambos fuera de La Galloise. Françoise había oído que Jacqueline Roque había pasado mucho tiempo con Picasso. Jacqueline aparentemente había dicho a muchos amigos suyos de diferentes maneras que Picasso, a su edad, no debía quedarse solo, que él necesitaba a alguien que le cuidase, y que ella era la persona más adecuada para hacerlo. Françoise se dio cuenta también, cuando fue a su armario, de que sus trajes habían sido usados y que los corchetes de su traje de gitana habían sido cambiados para encajarlo en alguien más ancho. Pero Picasso claramente había decidido que no estaba preparado para tomar una enfermera y guardiana, y Jacqueline no fue vista en ningún sitio durante las dos semanas que Françoise pasó en Vallauris con Picasso y los niños.

«Es terrible que tengas que irte otra vez —dijo él cuando se acercó el momento de que se marcharan—. No hay nadie a quien pueda hablar sobre lo que más me interesa de la manera en que hablo contigo. La soledad es mucho más grande desde que te has ido. Podemos haber tenido nuestros problemas al vivir juntos, pero me parece a mí que va a ser mucho más difícil vivir separados.»

Françoise se conmovió. No había esperado que él fuera capaz de admitir tanto. Ella también sabía que, aunque creyera que un día conocería a un hombre al que podría amar tan profundamente como había amado a Picasso, todavía no lo había conocido. Pero ¿podía confiar en él? Esa era la pregunta que continuaba haciéndose a sí misma. ¿Podría creer que éste era un cambio verdadero y que no habría más trucos? Había demasiadas señales para que ella pudiera creer que él era efectivamente incapaz de terminar con los viejos juegos que había utilizado tan bien en el pasado.

Antes de que Françoise llegara, Picasso había empezado a hacer retratos de una mujer joven con una rubia cola de caballo, Sylvette David. La había visto por primera vez en la calle del Fournos, enfrente de su estudio, donde ella estaba ayudando a su novio francés Toby Jellinek a hacer unas extrañas sillas con hierro, cuerda y fieltro. Ahora que Françoise estaba allí, Picasso intentó utilizar la presencia de una nueva mujer en su arte para encolerizarla y llevarla a la sumisión. Dándose cuenta de que él no había cambiado, Françoise le instaba a que hiciera retratos más bonitos de la preciosa chica de la coleta, y escrupulosamente evitó estar cerca siempre que sabía que Sylvette estaría allí posando. «No pareces triste en absoluto —se quejó él, por primera vez engañado por su propio juego—. Debes negarte a admitir otra cara en mi pintura. Si supieras cómo sufrió Marie-Thérèse cuando empecé a hacerle retratos a Dora Maar y qué triste estaba Dora cuando volví a pintar a Marie-Thérèse... Pero tú, tú eres un monstruo de la indiferencia.»

El seguía creyendo que una combinación de celos, temor a la vida sin él y la propia confesión de su necesidad de ella le devolverían a Françoise. Para asegurarse de que tenía motivos para estar celosa, él le pidió que fuera a visitar a la señora Ramié, que, como él sabía que haría, le dijo a ella que su sitio estaba ya cubierto. De hecho, la señora Ramié fue por primera vez abiertamente despreciable. «Me dijo —recordaba Françoise— que yo era una desvergonzada, que no tenía compasión, que el pobre hombre había ya sufrido lo suficiente en mis manos y que debería dejarlo solo y no regresar nunca.»

Como Françoise sabía muy bien por entonces, ésta era la postura oficial de la corte de Picasso. Ella regresó a París aliviada, porque ya no tenía que vivir en aquella corte, pero esperanzada de que ella y Picasso pudieran ser de verdad amigos. El le había dicho, después de todo, que «la recompensa del amor es la amistad», y habían acordado que a principios de julio ella traería a los niños otra vez y se quedaría un mes.

Poco después de que Françoise volviese a París, James Lord fue a visitar a Picasso. Venía de Ménerbes, donde había estado con Dora Maar; ella no había visto a Picasso por algún tiempo, y le había dado a Lord un trozo de metal viejo —el tipo de chatarra que a Picasso le gustaba coleccionar— para que se lo diera a él como regalo. A Picasso no le hizo gracia. Lord regresó a Ménerbes y unos cuantos días más tarde, en el camino de regreso a París, él y Dora pararon en Argilliers a cenar y pasaron la noche en el Château de Castille, la casa del historiador de arte Douglas Cooper. Antes de entrar en la casa, supieron, por el coche que estaba aparcado en la entrada, quién estaba allí. Era domingo y supusieron que Picasso había venido a una corrida de toros de los alrededores. «Bueno, ¿estáis casados?» —preguntó Picasso sarcásticamente, tan pronto como Lord y Dora entraron—. «No, sólo estamos comprometidos» —dijo Dora con una sonrisa, intentando como nunca no dejarse, al menos verbalmente, vencer por él.

«Su comportamiento en general aquella noche, que fue bastante larga —dijo Lord—, fue muy, muy perverso. Primero intentó convencer a todo el mundo para que le acompañaran a Perpignan. Después, durante la cena, fue extremadamente desagradable conmigo y siguió diciéndole a Dora lo extraño que era para él no tener una mujer en su vida en ese momento. "No hay ninguna mujer, estoy sin mujer" —repetía constantemente—. La consecuencia, obvia para todo el mundo, era la de que probablemente él y Dora podrían juntarse otra vez. Entonces, de repente, después de cenar, se volvió a ella y le comunicó afectuosamente: "Quiero estar a solas contigo. Tengo cosas que contarte y no quiero que nadie nos oiga. Vamos allí." Señaló un rincón lejano del salón principal, que, casualmente, estaba decorado completamente con sus pinturas. Era un sitio para que Picasso atacara, lo que añadió un significado a su presencia allí.»

Todos estaban mirando, fascinados por ver lo que pasaría después. Picasso, sabiendo que todos los ojos estaban clavados en ellos, apuró cada parte del drama fuera de la situación. Cuando Dora se levantó con obvio placer de su asiento, él puso su brazo alrededor de su cintura y la llevó lentamente al lejano rincón de la habitación. «Cuando llegaron allí —continuó Lord— sin decir una palabra, Picasso volvió rápidamente a su asiento, dejando a Dora en aquel lugar. Ella tuvo que volver sola y sentarse donde había estado antes, mientras él se volvía bruscamente a Paul, que le había traído hasta allí, y le decía "Vamos, que nos marchamos". Sin decir adiós salió de la habitación. Todos le siguieron, dejándonos solos a mí y a Dora. Fui hacia ella, y la rodeé con mis brazos. Ella estaba obviamente muy triste y no quería hablar de ello. ¡Había sido algo tan cruel, tan hiriente, tan humillante, tan innecesario! Fue la última vez que se vieron; a pesar de todo, Dora siguió teniéndole una gran admiración.»

Picasso le había dicho a Dora que no había ninguna mujer en su vida; la verdad es que había muchísimas, pero ninguna era la amante oficial. Sin embargo, él pasaba mucho tiempo con Jacqueline. El 3 de junio terminó tres retratos de ella, todos titulados *Madame Z: con las manos cruzadas, con flores, con las piernas cruzadas.* Madame Z era Jacqueline a modo de esfinge, con un cuello muy largo, que ella nunca había tenido, y con una hoja de acero brillando en sus ojos de un modo que ella no había mostrado en su comportamiento. Pero con la llegada de Françoise en julio, Madame Z volvió al estado letárgico del harén, relegada al fondo, mientras la esposa pródiga estaba viviendo en La Galloise.

Picasso estaba en un constante estado de agitación. Actuaba como si supiera que la arena estaba corriendo deprisa a través del reloj de su relación con Françoise y odiaba gastarlo durmiendo. Anunció a Françoise que «esta vez vamos a divertirnos» y pasaron muchos días en las corridas de toros de los alrededores, y largas noches en las salas de fiestas de Juan-les-Pins. Picasso no volvía a casa hasta que había amanecido, y entonces declaraba que no tenían motivo para irse a dormir, y continuaban así el día siguiente.

En todas las ocasiones estuvieron acompañados por un séquito de una docena aproximadamente de personas, incluyendo a Jacqueline y un grupo de españoles a quienes Picasso había confiado la tarea de organizar la primera corrida de toros que tendría lugar en Vallauris. La mayor parte del tiempo, Jacqueline estaba contenta de ser tratada como si no existiera. Dos veces, sin embargo, ella habló claro. La primera vez fue en Bandol, cuando Picasso insistió en que Françoise compartiera su habitación del hotel con él, como ella siempre había hecho cuando viajaban. Jacqueline, que sabía que habían estado durmiendo en habitaciones separadas en La Galloise, encontró esta última afrenta demasiado dura de tragar; pero en vez de decirle a él que era muy doloroso para ella, le dijo que era «inmoral».

La segunda escena tuvo lugar en la mañana de la corrida de toros. Se iba a celebrar en honor a Picasso y había sido publicado como un gran acontecimiento, con prensa y fotógrafos por todas partes. Todos sus hijos estaban allí, y también muchos amigos, incluyendo Cocteau, Jacques Prévert y André Verdet, y centenares de turistas. Picasso había pedido a Françoise que le hiciera «un último favor». «Te vas a ir de mi vida... Pero mereces marcharte con los honores de guerra. Para mí el toro es el símbolo más grande de todo, y tu símbolo es el caballo. Quiero que los dos símbolos se enfrenten uno a otro en ese sentido ritual.» Françoise estuvo de acuerdo en actuar en la ceremonia de inauguración de la corrida montada a caballo.

Poco antes de salir hacia la plaza, Jacqueline llegó a La Galloise, molesta y gritando. Le suplicó a Picasso que cancelara la aparición de Françoise. «Es tan humillante —le dijo— y tan ridículo para todos nosotros. ¿Qué es lo que pensará la gente? ¿Qué dirán los periódicos?» Cuando quedó claro que a Picasso no le importaba lo más mínimo lo que dijeran los periódicos o cómo se sintiese

Jacqueline, ella rápidamente cambió el tono y se arrastró por su perdón. «Tienes razón —añadió ella—; en esto, como en todo lo demás, tienes mucha razón.»

Jacqueline tomó asiento a su lado en la tribuna, con Cocteau del otro lado, y contempló cómo Françoise hacía su espectacular entrada a caballo, recorriendo la plaza y haciendo representar al caballo los movimientos de danza rituales, y luego leía el bando de que la corrida que estaba a punto de empezar era en honor a Pablo Picasso. Hubo gritos de «¡Viva Pablo!» de los dos mil espectadores. El estaba rebosante de felicidad: a la cargada atmósfera de la corrida y el circo, él había añadido su diversión favorita: un triángulo, con Françoise abriendo la corrida, mientras Jacqueline estaba sentada a su lado. «Estuviste maravillosa —dijo Picasso a Françoise al final—, absolutamente sublime. Tienes que quedarte esta vez. Tú eres la única que me divierte. Llevas contigo la atmósfera correcta. Me moriré de aburrimiento si te vas.»

Pero Françoise sabía que ella era «maravillosa» y «absolutamente sublime» porque le había desafiado a él, porque se había marchado, porque había hecho al caballo cumplir sus órdenes, porque se había negado a subordinar su vida a la de él; porque ella tenía su propia ventana a lo absoluto en un momento en el que él dudaba si todavía tenía la suya. Esa era la «correcta atmósfera» que llevaba dentro de ella y que se llevó cuando se marchó aquella noche a París.

15

TODOS LOS LEONES SE HAN ENCOGIDO

«Picasso estaba triste, triste como sólo un español puede estarlo —dijo Hélène Parmelin—. Y por eso comenzó la procesión de mujeres. Era horrible. La gente venía a vernos para hablarnos sobre unas y otras a las que él debería conocer. Me acuerdo que un día una mujer famosa vino a verme para decirme que como yo era una buena amiga de Picasso tenía que hacer algo en su favor, y que ella conocía una joven española de muy buen tipo, inteligente, que sería muy buena para él. Le dije que ésa no era mi profesión. Era increíble lo que estaba sucediendo.»

«Era inimaginable, extraordinario —le hacía eco Dominique Eluard—. Un día, saliendo de su estudio vi que toda la corte había estado esperando para ver si yo era la elegida.» La prensa tomaba parte en el juego, publicando fotografías de cada posible candidata. «El pintor no dice nada —decía uno de los artículos—, pero ha estado posando para él una joven italiana, mademoiselle Balmas. Y algunos declaran: He aquí la futura madame Picasso».

Las niñas vigilaban y esperaban. «Acepté a todas ellas —dijo Maya—, las que llevó a casa y las que recogió mientras viajábamos. Acostumbraba a decir: «Esta es la última por hoy». Como llegaban más y más jóvenes, yo bromeaba con alguna de ellas». Paul era menos generoso: «Prostitutas para papá» —era su conclusión—.

Con Françoise ausente, Picasso no podía permanecer en Vallauris, así que se trasladó a Perpiñán para el resto del verano. De hecho consideró la posibilidad de establecerse permanentemente, y los comunistas de allí hicieron todo lo posible para convencerle en tal sentido. El 19 de agosto pintó un bello retrato de su anfitriona, la condesa de Lazerme, pero los rumores afirmaban que era Rosita Hugué con quien quería casarse. En cuanto a Jacqueline, Paule de Lazerme la describió como «vigilándole como un zorro, claramente ansiosa de ocupar la plaza vacante». Picasso la trataba pésimamente cuando se preocupaba de prestarle atención, y lo hacía en forma tan humillantemente clara, que un día ella decidió finalmente volver a su casa. Picasso bajó a almorzar, y durante el almuerzo Jacqueline le llamó desde la calle. «Amenaza con suicidarse —anunció Picasso cuando regresó a la mesa— si no regresa a Perpiñán.» Le contestó que hiciera lo que quisiera, con tal de dejarle en paz. Aquella noche Jacqueline regresó: «Me dijiste que hiciera lo que quisiera, así que aquí estoy».

Su conducta durante el resto de su estancia en casa de la condesa mostró que su regreso a Perpiñán era la última ocasión en que hizo lo que le gustaba. Comenzó a llamarle «Monseñor», tratándole en tercera persona, le besaba la mano y estaba dispuesta a extenderse como una alfombra para que monseigneur la pisase. Estaba claro que había decidido aceptar cualquier humillación, sofocar cualquier dolor y someterle su vida y su voluntad con tal de estar a su lado. De modo más significativo, cuando la llevó con él a la calle Grands-Augustins, Picasso decidió aceptar su ofrenda. Habiendo fracasado como diosa, pasó a ser, para conseguir vivir en paz, un felpudo. Pero era la paz del sepulcro, porque él era un hombre cansado. «Françoise —explicó Dominique Eluard— le había pedido a Picasso que alargase una relación que había alcanzado un alto nivel y en la que ella era mucho más que una simple querida y vestal. Pero no creo que en definitiva él fuese capaz de tener otra actitud, excepto la machista, con una mujer.»

En octubre Picasso pintó *Jacqueline en una mecedora,* una Jacqueline achaparrada, de aire matronil, un largo camino desde la Jacqueline del anterior junio, cuando la había pintado idealizada, con larga nariz y trazas de esfinge. Proféticamente, pintó a Jacqueline como no era todavía, pero como llegaría a ser. Ella había escogido su destino, y él había elegido un guardián para cercar el mundo mientras pintaba sin otro objetivo que el de mantener en jaque a la muerte. Ella era una mujer que él podía dominar, pero no había tenido en cuenta la tiranía del decaimiento.

Vallauris estaba lleno de recuerdos que Picasso quería apartar. Los Lazerme fueron a visitarle a la calle de Grands-Augustins, y les pidió que le buscasen una casa en Perpiñán. «Me lo dijo delante de Inés y Sabartés —escribió Jacques de Lazerme a Totote y Rosita— y que solamente estaba a gusto en Perpiñán y con nuestros amigos del Rosellón. Veinte, treinta, cuarenta o cincuenta veces me pidió que le encontrase una casa en Perpiñán... Durante nuestra estancia Pablo nos dio pruebas de su confianza y afecto que todavía nos emocionan. No quería que nos fuésemos; no quería que le dejásemos.» Sigue diciendo que ya había escrito a Picasso y le había enviado fotografías de una sensacional casa de estilo Luis XV, como la de ellos, pero mayor, con más de treinta habitaciones. Pero Picasso nunca volvió a Perpiñán, y aunque los Lazerme le visitaron algunos meses después, sus cartas a Totote y Rosita cada vez estaban más llenas de quejas: «No tenemos absolutamente ninguna noticia de Picasso», y «No hemos sabido nada de Pablo».

El 3 de noviembre, Picasso recibió la noticia de la muerte de Matisse. En vano la hija de Matisse, Marguerite Duthuit, intentó hablar con él por teléfono sobre la organización de las exequias. Nunca quiso acudir al teléfono ni tampoco ir al funeral. Matisse también formaba parte de lo que había dejado en la ribera lejana, para no volver. «He elegido —había dicho Matisse poco antes de su muerte— dejar dentro de mí los tormentos y las congojas para dar testimonio solamente de la belleza del mundo y la alegría de pintar.» Picasso había dicho escuetamente: «En fin, sólo hay un Matisse». Sabía que Matisse era «un dueño de claves», en el sentido en que Breton llamaba a los aficionados y artistas inspirados. Sabía también que al asentarse con Jacqueline había sacrificado la esperanza de acceder, a través del amor, al secreto de la vida, y cada vez estaba más seguro de que no podría hacerlo a través del arte. Pero continuó trabajando.

«Cuando murió Matisse —contó Picasso a Penrose— me dejó de herencia sus odaliscas.» Y el 13 de diciembre comenzó a trabajar en una serie de 15 óleos y dos litografías, todo ello variaciones del tema de *Las mujeres de Argel,* de Delacroix. Las mujeres del harén de Delacroix se transformaron en otras tantas Jacquelines, pero todas las dislocaciones, yuxtaposiciones y descomposiciones no podían ocultar, como escribió Anthony Blunt, que allí había «una cierta dilución de la capacidad imaginativa y una cierta monotonía de la idea bajo la aparente variedad».

«Me pregunto qué diría Delacroix si viese estos cuadros» —dijo Picasso a Kahnweiler un día en su estudio—. Kahnweiler pensaba que lo habría comprendido. «Sí, lo mismo pienso.» Picasso convino: «Yo le diría: Usted tenía a Rubens en la mente y pintó un Delacroix. Yo le tenía a usted en la mente y pinté una cosa diferente». Cuando Kahnweiler volvió al estudio algunos días después, Picasso le enseñó otro de los cuadros de la serie. «A veces pienso que quizá éste es una herencia de Matisse. ¿Por qué no podríamos heredar de nuestros amigos, después de todo?... No sabes nunca de dónde salen tus obras. Empiezas un cuadro y a veces resulta completamente distinto, y es extraño lo poco que interviene en eso la intención del artista. Es verdaderamente molesto: tienes siempre un crítico cerca diciendo "No me gusta eso", o "Pienso que es diferente". El coge tus pinceles y se hacen tan pesados como el plomo. No sabe de qué está hablando, pero siempre está ahí. Rimbaud tenía razón cuando decía "Yo soy otro".»

En diciembre de 1954, mientras Picasso estaba trabajando en *Las mujeres del harén*, Paul yacía en un hospital en grave peligro de muerte a causa de un embolia que le sobrevino como consecuencia de una operación de hernia. El doctor Blondin, el cirujano que lo había operado, envió un telegrama a Picasso urgiéndole a que visitase a su hijo. Picasso no le contestó. El 11 de febrero de 1954, cuando Paul estaba todavía en recuperación y a su padre le faltaban tres días para terminar su *Mujeres en Argel,* Olga murió de cáncer en un hospital de Cannes. Estaba sola cuando falleció, y en su entierro sólo estuvieron presentes Paul y los Ramiés. Picasso se había quedado en París.

En su estudio de la calle Grands-Augustins recibió la visita de Rosamond Bernier, que había regresado de Barcelona trayendo las fotografías de la familia de Picasso que residía allí, hechas en casa de la hermana de Pablo. Hacía 19 años que Picasso no veía a Lola. «¡Pero si están mucho mejor que yo!» —exclamó—. Cuando vio en una de las fotografías una rara prueba del grabado *La comida frugal,* colgada en una de las habitaciones, añadió: «Mire ese grabado; vale una fortuna ahora. No recordaba que estuviera allí».

Además de las fotografías, Bernier había traído mensajes y recuerdos de un mundo, lejos de París, que Picasso había dejado atrás hacía mucho tiempo, pero con el que seguía estando muy conectado. «Antes de venirme —escribió Rosamond Bernier en *L'Oeil* sobre su visita a Barcelona— me abrumaron con consejos, en primer lugar para Pablo, después para Javier, sobre mi salud, sobre mi viaje, y me cargaron con regalos para llevar a París. Me intrigaba lo que podía contener una caja de zapatos deformada que iba destinada a Picasso. Cuando él la abrió en su estudio, sacó de allí una alcancía en forma de gallo, de barro y pintada de colores brillantes, que hacía un ruido metálico al sacudirla porque la familia había echado en ella algunas monedas para atraer la buena suerte. Había también en la caja una bolsa de papel rotulada con el nombre de una charcutería y que contenía enormes peladillas. «España es magnífica —dijo Picasso—. Allí se pueden comprar peladillas en las charcuterías.» Finalmente, cuidadosamente envueltas en papel de seda, había un puñado de semillas de algodón, quizá para el jardín de Vallauris. Picasso recorrió con la vista su estudio, donde los lienzos, los libros, las revistas, los bosquejos, los blocks para dibujar, las esculturas y una extraordinaria colección de objetos se acumulaban en montones, y dijo, feliz al pensarlo: «Justo lo que me faltaba. Vamos a plantar estas semillas aquí».

Estando él en la calle Grands-Augustins, Françoise le telefoneó pidiéndole que la recibiera. Quería que fuese el primero en enterarse de que iba a casarse. Conocía a Luc Simon, el hombre con el que iba a contraer matrimonio, desde que ambos eran escolares, pero no se habían visto durante los años en que ella vivió con Picasso, aunque sí habían mantenido correspondencia entonces y era él quien la había encontrado el trabajo en Túnez que ella quería para escapar del pintor. Habían coincidido la primavera anterior en la librería La Hune, en Saint-Germain-des-Prés, cuyos escaparates decoraba para complementar lo que ganaba con sus cuadros. «Había una exposición de fotografías con el título *Picasso y la intimidad* en la librería —recordaba Luc Simon— y un amigo que trabajaba allí vino a verme y me dijo: "¿No me habías dicho que conocías a Françoise? Bueno, pues ahí la tienes." Fui con él a ver la exposición y no quería dar crédito a mi vista. Françoise sólo era dos años mayor que yo, pero ahora era ya una anciana. Me emocioné mucho y me di cuenta de que mi tarea era la de devolverle su juventud».

Habían sido muy buenos amigos en su adolescencia, locos por las películas antiguas y tratándose cariñosamente. «Quedó claro inmediatamente para los dos —dijo Françoise— que esta vez era muy diferente. Comenzamos a vernos mucho, y a finales de 1954 se vino a vivir conmigo. Era un hombre muy romántico y su edad, 31 años, era la adecuada para que los niños, que tenían 6 y 4, lo tratasen como a un padre. Les gustaba estar con él, y ese fue uno de los factores que me ayudaron a decidirme a estabilizar nuestras vidas y casarnos.»

La primera reacción de Picasso fue de cólera. «Es monstruoso —le dijo—. Sólo piensas en ti misma». Françoise protestó que también pensaba en sus hijos. «Luc quiere ayudar a educarlos

—dijo—. No es su padre, pero será un buen padrastro, y será más fácil para ellos llevar una vida normal.» La ira de Picasso se mezclaba ahora con la incomprensión. «¿Qué es lo que llamas vida normal? —gritó—. La única vida normal consiste en tú, yo y los niños.» En ese momento Françoise vio que la puerta del estudio de escultura, que estaba entreabierta, se abría del todo, y evidentemente no por sí misma. Con la misma rapidez con que se había encolerizado se volvió amistoso. Le regaló una mandarina y conversaron como viejos amigos en el mismo lugar donde, doce años antes, había comenzado su vida en común. Por un momento, un profundo e íntimo silencio llenó la habitación, y entonces la puerta se abrió un poquito más. «Más tarde descubrí —dijo Françoise— que Jacqueline había estado escuchando ansiosamente desde el estudio de escultura, pero en aquel entonces sólo sabía que alguien nos oía. Pero mi visita tenía otro propósito además de informar a Pablo de mi decisión, y me propuse ponerlo en práctica, diciéndole a Pablo que antes de casarme con Luc quería que fuese establecido un fideicomiso a favor de los niños, un consejo de familia, por decirlo así, integrado por Luc, mi padre y él como fideicomisarios. Puesto que los niños no tenían padre legal, yo necesitaba que alguien cuidase de ellos en el caso de que cualquier circunstancia me impidiese hacerlo yo. Por eso necesitaba que mi matrimonio no supusiese un cambio en la relación de Picasso con sus hijos».

Picasso escuchó atentamente cuanto le decía Françoise, y súbitamente, cuando le recordó su inminente boda, comenzó a hacerle reproches por su ingratitud: «Tú me debes mucho y así me lo agradeces, supongo. Bien, sólo tengo una cosa que decir. Cualquier otro podrá tener todos mis defectos, pero ninguna de mis virtudes. Espero que tu matrimonio sea un fracaso, criatura desagradecida». Le arrojó el reloj de pulsera que ella le había regalado: «Tu tiempo ya no es el mío de ahora en adelante». Y ella le respondió devolviéndole el que él le había regalado, y en este punto los dos se echaron a reír al darse cuenta de lo absurdo y melodramático de su comportamiento. Y entonces la puerta se abrió otro poco más.

Picasso no quería quedarse en París, y por otra parte tampoco deseaba regresar a Vallauris, así que comenzó a buscar otra casa en el sur de Francia. Su elección recayó en La Californie, una mansión muy recargada, de estilo fin de siglo, con vistas sobre Cannes y que había pertenecido a la familia Moët, la del famoso champán. El «Rey de los traperos», como Cocteau había apodado a Picasso, tomó posesión de la casa en junio, y con él llegó su revoltillo de baratijas. En las vastas habitaciones de La Californie, cientos de cuadros, en caballetes o arrimados a las paredes, carteles de corridas de toros, una cafetera turca, una talla del Congo en madera, viejas cajetillas de cigarros, un búho de bronce, pinceles usados e inutilizables. Con asombrosa rapidez, tanto el salón como el cuarto de estar se convirtieron en un colorido bazar, mientras en los jardines las esculturas de Picasso —las cabezas de Marie-Thérèse esculpidas en Boisgeloup, una mona, una calavera, una mujer encinta, un gato y un búho— resultaban una fauna exótica entre las palmeras, los pinos, las acacias y los eucaliptos.

«Tras su traslado a La Californie, Picasso empezó a trabajar en una película en los Studios Victorine, en Niza. El pintaba, Henri-Georges Clouzot dirigía y Georges Renoir, hijo del pintor, manejaba la cámara, anotando cada movimiento de Picasso mediante papel de calco y usando tintas de color especiales para seguir la creación de una pintura. *Le Mystére Picasso,* título de la película, era un intento más de comprender el misterio de Picasso filmando al protagonista durante su tarea pictórica. Cuando Clouzot, por razones técnicas, mandaba «¡Stop!», Picasso se paraba; cuando Clouzot le ordenaba que se diese prisa porque solamente quedaban dos minutos de película, se apresuraba. El genio, rechoncho y broncedado, «su mirada vigorosa como su cuerpo», sólidamente plantado en el piso y calzando sus babuchas favoritas, obedecía al director. «Se parecía a veces a un médico brujo africano, y otras a un emperador romano» —escribió André Verdet—, «según la dirección en que la luz alumbraba su cabeza calva».

«¿Te gusta lo que hiciste? —le preguntó Clouzot durante una de las pausas en la filmación—. Lo encuentro impresionante». Pero impresionaba fácilmente a los que le rodeaban, y Picasso lo sabía. «Sí, sí —replicó Picasso—, pero todavía demasiado superficial..., tengo que ir hasta el fondo..., arriesgarme. Mostrar todos los cuadros que puede haber tras un cuadro». «Eso podría ser peligroso» —dijo Clouzot con aire de preocupación, contento de filmar la actuación externa de Picasso y de comprender su misterio a la luz de los proyectores—.

Picasso, sin embargo, deseaba ir a mayor profundidad. Dijeran lo que dijeran sus acólitos, sabía la diferencia entre estar en la periferia y estar en el centro. «Pero eso es lo que me gusta —le dijo a Clouzot con aire de desafío—. Hay que arriesgarse para sorprender la verdad en el fondo del pozo.» Y había todas las trampas para la aventura en los estudios Victorine: trabajo duro, tensión, excitación, cansancio, la denotante o murmurante confusión de los encargados del sonido, los capataces y los técnicos de toda índole, los tonos sepulcrales que usaba Clouzot para anunciar sus decisiones mientras chupaba febrilmente su pipa. «Mi intención es hacer un film pedagógico para todos los que se interesan por el arte» —dijo—. «Y pensar que yo quería hacer una historieta...» —suspiró Picasso—.

«El análisis de los dibujos y los cuadros —dijo Clouzot tiempo después— es gradual y progresivo (puede ser llamado cronológico), según se desarrolla la idea del creador ante su vista.» Pero lo que no dijo es que durante la filmación de *Le Mystére de Picasso* hubo centenares de interrupciones y tomas que hubo que repetir y que perturbaban no sólo las pautas establecidas en el guión, sino también la salud del protagonista. Picasso siempre contestaba con un «no» a las preguntas que le hacían respecto a si estaba cansado. Los hombres de verdad, después de todo, no se cansaban nunca; solamente padecían colapsos cuando estaban agotados, y eso fue lo que le sucedió durante varios días mientras la película estaba filmándose y durante varias semanas cuando la filmación ya había concluido. Pero el mito era de ley en su personalidad, y más fuerte que un colapso. «Picasso —escribió Hélène Parmelin— quedó exhausto porque nunca estaba cansado», un axioma que alimentó y perpetuó la imagen del incansable Picasso.

Jacqueline y Maya pasaban en los estudios todo el tiempo mientras Picasso estaba allí. Jacqueline estaba instalada en La Californie, siempre con su hija, pero nadie apostaba por lo que pasaría en lo sucesivo, y muchos, ajenos a la corte, ni siquiera sabían quién era. Cuando alguien se lo preguntó un día en los estudios, contestó: «¿Yo? Soy la nueva Egeria».

Inés también iba con frecuencia a los estudios y a La Californie. Había habladurías en la corte respecto a la nueva Egeria y a la aún atractiva criada y confidente. Según Parmelin, Inés detestaba a Jacqueline desde el principio; según otros, Jacqueline estaba celosa de los veinte años de su relación con Picasso. «Por lo que a mí respecta —decía Inés— sólo existe él. Picasso está antes que nada en el mundo. Casi cada mes vengo de París, dejando tras de mí a mi marido, mi hijo, el frigorífico lleno de víveres para ellos, y voy a todas partes donde él va... Nunca me puse un delantal. Formaba parte de la casa como si fuese su esposa, como con mi marido. Para mí no había diferencia tanto si se trataba de Jacqueline como de cualquiera otra que estuviera allí. Yo estaba con él. Casi siempre, cuando estaban en la cama en La Californie, me sentaba a los pies del lecho y charlábamos. Charlábamos sobre cualquier tema, incluso cuando iban a dormirse. Yo me quedaba y charlábamos, porque yo lo conocía de verdad.»

«Con el aplomo de un niño o de un rey», Picasso estaba rodeado, tanto en su dormitorio como en otras habitaciones, salvo en su estudio, por gente cuya existencia giraba alrededor de él. «Para vivir cerca de él —decía Inés— hay que ser capaz de perdonarlo todo. Puede que te dé un coscorrón, pero eso te permitiría estar cerca de él. Si has decidido qué es lo que quieres, tienes que aceptar cualquier cosa. Claro que otros no son capaces de aguantarlo».

Durante su primer verano en La Californie, Picasso no pudo olvidar, y mucho le hubiera gustado poder hacerlo, la existencia de la mujer que había preferido no aguantarle. La doncella —de la isla de Guadalupe— de Françoise había llevado a Claude y Paloma a La Californie para pasar allí el verano, mientras Françoise estaba en Venecia pasando una larga luna de miel. Había pedido muchas veces a Picasso que la llevara a Venecia, ciudad que había amado desde que era niña, pero nunca había pensado en estar allí con otro hombre, que ahora era su joven, alto y guapo marido, cualidades que hacían más molesta para Picasso la imagen del matrimonio. «Afirmar que cuando se quiere a alguien puede aceptarse la posibilidad de irse con algún amigo joven, no me convence» —dijo a Françoise después de haber visto *Candilejas* de Chaplin—. «Preferiría ver muerta a la mujer cualquier día que verla feliz con otro hombre. Y no me interesan los actos nobles inspirados en la llamada caridad cristiana.»

Françoise había encargado a Maya la tarea de cuidar de los niños mientras estaban en La Californie, y fue Maya quien la envió un telegrama urgente diciéndole que Paloma tenía un ataque de apendicitis aguda y había que operarla lo más pronto posible. Françoise la telegrafió diciéndole que volaba a Niza y que desde allí iría directamente a Vallauris, donde esperaría a Paloma.

Al llegar a La Galloise se encontró con que allí sólo habían quedado las camas y algunas sillas. Según le dijo el jardinero, Jacqueline había llegado de La Californie el día anterior para llevarse todos los dibujos y cuadros, incluidos los de Françoise, y todos los libros, cartas y pertenencias que tenía allí. Françoise telefoneó a Picasso inmediatamente para preguntarle la razón de aquel despojo. «Todo eso era tuyo cuando estabas conmigo —le contestó—, y ahora nada es tuyo si no estás conmigo. Eso es lo que pasa.»

Demasiado estupefacta para replicarle, se limitó a pedirle que le enviase a Paloma inmediatamente. «No consiento que nadie me hable así» —gritó, y colgó el teléfono—. Todavía no había mandado a Paloma. «No podía creer que hubiese organizado un juego del escondite con la salud de su hija —recordaba Françoise—. Le telefoneé amenazándole con llamar a la policía.»

Muy poco después, Picasso llevó a Paloma a La Galloise y Françoise la trasladó inmediatamente al hospital en Cannes. «Me pareció siniestro dormir en aquella casa vacía mientras Paloma estaba en el hospital después de la operación —dijo Françoise—. Decidí por ello alojarme en casa de mis amigos Maurice y Christiane Bataille, que vivían en Cap d'Antibes». Eran también amigos de Cocteau, que fue a ver a Françoise al hospital con aire conspirador. «Por favor, no se lo digas a nadie —dijo—. Vengo porque soy tu amigo y quiero contarte lo que está sucediendo, pero me disgustaría que me encontrasen aquí». Y explicó que Picasso había recibido un telegrama terrible de Luc diciéndole que «merecía que le abofetearan por su conducta irresponsable al poner en peligro la vida de Paloma». Picasso se indignó a su vez ante la insolencia de Luc. «Debías haber prohibido a Luc enviar ese telegrama» —dijo Cocteau a Françoise—. «Y tú debías haber prohibido a Pablo que vaciase mi casa —replicó ella—. Yo telefoneé a Luc a Venecia y le conté lo que había sucedido. No tenía ni idea de que fuese a hacer lo que hizo. Si Pablo mete la pata, Luc, entonces, mete la pata también. Ahora quédate conmigo un rato o vete; como quieras.»

En aquel momento entró Picasso. «¡Traidor! —le gritó a Cocteau!—. ¿Qué haces tú aquí?» Había visto el Bentley de madame Weisweiller esperando fuera, con el chófer, y había subido las escaleras tan deprisa como podía porque estaba seguro de que encontraría a Cocteau en la habitación. Cocteau, que continuaba rindiéndole culto pese a la tan repetida burla de Picasso («Cocteau es la cola de mi cometa»), murmuró algo y desapareció. Picasso se fue poco después, pero volvió todos los días. «Pasaba poco tiempo con Paloma —dijo Françoise—, pero quería saber quiénes visitaban a Paloma y, por tanto, a quiénes podía incluir en la lista de sus enemigos. De hecho, la habitación de Paloma era como un salón, y ella estaba allí como una reina de 6 años observando cómo la gente iba y venía. Pablo creía que yo le había injuriado y ofendido de la peor manera posible, en primer lugar, dejándole, y, en segundo, atreviéndome a casarme con otro hombre, y que todo el mundo le daría la razón y yo no tendría un solo amigo en la faz de la Tierra porque él tenía la razón y yo estaba equivocada. Pero yo había vuelto a relacionarme con mis viejas amistades y cada vez que él venía al hospital veía a gente que no conocía, que no formaba parte de su mundo y cuyas vidas no podía hacer que girasen a su alrededor. Y eso no lo podía soportar.»

Tan pronto como Paloma se repuso, Françoise se la llevó a París. Hasta entonces no había pedido a Picasso que mantuviese a los niños. Había heredado de su abuela algún dinero, estaba ganándolo con la venta de sus cuadros y, con el apoyo de su padre, no necesitaba más. Pero después de la conducta de Picasso aquel verano se aseguró de que a través de la intervención de sus abogados recibiría ayuda para los niños. «Lo hice sobre todo por razones legales —dijo Françoise—, pensando principalmente en establecer los derechos de los chicos, porque no tenía la menor confianza en que se comportara con ellos como un padre.» La Galloise había estado siempre a su nombre, pero cuando dejó a Picasso le sugirió que ambos podían tener las llaves de la casa y considerarla como un terreno neutral al que pudieran ir con los niños. Y en cambio él la había vaciado.

En París, Françoise ya había vendido el apartamento de la calle Gay-Lussac y comprado otro, mucho mayor, en un edificio en la calle Val de Grâce. Un fin de semana, en el otoño de 1955, cuando Claude y Paloma estaban con Picasso en la casa de Kahnweiler en el campo, él la telefoneó: «No te devolveré los niños hasta que le entregues a Paul todos los dibujos y grabados que están en tu apartamento». «Primero me mandas los niños —replicó ella— y entonces puedes decirle a Paul que venga a buscar los dibujos.» Devolvió los niños, y a la mañana siguiente ella devolvió todo menos *La Mujer Flor,* que le había dado como regalo.

Era una declaración de guerra abierta, seguida por la significativa ausencia de una invitación a Françoise para exponer en el Salón de Mai, y, finalmente, en noviembre de 1956, una carta de Kahnweiler rescindiendo su contrato. «Comencé a sentirme como si estuviera viviendo en una pesadilla —recordaba Françoise—, como si estuviera sufriendo el horrible sueño de Yocasta en la obra de Cocteau: el pegajoso engrudo que corre entre mis dedos. Grito e intento deshacerme de ella, pero esa cosa, esa pasta, sigue estando suspendida sobre mí, y cuando pienso que ya estoy libre de ella, ese engrudo vuelve a volar y me golpea la cara. Y ese engrudo es la vida.»

Las mejores noticias que recibía Picasso eran los boletines sobre la nueva vida de Françoise, como cuando se enteró de que estaba embarazada, lo que reforzó su determinación de destruirla. Dejó muy en claro que de entonces en adelante cualquiera que fuese amigo de ella sería enemigo de él. Y así, muy pronto, Françoise tuvo que acostumbrarse a las disculpas de los vendedores de arte de no exhibir sus obras para no incurrir en el desagrado de Picasso. Cualquier evidencia de que ella no sólo podía existir, sino florecer sin él, era para Picasso prueba de sus menguantes poderes. Era adicto a los que eran adictos a él, y aunque ahora eran más que nunca, estaba obsesionado por esa única oveja extraviada.

Maya, que tenía ya veinte años, comenzó a sentir el peligro de ser absorbida, de llegar a ser solamente una extensión de su padre, como había llegado a serlo Paul. «No deseaba que me devorase —dijo—. Quería vivir *mi* vida.» En consecuencia, decidió marcharse a España y vivir allí. Había estado en España por primera vez en 1953, cuando Françoise organizó para ella una visita a su tía Lola, pero esta vez las cosas eran diferentes. Había observado desde un lugar privilegiado los expertos movimientos, muy de baile flamenco, de promesa, provocación y retirada, con los que durante años había danzado alrededor de su madre, y se negó a ser otra víctima de ellos. Pocos meses antes había oído que Picasso incluso había telefoneado a su madre para pedirle que se casara con él. «Mira —le dijo—, Olga ha muerto y ahora podemos casarnos.» Es difícil de creer que la mujer que durante casi treinta años había vivido solamente para él, por unas migajas de atención y promesas fantásticas de amor eterno, rechazase una oferta de pasar el resto de su vida con él. Era otra burla, otro juego cruel para humillar más a Jacqueline y sujetar a Marie-Thérèse con más cadenas todavía.

«Venía siempre a mi habitación a altas horas de la noche —recordaba Maya— y me decía: "Ven, te voy a enseñar lo que he hecho". Bueno, tenía 20 años y no quería pasar el resto de mi vida esperando a que mi papá viniera por la noche a enseñarme lo que acababa de pintar o dibujar. En algún momento tuve que decirle: "Tú eres Picasso; yo soy Maya". Si le hubiera hecho caso me habría quedado allí. ¿Por qué? Porque yo era divertida, era graciosa, charlaba, cantaba, reía, gritaba, saltaba, bailaba... Bromeaba conmigo en español respecto a cualquiera que estuviese cerca. Yo soy la española de la familia. Puedo decir que soy española en un 300 por 100. Pero le dije que ahora que él había encontrado su enésima mujer yo me iba». Y no volvió a verle, ni siquiera cuando regresó a Francia y se casó en Marsella.

Con su marcha hubo menos risas, menos canciones y menos buen humor en la casa, mientras Picasso y Jacqueline se amargaban la vida al querer devorarse el uno al otro; ella por culpa de su asfixiante afán de posesión, y él aplastando primero su espíritu y después su humanidad. «Cuando todo va equivocado, todo resulta equivocado hasta límites inimaginables. El mundo entero no era más que un desperdicio, tanto amigos como enemigos; no había nada verdadero en ninguna parte, nada que importase; todo estaba podrido, todo estaba estropeado; lo único que pedía al mundo era que lo dejasen en paz, y el trocito de tiza que había dejado caer en él había desaparecido. «Jacqueline, no quiero ver a nadie más. ¿Piensas decir a fulano que venga, Jacqueline? ¿Por qué le dejas entrar? Ya dije que no quiero ver a nadie.» Así escribió Hélène Parmelin.

El Niño Mimado había encontrado su igual en la Madre Terrible, y ambos deseaban encerrarlo en su útero mortal, para favorecer todo lo que era oscuro, cruel, grosero y corto de espíritu en él. Incluso cuando salió por sí mismo de su encierro, Jacqueline se agarró a él detrás de las ventanas cerradas. «No es solamente que él pueda desear pedir algo —dijo ella—, sino que no me gustaría que pudiera desearlo porque yo no estoy aquí.» Parmelin observó la rutina establecida: «Uno tiene que estar en La Californie atento a Monseigneur. No ir siquiera al fondo del jardín, ni aun al exterior de la casa. Además, a horas fijas, hay que darle sus píldoras, sus gotas; él toma medicinas homeopáticas para las dolencias que pueda tener». ¿Cuáles son esas dolencias? Ninguna, pero él toma sus medicinas en pequeñas dosis. Además, pedirá algo: «Jacqueline, presta atención a cualquier ruido procedente del estudio e intenta interpretarlo». Jacqueline estaba atenta a cualquier ruido procedente del estudio e intentaba interpretarlo: «¿Qué puede estar haciendo ahí arriba mi señor, Monseigneur? No puedo oír más que el trueno de Júpiter de Monseigneur. Quizá las cosas van bien...»

Si las cosas iban bien para él, iban bien para ella. Era un ser satélite, un parásito cuyo poder derivaba del que se alimentaba, ayudando a minarlo mucho antes de que fuera declarado clínicamente muerto. Se sumergía en él con un ansia que excluía incluso a su propia hija, que tenía que subsistir a base de las migajas de emoción que podía ahorrar su madre: «Cuando se tiene la suerte de estar frente a Picasso no se debe mirar al Sol» —contestó cuando, una noche en un restaurante, alguien llamó su atención sobre la belleza de la puesta de Sol—. Jacqueline se convirtió en su secretaria, su ama de casa, su servicio de recortes de prensa y ejecutora de sus deseos, y Picasso se convirtió en la herramienta para imponer su voluntad sobre el resto del mundo, el medio para experimentar el sentido del poder; incluso si la imaginación de Jacqueline no fuese tan limitada como era, nunca habría imaginado que fuese posible.

La principal fuente de su poder era su papel de ujier, en el que se limitaba a transmitir los deseos de Monseigneur. Lo desempeñaba a todas horas, dormida, trabajando, en la playa, en las corridas de toros, en París. Una cualquiera de sus excusas permitidas servía para ahuyentar a los viejos amigos y a los nuevos admiradores que él no desease recibir o que por lo menos no quisiera recibir en aquel momento.

Cuando Helena Rubinstein llegó de Nueva York a La Californie aquel verano para que pintase su retrato (lo que según su amiga Marie Cuttoli había aceptado Picasso) era siempre el mismo Picasso quien, con voz cambiada malamente simulada, contestaba a sus llamadas telefónicas, o a las de su secretario Patrick O'Higgins, explicándole alguna de las muchas razones por las que Picasso no podía ponerse al teléfono. Finalmente decidió presentarse en La Californie sin haber sido citada. «Bajo una capa de disfraz de ópera, en tonos naranja y limón, y con flores de calla y ramitos de mimosa —escribía O'Higgins— madame llevaba una túnica medieval de terciopelo color verde ácido.» Picasso estaba conversando con un hombre alto y desgarbado, que no solamente se parecía a Gary Cooper, sino que era Gary Cooper, y la presencia de uno de sus ídolos del cine le había puesto de buen humor y sociable. Helena Rubinstein fue recibida, y no sólo recibida sino también dibujada, aunque Picasso le dijo desde un principio que únicamente retrataba a las mujeres que habían dormido con él. «Ella no estaba en contra de esa condición —aclaraba Picasso—, pero yo sí. Era horrible, tan gorda...»

En tres tardes seguidas, Picasso hizo 40 bosquejos de ella, por lo menos. Les llamaba «fichas de policía», y reproducían sus manos, su cuello, sus ojos, su barbilla, su boca... «Ya es suficiente» —le dijo finalmente—. «¿Y mi retrato?» —preguntó ella—. «Será una obra póstuma» —le replicó—. Jacqueline ya le había dicho a O'Higgins, mientras Picasso dibujaba, que no iba a ser un retrato. «Solamente está haciendo bosquejos suyos como referencia para una serie de litografías. Utiliza apuntes tomados al natural, y madame... madame Rubinstein es de tamaño mayor que la vida». Incluso antes de que Picasso la hubiera hecho víctima de esa jugarreta, Helena Rubinstein se refería a él como «el demonio». Ahora decía «condenado sea ese demonio».

Nadie se libraba de las jugarretas de Picasso, su sarcasmo corrosivo y su malicia. Un día estaba en su casa de la calle Grands-

Augustins cuando oyó que Cocteau iba a ingresar en la Academia Francesa. Geneviève Laporte fue a verle, aunque por entonces la realidad había disipado las nieblas de su idolatría. Vio lo que más tarde describió como «una faceta de Picasso que me heló la sangre». Según él, Jean necesitaba tanto esa consagración porque nunca había sido concedida a un poeta de su calaña. Había terminado en aquel momento un dibujo humorístico de una fea habitación, conteniendo una cama de hierro con barras, en la que se sentaba una pareja de ancianos barrigudos, cuyas caras encarnaban la estupidez y la fatuidad. Creo que era la mujer quien leía un periódico, mientras el hombre rascaba sus dedos. Picasso, con una risa burlona, tendiéndome el dibujo, en el que cada línea sugería fealdad, vulgaridad y estupidez, comentó: «La mujer está leyendo en el periódico: *Jean Cocteau ha sido elegido miembro de la Academia Francesa*, mientras su marido se rasca los dedos».

Su malevolencia hacia Cocteau no se extinguía con nada. Aceptó dibujarle la empuñadura de la espada que formaba parte del ritual uniforme académico, y la dibujó con una tapa de retrete, una cadena de cisterna y una escobilla de limpiar la taza del water. Cocteau seguía llamándole «mon maître Picasso», pero de vez en cuando se permitía el lujo de llamarle a sus espaldas «el abominable hombre de las nieves» y lanzándole la flecha de su comentario sobre su poesía: «Picasso está haciendo experimentos con la metafísica, pero no sabe nada de ella». Pero eso era poca cosa comparado con los maliciosos sarcasmos que dirigió sobre él durante los tres años en que Cocteau fue su vecino en la Costa Azul, viviendo en casa de madame Weisweiller y compartiendo con ella su joven amante bisexual, así como grandes cantidades de drogas, su Bentley, otros objetos y las riquezas del esposo banquero, que nunca estaba allí.

«El futuro es la única trascendencia que conoce un ateo» —escribió Roger Garaudy—. El 25 de octubre de 1956, Picasso cumplió 75 años. Cada vez más reciamente, miraba el futuro desafiándolo, así como a las nuevas aventuras y los nuevos horizontes, buscando la transcendencia que ansiaba. Algunos meses antes de su cumpleaños tuvo un sueño impresionante: «Estaba almorzando, y llegó alguien precipitándose frenéticamente y gritando que había sucedido algo terrible: todos los leones se habían encogido». La palabra usada para calificar el fenómeno fue *ratatiné,* palabra que desde ese día afloraba siempre en La Californie. El la usaba y todos lo que le rodeaban comenzaron a usarla también. Llegó a ser una palabra simbólica, evocadora de cuanto él sentía y cuanto intentaba desesperadamente pretender que no sentía: todos los leones habían encogido.

«Daría cualquier cosa por ser veinte años más joven» —había dicho a Françoise la primera vez que se encontraron—. Y en octubre de 1956 era trece años más viejo. Lo que hizo más duro de aceptar el paso del tiempo fue enterarse de que aquel mismo mes Françoise había dado a luz una niña, Aurelia, que demostraba la existencia de un largo futuro en el que él no tendría parte. Jacqueline había descubierto que no podría tener más hijos después de Catherine, así que ya no habría más nacimientos en que él pudiera participar, incluso en forma ambivalente, en el eterno curso de la vida.

Pero el mundo insistía en celebrar el cumpleaños de Picasso. Cartas, telegramas y regalos sin fin se derramaron sobre La Californie, enviados por viejos amigos y por gentes a quienes no había visto nunca. Y hubo un banquete, con discursos y frases encendidas, organizado por el Ayuntamiento comunista de Vallauris. Allí estaban los Pignon, los Leirise, Kahnweiler y el editor barcelonés Gustavo Gili, venido de Barcelona con su esposa para convencerle de que ilustrase la *Tauromaquia.* El Partido Comunista de la localidad había intentado averiguar, preguntándole a Jacqueline a través del editor de *Le Patriote de Nice,* periódico que leía diariamente Picasso, qué regalo de cumpleaños le gustaría que le hiciesen. Ella les dijo que le gustaría una cabra, porque Picasso le había dicho que siempre había deseado tener una cabra, y que cuando finalmente tuvo una, la inhumana Françoise se la había regalado a unos gitanos que pasaban con el pretexto de que olía mal. El partido, después de una seria deliberación, acordó que la cabra no bastaba y le regaló, con ella, un gran cesto de frutas en conserva.

Pero el tiempo pasaba y la cabra no aparecía. Jacqueline, que sabía que su poder aumentaba cada vez que satisfacía cualquier deseo de su «prodigio geriátrico», le compró un chivito, al que generalmente se le encontraba intentando mamar de la cabra de bronce que adornaba el jardín, y que también olía, aunque nadie se quejó de ello.

«A él le gustaba la gente a la que le gustaba lo que le gustaba a él» —escribió Parmelin—. Le gustaba también que comiesen lo que le gustaba a él, que siempre comía muy poco, pero insistía en que todos los que le rodeaban se hartasen de comida. Maya asistió a la metamorfosis de Jacqueline: de baja y delgada a baja y regordeta y posteriormente a baja y gorda. «A él le gustaba hacer engordar a sus mujeres» —dijo ella—. Parmelin describió cómo «hacía todo lo posible para obligarte a comer y a que pensases que eso era lo bueno, o por lo menos que lo dijeses, pero esto último era ya lo menos que te toleraba. Aplastaba en forma desagradable las frambuesas en leche, y decía que tenía que gustarte eso porque los rusos siempre las comían así... Llenaba mi plato con esa mezcla y se indignaba si alguien la rechazaba con náuseas. Adoraba el jengibre y comía grandes trozos delante de mis narices, ofreciéndomelo más de 20 veces. ¿Cómo era posible que hubiera alguien a quien no le gustase?»

Parmelin le llamaba «el rey de La Californie». De hecho era un dictador descarado en todo lo que estaba sujeto a su jurisdicción. «Deseo enseñar el mundo como lo veo yo» —había dicho a Ilya Ehrenburg—. Pero el mundo, inoportunamente, no se comportaba como él pensaba. El 4 de noviembre de 1956, el brutal régimen soviético, que él seguía considerando bueno, sofocó violentamente el levantamiento húngaro. Antes, en el mismo año, Kruschev había denunciado amargamente a Stalin y sus crímenes. El Partido Comunista francés, que seguía siendo totalmente estalinista, incluso después del proceso de desestalinización, describió el informe como «atribuido a Kruschev» y lo ignoró. Parmelin lo discutió, cuando lo publicó *Le Monde,* con «El rey de la Californie» y atribuyó esa publicación a «las supercherías del Departamento de Estado norteamericano». Muchos, menos cegados por la ideología o menos indiferentes ante los crímenes, abandonaron entonces el partido; muchos más rompieron públicamente sus carnets del partido después de que éste apoyase el aplastamiento de los húngaros. Picasso continuó como afiliado. «Somos comunistas —dijo cada vez que se reveló cualquier atrocidad o se producía alguna disconformidad estética—. Sólo hay un Partido Comunista en Francia. Por lo tanto, seguimos perteneciendo a ese partido.»

Los periodistas cercaban La Californie después de la publicación del informe secreto de Kruschev sobre Stalin, decididos a obtener un comentario de Picasso sobre el hombre cuyo septuagésimo quinto cumpleaños había celebrado con un dibujo y cuya muerte había lamentado con otro. Picasso les mandó recado por Lucette, la nueva doncella, de que fueran a ver a Kruschev. «Después de todo —añadió— no van a pedirle a Kruschev unas declaraciones sobre mis informes secretos...» Todos sus corifeos se maravillaron ante la nueva demostración del ingenio de Picasso.

Después del episodio húngaro, Picasso participó en una protesta falta de sentido al firmar, con Parmelin, Pignon y otros siete miembros del partido, una carta dirigida al Comité Central. En ella solicitaban que en el menor tiempo posible se convocase «un congreso especial para discutir, en forma realista y veraz, los innumerables problemas con los que se enfrentan hoy los comunistas». Ese congreso especial no fue convocado, y si Picasso no fuese uno de los firmantes de la carta, el Comité Central no habría dudado en expulsar a los menos conocidos de dichos firmantes que se habían atrevido a pedir un debate. En su lugar se limitó a publicar una carta en *L'Humanité* en la que los firmantes fueron desmentidos: «Se han obstinado, a pesar de los hechos, pero no tienen derecho a intentar imponer al partido, por medios ilícitos, sus puntos de vista».

«Mire —dijo Picasso a Carlton Lake, que fue a entrevistarle para *The American Monthly*—, yo no soy político. No soy técnicamente experto en tales asuntos.» De hecho, renunciar al partido habría sido un acto individual y no político por parte del hombre que había dado el *Guernica* al mundo. Al mundo, pero no al partido. Como la muerte se dibujaba más cercana y los caminos a la trascendencia parecían cerrados, el partido le ofrecía por lo menos «una nueva teología sin Dios», que no era un baluarte contra su creciente desesperación, pero sí una vaga creencia que al menos ofrecía alguna sensación de compañía para compensar su cada vez mayor soledad.

Siempre había una nueva ronda de corridas de toros a las que asistir; los Pignon parecían, siempre, haber llegado de París con cotilleos frescos sobre todo y sobre todos; había mucha gente a quien ver, llamadas telefónicas que atender y cartas que contestar, y necesitaba tiempo para todo ello; había algún trabajo que hacer y muchos recortes de prensa que examinar respecto a las exposiciones de su cumpleaños, en la primavera de 1957, en el Museo de Arte Moderno de Nueva York y la galería Louise Leiris en París. Estaba también su pajarera con palomas, búhos y periquitos, y también *Yan* (el perro boxer), *Lump* (el dachshund) y *Esmeralda* (la cabra); sus hijos y el de Inés llenaban la casa en verano, y Jacqueline estaba allí, siempre allí y abrumadoramente allí. Pero Picasso nunca había estado tan solo ni tan incapaz de ahogar su soledad en una actividad frenética. «En la expresión de Picasso aparecieron síntomas de desesperada preocupación con una intensidad y persistencia desconocidas hasta entonces —escribió Parmelin respecto al terrible verano de 1957—. Todo le aburría, la más ligera cosa le trastornaba, el menor obstáculo en el curso del día parecía destruir totalmente su capacidad de alimentarse, dormir, divertirse o descansar.»

Jacqueline se ocupaba de que Monseigneur tomase sus gotas, bebiese sus tisanas de hierbas, tomase sus sopas de zanahoria y guisantes sazonadas con condimentos no peligrosos, untase con el linimento adecuado el músculo de la pierna que no cesaba de dolerle; es decir, se aseguraba de que la máquina estuviese brillante y bien engrasada. Pero la máquina tenía un alma, y de eso ella nada sabía. Para ella, y desde luego para Parmelin, los tormentos de su alma y los que imponía a la gente que tenía a su alrededor procedían de la pintura, la mítica entidad todopoderosa a la que atribuían todos los bienes y todos los males. Cuando, a mediados de agosto de 1957, comenzó a pintar sus variaciones sobre *Las Meninas*, de Velázquez, Parmelin, como los pueblos primitivos que creen que el viento lo producen los movimientos de los árboles, estaba convencido de que la culpa del estado de ánimo de Picasso la tenía Velázquez, que, por tanto, era el responsable de su infelicidad, sus cóleras e incluso el decaimiento de su salud. «Desde el día en que nació su idea de *Las Meninas* empezó a arruinarse la salud de Picasso. Y comenzó la batalla del con Velázquez o sin él, a favor o en contra, fuera o dentro.»

Jacqueline cayó enferma y tuvo que ser operada del estómago, e incluso eso fue atribuido mágicamente por Parmelin a la batalla con Velázquez... «Su convalecencia fue anormalmente prolongada y tuvo que pasar mucho tiempo reposando, o al menos tendría que haberlo hecho. En cualquier caso, enfermó, y la prolongación de su convalecencia parecía estar físicamente ligada al nacimiento de las variaciones sobre *Las Meninas*». También podría haberlo estado, prosaicamente, al hecho de que iba a todas las corridas de toros, una tras otra, con «su estómago abierto», como decía gráficamente Picasso.

Desde entonces, Jacqueline estuvo siempre enferma. Tuvo problemas con su estómago, con sus tímpanos, problemas ginecológicos; muchas veces se encontraba tan decaída y tan exhausta que apenas podía arrastrarse hasta la cama. Cuando estaba enferma, cosa frecuente, dormía en una habitación próxima a la de Monseigneur para no molestarle. Y él presagiaba y reflejaba en su trabajo los diferentes estados de su ciclo recurrente de enfermedad y recuperación. «¿No es curioso —dijo Picasso— que cuando ella está enferma yo pinto cuadros en los que ella parece estar mejor otra vez? No lo entiendo. Siempre parece que voy por delante de los acontecimientos.»

Era difícil distinguir entre la causa y el efecto. Lo que era cierto es que Velázquez nada tenía que ver con la cuestión y que, pese a los intentos de Jacqueline, Parmelin y el resto de la corte para encubrirla con una creatividad frenética y ritos de camaradería, la situación era desesperada. «A uno le recuerda —escribió John Berger— los últimos días de algunas viejas estrellas de vodevil: todo, ahora derrumbándose, continúa siendo creado como si lo fuera en grado superlativo... Lo más horrible de todo eso es que se trata ya de una vida fuera de la realidad. Picasso sólo es feliz cuando trabaja. Pero ya no le queda nada en su interior en lo que seguir trabajando. Toma los temas de los cuadros de otros pintores... Decora platos y piezas de cerámica que otros fabrican para él. Se limita a actuar como un niño. Vuelve a ser el niño prodigio.»

Del 20 de agosto al 17 de noviembre, Picasso se encerró en su estudio mano a mano con Velázquez. ¿Para probar que era tan grande como Velázquez? ¿Para acallar sus dudas de que no lo era? ¿Para primero examinar y después violar las obras de arte de Velázquez? ¿Para intentar volver a los comienzos, cuando todo estaba lleno de ardor y promesas y su padre le había enseñado personalmente *Las Meninas* en el Prado? «¡Picasso realmente quería establecer un récord con esto! —dijo Jacqueline—. ¡Nunca le he visto trabajar así!»

Trabajaba y se quejaba. «¡Qué cosa más espantosa! —acostumbraba a decir—. Uno piensa que pintar un cuadro es sólo eso, pintar... Y es todavía peor que la muerte en el ring; *es* la muerte en el ring.» Ciertamente era la muerte en el ring, en palabras de Berger, «estar condenado a pintar sin nada que decir» y verter en sus ejercicios de pintura toda la frustración y la ira de no tener nada que decir y de tener una superabundancia de técnica para decirlo. «Fue horrible todo el tiempo que duró —dijo Parmelin—. Estaba de mal humor. Era una tragedia para él. *Las Meninas* fueron una tragedia... Quería enseñárnoslas y no quería enseñárnoslas.» ¿Tenía miedo de que Velázquez fuese el vencedor de «la corrida de Cannes», como llamaba Jacqueline a la batalla que rugía en el segundo piso de La Californie, al que Picasso había trasladado su estudio?

Finalmente enseñó su obra. «¿Bien?» —preguntó a Parmelin cuando ambos salieron del estudio—. «Las dos orejas y el rabo» —contestó, utilizando un término taurino—. No era «el entusiasmo de un clan siempre dispuesto a dar rienda suelta a su devoción» —dijo ella—. De hecho era precisamente así. El clan sabía que nada que no fuese un inmediato y desbordante entusiasmo podría garantizar el mantenimiento de su situación en la corte. El hombre que había desafiado al mundo a los 26 años con *Las seño ritas de Aviñón,* buscaba ahora, a los 76 años, la seguridad que le habían dado sus paráfrasis de la obra de Velázquez.

«Picasso no era un hombre de certidumbres —decía Parmelin—. Era un hombre de dudas. Frecuentemente decía: "Oye, después de la cena voy a enseñártelo. No consigo saber si lo que hice es sublime o es una porquería". Y era verdad que no lo sabía. Y tampoco lo sabía el mundo. La UNESCO le había encargado un mural para el Salón de Delegados de su sede central en París, con una superficie de 93 metros cuadrados. Lo ejecutó en 40 paneles de tablero contrachapado, en el suelo, con Jacqueline y Miguel, su secretario español, que había vuelto a la escena para ayudar a Jacqueline en sus trabajos de secretaria, ayudándola en los cambios y las mudanzas. Se obsesionó con «el UNESCO», como le llamaba, y antes de su envío a su emplazamiento solicitó que se le permitiese exponerlo en la escuela pública de Vallauris. Su exhibición pública se convirtió en un acontecimiento para los medios de comunicación, con periodistas, fotógrafos, dirigentes comunistas, una delegación de la UNESCO y, naturalmente, una multitud de asistentes. «Picasso —escribió Parmelin—, acosado por la muchedumbre, consiguió llegar al pie del fresco, que estaba todavía tapado por las cortinas. Había sol y luz artificial al mismo tiempo. Había llegado el momento. Las cortinas fueron corridas y el fresco apareció.»

La multitud aplaudió pero quedó perpleja, y lo mismo les sucedió a los representantes de la UNESCO. ¿Era una obra maestra o era un garabato gigantesco? Georges Salles, que había sido el encargado de persuadir a Picasso de que aceptase el encargo, intentó salvar la situación con su discurso. Llamó al mural *La caída de Icaro,* y era, desde luego, «un Icaro disecado, casi un blanco esqueleto de niebla», suspendido entre el cielo y el mar, al que se precipitaba. Era siempre la muerte la que triunfaba, parecía decir el mural, y cuanto más arriba se asciende, mayor será la caída. Era un mensaje de desesperación muy de acuerdo con el estado emocional de Picasso, pero extremadamente inadecuado para una organización internacional cuya misión se suponía que debía ser la de luchar por un futuro mejor. Y aparte de su inoportunidad, era una obra vacía, que expresaba el vacío espiritual en que Picasso vivía y pintaba. Hizo falta una buena cantidad de bombo y platillos oficiales para despertar algún entusiasmo por *La caída de Icaro,* comenzando por el título, que se le adjudicó cuando el mural fue instalado en septiembre: *La vida y el espíritu triunfando sobre el mal.* Pero los capaces de darse cuenta de que el Emperador iba desnudo se guardaron mucho de creerlo.

En mayo de 1958, De Gaulle volvió al poder e instauró la Quinta República. Aproximadamente por las mismas fechas, Picasso pintó su *Naturaleza muerta con calavera de toro,* un cuadro violento en el que, como señala Penrose, «los ardientes rojos y amarillos, el doble reflejo del sol en la ventana abierta y la monumental inmovilidad de la calavera cornuda en el primer plano produce un choque como si fuera una explosión mortal dentro de la calma del distante cielo azul». Como Picasso dijo a Penrose: «Pinté esto con palabrotas». Sus amigos comunistas estaban encantados. Finalmente, había un cuadro pintado, como dijo Daix, «prácticamente en la fecha» en que De Gaulle volvió al poder, y que *podría* ser considerado un cuadro político contra «el gran peligro que vio Picasso, el peligro de un retorno del fascismo». Penrose añadió al motivo político la inspiración que Picasso halló en una corrida de toros excepcional hacía muy poco tiempo. En realidad Picasso no necesitaba ninguna excitación exterior para producir todavía otro cuadro de cólera y revulsión. Contenía dentro de sí infinitas reservas de las que podía hacer uso.

Como los bañistas de *La caída de Icaro,* que ignoraban la caída de Icaro, Jacqueline y los cortesanos que rodeaban a Picasso observaban su caída, a cámara lenta, en un abismo de desesperación, ignorándola, no comprendiéndola y absolutamente incapaces de ayudarle. «Picasso estaba de un humor sombrío —escribió Parmelin una tarde en La Californie—. Su mirada vagaba lentamente de uno a otro de nosotros y a la cocina. Nos miraba cuando nos reíamos con el interés de un visitante de jardín zoológico viendo a los monos adoptar gestos humanos, y cuando dejamos de reírnos dijo: «Bien. Adelante, reíros». ¡Con una furia! Era espantoso. Era aterradoramente siniestro. De repente la atmósfera se hizo retorcida. Al final terminamos asustados y él era el único que se reía. Nos fuimos a la cama, subiendo despacio la escalera, aterrados por no sabíamos qué; con nuestros corazones oprimidos y los pensamientos también, nos sentíamos desdichados hasta el límite. ¡Qué tarde más espléndida!»

No importaba lo espantoso, siniestro y aterrador que fuese Picasso, ni importaba tampoco lo aterrados que ellos estuvieran. Todo era magnífico, ya que ellos eran lo suficientemente superiores y privilegiados para estar en presencia de él. ¿Cómo iban a ver la pesadilla en que vivía cuando todos ellos, y especialmente Jacqueline, vivían sumidos en sus propios sueños de gloria, que les alcanzaba por su vinculación a Picasso?

La trágica corte se había ampliado recientemente por dos caracteres venidos directamente de la ópera bufa italiana. Uno era un barbero español, y el otro un sastre italiano. Picasso había encontrado a Arias, el barbero español, en Vallauris, y había confiado en él lo suficiente como para permitir que le cortase el pelo, un gran honor, porque Picasso temía que si sus mechones caían en manos equivocadas podrían servir para manipularle y controlarlo. «Cuandò le conocí —recordaba Arias— tenía muy poco pelo ya. Se lo dejé muy corto por atrás y le dejé un mechón para disfrazar su calvicie. Y cuando terminaba, siempre le besaba en la calva. Siempre». Y así Arias fue a La Californie, cortó el pelo de Picasso, recibió a cambio un extraño grabado, se quedó a cenar, charló sobre España y le acompañó a las corridas de toros y comenzó a sentirse hijo espiritual de Picasso. «Vamos a los toros —le decía Picasso—. Es lo único que nos queda.»

Michele Sapone, el sastre de Niza procedente de Nápoles, se deslizó en la corte porque comprendía la mezcla indumentaria de Picasso, que combinaba el dandismo y lo bohemio. Llegaba a La Californie, siempre sin anunciarse pero siempre recibido, con los últimos surtidos de la pana que le gustaba a Picasso, con trajes y abrigos, y se marchaba llevándose suministros de recientes Picassos. «Usted trabaja para mí y yo trabajo para usted» —le decía el pintor al sastre—. Y así era: Picasso ampliaba su exótico guardarropa y la galería que el yerno de Sapone tenía en Niza daba testimonio de que cada uno cumplía su parte del trato.

Había centenares que nunca fueron admitidos en el círculo mágico, o lo fueron escasamente. Jacqueline se encargaba de las relaciones con el mundo exterior, y Picasso estaba seguro de que le echarían la culpa a ella. «Me ha costado mucho trabajo poder hablar con usted» —decían los que finalmente habían sido admitidos—. Y Picasso se quejaba a Jacqueline: «¡Cómo! ¿Han llamado y no se me ha dicho nada?» Jacqueline no contradecía a Monseigneur en público ni se le ocurría explicar lo implacables que eran sus órdenes de que nadie le molestara. En todo caso, ¿quién la habría creído cuando él se mostraba tan inocente y tan famoso, tan indignado y tan asombrado?

En el año 1954 vio por última vez a Dora; 1955 fue el último en que vio a Françoise y a Maya; en 1958 fue la última vez que vio a Marie-Thérèse y la última vez que tuvo contacto con Fernande, directa o indirectamente. Eva había muerto, y también Olga. La esposa de Braque, que seguía relacionándose con Fernande, consiguió comunicarse con Picasso y le pidió que la ayudara. Empobrecida, artrítica y medio sorda, Fernande había sido hospitalizada por una grave neumonía. Picasso metió dinero en un sobre y se lo envió. Orgullosa hasta el fin, Fernande nunca se había acercado a él para pedirle nada; su posesión más preciada era, según dijo a un periodista, un pequeño espejo en forma de corazón que él le había traído de Normandía en los años del Bateau-Lavoir.

«Había un fotógrafo allí —recordaba Marie-Thérèse de su primera y única visita a La Californie— que le llamaba *¡Maître, maître!* Picasso me dio un codazo y dijo: «¿Le oyes? ¿Le oyes?». Me habría gustado reírme, pero no me reía; me caían lágrimas por las mejillas. A la una y media me fui, y almorcé sola en un restaurante». No volvió a ver nunca más a su «maravillosamente terrible» amante.

Picasso estaba demasiado cansado y resignado para cambiar de mujer, pero algo tenía que cambiar para que su vida fuese tolerable, por lo que decidió cambiar de casa. La Californie estaba ya demasiado atestada, y con el actual desarrollo de Cannes ya no era tan retirada. «Soy uno de los monumentos de la Costa Azul» —gritó en una ocasión—. A finales de septiembre de 1958 fue a Arlés con Jacqueline y los Pignon para ver la corrida de toros de la Fiesta de la Vendimia. Se notaba muy deprimido, y seguía estándolo cuando llegaron al Château de Castille, donde cenaban con Douglas Cooper. Hallándose en tal estado de ánimo que prefería cualquier cosa a continuar en aquella situación, oyó decir a Cooper: «El castillo de Vauvenargues, cerca de Aix-en-Provence, debía usted verlo. Es un sitio maravilloso». Cooper añadió que estaba en venta y que Picasso debía comprarlo.

«Las coincidencias no existen —había dicho Picasso—. Normalmente cualquier cosa es una coincidencia; lo extraño es lo natural.» A la mañana siguiente, en el Pavillon Vendôme, donde se exponía la colección de Picassos de Marie Cuttoli, Picasso suspiró: «Si yo fuera solamente los Picassos de Marie Cuttoli, ¡qué dichoso estaría aquí! Si viviera en otro sitio que La Californie y fuese cualquier otro distinto al Picasso de hoy, ¡qué feliz sería! Por tanto, ¡en marcha a Vauvenargues!»

En el siglo XVIII, el marqués de Vauvenargues vivió en aquel castillo, y, al menos de acuerdo con lo que decía el guardián, había escrito allí sus *Máximas*. En el siglo XIX, Cézanne había inmortalizado el monte Sainte Victoire, en el que se alzaba el castillo. En el presente siglo, Picasso lo compró. Jacqueline odiaba Vauvenargues, sus enormes, oscuras y frías estancias, las escaleras de caracol secretas, las reliquias de San Severino en la torre, las fortificaciones del siglo XIV. Pero Picasso no la había consultado. «He comprado el Sainte Victoire» —le anunció a Kahnweiler—. «¿Cuál?» —le preguntó el marchante, sorprendido de que uno de los paisajes pintados por Cezanne estuviese en el mercado sin él saberlo—. «El de verdad» —le contestó Picasso, jubiloso—.

«Los hombres que no aman la gloria —dice una de las máximas del marqués de Vauvenargues— no tienen ánimo ni virtud para merecerla.» Cuando Sam Koot fue a visitarle en su nuevo castillo, Picasso le dijo orgullosamente: «Cézanne pintó estas montañas y ahora me pertenecen.»

Cientos de cuadros y de bronces fueron trasladados desde las bóvedas de su banco de París para llenar las habitaciones de Vauvenargues. Se instaló calefacción central y un lujoso cuarto de baño, cuyas paredes cubrió de faunos y ninfas y una fiera sobre la bañera. En febrero se trasladó allí, y la lanzadera entre La Californie y Vauvenargues empezó a funcionar. «Tú sabes dónde vives —le dijo a Parmelin—. Vives en París, tienes allí una casa y sabes dónde estás. Yo no soy de ninguna parte y no sé dónde vivo. No puedes imaginarte lo horroroso que es eso.» Y verdaderamente no podía imaginárselo, no podía hacerlo ninguno de los que le rodeaban. Jacqueline pensaba que era divertido, y lo mismo todos los demás: Aquí está otra vez Picasso, un genio imposible.

16

MAMA Y MONSEIGNEUR

El 5 de junio de 1959 se inauguró, descubriéndolo, un monumento en memoria de Apollinaire en el cementerio parroquial de Saint-Germain-des-Prés, frente a la calle Guillaume Apollinaire. La búsqueda del monumento más apropiado había sido tan prolongada y tan acalorada, que era difícil de creer que lo que Picasso donó y la viuda de Apollinaire descubrió, en presencia de Cocteau, Salmon, los concejales de la ciudad y muchos jóvenes entusiastas de Apollinaire, era la *Cabeza de Dora Maar* que Picasso había hecho en 1941.

En *El poeta asesinado*, de Apollinaire, publicado en 1916, Picasso, que aparecía como el Pájaro de Benin, había esculpido «una estatua de la nada, del vacío» para honrar la memoria del alter ego de Apollinaire: Cronomiantal. «Al día siguiente, el escultor regresó con algunos obreros que revistieron el hoyo con una capa de cemento reforzado de 8 centímetros de espesor, excepto el fondo, donde era de 38; todo realizado tan discretamente que este vacío tenía la forma de Cronomiantal y el agujero estaba lleno de su espíritu.» Así Apollinaire había simbolizado misteriosamente el gesto vacío que el monumento de Picasso representaría en la vida real.

Esa primavera, Picasso había hecho una serie de dibujos de Cristo en la cruz. Como en otros momentos de angustia, se identificaba con la Pasión de Cristo, pero no había consuelo o alivio en la identificación. Mientras agotaba el último acto de su vida, el amor y la compasión parecían haberse quedado atrás, fuera de la vista y fuera del alcance. Las personas de su alrededor eran reales sólo en el sentido en que los decorados de un escenario son reales, y él los trataba en la misma forma. Llegó un momento en que incluso Hélène Parmelin se rebeló y se decidió a separarse del encantamiento del mito de Picasso, de la experiencia real de estar con él. Ella y su marido acababan de llegar a Vauvenargues, donde encontraron a Picasso con «esa clase de humor insoportable que domina la casa y la ahoga... con esos momentos de irritación que te hacen desear escapar y respirar tu propio aire, lejos de su negra y silenciosa furia que nada tiene que ver contigo».

En cambio, entraron en su estudio. «¡Y qué atmósfera! —escribió Parmelin—. Los ojos de Picasso son como ametralladoras. Su voz como un cuchillo.» Pero la inesperada perspectiva de que les enseñase las pinturas de su colección particular, incluyendo sus Cezannes, hacía que valiera la pena pagar el precio de ser ametrallado por sus ojos y cortado por su voz. Como un monarca amenazante, ordenó a Parmelin que fuera inmediatamente a recoger su cámara y que tomara algunas fotos de su estudio y pinturas. «¡No pareces saber que estos cuadros no son simplemente una pintura cualquiera! —le gritó, eligiendo el insulto que sabía le haría más daño a la mujer que hablaba y escribía como si «pintar» fuera incuestionablemente más importante que la vida—. Muévete en vez de quedarte ahí sin hacer nada.»

Parmelin se fue, ocultando su angustia en una risa desconcertante. Regresó con su máquina de fotos y empezó a hacerlas, cuando, de repente, Picasso empezó a gritarle con rabia, diciéndole que no le había dado permiso para fotografiar el dibujo en tiza roja de Renoir, y que en cualquier caso él ya había tenido suficiente con sus fotografías. En ese momento, después de años soportando sus «insoportables» humores, algo estalló dentro de ella: «Abro la máquina, saco el rollo de película y se lo tiro a la cara. Le digo que Picasso o no Picasso, me trae sin cuidado, y que no permitiré nunca que nadie me hable en ese tono, que no soy una de sus cortesanas o devotas amaestradas... Picasso y Pignon empiezan a reírse histéricamente, mirándose uno a otro... Yo salgo precipitadamente. El sol me da de pleno. Me encuentro en la carretera, sin coche y sin dinero. Camino llena de ira y decidida a no ver nunca más a Picasso».

Su determinación duró toda una semana, durante la cual Parmelin intentó explicar a Jacqueline, que seguía llamándola por teléfono, por qué se sentía así. «Ser Picasso —dijo Parmelin— no significa que él tenga derecho a actuar como un sátrapa. Y Picasso o quien sea, me da igual.» Pero sí se preocupó, se preocupó mucho, y al final de la semana se rindió. Lo que obtuvo fue que Jacqueline le pasase el teléfono a Picasso: «Pero, ¿qué es lo que he hecho? —le dijo Picasso con voz dulce—. ¡No he hecho nada!» Oírle articular a él unas cuantas palabras, aun cuando fueran palabras que negaban toda responsabilidad, era suficiente para Parmelin, que volvió dócilmente al redil.

Cuanto menos poderoso se sentía Picasso más se comportaba como un sátrapa. En el *Romancero del picador,* la suite en la que empezó a trabajar en julio, el picador se había reducido a un mirón impasible, vagando por los burdeles, curiosamente imperturbable, mientras las muchachas bailaban, se exhibían y hacían toda clase de contorsiones provocativas en un intento de encender algo de vida en él. El picador parece indiferente al deseo. En su vida, también, los nuevos estímulos duraban cada vez menos tiempo. El estímulo de su nuevo castillo se acabó en unos pocos meses. Cuando Kahnweiler fue a verle a Vauvenagues por primera vez, le dijo a Picasso que era «un lugar magnífico, pero demasiado grande, demasiado severo». «¿Demasiado grande? —protestó Picasso—. Lo lleno entero. ¿Demasiado severo? Te olvidas de que soy español y de que disfruto con la tristeza.»

«El regocijo cesó de repente —escribió Maurice Jardot, el director de la Galería Louise Leiris—. Picasso iba a pintar tan sólo cuatro cuadros más en Vauvenargues entre el 13 de mayo y el 24 de junio (1959) y únicamente cinco durante los años 1960 y 1961.»

«Estoy un poco aburrido —le dijo Picasso a Lionel Prejger cuando este último le visitó en Vauvenargues—. Tu hermano es un agente inmobiliario en Cannes y tú conoces mis gustos: intenta encontrarme una casa.»

Prejger hizo lo que le pedía y le telefoneó con la noticia: «Creo que te he encontrado una casa estupenda.»

«Estaré allí mañana» —dijo Picasso—. Notre-Dame-de-Vie, como se llamaba por una iglesia cercana, era una finca provenzal solitaria, en una colina que daba a Mougins, rodeada de terrazas de cipreses y olivos. Sólo había una carretera que conducía allí, totalmente en mal estado. La casa era toda blanca por dentro y tenía muchos cuartos de baño modernos. A Picasso le gustó, la compró e hizo construir una nueva carretera. La casa se puso a nombre de una corporación: La Societé du Mas de Notre-Dame-de-Vie, de la que formaban parte Jacqueline, Kahnweiler, el banquero de Picasso, Max Pellequer, Michel y Zette Leiris, y Lionel

Prejger y su hermano. Llegó junio de 1961, sin embargo, antes de que Picasso se trasladase a su nuevo hogar. Había dicho a Reventós que cuando tenía una casa completamente llena, él dejaba todo en ella y se mudaba a otra casa. Pero Vauvenargues nunca estaría llena.

La obra que le ocupaba en sus tres casas del sur de Francia era *Le déjeuner sur l'herbe*. Había empezado a luchar con la pintura de Manet en agosto de 1959 en Vauvenargues y declaró terminada la lucha en diciembre de 1961 en Notre-Dame-de-Vie, después de 27 pinturas y 137 dibujos. Como otros hombres que se baten entre sí, Picasso se batía con sus lienzos. Christine Piot escribió que estaba practicando la pintura como un arte marcial: «Esta imagen contiene la rapidez, la extremada ligereza que a menudo se ha asociado con él y algunas veces reprochado; también el arte de apuntar al centro del blanco con los ojos casi cerrados, como por presciencia... y el sentido de oponerse al orden existente o al desorden del mundo, de desafiarlo tanto como exorcizarlo, de luchar como «un guerrero implacable». Además de batirse con Manet, se dispuso a «abrir la carne del "déjeuner" y a nutrirla con su facultad creativa.»

Le déjeuner sur l'herbe se convirtió asimismo en un vehículo a través del que expresó su ambivalencia y sus crecientes temores por su relación con Jacqueline. En un grupo de variaciones sobre el *Déjeuner*, sometió a sus cuerpos a sucesivas transformaciones, consiguiendo que su cuerpo se «redujese en el óleo final hasta convertirse en una apropiada sombra verde, mientras frente a él se sienta la figura de Jacqueline como un ave de rapiña.» No era en absoluto como los objetos parecían durante los años que él estuvo luchando con Manet, sino que al disminuir sus fuerzas sentía un miedo evidente ante el poder de Jacqueline en el futuro.

Estaba también harto de las constantes enfermedades de Jacqueline. Cuando en mayo de 1960 fue a verla al hospital, donde ella se estaba recuperando de una operación de abdomen, él se quejó de que no podía trabajar «con todo aquello» y que realmente «lo último que necesitaba su pintura era lo que estaba sucediendo». Como había sucedido con Eva, tan pronto como regresó por su propio pie, Jacqueline actuó como si estuviese perfectamente bien. Y Picasso se sentía más feliz con este engaño. El valor más grande de Jacqueline para él residía en todas las funciones mecánicas que ella desarrollaba y de las que él era cada vez más dependiente; por eso se perturbaba tanto cuando eran molestados. Y ella, hechizada y poseída, negaba cualquier sentimiento que pudiera entristecerle. Todas las negativas y emociones no descargadas agotaban sus energías, de manera que, aun cuando los doctores no podían encontrarle ninguna enfermedad, ella sufría una fatiga tenaz que le oprimía y a menudo la hacía arrastrarse como una vieja.

Mientras Jacqueline empezaba a olvidar lo que era sentirse sana, Picasso se preocupaba ante la más mínima señal de que algo no iba bien dentro de él. «El siempre se había preocupado mucho de su salud —dijo Kahnweiler—. En realidad nunca había estado gravemente enfermo. Básicamente no tenía nada, sino neurosis; ¿y sabes cómo se cuidaba? ¡Con pieles de gato! Muchas veces, cuando iba a verle y le encontraba en la cama, sus hombros estaban cubiertos con piel de gato. La enorme cantidad de obra que produce da la impresión de que debe trabajar demasiado. No, en absoluto: él se observa y se cuida con atención... Se hace examinar frecuentemente por su médico, el mismo doctor, por cierto, que cuidó a Matisse. Siempre que siente necesidad de descanso y de recuperar fuerzas se queda en la cama dos o tres días.»

En el verano de 1960, Roland Penrose, que había organizado una gran exposición retrospectiva de la obra de Picasso en la Tate Gallery, hizo todo lo que pudo por convencerle de que asistiera a la inauguración. «¿Por qué tendría que ir? —respondió Picasso—. Conozco muy bien todas aquellas pinturas; las hice yo mismo.» La exposición de la Tate fue la apoteosis de Picasso como genio oficial del siglo; de sus obras, como una serie de expresiones artísticas imperecederas, y de su vida como un regalo a la Humanidad. La misma reina dijo durante una visita privada a la exposición que Picasso era «el artista más grande de este siglo», mientras Penrose escribió en la introducción del catálogo que la obra de Picasso había «nacido de un entendimiento y un amor por el ser humano. Su arte va más allá de un fácil encantamiento de la vida: cumple con un propósito más esencial, la intensificación del sentimiento y la educación del espíritu». Era cierto en este sentido que *La caída de Icaro* era realmente *Las fuerzas de la vida y del espíritu triunfando sobre el Mal* y que, como la consigna de Orwell decía en *1984*: «La guerra es la paz».

Mientras Penrose estaba ensalzando el amor por la humanidad de Picasso, Françoise estaba intentando ganar a través de los abogados algunos derechos para los niños, empezando por el derecho a utilizar el apellido de su padre, que Maya nunca tuvo. Durante sus prolongadas negociaciones con el señor Bacque de Sariac, el abogado de Picasso, Françoise recibió una proposición muy inesperada por parte de él: «¿Consideraría la posibilidad —dijo el señor De Seriac, siguiendo las órdenes de su cliente— de divorciarse de Luc Simon y casarse con él? Esta sería la manera más fácil de regularizar la situación de los niños. Luego se podría divorciar, pero al menos los niños habrían sido legitimados.»

«Por el bien de los niños», ése era el argumento al que recurría el emisario de Picasso, mientras Françoise lo escuchaba semana tras semana durante los últimos meses de 1960. Marie Cuttoli, Paul y Claude, que ahora tenía trece años, se unieron al coro animándola a decir sí. «Mamá, tienes que hacerlo», continuó suplicándole Claude cuando volvió a casa después de sus vacaciones en la Californie. Y ambos, él y Paloma, le decían una y otra vez que Jacqueline y su padre estaban siempre peleándose y que su relación iba de mal en peor.

Al principio, Françoise estaba escéptica y no podía considerar en serio la oferta, pero poco a poco, la propuesta de Picasso se fue abriendo paso y empezó a cambiar su panorama. Casi a pesar suyo empezó a mirar su vida con nuevos ojos. Durante el día, trabajaba en su estudio de su casa de Neuilly. Su padre había muerto en 1957, así que sólo su madre vivía allí ahora; volvía a la calle du Val de Grâce por la tarde y ella y Luc cenaban con los niños. «Nos comportábamos muy bien delante de ellos —decía Françoise—, pero en cuanto se habían ido a la cama había discusión tras discusión.» Luc, que había sido como un padre para Claude y Paloma, no estaba contento con que tomaran el apellido Picasso. La hostilidad de Picasso hacia él desde su matrimonio con Françoise había penetrado en todo el mundo del arte y había sido devastadora para su carrera; y ahora los niños a los que amaba iban a llevar el mismo apellido de quien había hecho todo lo que pudo para destruirle.

Recordando los años transcurridos desde el matrimonio con Luc, Françoise veía claramente por primera vez lo mucho que el ansia de venganza de Picasso había envenenado sus vidas. ¿Era realmente posible, empezó a preguntarse, poner fin a su corrosivo resentimiento? ¿Tener una vida en la que pudiera hablar con el padre de sus hijos sin tener que hacerlo a través de abogados? ¿Ser capaz de vivir en el mundo del arte sin el estigma de la enemistad de Picasso? Una tremenda carga dejó de oprimirla al imaginar una vida sin la sombra que Picasso, el destructor, había arrojado sobre su mundo.

También había algo más que la propuesta de Picasso le hizo afrontar: que con tanta intensidad como había amado a Picasso, no había amado nunca a nadie, aunque amaba a Luc y desconfiaba de Picasso. Y Luc lo sabía. Incluso le había escrito una carta a Picasso diciéndole que «Françoise puede que sea mi esposa, pero siempre será suya». La vida no había sido fácil con la furia vengativa de Picasso persiguiéndola, pero Françoise había sido capaz no sólo de sobrevivir, sino de curar sus heridas para prosperar. Y con el beneficio de la distancia, ella había imaginado formas en las que podía lograr intimidad y profundidad en su relación con Picasso. Vio los errores que había cometido: ¿y si hubiera aprendido del castellano? Recordaba lo entusiasmado que estaba cada vez que veía que ella se tomaba interés por algo español, como cuando había traducido los poemas de Góngora; ser capaz de hablar la lengua natal de él podría haberles aproximado definitivamente. ¿Y si hubiera sido más flexible, si hubiera abierto su corazón más, si hubiera desconfiado menos? ¿Y qué hubiera ocurrido, sobre todo, si espiritualmente hubiera alcanzado el lugar donde pudiera haberle amado incondicionalmente sin perder su propio centro, donde pudiera haberse rendido totalmente sin capitular ante la dominación, y desde el que pudiera haberle conducido a él lejos de su propia autodestrucción?

En enero de 1961 se publicó en el «Boletín Oficial» que a Claude y a Paloma les habían dado los apellidos de su padre: Ruiz Picasso. A fines de febrero, Françoise le pidió el divorcio a Luc. El 2 de marzo, en el más absoluto secreto, Pablo Picasso y Jacqueline Roque se casaron en el Ayuntamiento de Vallauris en presencia de Paul Derigon, el alcalde comunista, y el señor Antebi, un abogado de Cannes, y su mujer. Las amonestaciones no se habían puesto a la puerta del ayuntamiento, sino que a petición de Picasso se silenciaron. Jacqueline se había convertido en la señora de Picasso doce días antes de que la noticia apareciera en los periódicos. Durante este tiempo, Picasso se había abstenido cuidadosamente de informar al señor Seriac, quien había continuado despejando el camino para el matrimonio de su cliente con Françoise.

El 14 de marzo, Françoise leyó en la prensa que el hombre con el que estaba dispuesta a casarse se había casado hacía doce días. La noticia la hizo temblar. Se sintió de repente tocada por el diablo. El hombre al que había amado tan profundamente y al que estaba decidida a intentar amar mejor, en una hazaña digna de Mefistófeles, había logrado convencerla para que ella pidiera el divorcio de su marido para casarse con él: tan pronto como había empezado el procedimiento de divorcio, él se había casado con otra. En un estado de trastorno emocional, Françoise decidió continuar con el divorcio, aun cuando no hubiera ninguna razón inmediata para ello. Nunca había visto antes tan inequívocamente el poder de destrucción de Picasso.

«Había jurado conseguir casarme sin periodistas. ¡Está hecho! ¡He ganado!» —citaba la prensa a Picasso—. El había ganado, sobre la prensa y sobre Françoise. Había utilizado a Jacqueline para conseguir lo que pensó que era su última victoria sobre Françoise, y en el proceso había enajenado su vida al instrumento de su victoria. El matrimonio transformó a Jacqueline de víctima en triunfadora, y cruzó la frontera de amante a esposa impulsada por el espíritu de destrucción que había sido alimentado dentro de ella a través de los seis años de ser tratada como algo infrahumano. Ella era ahora «la señora Picasso» y la dueña de todo lo que él gobernaba. Antes de que se casaran no hubo nunca un rastro de evidencia en la habitación de que una mujer hubiera dormido allí, ningún descuido, ni una barra de labios. Ahora la alcoba de Picasso se había convertido claramente en la alcoba de ambos. Pero esto era una afirmación trivial de la nueva posición de ella: una siniestra afirmación de su nuevo poder la constituyó la campaña que inmediatamente emprendió contra los hijos de Picasso.

Claude y Paloma siempre habían sido recuerdos amargos de la mujer a la que ella había reemplazado; de la mujer que había montado triunfalmente a caballo alrededor de la plaza de toros de Vallauris mientras ella observaba, tragando una vez más la humillación; de la mujer que ella odiaba más que a cualquier otra persona. Claude y Paloma eran además recuerdos amargos del hecho de que ella nunca iba a tener hijos con Picasso. Ella había tolerado la presencia de ambos en sus vacaciones, como había tolerado todo y a todos los que habían formado parte de la vida de él cuando ella estaba insegura de si sería una parte permanente o no de la misma. Pero ahora sabía y el mundo también que ya no habría más obstáculos al libre ejercicio de su voluntad. Además, los niños se estaban convirtiendo rápidamente en adultos listos y atractivos, y ahora, para su horror, llevaban el apellido de su padre. Eran difíciles de soportar y ella no quería hacerlo. Empezó a alimentar a Picasso con mentiras sobre lo poco que sus hijos se preocupaban de él; cómo habían estado envenenados por su madre, e incluso cómo Claude, a sus catorce años, se había vuelto un drogadicto, y no debería permitirle que se uniera a ellos en las vacaciones de Semana Santa. Los niños no fueron invitados.

Volvieron a ir, pero su tiempo en Notre-Dame-de-Vie empezó a ser limitado. Y cuando estaban allí, Jacqueline hacía todo lo posible para humillarles. Un día les llevó junto con su propia hija a unos almacenes baratos en Cannes. «Os he traído aquí —les dijo— porque éste es el sitio donde compraréis vuestra ropa y lo que necesitéis.» Cuando Claude y Paloma le dijeron que ella no tenía que preocuparse de dónde se comprarían la ropa, puesto que su madre se ocupaba de ello, y ciertamente no en un lugar como éste, ella insistió: «Lo sé, y ésta es la razón por la cual os he traído aquí. Porque cuando seáis mayores aquí es a donde tendréis que venir.» Era una bofetada en la cara, y una advertencia a los niños, cuya madre estaba trabajando duramente no sólo para darles el apellido de su padre, sino todos los derechos legales. Era además una bofetada en la cara de su propia hija, con la que se llevaba cada vez peor a medida que crecía y cuanto más dura se volvía su madre contra todo sentimiento. Jacqueline no podía perdonar a Catherine el hecho de que viniese de otro pasado, de otro hombre, de otro mundo.

El aislamiento de Picasso tuvo lugar por etapas, pero empezó al descartar toda exigencia emocional. Lo que Jacqueline ansiaba era que Picasso fuese enteramente suyo y sabía claramente cómo lograr su meta, puesto que lo que Picasso quería era sumergirse en el trabajo. Más tarde ella se referiría a las pinturas en el transcurso de su vida juntos como «sus hijos», y ella no quiso que nada se interfiriera en la producción de más y más hijos, y ciertamente no la presencia de un hijo real de su pasado. Había una ventana en el segundo piso de Notre-Dame-de-Vie que daba al estudio de Picasso y desde aquella ventana Jacqueline le observaba durante horas, mientras él hacía «sus hijos». Estos eran los mejores momentos suyos: nada más que ella y Monseigneur y la perspectiva de más «hijos» poblando la tierra.

En cuanto a Picasso, el trabajo era la única arma que podía oponer a la Muerte, su gran enemiga. A finales de octubre de 1961, sin embargo, abandonó su trabajo por unos cuantos días y se lanzó a la celebración de su ochenta cumpleaños, que fue comparado a «una fiesta sacra del tiempo del Renacimiento». El anfitrión, en cuyo nombre fueron invitadas unas 4.000 personas, era Paul Derigon, el mismo alcalde comunista de Vallauris que había casado a él y a Jacqueline. Tuvo lugar en Niza un festival de música, canto y baile con Sviatoslav Richter tocando el piano y Antonio bailando flamenco, entre otros. Una exposición privada de 50 pinturas se inauguró en Vallauris, hasta donde Picasso y Jacqueline «fueron escoltados por motoristas con cascos y guantes blancos». Le dieron serenatas de guitarra, recibió innumerables regalos, escuchó muchos discursos de alabanza a su grandeza y humanidad, asistió a una recepción en su honor en el Casino de Palm Beach de Cannes, con un magnífico despliegue de fuegos artificiales, y vio otra corrida de toros, otra vez en su honor, en Vallauris. Dominguín y Ortega fueron los matadores, y esta vez Jacqueline no tuvo rivales en cuanto a la atención del público. La Terrible Madre era, en público, la joven esposa calentándose a la sombra de su gran marido. Y Picasso, que a veces se encogía cuando le enfocaban y otras veces lo pasaba por alto si no era para él, gozaba con la adulación de la masa.

Con ocasión de aquel cumpleaños, *France-Soir* publicó la entrevista que Picasso había concedido a la joven periodista Sylvie Marion. El aprovechó ansiosamente la oportunidad para demostrar que sus días de flirtear no habían terminado: «Ven aquí para que yo pueda abrazarte —le dijo a Sylvie—. Ahora puedes decir que has conseguido un abrazo de Picasso por su ochenta cumpleaños. Eso es todo. ¿Qué, que no quieres mis besos? Jacqueline, eso no está bien, ¿verdad?... Tienes unos hermosos ojos. Déjame abrazarte otra vez». Finalmente Marion consiguió algo más que abrazos y besos: «No soy Marilyn Monroe —dijo él poniendo sus manos alrededor de sus pechos casi inexistentes—. Para empezar no soy aquel... Bueno, diles que si no hubiera espejos yo no sabría mi edad, y que asumo mis ochenta años para convertirme en joven. ¿Qué? ¿Dije ya eso por mi setenta cumpleaños? Bueno, pues diles que sigo creyéndolo». Al final vino la frase que fue utilizada como encabezamiento de la entrevista: «El amor es lo único que cuenta.» Y luego, como si llenase el abismo entre su frase y su vida, le repitió: «Eso es lo que debes escribir: que Picasso dijo que el amor es lo único que cuenta.»

En las vísperas de su fortificado aislamiento de todo contacto humano había poco en su vida que tuviera relación con el amor. Se instalaron puertas electrónicas en Notre-Dame-de-Vie con un sistema de televisión para ver en pantalla a todos los visitantes, y perros guardianes que serían soltados en el caso de que persistieran en entrar. En su aislamiento *à deux*, los Picasso estaban unidos en su desconfianza del mundo exterior. «Todo el mundo tiene un precio —solía decir Jacqueline—, y el dinero, siempre, tarde o temprano, provoca la locura.» Ella quería referirse, por supuesto, al dinero en otras manos, en personas que, a diferencia de ella, eran codiciosas y calculadoras. Porque, como ella había dicho de sí misma, «habría sido igualmente feliz con una simple tarjeta postal de Picasso». Miguel Bosé, el hijo de Luis Miguel Dominguín, recordaba que «ella era terriblemente celosa de cualquier otra presencia en la casa. Te hacía sufrir, sentirte distante, extraño en todo momento, en todos los sitios... Ella siempre estaba allí, siempre tensa, observando. Pensaba que los amigos se aprovechaban de él; que sólo eran sus amigos porque él era Pablo Picasso. Y puede que pensase así porque "piensa el ladrón que todos son de su condición"».

«Al final nadie puede ver nada a no ser a uno mismo —había dicho Picasso—. Gracias a la búsqueda interminable de la realidad uno termina en una negra oscuridad. Hay tantas realidades que al intentar abarcarlas todas se acaba en la ignorancia.» El hombre que orgullosamente había declarado «no busco, encuentro», ahora tenía que admitir que no sólo había buscado y fracasado al no encontrar, sino que también había terminado en una negra oscuridad y en la ignorancia. Continuó trabajando —pinturas, dibujos, linóleos, 70 Jacquelines en 1962—, pero era el trabajo nacido del pánico y de la locura a que conduce el pánico. Tanto en su vida como en su trabajo él estaba iniciando el retiro. Era el momento de dejarlo, de asentarse y de volver atrás: dejar la esperanza de una realidad sobrenatural y de la verdad; asentarse como si la gravedad de la vida hubiera provocado tal pérdida que tuviera que casarse con su cuidadora; y volver atrás, a la Madre que ordenaría su realidad, satisfaría todos sus deseos, no pediría nada a cambio excepto poseerle. No tenía que mantener la ficción de amarla. Podía estar tan apartado, ausente emocionalmente, ser tan cruel e injusto como le apeteciera y ella seguiría cuidándole porque ése es el trabajo de una madre. Empezó a llamar a Jacqueline «mamá». Y de todas las mujeres de su vida, Jacqueline era la que más se parecía a su madre, y cada vez más a medida que engordaba y se robustecía de año en año. A Picasso le gustaba que le bañase y cogía violentas rabietas si ella no estaba allí cuando él la necesitaba.

No le toleraba ni una breve ausencia: Maurici Torra-Bailari, un español que había conocido a Picasso desde siempre, desde sus primeros años en París, recordaba que una tarde en Notre-Dame-de-Vie, después de comer, él, sus primos y Jacqueline se marcharon a pasear hasta Vallauris: «Picasso se iba a echar la siesta y fue él quien había sugerido que Jacqueline fuera con nosotros y estuviera de vuelta a las cinco, pues para entonces él ya se habría levantado. Pero se debió de despertar antes y Jacqueline no estaba allí. Amenazaba una tormenta en lontananza. "¿Cómo pudiste dejarme? —gritó tan pronto como entramos en la casa—. ¡Me has abandonado!" Era la rabieta de un niño, pero aun así, Jacqueline no hizo ningún intento de defenderse».

En su trabajo también estaba retrocediendo: no a una etapa

más temprana de su propia vida, sino a una etapa mucho más temprana del hombre. Las personas que poblaban sus lienzos no eran modernas; no eran ni egipcias ni griegas. Eran esas personas de la vieja Mesopotamia que se ven en el arte de aquella época: robustas, rechonchas, sin apenas cuello, y, sobre todo, con las pupilas suspendidas en sus ojos, sin tocar los párpados en ningún sitio: agujeros grandes, negros, que emergen de las tinieblas cósmicas temerosamente vigilantes y todavía con la fuerza de un terror primitivo. A finales de octubre, mientras trabajaba en *Rapto de las Sabinas* pintó cuatro *Guerreros* que proclamaban tal terror. «Los cuatro *Guerreros* —escribió el historiador del arte Gert Schiff— mostraban el mismo pavor. ¿Es causado por los malos actos que son forzados a perpetrar en nombre de un bien discutible? ¿O quizá en nombre de un dios cuestionable que les exige un sacrificio humano más?» El 14 de noviembre, Picasso pintó un retrato de Jacqueline, *Cabeza de mujer,* en el que «proyectó con distorsiones faciales todo el horror de los *Guerreros».* La esfinge ha desaparecido, y Jacqueline, con sus ojos fijos en un horror inmóvil, su respiración contenida en un miedo primordial, está una vez más en el mundo de los mesopotámicos.

«En cuanto a ellos, ¡no dicen nada!», observó Picasso de sus *Guerreros. Las Sabinas de David, El rapto de las Sabinas* de Poussin, *La matanza de los inocentes* habían sido el punto de partida de los guerreros, de las masacres, de la efusión de sangre y de la destrucción que habían llenado su obra durante meses. Luego, a principios de febrero, todo terminó. Pero él no estaba seguro totalmente de que no hubiera habido ningún propósito en toda esta destrucción. «¿Sabe uno alguna vez lo que está haciendo? —preguntó Parmelin—. ¿Se puede sacar alguna moral de ello? ¿Puede alguien en el mundo dar al pintor certeza?... Es suficiente verle contemplando a sus *Guerreros* para comprender que, a pesar de todo, dista mucho de haber expulsado su tormento.»

Y nunca sería así. «Todo ha cambiado —dijo él—, todo ha terminado; la pintura es algo bastante diferente de lo que creíamos todos, quizá incluso lo totalmente opuesto.» El sabía que había destruido la forma, que los pintores abstractos que le siguieron estaban eliminando el tema y que éste era el fin de la pintura tal como había sido y la había él practicado. Con razón estaba tan inseguro de lo que estaba haciendo, no importaba que estuviera pintando sin motivo. «Fue durante este período —escribió Parmelin— cuando declaró que estaba preparado para matar el arte moderno, y de este modo al arte mismo, para redescubrir la pintura...

Luego, ¡abajo con todo el mundo!, ¡abajo con todo lo que se ha hecho!, ¡abajo con Picasso! Pues, además, al mismo tiempo y de manera natural es a Picasso y a sus métodos de pintura a quien él está atacando.»

Pero, ¿qué es lo que iba a sustituir a lo que había sido? «Tenemos que buscar —dijo él— algo que se desarrolle totalmente por sí mismo, algo natural, y no fabricado; tiene que desenvolverse tal como es, en su forma natural y no en su forma artística. Hacemos lo mismo una y otra vez, y podemos hacerlo todo; ¿qué es lo que nos puede detener?»

Era el majestuoso «Nos». Pero él continuó haciendo lo mismo una y otra vez. Parecía diferente, prolífico, fecundo. Pero era todo lo mismo, bajo apariencias distintas; algunas veces eran guerreros, otras el pintor y su modelo, otras mosqueteros, y otras más Jacquelines mesopotámicas, cada vez más salvajes y repulsivas. Hubo 170 Jacquelines en 1963, como si tuviera que librarse de ella en su obra, puesto que había decidido aferrarse a ella en vida. «Delante de Picasso —escribió François Mauriac— nunca fui capaz de escapar a la evidencia contradictoria del genio y del impostor. Siempre tuve la impresión de presenciar un intento criminal dirigido por un hechicero inteligente, con una mirada casi sobrenatural de aversión a la cara humana.»

En el caso de muchos retratos de Jacqueline había también una aversión al cuerpo humano. Con capacidad sexual decadente y su impotencia a la vuelta de la esquina, se añadía otra razón a su profunda misoginia. La lujuria negada se trocó en repugnancia por el cuerpo femenino, y la pasión sexual en hastío. El cuerpo de Jacqueline estaba masacrado en cuadro tras cuadro y dibujo tras dibujo. «Algunas veces sueño que él me amó» —dijo Jacqueline—. Pero debió haber sido difícil mantener ese sueño cuando, a medida que pasaban los años, más y más de ella era embrutecido por su pincel.

Una mañana, cuando en un hotel de Arlés se preparaban para ver la corrida de toros de ese día, llamaron por teléfono a Parmelin y Pignon, que estaban en la habitación de al lado. «¿Habéis hecho las paces?» —preguntaron, puesto que los Pignon habían tenido una pelea monumental la noche anterior—. «Por supuesto» —respondió Parmelin.

—Pero, ¿realmente habéis hecho las paces?

—Sí, por supuesto.

—¿Así que hicisteis el amor? preguntó Jacqueline, claramente incitada por su marido.

—Por favor, Jacqueline... —protestó Parmelin.

—Pero, ¿hicisteis el amor? —gritó Picasso por el teléfono—. ¡No hay ninguna reconciliación si no lo hicisteis!

—Sí, lo hicimos —dijo finalmente Parmelin, exasperada—. ¿Ya estás contento?

—¡Nosotros también!... ¡Nosotros también! —cantó Picasso lo suficientemente alto para que Parmelin escuchara. Hacer el amor se había convertido en el acontecimiento más valioso de que alardear.

Pero luego también lo era estar vivo. Dos personas claves de su larga vida fallecieron en 1963: Braque en agosto, Cocteau en octubre. Picasso continuó trabajando. Quizás el trabajo podría ordenar a la muerte que estuviera fuera de su órbita. Si el trabajo no, ¿entonces qué? Sus hijos, lejos de darle una sensación de que la vida continuaba, eran un recuerdo horrendo de que su vida se estaba acabando. Durante las vacaciones de Navidad le dijo a Claude que ésta sería la última vez que podría visitarle. «Soy viejo y tú eres joven —añadió—. Desearía que estuvieras muerto.»

Paloma regresó en Semana Santa. «No, no puedes verle» —le ordenaron—. Así que esa Navidad de 1963 fue la última vez que los dos niños pasaron algún tiempo con su padre. «El señor estuvo fuera durante diez años —dijo Paloma—, la persona a quien más amé en el mundo.» Era una confrontación con la oscuridad de su padre que casi les estrujaba, una explosión que todavía resuena en sus vidas. «Cuando la puerta se cerró de golpe —dijo Claude— fue como un fogonazo.» Ya débil a consecuencia de un defecto genético del corazón, Claude estaba mal equipado para soportar tan violento rechazo. «Desearía que estuvieras muerto», le había dicho su padre, y Claude, como si hubiera sido maldecido, intentó quitarse la vida saltando desde una muralla. No lo consiguió, quizá porque no había tenido intención de tener éxito, pero la carga del rechazo de su padre le pesaba demasiado. Françoise decidió que podía ser más fácil si Claude se iba de Francia por un tiempo, y le envió a Cambridge, en Inglaterra. En la primera carta que recibió de Claude le decía que quería ir a vivir a Londres para ser escritor. Su carta estaba tan llena de angustia y pena que Françoise, preocupada, le contestó y le pidió «que como ejercicio hiciera un balance» y le escribiera otra carta en la que pusiera en rojo todo lo que era bueno en su vida y en azul todo lo que era malo.

«Quizá pude ver demasiado de lo que estaba sucediendo —dijo Claude más tarde, todavía intentando comprender cómo algo tan violento había sucedido— y esto molestó bastante a mi madrastra.

Ella siempre estaba celosa de mi hermana y de mí. Le incomodaba, me imagino, que estuviéramos allí haciéndole recordar el pasado.» La hija de Paul, Marina, también culpaba a Jacqueline: «Después de su matrimonio me pareció que mi abuelo perdió su humanidad. Casi no le vimos, ni recibimos nada de él. Pienso que aquello lo había originado Jacqueline; no podría haber venido de nadie más.»

De hecho, Jacqueline era últimamente sólo un accesorio. En el choque espiritual entre la oscuridad y la luz que había estado enfureciendo su espíritu y su vida durante años, Picasso había elegido el lado de la oscuridad y renunciado a la luz. Al mismo tiempo había elegido pasar el resto de su vida con una mujer que le asegurase de que no habría ninguna luz a su alrededor que desafiase a aquella oscuridad. Juntos rechazaron todos los lazos emocionales que hacían al hombre humano; juntos rechazaron el amor. Si a su familia le parecía que él había perdido su humanidad en el momento de casarse con Jacqueline, fue sólo porque ése era el momento en el que él le dio a ella el poder de ser su co-destructor. Pero *él* le dio a ella el poder, y sin Picasso la capacidad del mal de ella hubiera sido vulgar e insignificante. El puro mal tiene una monumentalidad a la que ella sola no podría haber aspirado. Si ella se comportaba como un monstruo y se aseguraba de que no había ninguna razón para que él no lo fuese, fue porque gracias a Picasso todo lo que de bueno había en ella había desaparecido.

En marzo de 1964, con ocasión del sesenta aniversario de la llegada de Picasso al Bateau-Lavoir, *Le jardin des Arts* pidió a una multitud de celebridades del mundo del arte su opinión sobre Picasso. La contribución de Cocteau un poco antes de su muerte fue: «Lo que uno "opina" de Picasso es improcedente: se puede citar una y otra vez la respuesta decisiva de Mallarmé a Degas, que se quejaba del laborioso proceso mental necesario para escribir un soneto: "Pero, señor Degas, no es con pensamientos con lo que uno escribe un poema, sino con palabras." Picasso santifica los defectos. Esta es para mí la única regla del genio. Todo lo demás es teatro.»

Esta fue la actitud que determinó la violenta respuesta de Picasso cuando, en el verano de 1964, aparecieron extractos del libro que Françoise había escrito en colaboración con Carlton Lake sobre su vida con Picasso, en *The Atlantic Monthly.* En noviembre apareció el libro en Nueva York, y *The New York Review of Books* se convirtió en el primer campo de batalla para la guerra que iba a estallar durante el siguiente año en torno a *Mi vida con*

Picasso. «Este abuso de confianza —escribió John Richardson en su crítica— es de lo más exorbitante, puesto que Picasso detesta cualquier divulgación pública de sus opiniones privadas.»

James Lord contestó a la crítica. «Ahora el hecho es —escribió— que Picasso ha elegido por sí mismo vivir en una pecera. El puede no haber estado preparado para la total transparencia de la faceta que nos ha suministrado la señora Gilot, pero no tiene a nadie a quien culpar por ello si no es a sí mismo, y es malo para otros hacer una excepción con ello. Pienso que es significativo que, a pesar de sus críticas concernientes al libro y a su autora, el señor Richardson nunca establece categóricamente que su retrato de Picasso sea falso. Se niega a hacerlo, creo que por la excelente razón de que está en posición de conocer lo sorprendentemente real que es ese retrato... Es importante saber lo perverso, cruel, despiadado, sentimental y promiscuo que pudiera ser Picasso. Realmente, ¿cómo podría alguien estudiar honestamente su obra e imaginarle de otro modo?»

«Cuando empecé a trabajar en el libro —dijo Françoise— no supe cuándo lo publicaría o si lo publicaría alguna vez. Quería escribir las cosas mientras mi memoria fuera clara, y era además una manera de ordenar mis pensamientos y mis experiencias, y un modo de librarme de ellos. Lo que me dio luz verde para publicarlo fue su decisión de dejar de ver a los niños. Cuando no hubo nada más que perder en términos de afecto por parte de su padre, no había razón para retrasar su publicación. Además creía que si el libro se publicaba mientras él aún vivía tendría la oportunidad de responder si quería. Al mismo tiempo me cuidé mucho de no hacer declaraciones que no pudiera documentar y mantener, y no incluí muchos hechos dolorosos, puesto que él estaba todavía vivo, y, aunque no actuara como tal, seguía siendo el padre de mis hijos.»

El tono del libro de Françoise se resume en su párrafo final: «Mi llegada a él, dijo Pablo (en 1944), parecía como una ventana que se estaba abriendo y que él quería que permaneciese abierta. Yo lo hice también, mientras se mantuvo en la luz. Cuando ya no lo hizo, él quemó todos los puentes que me unían al pasado que había compartido con él. Pero al realizar esto me forzó a descubrirme a mí misma y de este modo a sobrevivir. Nunca dejaré de estarle agradecida por aquello».

El parecía decidido a forzarla a descubrir aún más recursos en sí misma para sobrevivir a lo que siguió en la primavera de 1965, cuando *Mi vida con Picasso* estaba a punto de aparecer en Francia. Su cólera sagrada cayó sobre ella en tres etapas. Primero, pidió a los tribunales que secuestraran la edición del *Paris-Match* en donde el libro estaba siendo publicado por capítulos, citando como razón «una intromisión intolerable» en su vida privada. El 22 de marzo perdió el caso. El 25 de marzo emprendió la acción contra Calmann-Lèvy, los editores franceses de Françoise, pidiendo al tribunal que prohibiera el libro. La causa fue oída el 12 y 13 de abril y sentenciada. «Lo que me salvó —dijo Françoise— es que yo había incluido en el libro sólo lo que, de una manera u otra, había sido de dominio público y lo que podía documentar. Había omitido deliberadamente el resto.»

El había perdido por segunda vez. Pero no estaba acabado. El 20 de mayo presentó un recurso nuevamente pidiendo que los libros fueran secuestrados y destruidos. Por entonces se habían unido a la lucha cuarenta personalidades del mundo del arte, quienes, organizados por Parmelin, firmaron un manifiesto publicado en *Les lettres Françaises* exigiendo la prohibición del libro. Artistas e intelectuales, normalmente defensores de la libertad de expresión, estaban siendo presas de la histeria colectiva que se había extendido entre los bien-pensantes. Los más estridentes de entre ellos admitieron que no habían leído el libro y estaban decididos a no hacerlo en caso de que les predispusiera a favor de la autora. «Tengo la suerte de conocer el original y proclamar mi indignación por el engaño —escribió Pignon—. En Picasso no hay un divorcio entre el hombre y el pintor. No hay por qué exaltar al pintor y destruir al hombre. Ambos caminan codo con codo, y el modo de ser de Picasso como pintor es una fuente de moral en sí misma. Si ha habido tal indignación entre pintores y escultores es porque Picasso es para nosotros un ejemplo... Yo me siento ultrajado cuando quieren hacernos creer que él es un destructor. Por el contrario, es un estímulo para el espíritu, un dador de libertad, un alma radiante...»

Era una reminiscencia irresistible del lenguaje que había sido usado por aquellos igualmente «ultrajados» por la falta de reverencia en el retrato que hizo Picasso a Stalin. Como adición al aire de total irrealidad, Pignon, después de más de un año desde que Picasso había separado a sus hijos de su vida, escribió: «Françoise Gilot intenta desacreditar públicamente al padre de sus hijos; el hecho de que incluso los lazos existentes entre los niños y su padre hayan sido casi objeto de desconocimiento demuestra la clase de libro que es.» Desde entonces, la publicación del libro de Françoise se convirtió en la excusa de la negativa de Picasso a ver a los niños. Las fechas contradecían la declaración, pero se impuso la prudencia recibida.

Uniéndose al coro de condena de Françoise y el libro —con la prensa comunista, naturalmente, abriendo paso— estaba André Marchand, postrado ante el genio de Picasso. «Una mujer que ha pasado diez años con él no debe confundir los insignificantes problemas personales con la gran aventura de un creador.» También Félix Labisse, descaradamente franco: «No he leído el libro, pero... puesto que Picasso lo ha encontrado desagradable, me pongo al lado de su amistad»; también estaba la carta abierta a Picasso de los «comunistas de Vallauris»: «No podemos prestar oídos al montón de mentiras contenidas en el libro que una prensa sensacionalista y la radio gaullista han estado propagando con la intención de calumniarte como hombre, artista y comunista.»

Por sugerencia de André Parinaud, el editor de *Arts,* Françoise había escrito un artículo respondiendo a los ataques. Pero la presión de sus compañeros fue demasiada para Parinaud. El 15 de mayo escribió a Françoise: «Mi querida amiga: pensará que los periodistas pertenecen a un extraño grupo de personas, pero es triste decir que lo que es un día noticia, deja de serlo al día siguiente. Cuando propuse publicar su respuesta al manifiesto de los cuarenta tenía a mi disposición las páginas necesarias en la revista y las noticias de arte de aquella semana eran escasas. Ahora me encuentro esta semana con 107 críticas de exposiciones en mis manos y sería una provocación para los pintores y las galerías que dedicase una página entera a lo que hoy se llama *l'affaire Picasso,* pero que en otro nivel está empezando a cansar a las personas inteligentes. Siento tener que devolverle su artículo. Estoy convencido de que comprenderá mis motivos. Le pido que crea, mi querida amiga, en la certeza de mis mejores sentimientos.»

Con el recurso de Picasso todavía pendiente y sin que disminuyese el chorro de excomuniones contra Françoise, *l'affaire Picasso* casi había perdido su actualidad. Pero la carta resumía la cobardía y la hipocresía que Françoise había encontrado en el mundo del arte desde que había cometido el crimen de dejar a Picasso y luego publicar blasfemias. Pero había defensores: «Giacometti era uno de los amigos —dijo Françoise— que me llamaron a menudo para darme fuerzas y decirme que pensaba mucho en mí.» Arthur Koestler y François Mauriac eran dos hombres de letras que también la apoyaron.

Los abogados de Picasso, Bernard Bacque de Seriac y Georges Izard, defendieron en juicio su caso el 23 de junio. «Nuestro cliente —dijo De Seriac en el juicio— no es un Barba Azul, por supuesto no es un malvado ni piensa en el dinero todo el tiempo. Tampoco él es... un primitivo lleno de supersticiones y fetichismos de todo tipo.» «Incluso un hombre famoso como Picasso —alegó Georges Izard— tiene derecho a que le hagan justicia.»

«Picasso —se opuso el abogado de la defensa, Paul Arrighi— no es un santo de cristal. Es falible y por eso puede ser criticado. Y la señora Gilot no se ha excedido en su derecho a hacer historia. Una biografía no tiene por qué ser un panegírico... Finalmente, Picasso, el hombre público, se ha dejado dar publicidad durante más de medio siglo. Ha sido fotografiado por revistas vestido de torero, payaso y simplemente medio desnudo con su traje de baño. Hoy despliega una repentina y trasnochada proclividad a la discreción.»

«En un caso como el que se nos presenta —concluyó el ayudante del fiscal en el Tribunal de Apelación, al estilo de Salomón—, la intimidad no pertenece exclusivamente a cada amante.» El la había retratado como la veía en sus pinturas; ella le había retratado como le veía en su libro. La sentencia del tribunal ordinario se mantuvo y la apelación de Picasso se rechazó. Picasso se había «expuesto a menudo a la curiosidad pública —decía el fallo del tribunal—. No ha rechazado la publicidad... Las memorias personales de Françoise estaban unidas incondicionalmente a las del pintor. De modo que ella no podía evocar unas sin relatar las otras. Pero no había buscado en absoluto el escándalo o la satisfacción de un deseo de venganza.»

El día siguiente a su victoria, Françoise recibió una llamada de teléfono de Picasso. Era la primera vez que se habían hablado directamente en los últimos diez años. «Una vez más tú ganas —dijo él—. Te felicito porque, como sabes, a mí me gustan sólo los ganadores en la vida. No puedo soportar los perdedores.»

«Gracias —dijo Françoise—, pero hiciste todo lo posible por convertirme en una perdedora. Y en cualquier caso, ¿por qué tienes que querer sólo a los ganadores?»

Esa llamada de teléfono, después de tres procedimientos legales, después de todo lo que se había dicho en el tribunal intentando desacreditarla y después de todo lo que ella había sufrido emocionalmente durante los meses consecutivos de juicios, era una nueva prueba de la perversidad del carácter que los abogados de Picasso habían intentado negar en sus declaraciones al tribunal. El podía reconocer la existencia de otros sólo si después de haber hecho todo lo posible por destruirles, no lo había conseguido. De otro modo, como el Mefistófeles de Goethe, no podía tener conciencia de la realidad del otro. Los seres humanos eran suscitados y exorcizados por él según su voluntad. Por tres veces había intentado exorcizar a Françoise y a su libro, y por tres veces los tribunales se habían negado a hacer su voluntad.

17

¿QUE ES TODO ESO?

«Tenía una mentalidad de guerrero —dijo Manuel Blasco, primo de Picasso—. Trabajaba de día y fornicaba de noche.» En noviembre de 1965, y en el mayor secreto, Picasso ingresó en el Hospital Americano de Neuilly para ser operado de la vesícula biliar y de próstata. De allí en adelante sólo pudo luchar, ya que sus noches la cirugía las había hecho forzosamente castas. Para un guerrero que había llevado su virilidad como el que se enorgullece de una condecoración, el fin de su actividad sexual era una calamidad terrible al ver que la operación señalaba también el fin de sus días de lucha. Durante el resto de 1965 y hasta diciembre de 1966 dibujó y grabó, pero no pintó ningún cuadro, y ese período fue el más prolongado en que se había ausentado hasta entonces del campo de batalla. «Cuando un hombre sabe cómo hacer algo —dijo a Luis Miguel Dominguín—, cesa de ser un hombre si deja de hacerlo.» Aconsejaba a Dominguín que no se retirase del toreo, pero sabía que él no se permitiría permanecer mucho tiempo fuera de la arena.

«Me dieron una buena cornada cuando me operaron en París —dijo—. Fue un choque terrible. La cicatriz es exactamente igual a las que les quedan a los toreros después de una cogida, pero la diferencia es que los toreros reciben las cornadas cuando son jóvenes y gozan de buena salud.» En otra ocasión dijo: «Me cortaron como si fuese un pollo». Variaba la imagen, pero el choque permanecía. Su mágica integridad había sido violada y estaba más expuesto que nunca a las vicisitudes del «malvado destino». Proteger del mundo su intervención quirúrgica era un medio no solamente de proteger su vida privada, sino de protegerse a sí mismo. Cuando él y Jacqueline montaron en el tren nocturno con destino a París, muy disfrazados, quizá pensó en que huían no solamente de la prensa, sino también del destino. Cuando tomaron el tren, al dejar la Costa Azul montaron en la estación de Saint Raphael en lugar de la de Cannes, y el doctor Hepp, a cuyo cargo estuvo la intervención, registró su nombre en el hospital como «Sr. Ruiz».

Había escapado a la muerte, pero no despreciaba las señales de su ineluctable condición de ser mortal. Había abandonado los gauloises, sus más constantes compañeros en la vida; su vista, cada vez más débil, hacía que su mirada magnética estuviese cada vez más velada por las gafas; su creciente sordera le hacía apartarse cada vez más de la gente, y la profunda cicatriz de la operación, ahora que el telón del secreto se había ya alzado, la mostraba con aire de desafío a los pocos a quienes se les permitía visitarle, pero era un odioso recuerdo de lo que había perdido para siempre. «Cuando te veo —le dijo a Brassaï—, mi primer impulso es buscar en mi bolsillo para ofrecerte un cigarrillo, aunque sé muy bien que ni tú ni yo fumamos ya. La edad nos ha obligado a dejarlo, pero queda el deseo de fumar. Es lo mismo que lo de hacer el amor: no podemos hacerlo, pero el deseo sigue acompañándonos.»

El deseo y la frustración, la ira y la desesperación lacerante tenían su cauce en la obra de Picasso; y el sexo en perspectiva, en acción y en retrospectiva eran el motivo dominante en muchos de sus cuadros cuando, ya suficientemente recuperado de «la cornada», pudo volver a pintar. Los informes desde Notre-Dame-de-Vie indicaban que había vuelto a la normalidad —su propia y extraordinaria normalidad, desde luego—. Así como durante toda su vida se había ufanado de ser un nadador excelente, pretendía ahora, lo mejor que podía, que la edad no le había afectado. «Sólo puede flotar y salpicar un poco a lo largo de la playa —escribió Roberto Otero, un aficionado a los toros que había conseguido pasar el telón de acero de Notre-Dame-de-Vie—; sin embargo, su imitación es tan realista, que a cierta distancia nadie podía darse cuenta de si su "natación" era auténtica o no.» Y su imitación de «fresco como el rocío mañanero» era tan convincente —para quienes querían ser convencidos— que el mito del perpetuo genio vital seguía viviente. «Han pasado nueve meses desde la operación —escribió Otero en su diario el 15 de agosto de 1966— y su recuperación ha sido sorprendentemente rápida. Incluso los médicos están asombrados.» Pero había algunos que sólo estaban cegados a medias por el privilegio de acercarse a él. Cecil Beaton era uno de ellos: «Picasso, triste es decirlo, ha envejecido y parece haberse encogido. Hay melancolía en sus ojos, que han perdido algo de su brillo; antes eran negros, pero ahora parecen de un castaño claro.»

Lo que había perdido —y eso se reflejaba en su mirada— era su capacidad para la alegría. «Al final —dijo— cada uno vuelve a sí mismo. Es el sol en el vientre con mil rayos. El resto no es nada.» Y ahora le decía a Pignon: «Un día te das cuenta de que es como ahora, cuando llega la vejez y tus fuerzas disminuyen.» Estaba ya muy cerca de admitir que el sol en su vientre no era ya lo que había sido. Y el resto no era nada. «Pintando cara a cara con el mundo próximo, incluso si es la nada, no es lo mismo que pintar cara a cara con la nada, aunque sea un cuadro» —escribió Malraux sobre Picasso—. Pintando cara a cara con la muerte, sentándose ahora más que permaneciendo de pie, encorvado ante sus cuadros.

Malraux era ministro de Cultura cuando se proyectó una exposición retrospectiva de Picasso con motivo de su octogésimo aniversario. El ministro gaullista era, sin embargo, reacio a aproximarse al pintor comunista. «Lo malo era que se consideraban a sí mismos iguales frente a la eternidad» —dijo alguien viendo sus mutuas sospechas—. «Está usted loco —respondió Malraux cuando alguien le instó a visitar a Picasso en Notre-Dame-de-Vie—. Me dejaría esperando de pie en la puerta, horas y horas, después de decirme que vendría a abrirme alguien, y mientras tanto mandaría una información a *L'Humanité*.» Finalmente, Juan Leymarie fue encargado de la exposición, y sólo faltaba persuadir a Picasso de que aceptase el honor. «Tomábamos las decisiones importantes por la tarde —recordaba Jacqueline—. Pablo siempre trabajaba hasta entonces; luego iba a la cocina a comer algo, y era después cuando adoptaba las decisiones. Le hablé sobre la exposición, y dijo que no. Una hora después, antes de irnos a la cama, dijo: "Si verdaderamente es eso lo que quieres, adelante, pero no tengo nada que ver en eso". Y se pasó una semana en la cama.» Desde luego, cuando llegó la ocasión, no pudo resistirse a tratar casi cualquier cosa, y entonces advirtió a Leymarie: «Habría sido mejor para usted no haberme conocido. Va usted a tener un montón de problemas.»

A comienzos de octubre de 1966, Leymarie había ido de París a Sainte-Marie-de-Vie para una visita de trabajo, cuando alguien se dio cuenta de que no había tomado medidas de los cuadros que había que enviar al Grand Palais. «Eran constantes las idas y venidas —recordaba Otero—. Jacqueline, Louise Leiris y el director de la galería Maurice Jardot se dedicaban a corregir los descuidos de Leymarie, reconociendo que era víctima de una tremenda experiencia emocional.»

Al día siguiente había abundantes bromas halagadoras alrededor de la mesa de la cena sobre la inutilidad de intentar evaluar en forma realista los trabajos que iban a ser enviados a París, «porque el Gobierno francés iba a caer». «En cualquier caso —dijo Otero— no es un problema grave, ya que las medidas de seguridad que se han tomado están en relación con el valor de esos cuadros. Habrá un destacamento de policía escoltando los camiones desde Mougins hasta el Grand Palais, con una exhibición de fuerza digna de una operación bancaria. El cuartel general de la policía seguirá al convoy de las pinturas por radio patrulla durante todo el viaje. Si todo ello no fuera suficiente, un representante del Ministerio de Cultura acompañará a los técnicos del Louvre que organizan el viaje en uno de los camiones. Picasso oía estas manifestaciones con una mezcla de curiosidad y admiración infantil. Era como si hubiese desatado una tempestad en el mar al haber aceptado el espectáculo del homenaje.»

La mañana en que salieron los cuadros y las esculturas rumbo a París, Picasso, que lo contemplaba desde la terraza de su dormitorio, se preguntaba, distraído, qué habría pasado con *Hombre con una oveja*. «¡Qué loco estoy! —se corrigió inmediatamente—, justamente se lo han llevado hace un momento. Estas cosas suceden igual que cuando uno le pregunta a una viuda por su marido recién enterrado. Lo peor es que voy a echar de menos al hombre con la oveja. Estoy acostumbrado a orinar sobre él desde el estudio del primer piso.»

El 26 de noviembre, Malraux inauguró la exposición retrospectiva de cuadros en el Grand Palais y de esculturas en el Petit Palais. Para entonces se había convencido a sí mismo de que la exposición había sido un invento suyo, y en *La máscara de Picasso* se refirió a ella como «la exposición retrospectiva que organicé en 1966». Cerca de un millón de personas vieron la exposición y, desde luego, era muy meritorio haberla organizado, incluso si él se había desentendido de ella en la fase de iniciativa de celebrarla.

«Picasso domina este siglo como Miguel Angel dominó el suyo —escribió Jean Leymarie (que él sí la había organizado) en la introducción al catálogo—. Sin lugar a dudas todavía dará que hablar. El hombre cuyas tres sílabas llenan el siglo y el planeta entero, todavía no ha dejado de sorprendernos ni de proyectar su sortilegio sobre nosotros.» En una de las emisiones de radio dedicadas al acontecimiento, un sacerdote manifestó que «si la historia de nuestro tiempo no se escribiera, podríamos leerla en la obra de Picasso». Y sin duda creía que esto era un cumplido.

«¿Ha ido usted? Todos los periódicos dicen que irá.» Palau y Fabre se lo preguntó a Picasso cuando le visitó en Notre-Dame-de-Vie. «¿Ah, sí? Bueno, entonces, ciertamente no iré.» Breton había dicho que Picasso había «desarrollado hasta el límite, no el espíritu de contradicción, sino el de evasión». De hecho había alcanzado las más altas cimas en uno y otro. El día de la inauguración se divirtió mucho pensando que todos los *otros* pintores irían en tropel a ver la exposición en lugar de dedicarse a sus propias tareas, y en todos los lienzos no pintados que tendría él sobre su conciencia a causa de eso. Y meditando sobre la exposición se preguntaba cuál sería el significado de todo aquello: «Verdaderamente no sé por qué he permitido que suceda eso. Básicamente estoy en contra de las exposiciones y los homenajes, como sabéis. Además no es adecuado para cualquiera. Pintar, exponer, ¿qué es todo eso?»

Esa era la pregunta fundamental en los últimos tiempos de la vida de Picasso, que tenía la sensación de ser como Sísifo, condenado a llevar una piedra hasta lo alto de una colina y cuando llegaba a la cima, la piedra retrocedía hasta el principio del camino, y ello día tras día. «Lo peor de todo —dijo— es que nunca se termina. Nunca hay un momento en que puedas decir: "He trabajado bien y mañana es domingo". Si te detienes es porque tienes que volver a empezar. Puedes dejar a un lado un cuadro y decir que no lo volverás a tocar, pero nunca podrás escribir FIN.»

Contra su creciente sensación de futilidad y despilfarro sólo podía luchar con su trabajo, cada vez más frenético, cada vez más rápido, cada vez más áspero. Estaba reponiéndose de un ataque de hepatitis cuando, en diciembre de 1966, comenzó a pintar otra vez. Sus cuadros y dibujos fueron de repente invadidos por soldados, soldados del siglo XVII, que él llamaba mosqueteros y que habían llegado a él cuando en su período de barbecho había dedicado bastante tiempo a estudiar a Rembrandt. «Cuando las cosas iban bien —decía Jacqueline—, salía del estudio diciendo: "¡Siguen llegando! ¡Siguen llegando!"»

«Podría pensarse —se cita a alguien que lo dijo— que estaba intentando hacer unos cuantos siglos de trabajo en lo que le quedaba de vida.» Ya había cerrado la terraza, convirtiéndola en un estudio adicional, quejándose de que ya no tenía bastante espacio en la habitación para pintar. «La casa está llena de cuadros por todas partes. ¡Se multiplican como conejos!» Zervos llegaba para fotografiar todo: cuadros, dibujos y grabados. «Es como ir al cine o a los toros» —decía—. Jacqueline y el resto de la corte parecían convencidos de que había una grandeza en el número, en la cantidad.

Pero, ¿qué pensaba *él?* «Cuanto más tiempo pasaba —dijo Parmelin— más trataba de proteger su obra y conseguir la pintura en que soñaba, la pintura en la que había soñado toda su vida.» Y Otero escribió más tarde: «Picasso estaba pintando a razón de dos cuadros al día.» Pero la cantidad y la velocidad y la ingenuidad y la capacidad de prodigios y todos los demás criterios de ejecución no eran importantes en la pintura definitiva que ansiaba. Eso lo sabía. Quizá tenía la esperanza de que cuanto más pintara más oportunidades tendría de tropezar con ella. Los lienzos en blanco eran una fuente de reproches para él. «¿Qué podía hacer? —dijo en una ocasión tras haber rechazado a un grupo de malagueños que habían querido visitarle—. Me habría gustado verles, ¿pero cuándo? Ya sabes, Jacqueline compró hace dos meses sesenta lienzos a un comerciante que se retiraba de los negocios. Bueno, ¡pues todavía tengo once de ellos sin pintar, totalmente en blanco!»

Hambriento de alimento real, devoraba afanosamente los lienzos con los que le alimentaba Jacqueline. Trabajar había llegado a ser la única fuente de satisfacciones, pero lo menos satisfactorio era que, como un drogadicto, volvía a buscar más y más dosis. «Solamente tengo un pensamiento: trabajar —decía—. Pinto como respiro. Cuando trabajo me relajo, pero si no hago nada o tengo que entretener a visitantes, termino cansado.» Sartre había dicho: «El infierno son los demás», y Picasso parafraseaba a su amigo de los tiempos de la guerra: «Me molesta la presencia de la gente, no su ausencia.» Y más tarde: «Odio gastar mi tiempo con la gente. No ya ahora, sino desde tanto tiempo como pueda recordar.»

Como el trabajo ocupaba totalmente su existencia, y cualquier otra cosa había sido relegada, parecía lejano tanto de la humanidad como de la pintura definitiva que siempre había intentado describir: «Lo extraordinario sería hacer, sin ninguna coacción, una pintura que se incorporase por sí misma a la realidad... Lo contrario de una fotografía... Una pintura que contuviese todo lo de una mujer en particular y que no pudiese ser visto nada conocido en ella.» Lo más cercano que durante los últimos años había estado a esa pintura eran solamente las palabras con las que intentaba definirla.

Padecía una pesadilla recurrente, personificada en los ladrones. «Sueño —decía— que me están robando alguna cosa, no estoy seguro de qué es, pero me despierto gritando: "¡Alto, ladrón! ¡Alto, ladrón!". Otras veces me despierto en la noche y reflexiono sobre mil cosas mientras intento volver a dormirme. Entonces comienzo a pensar en que no he visto hace tiempo el pequeño cuadrito de Degas, por ejemplo. Bueno, pues en ese momento despierto a Jacqueline y le pido que traiga el cuadro. Tan pronto lo veo empiezo a pensar en cualquier otra cosa. Y a veces no puedo encontrarla. ¡Eso es espantoso! Entonces comienzo a sospechar que se lo ha llevado la última persona a quien vi mirarlo. Al cabo de dos meses el cuadro aparece en otro sitio, pero entre tanto tengo la seguridad de que Kahnweiler o Pignon lo han robado.» Era en ese mundo de pesadillas de ladrones y amigos convertidos en ladrones, de miedo y sospechas, en el que vivía, despierto o dormido.

Sus aterradoras fantasías se hicieron realidad en la primavera de 1967: fue desahuciado de la casa de la calle Grands-Augustins. Era difícil creer para mucha gente que el hombre que acababa de ser objeto de uno de los más extravagantes ritos del siglo XX —una gran exposición retrospectiva visitada por un millón de peregrinos— había sido desalojado de su antiguo estudio, todavía lleno de obras suyas, por no habitarlo. Picasso había usado su influencia cerca de sus poderosos amigos para prevenir que eso pudiera suceder, y había recibido seguridades al respecto del propio ministro de Asuntos Culturales, pero al final la burocracia, la ley y sus pesadillas prevalecieron.

La tarea de catalogar y hacer la mudanza de todo aquello recayó en Inés y su hijo, que durmió en el estudio durante todo el tiempo que duró el trabajo, rodeado de obras de Picasso. «¿Qué le debes a Inés por el traslado?» —le preguntó alguien a Picasso cuando había terminado ya la mudanza—. «Le debo la vida entera, no el traslado» —replicó—. Cuatro años después todavía la expulsión de la casa de la calle Grands-Augustins pesaba sobre él como si se tratase de un hecho reciente. «¿Has oído la triste noticia? —preguntó a Brassaï cuando éste llegó a Notre-Dame-de-Vie un día de 1971—. Mis estudios de la calle Grands-Augustins ya no existen. Me los han quitado. Los perdí estúpidamente.»

«Era —escribió Brassaï— como si estuviera anunciando la muerte de alguien que hubiese conocido y querido.»

«Es triste, ¿verdad? —repitió Picasso—. Es una terrible pérdida para mí. Todas las huellas del medio siglo que hace que vivo en París están ahora total y definitivamente borradas.»

Afectado por la visible tristeza de Picasso, Brassaï observaba en el artículo que escribió en *Le Figaro:* «Es como si hubiesen desahuciado a la reina Isabel de Inglaterra con el pretexto de que estaba pasando una temporada en Balmoral o Windsor.»

Picasso lloró por su viejo estudio, en el que no había puesto el pie en doce años, más y durante más tiempo que hubiera llorado a un amigo. Necesitaba sentir y expresar su afecto a lo que fue su refugio en el pasado, no a las personas, sino a los lugares. «Lo que uno va a hacer es más interesante que lo que uno ha hecho ya» —dijo en cierta ocasión cuando aún vivía en la calle Grands-Augustins—. Intentaba frenéticamente actuar como si eso fuera todavía verdad, pero espoleado por la sensación de futilidad y no por la pasión.

La futilidad y la repugnancia imperaban en la serie de 347 grabados en los que empezó a trabajar en marzo de 1968, un mes después de la muerte de Sabartés, y con ella, de la pérdida de otro eslabón más de los que le unían a la vida y al pasado. Continuó desafiando a la muerte dedicando cuadros a su amigo muerto, como si todavía estuviese vivo. Trabajar era también mantener ese reto, y la instalación cerca de su casa del taller de los hermanos Aldo y Piero Crommelynk, maestros impresores, le permitió mantener una estrecha relación con ellos y confiarles la impresión de una serie de grabados a la que se dedicó entre marzo y octubre. Reproducían escenas de burdel; allí estaba Celestina, la clásica figura de la literatura española, y estaba también el pintor Rafael copulando con La Fornarina mientras pintaba incesantemente en su cuerpo o en nada; allí había también mirones, a veces el propio Picasso, como un enano viejo o un clown delgado, y a veces un rey, un bufón, el Papa o un mosquetero. «El orgulloso mosquetero —escribió Schiff— se convirtió en un viejo en una exhibición de voyeurismo por la que el glorioso escenario del mundo se convierte en una sajadura en la carne, con un fondo de oscuridad.» Las series eran calificadas de «eróticas», pero era un erotismo de entrepierna abierta y mirón que la contemplaba, y nada más.

Picasso estaba enfermo y las parejas que llenaban su trabajo en 1969 besándose, copulando y estrechándose mutuamente llevaban el sello de su enfermedad; su cuerpo era un saco de morbosos y frustrados deseos. El cuerpo que durante tanto tiempo había estado a su servicio se había vuelto ahora contra él: ahora le fallaba la vista, oía mal, sus pulmones respiraban con dificultad, sus miembros luchaban por sostenerle y él tenía que luchar para conseguir dormir. Pero una enfermedad mucho más de temer que los inevitables achaques de un hombre próximo a los noventa años era la enfermedad del alma de un hombre cercano a la muerte y totalmente desconectado de la fuente de la vida, un hombre mirando fijamente a la muerte y viendo sus terribles imágenes.

La gente que le quería, y a la que él quizá había querido, intentaba abrirse paso a través del bloque de su aislamiento. Maya, ahora casada con un capitán de una línea mercante francesa, y viviendo con sus dos hijos en Marsella, llegó con sus niños ante el portero electrónico de Mougins y oyó decir al jardinero las bien ensayadas palabras: «El señor Picasso no está.» Muchas veces había telefoneado sin otro resultado que una respuesta parecida. Claude llegó con su joven esposa americana tres meses después de su boda en Nueva York. «¿Quién es usted?» —le preguntó una voz a través del intercomunicador de la puerta.

«Yo soy Claude» —replicó.

«¿Claude qué?»

«Soy Claude Picasso y quiero ver a mi padre.»

La voz se alejó y luego regresó: «Está muy ocupado ahora para verle.»

«Bueno, ¿puedo volver mañana?» —dijo Claude rápidamente.

«No, no creo que tenga tiempo mañana.»

En ese momento llegó un camión con obreros de reparaciones. Se anunciaron y la puerta se abrió inmediatamente para ellos.

«¿Por qué yo no puedo entrar y ustedes sí?» —preguntó Claude, como si aquellos hombres ajenos a él y a su dolor tuvieran la respuesta a la obsesionante pregunta con la que vivía.

«Oh, usted necesita un pasaporte para entrar» —contestó, riéndose, uno de los obreros—. Estaba claro que su nombre, en el pasaporte, estaba equivocado.

Los cheques mensuales que Picasso venía enviando a Marie-Thérèse dejaron de llegarle sin explicaciones. Como eran su único medio de vida, Marie-Thérèse, presa del pánico, escribió a Picasso una carta larga, triste y desconcertante. Citaba a Confucio: «La alegría está en todas las cosas, pero hay que saber cómo obtenerla de ellas». Y como si hubiese sido súbitamente golpeada por lo inseguro de su vida, citó a Schopenhauer: «La vida no es más que la lucha por la existencia, peleada con la certeza de ser vencido.» En una *Composición con cartas y una mano blanca,* que Picasso pintó en 1927 y conservaba en su poder, el monograma de Marie-Thérèse aparecía en una mano separada del cuerpo, símbolo del destino. Cuarenta y dos años más tarde, Marie-Thérèse escribió sobre «la mano», la de él, que había herido y olvidado, y las suyas, que ahora extendía como las de un mendigo afligido. «Digo que la mano es terrible: la mano alzada para jurar en falso, la mano que aprieta el fusil, la mano que trenza el alambre de espinas, la mano que golpea, la mano que mata. Digo que la mano es desdichada: la mano herida, la mano que mendiga, la mano que olvida, la mano encadenada, desesperada, la mano de la muerte...»

Envió la carta sin firma, señal de aflicción con la que esperaba suscitar alguna compasión. Picasso la recibió como si fuera un escrito amenazador, e incluso habló a su abogado Roland Dumas de «mal de ojo» y «magia negra» refiriéndose a la misiva. La superstición vivía en él más que nunca ahora que habían muerto tantas cosas, y cada vez más era fruto de la apariencia y de los frenesís de razonamientos secretos, que le hicieron ver en Marie-Thérèse «demonios» de los que quería ser protegido. La mano quedó mendigando y la petición fue desoída.

Maya, preocupada por su madre, escribió a un marchante amigo del matrimonio en Los Angeles. «Era una carta triste —recordaba Frank Perls—. Maya se quejaba amargamente de la suerte de su madre. Marie-Thérèse estaba desesperada. Maya escribía que su madre poseía algunos cuadros de Picasso que quería vender. ¿Podría decirle cómo? ¿Podría ayudarla?» Perls telefoneó a Marie-Thérèse desde Los Angeles. «Maya me había dicho que confiase en mí» —dijo—. «Aquí estaba la bella mujer que Picasso había convertido en monumento de belleza, madre de mi amiga Maya, llorando. A más de 6.000 millas de distancia, una mujer rubia estaba llorando.»

Dos días después, Perls llegó al domicilio de Marie-Thérèse en el número uno del boulevard Henri IV y se encontró no ante la bella rubia, sino frente a «una viejecita». Su primera pregunta fue: «¿Cuándo le vio por última vez?» Perls quedó impresionado por la inmediata confesión de que Picasso era todavía el centro de su vida. Lo que le impresionó todavía más fue que sus palabras eran eco de las de una guapa chica que un par de meses antes le había preguntado al dirigirse a él junto al Café de Flore: «¿Cuándo ha sido la última vez que vio usted a mi padre?» Era Paloma.

Sentados junto a la mesa de desayuno del escasamente calentado apartamento, Marie-Thérèse habló y habló del hombre del que había hecho un culto. Mostró sus recuerdos: una caja de zapatos con todas sus cartas y paquetitos de papel de seda conteniendo recortes de sus uñas. Los ocho cuadros, los 23 dibujos y las 53 litografías que poseía estaban todos en los sótanos de la Banque Nationale de París.

A las cinco de la tarde del 6 de febrero, Perls llegó a Notre-Dame-de-Vie junto con Heiz Berggruen, marchante y publicista.

Después de muchas llamadas telefónicas habían despertado la curiosidad de Picasso respecto a los cuadros contenidos en las maletas, así que les abrió la puerta. «Bueno, ¿dónde están los cien cuadros? —les preguntó cuando entraron—. ¿Dónde han conseguido ustedes cien cuadros míos?» En cuanto empezaron a desempaquetarlos lo supo. Explicaron que Marie-Thérèse necesitaba dinero y que les gustaría que Picasso firmase los cuadros. «Sí, claro —dijo él—, los firmaré. Déjenmelos. Mañana las firmas estarán ya secas y podrán llevárselos.»

Maya había advertido a Perls que Picasso intentaría quedarse con los cuadros en Mougins, a causa de Jacqueline, le dijo. Perls estaba preocupado por dejarlos allí, pero antes de que pudiera contestar a Picasso apareció súbitamente Jacqueline, quien, como de costumbre, había estado escuchando detrás de la puerta. «¿Qué demonio es eso? —chilló—. ¿Esa mujer con la que te acostabas los jueves por la tarde *tiene* todos esos cuadros...? ¡No los firmes! Esos cuadros son tuyos. Sólo estaban almacenados en la casa de Marie-Thérèse. Si necesita dinero, ¿por qué no se pone a servir?» Gritando más insultos salió tempestuosamente de la habitación.

Picasso, que ahora estaba solo con los asombrados vendedores, improvisó una actuación virtuosísima del malvado a su pesar: «Bueno, ¿qué puedo hacer? Ya ven lo furiosa que está Jacqueline. Quiero ayudar a Marie-Thérèse y quiero ayudarles a ustedes, pero no puedo hacerlo». Ellos intentaron recordarle cuánto necesitaba Marie-Thérèse el dinero. «No importa —dijo—. Sé que ustedes obran de buena fe, pero, ¿qué puedo hacer yo? Jacqueline no me lo perdonaría nunca; eso es lo que pasa.»

La actitud de Jacqueline negándose a perdonar a Monseigneur era, desde luego, ridícula. Como siempre cuando le convenía, Picasso aparecía como la desventurada víctima de Jacqueline. Nunca había pensado en firmar los cuadros de Marie-Thérèse, pero fue feliz firmando las no firmadas litografías que Berggruen había traído consigo. En otra ocasión dedicó bastante tiempo a mezclar los colores para conseguir una firma perfecta a un Picasso sin rubricar que poseía Toni Curtis y que éste le había pedido que firmase. En el caso de Berggruen se trataba de obras en poder de un coleccionista escandinavo que no conocía; en el caso de Toni Curtis éste era una estrella de cine.

Perls telefoneó a Maya. «Empecé todo eso —le dijo ella en Marsella cuando él se detuvo allí para verla al regresar de Notre-Dame-de-Vie— para conseguir una vida más cómoda para mi madre, para que no mendigase su cheque mensual, y esperaba que consiguiese el dinero suficiente para comprar una casita aquí, al lado del mar, cerca de sus nietos.» Cuando Perls le contó lo que había sucedido en su visita se echó a llorar. «Yo soy todavía un marchante —escribió Perls—, pero la última vez que vi a Pablo no fue un día agradable.» Nunca se había atrevido a llamar «al magnífico, al gran anciano», Pablo.

Marie-Thérèse, todavía en su apartamento mal caldeado, sin dinero ni cheque mensual, decidió encomendarse a un abogado, George Langlois; este abogado se puso en contacto con Roland Dumas, y después de varios meses de negociaciones entre los dos se reanudaron los pagos a Marie-Thérèse. «Querido Langlois —fue la primera respuesta de Dumas—, va a ser muy difícil reanudar la pensión porque la carta que le envió le hizo imaginarse lo peor.» Y como todos los que rodeaban a Picasso estaban siempre dispuestos a asumir sus responsabilidades y caprichos, Marie-Thérèse le dijo a Langlois: «Cometí un error terrible.»

Quedó claro en las varias reuniones de los dos abogados que Picasso estaba inflexiblemente opuesto a que Marie-Thérèse vendiera nada que él le hubiese regalado. Finalmente se llegó a un acuerdo gracias a Roland Dumas, quien, como señaló Langlois, daría cualquier cosa para calmar los miedos irracionales de su cliente. Marie-Thérèse convino en no vender ninguna obra de Picasso durante la vida de éste, y a cambio Picasso le entregó, a través de su abogado, una carta reconociendo su legítima propiedad de obras que Perls le había devuelto sin firmar, previniendo así cualquier litigio después de su muerte. El no había firmado las obras aún, pero las autentificaba desde luego como suyas y como valiosas. «Sin eso —explicaba Langlois— él tendría derecho a repudiar sus obras como de mala calidad, e incluso a manifestar que se las había dejado a Marie-Thérèse para que las rompiese o las destruyese por cualquier medio, y por eso no las había firmado, en cuyo momento, fuesen o no de Picasso, las obras habrían perdido todo su valor en el mercado.»

Se le explicó a Picasso que el hecho de haber estado mandando a Marie-Thérèse un cheque mensual durante treinta años era reconocimiento por su parte de lo que en Francia se llama «obligación natural». Su pensión mensual no sólo fue reanudada, sino aumentada. «Después de todo —dijo Langlois— tuve que conseguir algo para ella para justificar mi intervención.» Lo que no había conseguido el sentido común, lo consiguió la presión legal. Era el lenguaje del poder el que entendía y hablaba fluidamente Picasso.

El caso de Marie-Thérèse estaba cerrado, pero la batalla legal de Françoise para legitimar a sus hijos seguía adelante. En ella la ley estaba a favor de Picasso, y en consecuencia las instrucciones de Picasso a Dumas no dejaban lugar a dudas: luchar contra las reclamaciones de sus hijos. Había dicho a Dumas que «sus obras eran más sus hijos que los seres humanos que decían serlo». En 1970, el mismo año que Françoise contrajo matrimonio en Neuilly con el doctor Salk, el célebre científico que había desarrollado la vacuna contra la poliomielitis, el tribunal de Grasse rechazó la demanda de sus hijos para que fuese reconocida la paternidad de Picasso. «Llevan mi apellido. ¿No es bastante?» —dijo Picasso a un reportero de tribunales.

Ni siquiera sus propios abogados pensaban así. En un giro copernicano, el abogado Izard, que había alegado contra Françoise y su libro, y que era miembro de la Academia Francesa y uno de los abogados franceses de mayor fama y prestigio, le ofreció encargarse de la defensa de sus hijos. «Fue extraordinario —dijo Françoise—, pues al principio creí que era otra de las estratagemas de Pablo, un procedimiento para garantizarle que mis hijos nunca conseguirían sus derechos. Pero cuando me entrevisté con él vi que realmente creía que Picasso se había equivocado al intentar suprimir mi libro y que había sido extremadamente injusto al negar los derechos de mis hijos.» Seis meses después, Izard falleció de un ataque al corazón. «Fue muy triste perderlo —dijo Françoise—, pero fue maravilloso que se hubiera unido a nosotros. Y el hecho de que fuese él quien inició la aproximación, que él hubiese sido quien cambió de bando, fue para mí muy importante psicológicamente.»

El otro abogado en el proceso contra el libro de Françoise, De Seriac, no cambió de bando, pero admiraba mucho los objetivos de Françoise. «Françoise se preocupaba enormemente del futuro de sus hijos. Es su constante preocupación, y sus batallas legales sólo tienen un objetivo: regularizar su situación y concederles todos sus derechos. Sólo tengo cosas buenas que decir de ella. Como le he dicho ya, siento lo que ha sucedido.»

Había muchos que lamentaban no sólo lo que estaba sucediendo en la vida de Picasso, sino lo que estaba sucediendo con su arte. La exposición de la obra de sus últimos años en el palacio de los Papas de Aviñon, en mayo de 1970, provocó un áspero ataque del gran admirador de Picasso y coleccionista de sus pinturas Douglas Cooper, quien manifestó que «había mirado largamente los cuadros y llegado a la conclusión de que eran solamente los garabatos incoherentes de un viejo frenético en la antesala de la muerte». Picasso, que en un tiempo había alabado a Dios por no tener ningún estilo, había abandonado el estilo y el acabado y las técnicas establecidas y reemplazó todo ello con salvajismo, azules decorativos, amarillos azafranados y una obsesión pornográfica.

En el mismo mes en que se celebró la exposición de Aviñón, un incendio destruyó el Bateau-Lavoir. Las llamas habían destruido el sitio donde Picasso había comenzado. Picasso se tambaleaba. «Si escupo, cogerán mi escupitajo, lo pondrán en un marco y lo venderán como si fuese una gran obra artística», había dicho en una ocasión. Pero entre quienes le veneraban como a un ídolo, muchos se hicieron incoherentes. «Maravillas, maravillas, maravillas —escribía Rafael Alberti respecto a los 200 cuadros que Picasso había seleccionado para otra exposición en Aviñón de entre los que había pintado entre el otoño de 1970 y la primavera de 1972—. Hay muchas maravillas, lo más profundo y lo más desgarrador que haya pintado nunca Picasso... Quizá imágenes que anticipan el hombre de después de la próxima guerra atómica. Picasso ha inventado el aplauso de sólo una mano; ha sido capaz de luchar en la plaza de toros y poner fin a su propia vida hundiendo su espada de torero exactamente debajo de sus hombros, y tras ser arrastrado por las mulillas vuelve lleno de vida al centro de la plaza.»

El 25 de octubre de 1971 celebró, tranquilo, su nonagésimo cumpleaños. El regalo de aniversario de Jacqueline fue la instalación de un ascensor en Notre-Dame-de-Vie. El regalo de Francia consistió en que el Presidente en persona descorrió la cortina que velaba la instalación de ocho de sus pinturas en la Gran Galería del Louvre. «Habladme respetuosamente —dijo a los Pignon—. Van a colgarme en el Louvre. ¿Creéis que los otros pintores del Louvre se enfurecerán? ¿Se levantarán por la noche para echarme fuera?» Pero eso era cuando estaba en plan bromista, porque la mayor parte del tiempo estaba lleno de amargura. «¿Qué quieren?, ¿que les dé las gracias?» Eso no cambiaba nada, decía. No tenía la menor importancia para él y lo que le preocupaba realmente eran otras cosas.

Nadie se atrevía a mencionar su preocupación real: la muerte. «Picasso tendrá un siglo de edad dentro de diez años» —fue la arrogante cabecera de un artículo que escribió Brassaï en *Le Figaro* después de su visita a Notre-Dame-de-Vie en 1971—. «Se sabe, y hay que decirlo con énfasis —escribió Brassaï—, que este hombre, no herido por la angustia de la ancianidad y resplandeciente con todos los signos visibles de la juventud, este Picasso de noventa años de edad al que el universo rinde homenaje hoy, es en gran parte la obra, o mejor la obra maestra, de Jacqueline Picasso.» Era como informar al mundo de que Picasso había descubierto el secreto de la juventud eterna, y al mismo tiempo que Brassaï lo hacía, prefiguraba la veneración a Jacqueline, que crecía al acercarse a ser la viuda del gran hombre. «Tranquila, serena, entregada, es la compañera ideal para Picasso en su avanzada edad» —concluyó, después de haber ensalzado sus extraordinarias habilidades como secretaria de Picasso—. Había pedido a Jacqueline que le enseñase sus últimas fotografías de Picasso porque, añadió el gran fotógrafo, «ella las hace muy bellas». «Pero Brassaï —le contestó ella—, no le he hecho ninguna desde hace años. No dispongo de tiempo. Estoy enteramente al servicio del maestro.»

«Estoy agobiado de trabajo —dijo Picasso a un periodista en el aeropuerto de Niza cuando había acompañado hasta allí a Roland Dumas, que regresaba a París—. No puedo desperdiciar ni un segundo y no puedo pensar en otra cosa.» Era la más honda complicidad de Picasso y Jacqueline. Ambos conspiraban en un juego trágico de escondite, decididos tácitamente a poner una barrera a la muerte con el trabajo: él trabajaba en su obra y ella trabajaba en él. El decía: «Es un viejo», refiriéndose a amigos de treinta o cuarenta años más jóvenes que él, pero en lo que a Picasso se refería, ¿no había habido alguien que le hubiera dicho que estaba «más vivaz que nunca»? De sus antiguos amigos sólo sobrevivía Pallarés. Picasso quería asegurarse de que cuando venía a visitarle Pallarés no durmiera bajo su techo, temiendo que muriera súbitamente en su casa y lo «contaminara». Y cuando le llegaban noticias de la muerte de alguien decía, desafiante: «Ya sabes. Nunca se puede poner al mismo nivel a la muerte y a la edad. Una no tiene que ver con la otra.»

Sócrates había creído que «practicamos la muerte» diariamente, evaluando lo menor en nuestra vida en relación con lo mayor. Picasso practicaba día y noche, incesantemente, la mentira de negar la muerte. Se agarraba desesperadamente a su identidad como pintor, que no solamente era su escudo, su defensa y su talismán, sino todo lo que él era. Presidiendo esta colosal defensa contra la verdad estaba Jacqueline, elegida cuidadosamente para ese propósito. Y en el corazón de su estrategia defensiva estaba el trabajo, el trabajo frenético a costa de todo, incluso a costa de la calidad del trabajo. «Me equivoco todos los días» —dijo en un raro momento de conocimiento de sí mismo—. Pero siguió diciendo: «Tengo que trabajar... Tengo que trabajar.»

Entre los 156 últimos grabados que hizo entre enero de 1970 y marzo de 1972 había 40 inspirados en las 11 monotipias de Degas que poseía y que retrataban escenas en un burdel. Había traído una para enseñársela a Brassaï: «Las mujeres vestían solamente túnicas largas de medianoche y medias azules» —escribió Brassaï—. Se apiñaban alrededor de la «madame», una bruja vestida enteramente de negro, abrazándola y besándola en las mejillas. «Se llama *El cumpleaños de Madame* —explicó Picasso—, una de las obras maestras de Degas, ¿no te parece?» Quizá para castigar a Degas por hacer lo que Picasso no podía hacer ya, Picasso lo convirtió en sus grabados en un mirón impotente, taladrando con su mirada fija los monstruos que exhibían su carne lacerada. «Degas me habría dado de patadas en el trasero si se hubiera visto así» —le dijo a Pierre Daix—. Si Degas estaba ridiculizado, la mujer aparecía brutalizada en esas 40 variaciones de la misoginia de Picasso, en los repulsivos sexos de las prostitutas exhibidos en forma obsesiva y amenazadora.

«Tú vives una vida de poeta —le dijo a Parmelin—, y yo una de encarcelado.» El 30 de junio de 1972 vio en su cara el terror que le consumía y lo dibujó. Fue su último autorretrato. Al día siguiente, Pierre Daix fue a visitarlo. «Ayer hice un dibujo —le dijo—. Creo que he conseguido algo aquí. No es como otras cosas que hice.» Cogió el dibujo, lo alzó hasta su cara y luego lo dejó: era una cara de helada angustia y horror profundo, bajo la máscara que durante tanto tiempo había llevado y con la que había engañado a tanta gente. Era el horror lo que había pintado y la angustia que había causado y que, en su propia angustia, seguía causando. Dos meses después de haber dibujado su último autorretrato, Pablito, su primer nieto, intentó verle. Llegó en su motocicleta y enseño su documento de identidad; fue rechazado, y cuando insistió en su pretensión le soltaron los perros y su motocicleta cayó en una zanja.

«Nunca hablamos de su salud —dijo Parmelin—, y si él tocaba ese tema era con relación a Jacqueline.» Por eso los Pignon no se enteraron de que Picasso había ingresado en el hospital en el otoño de 1972 aquejado de una congestión pulmonar. Días más tarde, después de haber intentado inútilmente telefonear a la casa sin obtener más que el silencio o no conseguir explicaciones, llegó una tarjeta de Jacqueline «Todo va bien.» Fue lo único que dijo. Entretando en París se susurraba que Picasso había muerto.

«Ya no os intereso —dijo Picasso a los Pignon por teléfono en diciembre, con una voz quebrada—. Sé muy bien que ya no cuento.» Antes había acusado a Pignon de preferir a Tintoretto antes que a él, porque había ido a Venecia en lugar de hacerle compañía en Notre-Dame-de-Vie. Ahora no podía soportar la idea de que no estuvieran allí en la Nochevieja. «¿Por qué, pero por qué? ¡Es estúpido, sólo venid!» Jacqueline fue igualmente insistente: «¡Venid, no creáis problemas! ¡Venid inmediatamente!»

Llegaron en la mañana del 31 de diciembre. Los Gili ya estaban allí, llegados de Barcelona. Jacqueline estaba en tal tensión que Parmelin pensaba que estaba a punto de estallar. «Y esta noche —exclamó cuando estaban sentados alrededor de la cama de Picasso— tendremos una fiesta.» En cuanto salió del dormitorio Picasso pensó que tenía que justificar aquel brote de histeria: «No puede verme como estoy, y todavía soy todo lo que puede ver.» Jacqueline había enterrado tantas veces la verdad que ahora la mentira era para ella lo verdadero. «¡Esta noche vamos a tener una fiesta!» —repitió cuando regresó a la habitación—. «Sí, sí, y también vamos a bailar» —dijo Picasso humorísticamente—. Para él estaba haciéndose demasiado difícil negar las señales que su cuerpo le estaba transmitiendo, como si naufragara gradualmente. Aún, e incluso *in extremis,* proteger la máscara de Picasso estaba en el primer plano de su conciencia. «Que no le mencionen a nadie que estoy enfermo» —le oyeron decir los Pignon.

Una parte de él se agarraba a la máscara, pero otra estaba demasiado agotada para preocuparse de ello. En distintas ocasiones durante aquella horrible Nochevieja el control pasó de uno a otro. La casa estaba llena de tensión. «¿Por qué imponerle esta fiesta? —se maravillaron los Pignon—. ¿Por qué no dejarle en paz?» Exasperado, Picasso apoyó sus pensamientos no expresados. «Jacqueline está fuera de la realidad, se está tomando todo este trabajo para nada, porque no quiere ver a nadie, porque lo único que quiere es que me dejen en paz, solo con mis pensamientos; que todo el mundo esté alegre, pero lo que no quiere es moverme por nada del mundo.» Y añadió: «Ya le es difícil estar sola conmigo. Tengo que andar, que beber, que comer, "no dejarme ir", y eso es todo lo que quiero, además de los buenos médicos y los buenos consejos. Estar solo, eso es todo lo que quiero.»

Por el momento estaba cansado de los intentos de todos para ocultarle la muerte. Sobre todo estaba cansado de sus propios esfuerzos, de las falsedades y las decepciones ajenas y propias. Pero Jacqueline estaba decidida a seguir adelante con el juego, a que ellos pasaran «un rato divertido». Por tanto, él se puso la máscara otra vez, y del brazo de Jacqueline bajó en su ascensor a la fiesta.

Antebi, su abogado en Cannes, y su esposa se habían ya reunido con los demás. «¿Veis cómo nos hemos vestido?» —dijo Picasso, señalando sus trajes de fiesta—. Los Pignon, que momentos antes habían pensado y actuado como si estuviesen en un velatorio, estaban ahora ansiosos por aplaudir y engañarse a sí mismos. «El Picasso que entra es el Picasso que conocemos, excepto por su voz. Animado, complacido, orgulloso como un conquistador, que es lo que es... Tuve la impresión de que estaba curado, dispuesto a todo, reinstalado en la vida diaria; el Picasso de los viejos días.»

De hecho sólo había ganado unas pocas pulgadas del terreno que había perdido, lo bastante para fortalecer su camino hacia el 1973 con su máscara hermética en su sitio. Su cara, la cara de su último autorretrato, estaba enrollada en el oscuro estudio vecino a la sala de estar. El único cuadro que pintó aquel año fue una nueva versión de *Personaje con un pájaro,* su variación del *Halconero* de Rembrandt, en el que transformó «la mirada vigilante *del halconero* en la aterradora mirada fija de un ídolo»: la de los ojos desorbitados de su autorretrato.

En abril escribió a Marie-Thérèse diciéndole que era la única mujer que había amado. Lo que él veía ahora era que ella había sido la primera en ser para él: ¿una visión de belleza y pureza, una promesa de entrar juntos en un mundo prohibido donde la sexualidad sin trabas llevase a la más alta forma de vida? ¿O era la carta una broma mefistofélica, la última mentira para asegurar su sumisión, desorientarla un poco más y clavar un clavo más en su cruz? Quizá la escribió únicamente por la fuerza de la costumbre. Quizá le escribió la verdad.

El 5 de abril telefoneó a Pignon. Era la víspera de la inauguración de la exhibición de los *Desnudos en rojo* de Pignon. «¡Adelante, no los escatimes! ¡Pinta desnudos, desnudos y más desnudos! ¡Enséñales —siguió diciendo con su voz quebrada— montañas de pechos, montañas de culos!» Jacqueline se puso al teléfono cuando terminó la conversación entre los hombres. «Ya ves —le dijo a Parmelin—. ¡Todo va bien!»

La mañana del domingo, 8 de abril, Jacqueline telefoneó a Pierre Bernal, el cardiólogo de Picasso en París. Apenas había despuntado la aurora. Le despertó, pero su tono era frío y práctico. «¿Cuándo vendrá a verme? ¿Vendrá para Semana Santa, no es cierto?»

«No iré hasta mayo —replicó Bernal—. Tengo que ir a Estados Unidos después de Semana Santa.»

«Tan tarde...» —dijo ella en un tono que traicionaba el hecho de que no era casual su llamada a hora tan poco corriente.

«¿Quiere usted que vaya ahora mismo?», preguntó él.

«Sí, eso, eso, porque Picasso quiere verle a usted y quiero complacerle. ¿Viene?»

El doctor Bernal tomó el primer vuelo para Niza. Florenz Rance, el médico local, ya estaba aguardándole cuando él llegó. Había estado yendo a Notre-Dame-de-Vie casi todos los días. «¡Una responsabilidad, como cuidar al rey de Francia!», dijo.

Sentado, dolorido y recostado sobre sus almohadas, vistiendo un pijama beige, Picasso jadeaba para respirar. Los dedos y la mano que extendió al doctor estaban azulados e hinchados. Mientras el doctor Bernal confirmaba con sus instrumentos lo que su ojo clínico le había hecho suponer ya, Jacqueline, arrastrando su larga bata roja, paseaba por la habitación. Catherine y Miguel esperaban en un cuarto contiguo. El cardiograma denunciaba estertores en ambos pulmones y una peligrosa gran congestión en el izquierdo.

«En el mismo minuto en que entré —dijo el doctor Bernal— supe que aquello era el fin. No me hizo ninguna pregunta. No se dio cuenta de que su muerte estaba llegando. Intenté hacer comprender a Jacqueline, que estaba en la habitación de al lado, lo grave de la situación.»

«Ya le hemos salvado —dijo ella—. Usted está aquí. Vamos a salvarle. No tiene derecho a hacerme esto, no tiene derecho a dejarme...» Esas fueron las palabras que repitió toda la mañana como si fuesen un ensalmo. «No tiene derecho a dejarme.»

«¿Dónde estás, Jacqueline?» —gritó Picasso desde el dormitorio—. A solas con Catherine, el doctor Bernal le repitió lo que su madre se había negado a oír:

«Sabe, esto va muy mal.»

«Ya lo veo» —dijo Catherine.

«No puede hacerme esto» —repetía Jacqueline, más para sí que para que la oyeran.

Su corazón y sus pulmones desfallecían. Intentó hablar, pero sus palabras, entre jadeos, sonaban como gemidos y eran difíciles de entender. Mencionó a Apollinaire y parecía creerse lejos de Notre-Dame-de-Gracie, en el mundo espectral de su pasado. Entonces retornó a su habitación: «¿Dónde estás, Jacqueline?» Se volvió al doctor Bernal. «Usted se equivoca al no casarse. Es cómodo.» Fueron sus últimas palabras coherentes.

Durante las dos horas siguientes Picasso luchó convulsivamente para respirar. A las 11,45, cuando el doctor Bernal estaba poniéndole una inyección, se dio cuenta de que el corazón se había parado e inmediatamente comenzó a darle un masaje y pidió a Miguel que le hiciera la respiración boca a boca mientras terminaba de ponerle la que fue su última inyección. «No pude convencerla de que había llegado el final —dijo el doctor—, aun después de que le cerré los ojos.»

Alguien tosió en la habitación. Jacqueline saltó y gritó: «Es él» —y obligó al doctor a tomarle otra vez el pulso; pero el único sonido que oyó fue el de las rosas susurrando contra las ventanas.

EPILOGO

En la tarde del día 8 de abril, en Barcelona, Manuel Pallarés, el más antiguo amigo de Picasso, estaba oyendo la radio cuando el programa se interrumpió para dar la noticia de la muerte de Picasso aquella mañana. Tomó el primer avión para Niza y llegó a las puertas, protegidas con alambradas, de Notre-Dame-de-Vie, a tiempo, esperaba, de presentar sus respetos por última vez a su amigo durante ochenta años. Llovía, y había perros afganos y gendarmes guardando las puertas. Anunciaron su llegada por el teléfono de la puerta. No, fue la respuesta. Madame Picasso no le permitía entrar. El anciano de noventa y tres años se quedó fuera, bajo la lluvia torrencial.

Maya, Claude y Paloma recibieron la misma respuesta. No, no se les autorizaba a ver a su padre por última vez; no, no se les permitía ir al entierro. Ni tampoco a sus tíos Pablito y Marina, ni a Inés, ni, desde luego, a Marie-Thérèse.

Dentro de Notre-Dame-de-Vie, Picasso yacía en su lecho, tapado con una capa española bordada, negra. A las cinco de la tarde del 10 de abril, el coche fúnebre, con la viuda, vestida con una larga capa negra y sentada al lado del conductor, dejó Mougins para dirigirse a Vauvenargues, donde Jacqueline había decidido que fuese enterrado su difunto marido. Había odiado el viejo castillo desde el comienzo, y había incrementado su odio, pero estaba aislado y era menos accesible que cualquier otro sitio alternativo: él había querido ser enterrado en el mismo aislamiento en el que había vivido en los últimos años. Paul, borracho, seguía al coche fúnebre, y también Catherine, Arias (el barbero), Miguel (el secretario), y los Gili, llegados de España. Una gran parte de los 170 kilómetros de distancia entre Mougins y Vauvenargues podía ser recorrida en autopista, pero Jacqueline había elegido un trayecto más largo por una larga carretera de montaña. Había estado nevando toda la noche, cosa rara en el mes de abril en el sur de Francia, y en un punto del camino estrecho y lleno de curvas un camión abandonado en la nieve reciente impedía el paso. Se llamó a los quitanieves para que despejasen la carretera antes del paso de la comitiva fúnebre o de que ésta se decidiese abandonar aquel mal camino para continuar por la autopista.

Los sepultureros y una delegación del ayuntamiento de Vauvenargues esperaban al pie de la escalera de piedra que subía hasta el castillo. Allí era donde Jacqueline había dispuesto que fuese cavada la tumba, pero el piso era demasiado rocoso para permitir el uso de picos y palas, y el silencio de la nevada fue de pronto roto por el estrépito de los perforadores neumáticos.

Más tarde, un macizo bronce negro representando una mujer con una vasija se alzó sobre la sepultura. Desconocida para Jacqueline, era una estatua de Marie-Thérèse que Picasso había modelado en Boisgeloup en 1933.

«Escribí a su secretario, Miguel —recordaba Marie-Thérèse—. Le decía: "No puedo ir porque no me dejarán entrar, así que haga el favor de besarle en mi nombre", y le daba las gracias por haber trabajado para Picasso. Cuando supe que lo habían enterrado en Vauvenargues fui allí y pedí que me dejasen entrar en el castillo. Vino un policía con el jardinero, y me dijeron que estaban tan apenados dentro que no podían recibirme. Me marché, y más tarde me enteré de que habían ido también Claude y Paloma con Maya y que tampoco les habían recibido, y habían ido al cementerio de Vauvenargues a poner las flores que habían llevado.»

«Cuando yo muera —había profetizado Picasso— será un naufragio, y cuando un barco grande naufraga, mucha gente a su alrededor se va al fondo con él.»

Pablito había pedido a su padre que le permitiese estar presente en el entierro de su abuelo. Paul, borracho una vez más, le dijo que Jacqueline se había negado categóricamente. Esa mañana del entierro de Picasso, el nieto que llevaba su nombre bebió de un recipiente de lejía para blanquear. Llevado al hospital a Antibes, los doctores comprobaron que era demasiado tarde para salvar su aparato digestivo. Murió tres meses más tarde, el 11 de julio de 1973, de inanición. Su vida había sido prolongada por varias operaciones e injertos, pagados por Marie-Thérèse, quien había tenido que vender algunos de sus Picassos para intentar salvar la vida de su nieto.

«Será peor de lo que pueda imaginarse nadie» —había profetizado Picasso refiriéndose al reparto de sus bienes—. Sin testamento, con tres hijos ilegítimos y con la legislación francesa en un confuso estado de transición respecto a los derechos de los hijos nacidos fuera del matrimonio, no estaba claro quiénes serían los herederos o qué heredarían.

Nueve meses después de la muerte de Picasso se aprobó una ley que permitía a los hijos ilegítimos heredar de sus padres, siempre y cuando hubiesen probado que descendían de ellos, antes de cumplir los veintidós años. Françoise ya había tramitado esa prueba ante los tribunales cuando Claude y Paloma cumplieron los veintiún años, librándolos de la exclusión por razón de edad establecida por la nueva ley.

La ley había frustrado los intentos de Jacqueline y Picasso de negar a los hijos ilegítimos del pintor los derechos naturales que les correspondían. Hasta su muerte, Jacqueline se pegó al fantasma de Picasso como había hecho con él en vida de éste. Las puertas y ventanas de su dormitorio se mantuvieron cerradas. «No las he abierto desde que Picasso... murió», explicaba, dudando sobre "murió". Dejaba un sitio para él en la mesa, realizaba extraños ritos con capas negras y velas encendidas, que los vecinos comentaban en voz baja, y había pensado en anunciar que «Matislav Rostropovich y Galina Vishnevskaya estuvieron aquí ayer, y Vishnevskaya cantó toda la noche para mí y para Pablo.»

En marzo de 1974, Claude y Paloma, y poco después Maya, se vieron reconocidos como herederos legales. En junio de 1975 murió Paul, a los 54 años, víctima de una cirrosis hepática producida por el abuso del alcohol y de las drogas, y dejando dos hijos supervivientes: Marina, de veinticuatro años, y Bernard, de dieciséis, con derecho a heredar su parte de los bienes. Había ahora, pues, seis herederos: Jacqueline, Maya, Claude, Paloma, Marina y Bernard.

No se había determinado todavía en qué consistía la herencia y qué heredaría cada uno de los sucesores. A requerimiento de Claude y Paloma, un notario del Tribunal Civil Central de París, Pierre Zecri, había sido nombrado administrador oficial de los bienes. La valoración de los miles de obras que Picasso había dejado se encomendó al eminente experto en arte Maurice Rheims. La disputa sobre la participación en la herencia estaba en manos de abogados en avenencia, cuyos honorarios legales se estimaba que alcanzarían una de las partes de la herencia. «Nunca verás dos miembros de la familia —decía Claude— que se pongan de acuerdo sobre alguna cosa.» La falta de armonía reinaba como siempre.

Finalmente, en septiembre de 1977, *l'affaire Picasso* concluyó. La herencia fue valorada en 260 millones de dólares, cantidad que se fijó a efectos de los derechos sucesorios, aunque en general se estimó más bien baja. Las cerca de 50.000 obras que Rheims y su equipo fotografiaron consistían en 1.885 cuadros, 1.228 esculturas, 2.880 piezas de cerámica, 18.095 grabados, 6.112 litografías, 3.181 grabados en linóleo, 7.089 dibujos y, además, 4.659 dibujos y bosquejos en 149 blocks de notas, 11 tapices y 8 alfombras. Jean Leymarie y Dominique Bozo, que había sido nombrado director de lo que sería el Museo Picasso de París, seleccionaron las obras que el Estado recibiría como contravalor de los derechos de sucesión. Jacqueline heredó la mayor parte de los bienes: casi tres décimas partes del total, que incluían Notre-Dame-de-Vie y Vauvenargues. Marina y Bernard heredaron algo más de las dos décimas partes del total; cada uno de ellos, un décimo como herencia de su abuela Olga, y Marina recibió La Californie y Bernard Boisgeloup. Maya, Claude y Paloma recibieron cada uno una décima parte del total. Todos ellos recibieron lotes de las obras de Picasso, en parte proporcional a sus participaciones en la herencia, y pudieron también elegir obras por motivos sentimentales: Marina escogió un cuadro de su abuela Olga; Claude, un retrato suyo; Maya, una estatua de su madre.

El 20 de octubre de 1977, diez días después de cumplirse los noventa y seis años del nacimiento de Picasso, y en el año del cincuenta aniversario de su encuentro con él, Marie-Thérèse se ahorcó en el garaje de su casa de Juan-les-Pins. Tenía sesenta y ocho años de edad. En su carta de despedida a Maya se refirió a un «impulso irresistible». «Tienes que saber lo que su vida significaba para ella —dijo Maya—. No fue solamente su muerte lo que la llevó al suicidio; fue más, mucho más que eso... La relación entre ellos era una locura. Ella creía que tenía que cuidar de él, incluso después de muerto. No podía soportar el pensar en que él estaba solo, con su tumba rodeada de gente que no podía darle probablemente lo que ella le había dado.»

Justo después de la medianoche del 15 de octubre de 1986, Jacqueline telefoneó a Aurelio Torrente, director del Museo de Arte Contemporáneo de Madrid, para discutir los detalles finales de la exposición de las obras de Picasso seleccionadas por ella que se inauguraría diez días después en Madrid. Le aseguró a Torrente que estaría presente en la inauguración. A las tres de la mañana se acostó en su lecho, se cubrió con la sábana hasta la barbilla y se disparó un tiro en la sien. Dejó antes una lista de las personas que deseaba que estuvieran presentes en su entierro.

Este era el tenebroso y trágico legado de Picasso. El legado de su arte debe ser considerado junto al legado de su vida. Llevó a su más plena expresión la destrozada visión de un siglo que quizá no podría ser comprendido en otros términos; llevó la pintura a una visión de desintegración, como la llevaron Schoenberg y Bartok en la música y Kafka y Beckett en la literatura. Adoptó como su conclusión definitiva la visión negativa del mundo modernista (mucho de lo que le siguió fueron notas al pie de página a Picasso). Pierre Daix escribió: «Era sin duda alguna el artista más fáustico de la modernidad fáustica, pero el infinito que era su meta excluía cualquier reconciliación con Dios.»

Su tragedia fue que ansiaba lo definitivo en pintura y murió sabiendo que no había alcanzado ese objetivo. Al contrario de Shakespeare y Mozart, cuya prolífera creatividad compartía, Picasso no fue un genio fuera del tiempo. El epitafio de Jonson para Shakespeare dice así: «No fue de una época, sino para todos los tiempos». E incluso Salieri no habría negado ese epitafio a Mozart. Comencé este libro pensando igual que los millones de peregrinos que acuden a las exposiciones retrospectivas de Picasso, todos ansiosos de situarlo en esa estrecha cima. Lo termino convencida de que era un genio de un tiempo concreto, un sismógrafo de los conflictos, la confusión y la angustia de su siglo. Desde ese momento, la inmensa literatura sobre Picasso se iluminó con afirmaciones de aquellos que, a lo largo de los años, habían sentido el fluido de su genio titánico. Tan lejos como en 1914, un crítico ruso de arte, Yakov Tugendhold, escribió respecto a la búsqueda de Picasso de «la dimensión de lo infinito»: «La tragedia preside la obra de este intrépido Don Quijote, este caballero andante de lo absoluto, condenado a una búsqueda eterna y sin esperanza. Porque el arte, que es esencialmente dinámico, no puede ser eterno y únicamente alcanza la eternidad cuando el hombre, enamorado del mundo, implora al fugitivo instante que permanezca.»

Cuando sacudió al mundo del arte con *Les Demoiselles d'Avignon*, Picasso estaba desenamorado del mundo. Entendía su papel de pintor como el de un forjador de armas de combate contra toda emoción de pertenecer a la creación y celebrar la vida, contra la naturaleza, la naturaleza humana y el Dios creador de todo ello. «Estaré obstinadamente entre los que no pueden ver a

Picasso en el panteón definitivo —escribió el artista y crítico de arte Michael Ayrton en 1956—. Si no está aquí es porque mientras la ejecución total es milagrosa, soy consciente de que existe un factor erróneo que está presente en lo esencial de la gran pintura, y ese factor es la profundidad que acompaña a la falta de elocuencia. El centro inmóvil.»

«¡Qué difícil es —dijo Picasso poco después de su ochenta cumpleaños— poner algo de lo absoluto en la charca de la rana!» Pero por difícil que sea, ¿no es la más alta función del arte intentar poner algo de lo absoluto en la charca de rana de este mundo? Con una técnica prodigiosa, una completa maestría en el lenguaje de la pintura, inagotable versatilidad y monumental virtuosismo, ingenio e imaginación, Picasso nos mostró el fango en nuestra charca de rana, y la noche sobre ella. Eso es, desde luego, «ningún sol sin sombra, y es esencial conocer la noche», pero hay un sentido en todo gran arte más allá de la oscuridad y las pesadillas que acarrea, más allá de los llantos angustiados a los que da voz, y ese sentido es el de la armonía, el orden y la paz. Hay miedo en *La Tempestad* de Shakespeare, y en *La Flauta Mágica* de Mozart, pero el amor lo rechaza: hay horror y fealdad, pero un nuevo orden de armonía se desprende de ellos; existe el mal, pero es superado por el bien. «A pesar de tantos sufrimientos —exclama Edipo— mi edad avanzada y la nobleza de mi alma me hacen llegar a la conclusión de que todo está bien.»

La avanzada edad de Picasso estaba llena de desesperación y alimentada por el odio. Y en cuanto a su arte, le dijo a André Malraux que «no necesitaba el estilo, porque su furia se había convertido en el factor más importante en el estilo dominante de nuestro tiempo, pero hay cada vez más signos de que algo más allá de la furia es lo que exige nuestro presente». «Los artistas modernos —escribió Meyer Schapiro— tienen recursos mayores que los que la modernidad les permite revelar, recursos que casi siempre ignoran los mismos artistas.» Fue una llamada a los artistas modernos para que exploren los mundos que podrían revelar «si su arte estuviese abierto a todo lo que ellos piensan y aman».

Refiriéndose a la muerte de Picasso, Michael Leiris escribió: «Dos o tres días después leí la conclusión de un artículo de periódico escrito por un historiador del arte devoto del difunto Picasso... Evocaba en unas cuantas líneas la leyenda según la cual el paso de los tiempos paganos a la era cristiana fue proclamado por una voz estentórea que gritó: "¡Pan, el Gran Pan, ha muerto!" ¿El fin de un mundo o el comienzo de otro?»

Si vamos hacia el nacimiento de otro mundo y un nuevo siglo, ¿qué tendría que decir Picasso, tan irrevocablemente atado al mundo que está muriendo, al mundo que está naciendo?

NOTAS SOBRE LAS FUENTES

En las citas de fuentes publicadas he usado en ocasiones las traducciones inglesas existentes, y en otras, cuando me pareció que eran más efectivas, he traducido de las ediciones originales francesas o españolas. En consecuencia, un libro o un artículo está identificado en las notas unas veces en su traducción inglesa y otras en su edición original.

Las citas de Françoise Gilot proceden de unas prolongadas entrevistas que sostuve con ella. Sin embargo, por lo que respecta a las palabras de Picasso, ella y yo convinimos en usarlas tal y como aparecen en su libro *Mi vida con Picasso*, prescindiendo de la existencia de dos versiones de lo que él dijo.

Cuando cito entrevistas con amigos de Picasso que han publicado también sus recuerdos de él, he distinguido en las notas cuál de las dos versiones es la que figura en la cita.

La mayor parte de las veces he usado nombres de pila en catalán para los amigos catalanes de Picasso. En alguna ocasión en la traducción española figura el nombre en castellano, cuando es más notorio y conocido y se usa habitualmente por el interesado o forma parte del nombre de una razón social.

PRÓLOGO

PAGS.

9 «Una joya brillante y dura»: James, *The Ambassadors, p. 57.*

10 «Supongo... que moriré sin haber amado nunca»: Gilot and Lake. *Life with Picasso*, p. 47.

10 «Lo que es necesario es hablar de un hombre...»: Parmelin, *Voyage en Picasso*, p. 182.

11 «Te quiero más cada día»: Carta de Picasso a Walter, en Hong Kong. Museo de Arte, *Picasso intime.* Collection Maya-Ruiz Picasso, p.56

11 «Un cuadro vive únicamente...»: Zervos, «Conversation avec Picasso», *Cahiers d'Art*, núms. 7-10, 1935, p.175.

12 «Un buen cuadro, decía...»: Malraux, *La masque de Picasso*, p. 139.

13 «No debe tratarse de un biógrafo...»: Entrevista con Françoise Gilot.

13 «Esos son mis Picassos más importantes»: Entrevista con Maya Picasso.

13 «Lo necesita para protegerse...»: Entrevista con Inés Sassier.

13 «Le debo mi vida entera»: Ibid.

14 «Lo que cuenta no es lo que hace un artista»: Zervos, *Conversation avec Picasso*, op. cit., pp.176-177.

CAPÍTULO PRIMERO

15 «Con una mueca y un grito de furia»: Picasso, *The Early Years, 1881-1907*, p. 27.

16 «Es lo más lejos a lo que podemos llegar»: Ibid., p. 28.

16 «Ser pintor y ser un inútil...»: Sabartés, *Picasso, Documents iconographiques*, p. 25.

19 «Era un ángel...»: Stein, *The autobiography of Alice B. Toklas*, p. 221.

19 «Mi madre llevaba un pañuelo...»: Sabartés, *Picasso: An Intimate Portrait*, p. 5.

19 «En mediio de todas las tribulaciones»: Ibid., p. 6.

20 «No os podéis imaginar»: Ibid., p. 6.

20 «Una procesión de coches»: Ibid.

20 «Coronado de laureles»: Ibid.

20 «Dibujaba espirales que representaban churros»: Palau y Fabre, *Picasso: The Early Years, 1881-1907,* p. 33.

20 «Piz, piz»: Penrose, *Picasso: His Life and Work*, p. 13.

20 «Haznos un retrato del terranova»: Sabartés, *Picasso: Documents iconographiques*, p. 305.

21 «Enorme cuadro representando un palomar»: Sabartés, *Picasso: An Intimate Portrait*, p. 7.

21 «Imaginaos... una jaula...»: Ibid.
21 «Si mi padre dejaba el bastón»: Ibid., p. 32.
21 «Bigotuda y hombruna»: Palau y Fabre, *Picasso: The Early Years, 1881-1907,* p. 31.
21 «Con mucha luz y mucha ventilación»: Sabartés, *Picasso: An Intimate Portrait*, p. 7
21 «Si quieres que el niño aprenda...»: Fundació Picasso-Reventós, ed., *Homenatge de Catalunya a Picasso*, p. 28.
22 «Es increíble»: Sabartés, *Picasso: An Intimate Portrait*, p. 34.
22 «Uno y uno, dos»: Ibid., p. 35.
22 «¿Qué podemos hacer?»: Ibid.
23 «Es muy curioso que yo nunca...»: Palau y Fabre, *Picasso: The Early Years, 1881-1907*, p. 32.
23 «Carancha, que era un gran torero»: Alberti, *Lo que canté y dije de Picasso*, p. 228.
23 «¿Tiene usted hijos?»: Fundació Picasso-Reventós, ed., *Homenatge de Catalunya a Picasso*, p. 28.
23 «Todavía recuerdo uno de mis primeros dibujos»: Palau y Fabre, *Picasso: The Early Years, 1881-1907*, p. 32.
24 «Necesitaba hacer al chico un par de preguntas»: Sabartés, *Picasso: An Intimate Portrait*, p. 36.
24 «Veamos, preguntó a don José»: Ibid.
24 «No os podéis imaginar»: Ibid. p. 35.
24 «No se concentró»: Ibid., p. 39.
25 «¡Ahora verán lo que soy capaz de hacer!»: Ibid.
25 «En La Coruña, mi padre...»: Sabartés, *Picasso: Portraits et souvenirs*, pp. 16-17.
25 «No digas nada de nada»: Ibid., p. 11.
25 «En la calle de las Damas»: *Picasso e a Coruña*, p. 4.
26 «Sin siquiera decir "¿qué tal?"»: Palau y Fabre, *Picasso: The Early Years, 1881-1907,* p. 42.
26 «Como era un mal estudiante»: Picasso e a Coruña, p. 4.
26 «Don José Ruiz Blasco»: Palau y Fabre, *Picasso: The Early Years, 1881-1907*, p. 42.
26 «Deberían sacarles los ojos»: Berger, *The Success and Failure of Picasso*, p. 32.
27 «Mi padre cortaba las patas»: Sabartés, *Picasso: Portraits et souvenirs*, p. 38.
27 «Es en las manos donde se ve...»: Cabanne, *Pablo Picasso*, p. 25.
27 «Se desea comprar palomas»: Sabartés, *Picasso: An Intimate Portrait*, p. 30.
28 «Algo realmente tierno y profundo». Palau y Fabre, *Picasso: The Early Years, 1881-1907,* p. 69.
28 «Republicano hasta la médula»: Sabartés, *Picasso: An Intimate Portrait*, p. 30.

30 «Mi tío Salvador... me dijo»: Palau y Fabre, *Picasso: The Early Years, 1881-1907,* pp. 75-76.
30 «Picasso tenía prisa»: Ibid., p. 86.
30 «En un solo día»: Cabanne, *Le Siècle de Picasso*, vol. 1, p. 47.
30 «Lancé una buena mirada»: Ibid.
31 «El Gobierno español...»: Trend, *A picture of Modern Spain,* p. 4.
31 «Cientos, incluso miles...»: Tuchman, *The Proud Tower*, p. 86.
31 «Es mejor ser simbolista»: Cabanne, *Pablo Picasso*, p. 30.
32 «El odio de los anarquistas»: Brenan, *The Spanish Labyrinth*, p. 191.
33 «Era atrayente»: Cabanne, *Pablo Picasso*, p. 33.
33 «Un lugar de perdición»: Carandell, *Nueva guía secreta de Barcelona,* p. 183.
33 «La Primera Comunión»: Palau y Fabre, *Picasso: The Early Years, 1881-1907*, p. 101.
35 «Estos dibujos parecen hechos»: Ibid, p. 45.
35 «Cada vez que dibujaba un hombre»: Cabanne, *Pablo Picasso*, p. 20.
35 «Tan pequeña que sus pies...»: Entrevista con Françoise Gilot.
36 «Si fuera soldado»: Gillot and Lake, *Life with Picasso,* p. 60.
36 «En unos bosquejos rápidos»: Cabanne, *Pablo Picasso*, p. 34.
36 «Detesto ese período»: Kahnweiler, *Huit entretiens avec Picasso, Le Point,* vol. 7, núm. 42 (octubre 1952), p. 30.
37 «Bah, una miseria»: Cabanne, *Pablo Picasso*, p. 40.
37 «¡Qué pintores, querido Bas!»: Palau y Fabre, *Picasso: The Early Years, 1881-1907,* pp. 134-135.
38 «Todo lo que podía permitirse»: Ibid, p. 139.
38 «Todo lo que sé, lo aprendí en Horta»: Verdet, *Les grands peintres: Pablo Picasso*, p. 10.
39 «Pallarés, decía...»: Entrevista con Françoise Gilot.
39 «No tengo verdaderos amigos...»: Malraux, *La Tête d'Obsidienne*, p. 25.
39 «La nota predominante en su producción...»: Palau y Fabre, *Picasso: The Early Years, 1881-1907*, p. 152.
40 «Te quiero demasiado»: Entrevista con Françoise Gilot.
40 «En la gran nación de los gitanos del arte»: Ramón Gómez de la Serna, «Le Toréador de la peinture», *Cahiers d'Art*, núms. 3-5, 1932, p. 124.
40 «Generación del "98"»: Leighteb, *Picasso Anarchims and Art, 1987-1914,* p. 49.
41 «Me alegra saber que Pablo trabaja»: Palau y Fabre, *Picasso: The Early Years, 1881-1907,* p. 155.
41 «Ya que vosotros os parecéis»: Cabanne, *Le Siècle de Picasso*, vol., 1, p. 79.
41 «Podía ver más lejos que nosotros»: Ibid, p. 73.

41 «Todavía me acuerdo de nuestra despedida»: Sabartés, *Picasso: Portraits et souvenirs*, p. 26.
42 «Hablaba de él como un héroe»: Cabanne, *Pablo Picasso*, p. 47.
42 «Una cama grande, una mesa repleta...»: Palau y Fabre, *Picasso: The Early Years, 1881-1907*, p. 182.
42 «Mejor que sus otros íntimos»: Cabanne, *Le Siécle de Picasso*, vol. 1, p. 79.
43 «Una taberna gótica»: Blunt and Pool, *Picasso: The formative years*, p. 7.
43 «Confiemos en el espíritu eterno»: Berger, *The Success and Failure of Picasso*, p. 22.
44 «Yo soy mi propio destino»: Stambaugh, *Nietzche's Thought of Eternal Return*, p. 59.
44 «El espíritu casi oficial de Els Quatre Gats»: Palau y Fabre, *Picasso: The Early Years, 1881-1907*, p. 128.
44 «No podréis guiar una bicicleta»: Ibid, p. 127.
44 «Queremos que el público sepa»: Cabanne, *Le Siécle de Picasso*, vol. 1, p. 82.
45 «Una extraordinaria facilidad»: Palau y Fabre, *Picasso: The Early Years, 1881-1907*, p. 512.
45 «Yo, el rey»: *Ibid.*, p. 198.

CAPÍTULO SEGUNDO

47 «No busco»: Picasso, «Lettre sur l'Art», *Formes*, febrero de 1930, p. 2.
48 «Si Cézanne hubiera trabajado»: Raynal, «Panorama de l'oeuvre de Picasso», *Le Point*, vol. 7, núm. 42, octubre de 1952, p. 5.
48 «Al día siguiente, estuvimos juntos»: Carta de Casagemas a Reventós, 25 de octubre de 1900, en la edición McCully de *A Picasso Anthology*, pp.27-28.
49 «Siempre que hay luz»: Ibid., p. 27.
49 «Germaine es por ahora»: Carta de Casagemas a Reventós, 11 de noviembre de 1900. Ibid., p. 30.
49 «Todo este asunto de las mujeres»: Carta de Picasso a Reventós, del 11 de noviembre de 1900. Ibid, p. 30.
50 «Fue en París donde aprendí»: Cabanne, *Pablo Picasso*, p. 54.
50 «La oveja negra de una respetable familia»: Palau y Fabre, *Picasso: The Early Years, 1881-1907*, p. 204.
51 «Es un hombre que siempre ha necesitado»: Stein, *Picasso,* p. 5.
52 «Uno de los visitantes más asiduos»: Palau y Fabre, *Picasso: The Early Years, 1881-1907,* pp. 211-212.
53 «¿En qué piensas?»: O'Brian, *Picasso,* p. 94.
53 «Esta es para ti»: Palau y Fabre, «L'Amistat de Picasso amb Casagemas», en *Casagemas i el seu temps*, p. 77.
55 «Un artista brillante»: Fagus, «L'invasion espagnole: Picasso»,

en Palau y Fabre, *Picasso: The Early Years, 1881-1907*, pp. 1901-1902.

55 «Puedo imaginar la reacción»: Carta de Picasso a Ventosa, 13 de julio de 1901, en la edición McCully, *A Picasso Anthology*, p. 35.

55 «Cíñete a la poesía»: Andreu, *Max Jacob*, p. 27.

55 «Picasso hablaba tanto francés»: Jacob, «Souvenirs sur Picasso contés par Max Jacob», *Cahiers d'Art*, núm. 6, 1927, p. 199.

56 «Picasso pintó en un enorme lienzo»: Ibid.

56 «Un atroz accidente»: Andreu, *Max Jacob*, p. 62.

56 «Por su propio bien»: Charles, «Les Arts», *L'Ermitage*, núm. 9, septiembre de 1901, p. 240.

56 «He intentado expresar»: Van Gogh, *Van Gohg: A Self Portrait*, p. 320.

57 «En lo único que pude pensar»: Sabartés, *Picasso: A Intimate Portrait*, p. 320.

57 «Ambos éramos muchachos»: Jacob, «Souvenirs sur Picasso contés par Max Jacob», *Cahiers d'Art,*, núm. 6, 1927, p. 199.

58 «Gran cantidad de científicos»: Aurier, «Les Peintres Symbolistes», en Nochlin, *Impressionism and Postimpressionism*, p. 135.

59 «Era evidente que ya no estaba»: Sabartés, *Picasso: An Intimate Portrait*, p. 80.

59 «Manyac y él estaban peleados»: Ibid.

59 «¡La carta!»: Ibid, p. 82.

61 «Enseño lo que estoy haciendo»: Carta de Picasso a Jacob, 13 de julio de 1902, en la edición McCully *A Picasso Anthology*, p. 38.

62 «El encanto de la preciosa bailarina»: Sabartés, *Picasso: An Intimate Portrait*, pp.89-90.

62 «¡Hola!... ¿Qué tal va todo?»: Ibid., p. 85

62 «Sabía perfectamente»: Ibid.

63 «Después de cenar nos encontrábamos»: Ibid., p. 86.

63 «Por razones familiares»: Palau y Fabre, *Picasso: The Early Years, 1881-1907*, p. 311.

64 «Acabo de estar en tu estudio»: Ibid., p. 316.

64 «Dos gusanos entrelazándose»: Ibid., p. 314.

65 «Confío en que este joven»: Cabanne, *Pablo Picasso*, pp. 81-82.

65 «La pedagogía es el trabajo»: Andreu, *Max Jacob*, p. 90.

65 «De la forma más natural»: Jacob, «Souvenirs sur Picasso contés par Max Jacob, *Cahiers d'Art*, núm. 6, 1927, p. 200.

65 «Tú crees en los posos de café»: Verlaine, *The Sky Above the Roof*, p. 101.

66 «El infatigable ardor de Picasso»: Cabanne, *Pablo Picasso*, pp. 82-83.

66 «No debemos tener esa clase de ideas»: Vallentin, *Picasso*, p. 47.

66 «Todas las rayas parecen nacer»: Palau y Fabre, *Picasso: The Early Years, 1881-1907*, p. 326.

66 «Es extraordinaria esta tristeza»: Breunig, «Studies on Picasso, 1902-1905», *Art Journal*, invierno de 1958, p. 192.
67 «Si las hubiera perdido»: Crespelle, *Picasso: Les femmes, les amis, l'oeuvre*, p. 59.
68 «Mi querido Max»: Carta de Picasso a Jacob, 1903, en la edición McCully *A Picasso Anthology*, p. 41.
69 «Mientras Don José Ruiz»: Palau y Fabre, *Picasso: The Early Years, 1881-1907*, p. 368.
69 «Los cabellos de mi barba»: Ibid., pp. 93-94.
69 «No apartó sus ojos»: Ibid., p. 97.
70 «¿Qué es lo que tienes que hacer?»: Ibid., p. 97.
70 «Si estaba contento, todos lo estábamos»: Ibid., p. 92.
70 «Como si no fuera el mismo hombre»: Ibid., pp. 97-98.

CAPÍTULO TERCERO

73 «Los suspiros amorosos...»: Dorgelés, *Bouquet de Bohème*, p. 102.
75 «Un intento de matrimonio»: Olivier, *Picasso et ses amis*, p. 7.
76 «Para bien o para mal»: Stein, *The Autobiography of Alice B. Toklas*, p. 27.
76 «No había nada especialmente atractivo»: Olivier, *Picasso et ses amis*, p. 7.
76 «Cuando está uno enamorado»: Vallentin, *Picasso*, p.56.
77 «A causa de unos celos enfermizos»: Olivier, *Picasso et ses amis*, p. 17.
77 «Este hombre sarcástico»: Crespelle, *Picasso: les femmes, les amis, l'oeuvre*, p. 11.
77 «Sí, es muy guapa»: Ibid., p. 69.
77 «Tristeza estéril»: Morice, «Exposition de MM. Picasso, Launay, Pichot et Girieud», *Mercure de France*, vol. 45, núm. 156 (octubre-diciembre de 1902) p. 804.
78 «Parecía que se deleitaba»: Morice, «Exposition d'oeuvres de MM. Trachsel, Gerardin, Picasso», en *Lypton, Picasso Criticism*, 1901-1939, pp. 20-31.
79 «Esos niños, que nadie acaricia»: Apollinaire, «Les jeunes: Picasso, peintre», *La plume*, núm, 372 (15 de mayo de 1905) pp. 478-480.
79 «Se ha dicho»: "Picasso, peintre et desinateur", en Apollinaire, *Chroniques d'Art, 1902-1918*, p. 28.
80 «Sin interrumpir un discurso»: Mackworth, *Guillaume Apollinaire and the Cubist Life*, p. 66.
80 «Era fiel a Mauricio»: Stein, *The Autobiography of Alice B. Toklas*, p. 24.
80 «El más inteligente de todos los olores»: Penrose, *Picasso: His Life and Work*, p. 140.

81 «No tenía dinero»: Palau y Fabre, *Picasso: The Early Years, 1881-1907*, p. 417.
81 «Tenía un pequeña mochila»: Ibid.
81 «Y me marché, después de dibujar un abogado»: Daix and Boudaille, *Picasso, 1900-1906*, p. 274.
81 «Los más bonitos pechos»: Vallentin, *Picasso*, p. 62.
81 «Era un espectáculo ridículo»: Olivier, *Picasso et ses amis*, p. 43.
81 «Masculina en su voz»: Ibid., p. 101.
82 «Los dos vestían de pana marrón»: Ibid.
82 «¿Quién es esa señora?»: *The Third Rose*, p. 70.
82 «En el preciso momento»: Ibid.
82 «Poco a poco, Picasso...»: Stein, *Picasso*, p. 7.
82 «Y de allí partió»: Ibid.
83 «Todo lo que ellos decían conocer»: Stein, *Matisse, Picasso and Gertrude Stein*, p. 204.
83 «Muy dueño de sí mismo»: Olivier, *Picasso and his Friends*, p. 88.
83 «Tan diferentes como el Polo Norte»: Ibid., p. 84.
83 «El sentimiento religioso de la vida»: Matisse, *Ecrits et propos sur l'Art*, pp. 49-50.
84 «Manolo está en casa de Azon»: Kahnweiler and Crémieux, *My Galleries and Painters*, p. 38.
84 «Si supiera hablar francés»: Stein, *The Autobiography of Alice B. Toklas*, p. 48.
84 «Ya no puedo verte cuando te miro»: Ibid, p. 53.
85 «El campanario está torcido»: Jacob, «Souvenirs sur Picasso contés par Max Jacob», *Cahiers d'Art*, núm. 6, 1927, p. 202.
85 «Max y yo»: Crespelle, *Picasso and his Women*, p. 68.
85 «Un traje, un sombrero»: Stein, *The Autobiography of Alice B. Toklas*, p. 53.
85 «El Picasso que vi en España»: Olivier, *Picasso and His Friends*, p. 93.
86 «Buen aire, buena agua»: Palau y Fabre, *Picasso: The Early Years, 1881-1907*, p. 440.
86 «Le gustaba cualquier cosa...»: Olivier, *Picasso and His Friends*, p. 93.
86 «Dirigido constitucionalmente»: Ibid, p. 95.
87 «Un tenor que alcanza una nota»: Picasso, *Carnet Catalán*, p. 11.
87 «En aquella vasta, vacía»: Olivier, *Picasso and His Friends*, p. 126.
87 «Pintó mi cabeza»: Stein, *Picasso*, p. 8.
87 «Todo el mundo dice»: Peignot, «Les Premiers Picassos de Gertrude Stein», *Connaissance des Arts*, núm. 213, noviembre de 1969, p. 125.

87 «No he vuelto a utilizar modelos»: Cabanne, *Pablo Picasso*, p. 111.
88 «Intentar obligar a sus amigos»: Mackworth, *Guillaume Apollinaire and the Cubist Life*, p. 72.
88 «En la calle de Rennes»: Cabanne, *Pablo Picasso*, p. 110.
88 «Matisse cogió una estatuilla»: Ibid.
88 «Completamente solo en este horrible museo»: Malraux, *Picasso Mask*, pp. 10-11.
89 «Obviamente, dijo»: Ibid, p. 17.
90 «No habremos destruido nada»: Jarry, «Ubu rey», en Leighten, *Picasso, Anarchism and Art, 1897-1914*, p. 154.
90 «La última de las sublimes corrupciones»: Apollinaire. «Feu Alfred Jarry», en *Oeuvres Complétes de G. Apollinaire*, p. 855.
90 «Dios es el paso más corto»: Jarry, *Faustroll*, p. 121.
91 «El aprendiz de brujo»: Salmon, *La Jeune Peinture Française*, p. 48.
91 «El revólver, escribió Max Jacob»: Jacob, *Chronique des temps héroïques*, p. 48.
91 «La fealdad de las caras»: Salmon, *La Jeune Peinture Française*, p. 48.
91 «Un día encontraremos a Picasso»: Kahnweiler and Grémieux, *My Galleries and Painters*, p. 39.
91 «No hace falta, dijo Picasso»: «Shafts from Apollo's Bow: A Blast from the North, *Apollo*, octubre de 1947, p.90.
91 «Me hizo pensar»: Cabanne, *Le Siécle de Picasso*, vol. 1, p. 200.
91 «Las cosas que Picasso y yo nos dijimos»: Vallier, «Braque, la peinture et nous»: *Cahiers d'Art*, núm. 1, 1954, p. 14.
92 «Nunca decidí ser pintor»: Ibid., p. 14.
92 «Una gran cosa aquel salón»: Ibid., pp. 13-14.
92 «Nunca hubo un grupo de artistas»: Olivier, *Picasso and His Friends*, p. 50.
92 «Dime, Picasso»: O'Brian, *Picasso*, p. 32.
93 «Una mujer horrible y misteriosa»: Stein, *The Autobiography of Alice B. Toklas*, p. 26.
93 «Marie Laurencin... era terriblemente miope»: Ibid, p. 60.
95 «Los movimientos que escogen...": Vallentin, *Picasso* p. 101.
95 «Braque y yo»: Sabartés, *Picasso: Portraits et souvenirs*, p. 222.
95 «Picasso y yo, decía Braque»: Testimony against Gertrude Stein, *Transition*, núm. 23 (febrero de 1935) pp. 13-14
95 «Nos fuimos tan lejos»: Vallentin, *Picasso*, p. 111.
95 «Me siento ahora tan feliz»: González, «Picasso sculpteur», *Cahiers d'Art*, núms. 6-7, 1936, p. 189.
95 «Braque es la mujer...»: Daix, *Picasso créateur*, p. 101.
96 «Necesito un ingeniero»: Kahnweiler, *Confessons esthetiques*, p. 212.
96 «Las paredes del estudio de Picasso»: Raynal, *Picasso*, 45-48.

97 «No se telefonea»: Olivier, *Picasso and His Friends*, p. 69.
98 «Usted y yo somos los mejores pintores»: Penrose, *Picasso: His Life and Work*, p. 145.
98 «Me divierte siempre»: Stein, *Picasso*, pp. 8-9
98 «A esta gente le ha tocado el gordo»: Olivier, *Picasso and His Friends*, p. 135.
99 «Pese a todo ello»: Ibid., p. 136.
100 «Está bien»: Kahnweiler y Crémiex, *My Galleries and Painters*, p. 43.
100 «Llevar adelante un arte»: Apollinaire, *Les peintres cubistes*, p. 14.
101 «Estaba buscando mis zapatillas»: Mackworth, *Guillaume Apollinaire and the Cubist Life*, p. 124.
101 «Tú eres lo que yo más quiero»: Steegmuller, *Apollinaire: Poet among the Painters*, p. 131.
101 «Una tarde, contaba... Picasso»: Gilot and Lake, *Life with Picasso*, pp. 76-77.
102 «Pese a nuestros temperamentos»: Vallier, «Braque, la peinture et nous», *Cahiers d'Art*, núm. 1, 1954, p. 14.
102 «Estaba pensando en mi trabajo»: Mackworth, *Guillaume Apollinaire and the Cubist Life*, p. 124.
103 «Nosotros, que luchábamos»: Berger, *The Success and Failure of Picasso*, p. 56.
103 «Deseo en mi casa»: Apollinaire, «Le Bestiaire», en *Oeuvres poétiques*, p. 8.

CAPÍTULO CUARTO

105 «Hemos hecho muchas amistades»: Carta de Olivier a Stein, 17 de junio de 1910, en la edición McCully *A Picasso Anthology*, p. 67.
106 «Una cosita que no parece»: «Thaw Trial Begins; Defense Still Hidden», *The New York Times*, 24 de enero de 1907, p. 2.
106 «Pequeña y negativa»: Stein, *The Autobiography of Alice B. Toklas*, p. 111.
106 «No puedo tener amigos»: Gedo, *Picasso: Art as Autobiography*, p. 213.
106 «Ha dado el gran paso»: Kahnweiler, *The Rise of Cubism*, p. 10.
106 «Como es español»: Stein, *Picasso*, pp. 13-14.
107 «No hay más punto de partida»: Zervos, «Conversation avec Picasso», *Cahiers d'Art*, núms. 7-10, 1935, p. 174.
107 «Yo trabajo como los chinos»: Roy, *L'Amour de la peinture*, p. 85.
107 «El increíble heroísmo»: Warnod, *Washboat Days*, p. 123.
107 «La pintura es la libertad»: Malraux, *Picasso's Mask*, p. 110.
107 «Nunca fui partidario de pintar»: Gilot and Lake, *Life with Picasso*, pp. 72-73.

108 «En su forma original, me parecía»: Ibid, p. 73.
108 «Honradamente, nunca he entendido»: Pla, «Vida de Manolo contada por él mismo», en la edición McCully *A Picasso Anthology,* p. 69.
109 «¿Cómo podría echar la culpa...?»: De Zayas, «Picasso Speaks», *The Arts,* vol. 3, núm. 5, mayo 1923, p. 319.
109 «Valoro las cosas de acuerdo...»: Vallentin, *Picasso,* p. 114.
109 «¿Por qué no me escribe Picasso?»: Henry, «Max Jacob et Picasso», *Europe,* núms. 492-493, abril-mayo de 1970, p. 201.
110 «Mi querida Fernande»: Olivier, *Picasso et ses amis,* pp. 207-208.
111 «Estoy segura»: Olivier, Ibid. pp. 207-208.
112 «Tan pronto como la pesada puerta»: Steegmuller, *Apollinaire: Poet among the Painters,* pp. 211-212.
112 «Como la criada no había bajado»: Olivier, *Picasso and His Friends,* p. 148.
112 «Pálido, desaliñado»: Ibid, p. 149.
113 «El jefe de una banda»: Steegmuller, *Apollinaire: Poet among the Painters,* pp. 206-207.
113 «A las tres de la tarde»: Ibid, p. 206.
113 «El espíritu internacionalista»: Mackworth, *Guillaume Apollinaire and the Cubist Life,* pp. 137-138.
113 «Todavía no me he recuperado»: Ibid, p. 136.
114 «Le asfixiaba»: Steegmuller, *Apollinaire: Poet among the Painters,* p. 229.
114 «Guillaume —escribió el pintor»: Ibid, 217.
114 «Nada tenía que ver con la pintura»: Ibid, p. 236.
114 «Una vuelta a la barbarie»: O'Brian, *Picasso,* p. 181.
114 «Si Picasso revela sinceramente»: Murry, «The Revolutionary Artists», *The Craftsman,* vol. 20, núm. 2, mayo 1911, p. 237.
115 «Portadas coloristas»: Carter, «The Plato-Picasso Ideal», *The New Age,* vol. 10, núm. 5, 30 de noviembre de 1911, p. 115.
115 «Yo, francamente —escribió»: Murry, «The Art of Pablo Picasso», *The New Age,* vol. 10, núm. 5, 30 de noviembre de 1911, p. 115.
115 «Estoy convencido —escribió»: Ibid.
115 «De hecho —dijo Picasso»: «Lettre sur l'Art», *Formes,* febrero de 1930, pp. 2-4.
115 «Platón estaba buscando»: Murry, «The Art of Pablo Picasso», *The New Age,* vol. 10, núm. 5, 30 de noviembre de 1911, p. 115.
115 «Estaba buscando una diferente»: Carta de Murry a Carter, en el artículo de Carter «The Plato-Picasso Ideal», *The New Age,* vol. 10, núm. 4, 23 de noviembre de 1911, p. 115.
115 «Cuando la gente creía»: Malraux, *Picasso's Mask,* p. 127.
116 «Muy alta»: Stein, *The Autobiography of Alice B. Toklas,* p. 46.

116 «Un verdadero humo líquido»: Ibid., p. 26.
116 «Tu único derecho a la distinción»: Ibid., p. 96.
116 «No puedo abrirle»: Dorgelés, *Bouquet de Bohéme,* p. 106.
116 «No debería pensarse, diría»: Parmelin, *Picasso Plain,* p. 115.
117 «Fernande se marchó ayer»: Cabanne, *Pablo Picasso,* p. 149.
117 «La quiero muchísimo»: Carta de Picasso a Kahnweiler, 12 de junio de 1912, en el Centre Georges Pompidou, *Donation Louise et Michel Leiris,* p. 168.
117 «No des mi dirección a nadie»: Carta de Picasso a Kahnweiler, 20 de mayo de 1912, Ibid., p. 165.
117 «Sí, estamos juntos»: Carta de Picasso a Kahnweiler, 22 de mayo de 1912, Ibid.
117 «Pero no digas nada»: Ibid.
117 «Tienes que mandarme»: Carta de Picasso a Kahnweiler, 24 de mayo de 1912, Ibid., p. 166.
118 «Necesito mis útiles de pintar»: Carta de Picasso a Kahnweiler, 1 de junio de 1912, Ibid.
118 «Oye, realmente...»: Carta de Kahnweiler a Picasso, 6 de junio de 1912, Ibid.
118 «Los restantes —añadía»: Carta de Picasso a Kahnweiler, 5 de junio de 1912, Ibid., p. 167.
118 «Estoy realmente triste»: Carta de Picasso a Kahnweiler, 12 de junio de 1912, Ibid., p. 168.
118 «Aparte de todo»: Ibid.
119 «La belleza de Fernande»: Stein, *The Autobiography of Alice B. Toklas,* p. 112.
119 «No me parecen demasiado malas»: Carta de Picasso a Kahnweiler, 20 de junio de 1912, en el Centre Georges Pompidou, *Donation Louise et Michel Leiris,* pp. 168-169.
119 «Todo tiene que tener un fin»: Olivier, *Picasso and His Friends,* pp. 157-158.
119 «Que ella entendiera»: Stein, *The Autobiography of Alice B. Toklas,* p. 112.
120 «Ya he empezado el trabajo»: Carta de Picasso a Kahnweiler, 29 de junio de 1912, en el Centre Georges Pompidou, *Donation Louise et Michel Leiris,* p. 169.
120 «Probablemente los habría estropeado»: Carta de Picasso a Kahnweiler, 4 de julio de 1912, Ibid.
120 «Tienes derecho a tener mis cuadros»: Carta de Picasso a Kahnweiler, 9 de julio de 1912, Ibid.
120 «Pero qué cosa tan rara»: Ibid.
120 «Dile que me escriba»: Carta de Picasso a Kahnweiler, Ibid.
121 «De esta manera —diría Picasso»: Entrevista con Françoise Gilot.
121 «Hace muchos días que no te escribo»: Carta de Picasso a Kahn-

weiler, 11 de agosto de 1912 en el Centre Georges Pompidou, *Donation Louise et Michel Leiris,* p. 169.

121 «Wilbur Braque»: Carta de Picasso a Kahnweiler, 15 de agosto de 1912, Ibid.

122 «Un refugio de elegante y libre»: Mackworth, *Guillaume Apollinaire and the Cubist Life,* p. 158.

122 «Chófer mata esposa»: Leighten, *Picasso: Anarchism and Art, 1897-1914*, p. 251.

122 «Picasso estudia un objeto»: Cabanne, *Pablo Picasso,* p. 160.

123 «Con cada nuevo intento»: Junoy, «L'art d'en Picasso», en la edición McCully de *A Picasso Anthology,* p. 88.

123 «El único cubismo real»: Stein, *The Autobiography of Alice B. Toklas,* p. 91.

123 «Dime por qué defiendes»: Ibid., p. 212.

123 «Juan Gris fue la única»: Ibid., p. 211.

123 «Sabes perfectamente que Gris»: O'Brian, *Picasso,* p. 201.

123 «El genio modesto»: Kahnweiler, «Juan Gris», en el San Francisco Museum of Art, *Picasso-Gris-Miró,* p. 73.

124 «Una mano firme sirviendo»: Ibid., p. 72.

124 «Producida únicamente por elementos»: Larrea, «Light Illumined», Ibid., p. 38.

124 «La devoción de Eva»: Daix, *Picasso créateur,* p. 138.

124 «Sentí su presencia amiga»: Kahnweiler, «Juan Gris», en el San Francisco Museum of Art, *Picasso-Gris-Miró,* p. 73.

124 «Era amable, afectuoso»: Ibid., p. 69.

125 «Puedes imaginarte en qué estado»: Carta de Picasso a Kahnweiler, 5 de mayo de 1913, en el Centre Georges Pompidou, *Donation Louise et Michel Leiris,* p. 170.

125 «Espero —escribió Eva»: Daix, *Picasso créateur,* p. 139.

125 «Parecían haber sido pintados»: Carta de Jacob a Kahnweiler, fines de abril de 1913 en *Correspondence de Jacob*, vol. 1, p. 90.

126 «Hombres del futuro»: Mackworth, *Guillaume Apollinaire and the Cubist Life,* p. 161.

126 «Uno no puede nunca dibujar»: Salmon, *Modigliani: A memoir,* pp. 132-133.

127 «Han alcanzado precios altos»: Daix, *Picasso créateur,* p. 145.

127 «Uno simplemente pinta»: O'Brian, *Picasso,* p. 202.

127 «Cubismo rococó»: Penrose, *Picasso: His Life and Work,* p. 194.

127 «La vuelta legalizada»: Mackworth, *Guillaume Apolliniaire and the Cubist Life,* p. 177.

127 «Dentro de mí sentí»: Ibid., p. 176.

127 «Me alegré muchísimo»: Ibid., p. 179.

127 «Nunca volví a verles»: O'Brian, *Picasso,* p. 207.

CAPÍTULO QUINTO

129 «Nunca se nos ocurrió reprocharle»: Cabanne, *Pablo Picasso,* p. 171.
129 «Derain está en una unidad»: Apollinaire, «Living Art and the war», en *Apollinaire on Art,* pp. 439-440.
130 «Si se sabe exactamente»: «Propos sur l'Art». *Le Monde,* 13 de abril de 1973, p. 18.
130 «Si quieren hacer un ejército»: Cabanne, *Pablo Picasso,* p. 171.
130 «Es como si yo hubiera creado»: Stein, *The Autobiography of Alice B. Toklas,* p. 90.
131 «Me han preocupado todas esas cosas»: Brinnin, *The Third Rose,* p. 197.
131 «Las manzanas de Cézanne»: Ibid.
131 «Yo te pintaré una manzana»: O'Brian, *Picasso,* p. 211.
131 «Todos los trabajos nacen»: Cabanne, *Pablo Picasso,* p. 171.
132 «Todos hablan de la gran realidad»: Rubin, en El Museo de Arte Moderno, *Picasso in the Collection of Museum of Modern Art,* p.72.
132 «¿No será terrible?»: Stein, *Everybody's Autobiography,* p. 119.
133 «Un viento cósmico invernal»: Berdiaev, «Picasso», en la edición McCully *A Picasso Anthology,* p. 111.
133 «Los judíos son hombres»: Andreu, *Max Jacob,* p. 45.
133 «Un buen católico... es un hombre»: Ibid., p. 44
134 «Poso en el estudio de Pablo»: Penrose, *Picasso: His Life and Work,* p. 206.
134 «Mi vida es infernal»: Daix, *Picasso créateur,* p. 154.
134 «Gaby, mi amor»: Richardson, «Picasso's Secret Love», *House and Garden,* octubre de 1987, p. 180.
134 «El dibujo... dice»: Daix, *Picasso créateur,* p. 155.
135 «Como siempre, no paro»: Ibid., p. 154.
135 «Caminando con el orgullo»: Steegmuller, *Cocteau,* p. 71.
135 «Nunca he olvidado»: Cabanne, *Pablo Picasso,* p. 176.
135 «Cayó bajo el sortilegio»: Steegmuller, *Cocteau,* p. 137.
136 «Mi pobre Eva ha muerto»: Daix, *Picasso créateur,* p. 155.
136 «Era un asunto verdaderamente triste»: Cabanne, *Le Siécle de Picasso,* vol. I, p. 293.
136 «Este amarillo»: Crespelle, *Picasso and His Women,* p. 114.
137 «Su fascinante joven leopardo»: Steegmuller, *Cocteau,* p. 73.
137 «¡Asómbrame!»: Ibid., p. 82.
137 «Fácilmente se comprendía»: Ibid.
137 «Herencia de antepasados»: Ibid., p. 113.
138 «Buenas noches, señor Picasso»: Cabanne, *Pablo Picasso,* p. 180.
138 «Paquerette, una chica mona»: Stein, *The Autobiography of Alice B. Toklas,* p. 169.
138 «Le he pedido tu mano»: Richardson, «Picasso's Secret Love», *House and Garden,* octubre de 1987, p. 180.

138 «El artista debe saber»: De Zayas, «Picasso Speaks», *The Arts,* vol. 3, núm. 5, mayo de 1923, p. 315.
138 «Era siniestro»: O'Brian, *Picasso,* p. 215.
139 «El gran hallazgo»: Steegmuller, *Cocteau,* p. 137.
139 «Esta mañana posé»: Ibid., p. 147.
139 «Picasso, escribía a Valentine»: Ibid., pp. 163-164.
139 «Vestía un jersey de color»: Salto, «Pablo Picasso», en la edición de McCully, *A Picasso Anthology,* p. 125.
140 «Mi querido ahijado»: Henry, «Max Jacob et Picasso», *Europe,* núms. 492-493, abril-mayo de 1970, p. 204.
140 «Picasso es mi amigo»: Ibid.
140 «Montmartre y Montparnasse»: Hilton, *Picasso,* p. 134.
141 «Picasso está trabajando»: Gold and Fizdale, *Misia,* p. 191.
141 «En 1916 en Montparnasse»: Steegmuller, *Cocteau,* p. 165.
141 «Haz comprender a Satie»: Ibid., p. 167.
141 «Querida y dulce amiga»: Ibid.
142 «Sin embargo, es una gran cosa»: Gold and Fizdale, *Misia,* p. 191.
142 «Su barba de Bolívar»: Steegmuller, *Cocteau,* p. 164.
142 «Una estatua en honor»: Apollinaire, *Le poéte assassiné,* p. 115.
143 «Trabajo en nuestro proyecto»: Steegmuller, *Cocteau,* p. 164.
143 «¡Larga vida a nuestros discípulos!»: Ibid., p. 174.
143 «Voilá, dijeron»: Ibid.
143 «Tengo sesenta bailarines»: Carta de Picasso a Stein, abril de 1917. De la Yale Collection of American Literature. Beinecke Rare Book and Manuscript Library. Yale University.
144 «Sus manos, tan oscuras»: Stein, *The Autobiography of Alice B. Toklas,* p. 22.
144 «Una descarga eléctrica»: Cabanne, *Pablo Picasso,* p. 176.
144 «Aquel resplandor»: Penrose, *Picasso: His Life and Work,* p. 98.
145 «Una ciudad hecha de fuentes»: Steegmuller, *Cocteau,* p. 173.
146 «Una conjunción de planetas»: Ibid., p. 181.
146 «El Papa está en Roma»: Mugnier, *Journal de l'Abbé Mugnier,* p. 309.
146 «El artista debe pasearse»: Ibid., p. 334.
146 «Hacer todo lo que puedan»: Ibid., p. 309.
146 «Esto no es un retrato»: Cabanne, *Le Siécle de Picasso,* vol. 1, p. 305.
147 «Figuras gigantescas». Steegmuller, *Cocteau,* p. 177.
147 «No, no, señor Picasso»: Wiser, *The Crazy Years,* p. 42.
147 «Ten cuidado»: Crespelle, *Picasso and His Women,* p. 121.
148 «Por primera vez»: Poulenc, *Moi et mes amis,* p. 89.
148 «Rehabilitar el lugar común»: Lieberman, «Picasso and the Ballet, 1917-1945», *Dance Index,* vol. 5, núms. 11-12, noviembre-diciembre de 1946, p. 266.
148 «Monta un caballo de carreras»: Ibid., p. 275.

148 «Si no hubiera sido por Apollinaire»: Cabanne, *Pablo Picasso,* p. 190.
148 «La reina del ballet ruso»: Steegmuller, *Cocteau,* p. 69.
148 «Un hada madrina en un momento»: Ibid.
149 «Parecía un príncipe»: Mac Orlan, «Rencontre avec Picasso», en Lipton, *Picasso Criticism, 1901-1939*, p. 152.
149 «Parecía tenso, dolorido»: Crespelle, *Picasso and His Women,* p. 122.
149 «Innovador de la música, Erik Satie»: Apollinaire, *Chroniques d'Art, 1902-1918,* p. 426.
149 «Habían consumado por primera vez»: Ibid.
149 «Quizá, quizá»: Poulenc, *Moi et mes amis,* p. 89.
149 «Si hubiera sabido que era tan tonto»: Lieberman, «Picasso and the Ballet, 1917-1945», *Dance Index,* vol. 5, núms. 11-12, noviembre-diciembre de 1946, p. 267.
149 «El antiarmónico clown»: Mackworth, *Guillaume Apollinaire and the Cubist Life,* p. 223.
149 «Monsieur et cher ami»: Gold and Fizdale, *Misia,* p. 195.
150 «Un gran juguete»: Samouillet, *Francis Picabia et 391,* p. 60.
150 «Quiero reconocer mi cara»: Entrevista con Françoise Gilot.
151 «¿Cómo se llama usted?»: Ibid.
153 «¿Es serio un pintor?»: Crespelle, *Picasso and his Women,* p. 122.
153 «Estaba tan halagado»: Entrevista con Matta.
153 «Picasso, escribió Juan Gris»: Cabanne, *Pablo Picasso,* p. 191.
154 «Hubo un tiempo bendito»: Apollinaire, *Calligrammes,* p. 240.
154 «Contemplo el *beau monde»:* Daix, *La vie de peintre de Pablo Picasso,* p. 164.
155 «Me alegra saber...»: Apollinaire a Picasso, 11 de septiembre de 1918, en la edición McCully, *A Picasso Anthology,* p. 132.
155 «No hay un Dios bueno»: Penrose, *Picasso: His Life and Work,* p. 225.
155 «¡Qué invento tan estúpido!»: Sabartés, *Picasso: Documents iconographiques,* p. 11.

CAPÍTULO SEXTO

158 «La ventana daba al sur»: Brassaï, *Picasso and Company,* p. 5.
158 «Sus maneras de vivir en Londres»: Bell, *Civilization and Old Friends,* p. 171.
159 «La primera vez que la vi»: Crespelle, *Picasso and His Women,* p. 124.
159 «Una suprema obra maestra»: Cabanne, *Le Siécle de Picasso,* vol. 1, p. 348.
159 «Lo que cuenta no es...»: Zervos, «Conversation avec Picasso», *Cahiers d'Art,* núms. 7-10, 1935, pp. 176-177.

160 «Las diversas maneras»: Penrose, *Picasso: His Life and Work,* p. 244.
160 «¿Cuál era el significado?»: Uhde, *Picasso and the French Tradition,* pp. 54-55.
160 «En toda Andalucía»: *García Lorca. Selected Letters,* pp. 42-43.
160 «Es mi desgracia»: Zervos, «Conversation avec Picasso», *Cahiers d'Art,* núms. 7-10, 1935, p. 173.
161 «Todas las mujeres que había allí»: Gold and Fizdale, *Misia,* p. 232.
161 «Encontrado que tenían en común»: Josephson, *Life among the Surrealists,* p. 111.
161 «Barrer todo y dejarlo limpio»: Ibid., p. 108.
161 «De escupir a la humanidad»: Ibid.
161 «Los verdaderos dadaístas»: Wiser, *The Crazy Years,* p. 40.
162 «¡Oh, no!»: Georges-Michel, *De Renoir á Picasso,* p. 100.
162 «¿Qué es un pintor?»: Cabanne, *Pablo Picasso,* p. 202.
162 «¿Crees que no soy un pintor francés?»: Ibid., p. 215.
162 «Cocteau nació con la raya»: Gold and Fizdale, *Misia,* p. 232.
162 «Abrió el baile»: Radiguet, *Count d'Orgel,* p. 21.
163 «Dejando expuesta la parte»: Steegmuller, *Cocteau,* p. 227.
163 «La relación entre estas dos»: Gold and Fizdale, *Misia,* p. 232.
163 «Era un catalán»: Ibid.
163 «Chère madame»: Ibid., p. 217.
164 «Comedia»: Cabanne, *Pablo Picasso,* p. 203.
164 «Picasso, no necesitando»: Everling, «C'était hier: Dada...», *Les Ouvres Libres,* núm. 109, junio 1955, p. 149.
164 «El ha improvisado los trajes»: Lieberman, «Picasso and the Ballet», 1917-1945», *Dance Index,* vol. 5, núms. 11-12, diciembre de 1946, p. 287.
165 «Ustedes la respetan»: Tierney, *The Unknown Country: A Life of Igor Stravinsky,* p. 91.
165 «Una de esas obras»: Stravinsky, *Autobiography,* p. 133.
165 «Porque el escenario presenta»: Ibid., p. 132.
165 «El Príncipe Firouz»: Hugo, *Avant d'oublier, 1918-1931,* p. 67.
166 «¿Así que usted sigue pintando?»: Ibid., p. 66.
166 «¿Qué me quería decir?»: Ibid., pp. 66-67.
166 «Soñaba que mis brazos»: Gilot and Lake, *Life with Picasso,* p. 119.
167 «No sé qué es lo que pasó»: Cabanne, *Pablo Picasso,* p. 222.
168 «Otros artistas han cortejado»: Berger, *The Success and Failure of Picasso,* p. 203.
168 «Nunca he pintado»: Aragon, *Anicet ou le panorama,* p. 112.
168 «Si hubieras asistido a mi último»: Henry, «Max Jacob et Picasso», *Europe,* núms. 492-493, abril-mayo de 1970, p. 208.
168 «El aborrece la incomprensión»: Jacob, *Correspondance,* vol. 1, p. 122.

169 «Eleva al hombre sobre»: Raynal, «Picasso», *L'Art d'aujourd'hui,* núm. 1, primavera-verano de 1924, p. 22.
169 «Coronado por la gracia»: Salmon, «Picasso», *L'Esprit Nouveau,* núm. 1, mayo de 1920, p. 67.
169 «Picasso es el liberador»: Bell, *Since Cezanne,* p. 84.
169 «Esfuerzo después»: Nebesky, «Pablo Picasso», en la edición McCully *A Picasso Anthology,* p. 150.
169 «Cuanto más se toma de él»: Vallentín, *Pablo Picasso,* p. 255.
170 «Por fin, a medianoche»: Hugo, *Avant d'oublier, 1918-1931,* p. 127.
171 «No desesperes, el señor Rimbaud»: Gold and Fizdale, *Misia,* p. 236.
171 «Con una elegancia regia»: Steegmuller, *Cocteau,* p. 283.
171 «Tzara, nada de policía»: Penrose, *Picasso: His Life and Work,* p. 248.
171 «A un cierto personaje»: Josephson, *Life among the Surrealists,* p. 148.
171 «Estado mental que sirviera»: Ibid., p. 151.
172 «Soy ese niño»: Kay, *Picasso's World of Children,* p. 177.
172 «Tú me ves aquí»: Verdet, en Musée de l2Picasso, en la edición Ashton, *Picasso on Art,* p. 96.
172 «Yo, yo voy a pintar»: Baron, *L'An I du Surrealisme,* p. 60.
172 «Un nuevo vestido a la vieja tragedia»: Steegmuller, *Cocteau,* p. 283.
172 «Ella es nuestra modista»: Charles-Roux, *L'Irreguliére,* p. 357.
173 «Muy bien, aquí está»: Cabanne, *Pablo Picasso,* p. 224.
173 «La aparición de estas columnas»: Cocteau, *Le Rappel á l'Ordre,* p. 289.
173 «Arrebatada de pasión por él»: «Retouches pour un portrait», *Le Crapouillet,* núm. 25, mayo-junio 1973, p. 41.
173 «Esto no puede durar»: Wiser, *The Crazy Years,* p. 71.
174 «Sabemos todos —decía»: De Zayas, «Picasso speaks», *The Arts,* vol. 3, núm. 5, mayo 1923, p. 315.
174 «El mundo está demasiado lleno»: Wiser, *The Crazy Years,* p. 177.
175 «Era muy guapo»: Stein, *Autobiography of Alice B. Toklas,* p. 221.
175 «Abandona todo»: Josephson, *Life among the Surrealists,* p. 151.
176 «Casi muere de la pena»: Gold and Fizdale, *Misia,* p. 235.
176 «¡Matisse!, gritó»: O'Brian, *Picasso,* p. 264.
176 «No hice estos guantes»: Hugo, *Avant d'oublier, 1918-1931,* p. 177.
176 «Aristocracia internacional»: Penrose, *Picasso: His Life and Work,* p. 249.
176 «Queremos expresar»: O'Brian, *Picasso,* p. 265.

176 «Cuando éramos niños»: Breton, «Le Surréalisme et la Peinture», *La Révolution Surréaliste,* núm. 4, 15 de julio de 1925, pp. 29-30.
177 «El primer punto sobre»: Lieberman, «Picasso and the Ballet, 1917-1945», *Dance Index,* vol. 5, núms. 11-12, noviembre-diciembre de 1946, p. 300.
179 «Por todas estas razones»: Ibid., p. 30.
179 «Romper los lazos de la razón»: Josephson, *Life among the Surrealists,* p. 221.
179 «Creo —escribió Breton»: Ibid.
179 «¿Qué significa todo esto?»: Ibid., p. 336.
179 «Continuase siendo un objetivo»: Breton, *What is Surrealism? Selected Writings,* p. 180.
180 «Lo amo como si fuera»: Zervos, «Conversations avec Picasso», *Cahiers d'Art,* núms. 7-10, 1935, p. 177.
180 «Una dictadura absoluta»: Ibid.
180 «Querido Jean: Juzgas a Picasso»: Jacob, *Choix de lettres de Max Jacob á Jean Cocteau,* pp. 83-84.
180 «No es un poeta»: Ibid., p. 81.
181 «La entrevista que le había herido»: Stein, *The Autobiography of Alice B. Toklas,* p. 222.
181 «Yo, como madre»: Ibid.
181 «Fuiste engañado»: Jacob, *Choix de lettres de Max Jacob á Jean Cocteau,* p. 81.

CAPÍTULO SÉPTIMO

183 «El simplemente me agarró del brazo»: Farrel, «His Women», *Life,* 27 de diciembre de 1968, p. 74.
184 «Hoy, 13 de julio de 1944»: Carta de Picasso a Walter, 13 de julio de 1944, en el Hong Kong Museum of Art, *Picasso Intime: Collection Maya Ruiz Picasso,* p. 57.
184 «Durante diez años he vivido...»: Gagnebin, «Erotique de Picasso», *Esprit,* enero de 1982, p. 71.
185 «El pobre Juan está muy mal»: Mellow, *Charmed circle,* p. 311.
185 «He pintado un gran cuadro»: Cabanne, *Pablo Picasso,* p. 252.
185 «Vino a la casa y pasó allí»: Stein, *The Autobiography of Alice B. Toklas,* p. 212.
185 «La pintura es para Picasso...»: Zervos, «Les derniéres oeuvres de Picasso». *Cahiers d'Art,* núm. 6, 1927, p. 189
185 «La manera en que el contraste». Einstein, «Picasso», edición McCully, *A Picasso Anthology,* p. 169.
186 «En cuanto un pintor tiene dinero»: Entrevista con Francoise Gilot.
186 «Quizá el más grande psicólogo»: Rubin, *Dada and Surrealist Art*, p. 280.

186 «De más allá»: Cabanne, *Le Siécle de Picasso*, vol. 2, p. 345.
187 «El parecía un prisionero»: Entrevista con Matta.
«Ser capaz de vivir»: Kahnweiler and Crémieux, *My Galleries and Painters*, p. 10.
188 «Maravillosamente terrible»: Cabanne, «Picasso et les joies de la paternité», *L'Oeil*, núm. 226, mayo de 1974, p. 10.
188 «Algunos de los más vívidos»: Gasman, *Mystery, Magic and Love in Picasso, 1925-1938*, p. 64.
188 «Me sometía a él»: Ibid., p. 60.
188 «Pablo no quería que me riese»: Ibid, p. 60.
188 «La sensación de violencia elemental»: Bataille, *Death and Sensuality,* p. 60.
189 «Les tengo mucho cariño a las llaves»: O'Brian, *Picasso,* p. 279.
189 «Una raja de melón»: Gasman, *Mystery, Magic and Love in Picasso, 1925-1938,* p. 60.
189 «La belleza es deseada»: Bataille, *Deach and Sensuality,* p. 144.
189 «Diosas y felpudos»; Gilot and Lake: *Life with Picasso,* p. 84.
189 «El hombre, escribió»: Gasman, *Mystery, Magic and Love in Picasso, 1925-1938*, p. 72.
189 «Mil armas ofensivas»: Ibid., p. 71.
189 «El espíritu, el subconsciente»: Malraux, *Picasso's Mask,* p. 11.
189 «Las casas, los volcanes»: Breton, *Point du Jour,* p. 69-70.
190 «Ciudad inhumana y monstruosa»: Andreu, *Max Jacob*, p. 59.
190 «El amor-devoción»: Jacob, *Choix de lettres de Max Jacob á Jean Cocteau,* p. 134.
191 «Desde la alucinada perspectiva»: Rubin, *Dada, Surrealism and Their Heritage,* p. 1277.
191 «Irracionalidad humana»: Kauffman, «Picasso's Crucifixion of 1930», *Burlington Magazine,* vol. 3, septiembre de 1969, p. 559.
192 «Van Gogh sin Dios»: Entrevista con Françoise Gilot.
192 «Todo es un milagro»: Steegmuller, *Cocteau,* p. 350.
192 «Si estás mentalmente muy adelantado»: Stein, *The Autobiography of Alice B, Toklas,* p. 246.
193 «Sólo somos tus sirvientas»: Prabhupada, *Krishna,* p. 209.
193 «La noche está vacía»: Archer, *The Loves of Krishna,* p. 42.
194 «Series de metamorfosis»: Edición McCully, *A Picasso Anthology,* p. 173.
194 «Una trágica duda»: Pierre-Quint, «Doute et révélation dans l'ouvre de Picasso», edición McCully, *A Picasso Anthology,* p. 176.
194 «Vinieron cuatro»: Loeb, *Voyages á travers la peinture,* p. 54.
195 «La forma sigilosa de retratar»: Langston, *Disguised Double Portraits in Picasso's Work, 1925-1962.* p. 12.
195 «La suerte de encontrar una segadora»: Lautréamont (Ducasse), «Les chants de Maldoror», en Rubin, *Dada, Surrealism and Their Heritage*», p. 19.

195 «La vuelta del hijo pródigo»: Brassaï, *Picasso and Company*, p. 4.
195 «La más clara expresión»: George, «Fair Play: The Pasion of Picasso», *Formes,* abril 1930, p. 8.
195 «Correspondiendo a la realidad colectiva»: George, «Les cinquante ans de Picasso et la mort de la nature morte», *Formes*, abril 1931, p. 56.
196 «Una estéril demostración»: George, «Grandeur et Decadence de Pablo Picasso», *L'Art Vivant,* núm. 135, agosto de 1930, p. 594.
196 «Una enfermedad infantil»: Ibid., p. 597.
196 «Descenso al infierno»: Jung, «Picasso», en Lipton, *Picasso Cristicism, 1901-1939*, p. 281.
196 «Es lo feo, lo enfermo, lo grotesco»: Jung, «Picasso», en *The Collected Works of C G Jung.* p. 138.

CAPÍTULO OCTAVO

197 «Primero violaba a la mujer»: Cabanne, «Picasso et les joies de la paternité», *L'Oeil*, núm. 226, mayo de 1974, p. 7.
198 «Tenía nueve años»: Entrevista con Jaime Vilató.
«Un cuadro —había dicho él»: Zervos, «Conversation ave Picasso», *Cahiers d'Art,* núms. 7-10, 1935, p. 174.
199 «Me pidió demasiado»: Penrose, *Picasso: His Life and Word,* p. 271.
199 «¡Aparécete como un toro!» Otto, *Dionyssus: Myth and Cult,* p. 110
200 «La visita de Picasso»: Capdevila, «Picasso al Museu», en la edición McCully, *A Picasso Anthology,* pp. 189-190.
201 «El eterno femenino que nos conduce»: Goethe, *Faust,* segunda parte, acto V, líneas 12-110-11.
201 «Mi libro de oración»: Gasman, *«Mystery. Magic and Love in Picasso, 1925-1938,* p. 421.
201 «¡Cuando pienso que estás vivo!»; Entrevista con Pierrette Gargallo.
201 «Quizá soy el único»: Ibid.
201 «El ojo de toro»: Sabartés, «La literatura de Picasso», *Cahiers d'Art,* núms. 7-10, 1935, p. 236.
202 «Un Dios malo —dijo Picasso»: Kahnweiler, «Entretiens avec Picasso», *Quadrum,* noviembre de 1956, p. 74.
203 «Estoy solo en casa»: Sabartés, *Picasso*: *Documents iconographiques.* p. 68.
203 «Incapaz de romper un plato»: Gold and Fizdale, *Misia,* p. 287.
203 «Sus señorías, simplemente»: Ibid.
203 «Desde su proceso de separación»: Gimpel, *Journal d'un collectionneur, marchand de tableaux,* p. 452.

204 «La habitación "escucha"»: Gasman, *Mystery, Magic and Love in Picasso, 1925-1938,* p. 35.
204 «La soledad de los solos»: Sabartés, *Picasso: An Intimate Portrait,* p. 169.
204 «En la vida —dijo»: Gilot and Lake, *Life with Picasso,* p. 47.
204 «¿Qué quieres decir?»: Entrevista con Jaime Vilató.
204 «El mismo año que "Las Señoritas": Entrevista con James Lord.
205 «No se parecían a ella»: Crespelle. *Picasso and His Women,* p. 138.
206 «El 12 de noviembre de 1935»: Sabartés, *Picasso: and Intimate Portrait,* p. 103.
206 «A primera vista —escribió Sabartés» Ibid., pp. 108-109.
206 «Teniendo en cuenta tu amor»: Ibid., p. 110.
206 «Pero, hombre, estás mezclando»: Ibid.
206 «Fuera del reino de su arte»: Ibid., p. 106.
207 «Está mejor así»: Penrose, *Picasso: His Life and Work*, p. 66.
207 «Me dicen que estás escribiendo»: Blumenkranz-Onimus, «Picasso écrivain ou la revanche de la couleur», *Europe,* núms. 492-493, abril-mayo de 1970, p. 143.
207 «No, hombre, no te vayas»: Sabartés, *Picasso: An Intimate Portrait*, p. 169.
207 «Encendiendo un cigarrillo»: Ibid.
207 «Picasso, Pablo Ruiz»: Acoca, «Picasso Super Compadre», *Washington Post*, 24 de octubre de 1971, p. 15.
207 «La necesidad de una total expresión»: Breton, «Picasso poéte», *Cahiers d'Art,* núms 7-10, 1935, pp. 186-187.
208 «Un taparrabo ocultando»: Sabartés, *Picasso: Portraits et Souvenirs,* p. 125.
208 «No necesitas enseñármelas»: Barr, *Picasso: Fifty Years of His Art,* p. 272.
208 «Dándose cuenta de mi creciente entusiasmo»: Beaton, *Self Portrait with Friends,* p. 40.
209 «Casi siempre se les veía juntos»: Brassaï, *Picasso and Company,* pp. 41-42.
209 «A Olga —había dicho»: Entrevista con José Palau i Fabre.
209 «La vida de un vagabundo»: Crespelle, *Picasso and His Women,* p. 143.
209 «Es necesario verte a ti»: Penrose, *Picasso: His Life and Work,* p. 277.
210 «Este hombre sostenía en sus manos»: Eluard, «Je parle de ce qui est bien», *Cahiers d'Art,* núms. 7-10, 1935, p. 168.
210 «Un poco antes de la hora de comer»: Sabartés, *Picasso: An Intimate Portrait,* p. 114.
210 «Brasa de amistad»: Ibid., p. 115.
211 «El es nuestro»: González, «Desde París», en la edición McCully de *A Picasso Anthology,* p. 193.

211 «Salvador Dalí se complace»: Dalí, «Invitation to the Picasso Exhibition», Barcelona, en la edición McCully de *A Picasso Anthology,* p. 191.
211 «Hablo de lo que me ayuda»: Eluard, «Je parle de ce qui est bien», *Cahiers d'Art,* núms. 7-10, 1935, p.165.
212 «Su cólera por haber nacido»: Leiris, «La Régle du Jeu», vol. 3, *Fibrilles,* p. 262.
212 «Finalmente prehistórico»: Sabartés, *Picasso: Portraits et Souvenirs,* p.129.
212 «¡Miguelangelesco!»: Ibid., p.130.
212 «Ahora son las dos de la madrugada»: Sabartés, *Picasso: An Intimate Portrait,* p.123.
212 «¿No crees?, Sabartés se aventuraría»: Ibid., p. 107.
213 «Las pieles y las sábanas»: Carta de Picasso a Walter, 23 de mayo de 1936, en el Hong Kong Museum of Art, *Picasso Intime: Collection Maya Ruiz-Picasso,* p.52.
213 «Pablo Ruiz»: Sabartés, *Picasso: An Intimate Portrait.*
213 «Una pequeña casa con un jardín»: Ibid.
213 «Desde que he llegado aquí»: Ibid.
213 «La única realmente no inteligente»: Farrell, «His women», *Life,* 27 de diciembre de 1968, p.17.
213 «Dos amantes, uno francés»: Beaton, *Self Portrait with Friends,* p. 157.
214 «Es muy difiícil estar solo»: Blumenkranz-Onimus, «Picasso écrivain ou la revanche de la couleur», *Europe,* núms. 492-493, abril-mayo 1970, p. 160.
214 «¡Qué día tan espléndido!»: Penrose, *Picasso: His Life and Work,* p. 283.
215 «Aquí están matando hombres»: Roy, «Le Peintre et l'Histoire», en la edición de Freminger *Picasso,* p. 205.
215 «Mi querido Jaumet»: Sabartés, *Picasso: An Intimate Portrait,* p. 134.
216 «Cada vez que cambio de esposa»: Gilot and Lake, *Life.*
216 «Vivir con alguien joven»: Entrevista con Françoise Gilot.
216 «Uno sentía inmediatamente»: Entrevista con James Lord.
216 «Tenía una hermosa voz»: Ibid.
216 «Ves —le había dicho»: Stein, *Everybody's Autobiography,* p. 37.
217 «Confidencialmente —escribió»: Sabartés, *Picasso: An Intimate Portrait,* p. 135.
218 «Sabartés, amigo mío»: Ibid.
218 «¿Qué es lo que ha conseguido?»: Cabanne, *Le Siécle de Picasso,* vol. 3, p. 29.
219 «Después de cerrar la puerta»: Sabartés, *Picasso: An Intimate Portrait,* p. 137.
219 «Tan pronto como mi madre»: Entrevista con Maya Picasso.

220 «Los críticos, matemáticos»: Del Pomar, «Con los buscadores del camino», en la edición Ashton de *Picasso on Art,* p. 121.

CAPÍTULO NOVENO

221 «Amor mío: Tengo que quedarme»: Carta de Picasso a Walter, 15 de octubre de 1936, en Hong Kong Museum of Art, *Picasso Intime: Collection Maya Ruiz-Picasso,* p. 53.
221 «Seguían pasando cosas raras»: Gasman, *Mystery, Magic and Love in Picasso, 1925-1938,* p. 436.
221 «Tiene que ser tristísimo»: Richardson, «Your Show of Shows», *The New York Review of Books,* 17 de julio de 1980, p. 22.
222 «Esa impresión de dominio»: Johnson, *Modern Times,* p. 328.
222 «Hubiera preferido inventar una gramática»: Sabartés, *Picasso: An Intimate Portrait,* p. 119.
224 «La guerra de España es la lucha»: Barr, *Picasso: Fifty Years of His Art,* p. 202.
224 «Un mensaje de otro planeta»: Cabanne, *Le Siècle de Picasso,* vol. 3, p. 21.
224 «En un rectángulo de blancos y negros»: Leiris, «Faire-part», *Cahiers d'Art,* núms. 4-5, 1937, p. 128.
224 «El arte hace mucho tiempo que cesó»: Read, 66Picasso's Guernica", *London Bulletin*, núm. 8, octubre de 1938, p. 6.
225 «*Guernica* es para tí»: Cabanne, *Le Siècle de Picasso,* vol. 3, p. 19.
225 «Nunca sabremos todo»: Daix, *Picasso Créateur,* p. 263.
225 «Tengo una hija de este hombre»: Gilot and Lake, *Life with Picasso,* p. 210.
225 «Tengo más razones que usted»: Ibid.
225 «Dinos lo que piensas»: Ibid.
225 «Es una decisión muy dura»: Ibid., p. 211.
225 «En una pelea a puñetazos»: Lord, *Giacometti,* p. 181.
226 «Muestra de amistad»: Gilot and Lake, *Life with Picasso,* p. 137.
227 «Alguien me dijo en una ocasión»: Laporte, *Sunshine at Midnight,* p. 20.
227 «La naturaleza animal de las mujeres»: Richardson, «Your show of shows», *The New York Review of Books,* 17 de julio de 1980, p.23.
228 «Pensé que le gustaría»: Laporte, *Sunshine et Midnight,* p. 73.
228 «En comparación conmigo»: O'Brian, *Picasso,* p. 331.
228 «Hay tantas cosas»: Cartas de Matisse a Besson, diciembre de 1938, en la National Gallery of Art. *Henri Matisse: The Early Years in Nice,* 1916-1930, p. 57.
228 «El arte del equilibrio»: Matisse, *Écrits et propos sur l'art,* p. 50.
229 «Era como si aquella mujer»: Penrose, *Scrap Book, 1900-1981,* p. 88.

229 «Durante años le di»: Crespelle, *Picasso and His Women,* p. 153.
229 «Yo no estaba enamorado de Dora»: Laporte, *Sunshine at Midnight,* p. 69.
229 «Dora piensa que se parece»: Brassaï, *Picasso and Company,* p. 92.
229 «Yo lo leí y también Dora»: Ibid., p. 88.
229 «Dora estaba aquí y las miramos»: Ibid., p. 51.
230 «Un acontecimiento imprevisto»: Penrose, *Picasso, His Life and Work,* p. 317.
230 «Podría haber obtenido mucho más dinero»: Gold and Fizdale, *Misia,* p. 286.
230 «Pascal-Napoleón»: Grohmann, *Paul Klee,* p. 93.
231 «Es mi deseo ahora»: *The New York Times,* 18 de diciembre de 1937, p. 22.
231 «¿Con qué?»: Entrevista con Maya Picasso.
231 «¡Maya! —exclamó su padre—. Es perfecto»: Ibid.
232 «Así, recordaba Maya»: Ibid.
232 «¡Gallos! Siempre ha habido gallos»: Daix, *La vie de peintre de Pablo Picasso,* p. 286.
232 «El canto estridente del gallo»: Misfeldt, «The Theme of the Cock in Picasso's Oeuvre», *Art Journal,* vol. 28, núm. 2, invierno 1968-1969, p. 152.
232 «Nunca has venido a verme»: Sabartés, *Picasso: An Intimate Portrait,* p. 138.
233 «Amigo Sabartés, prometiste»: Ibid., p. 139.
233 «A la hora prevista»: Ibid.
234 «Le llamaba a inventar»: Gedo, *Picasso: Art as Autobiography,* p. 188.
234 «Amigo Jaumet, ¿puedes venir?»: Sabartés, *Picasso: An Intimate Portrait,* p. 138.
234 «No importa»: Ibid., p. 140.
234 «Tenemos toda la vida»: Ibid., p. 141.
234 «Fue terrible»: Brinnin, *The Third Rose,* p. 364.
234 «El rey ha muerto»: Ibid.
235 «De las cosas que uno planea»: Sabartés, *Picasso: An Intimate Portrait,* p. 145.
235 «Si sale con barba, San Antón»: Ibid., pp. 145-146.
235 «Por lo que a mí se refiere»: Ibid., p. 148.
235 «Hemos ganado un día»: Sabartés, *Picasso: Portraits et Souvenirs,* p. 162.
235 «Me curaré o no me curaré»: Ibid., p. 167.
235 «Ahora que ya no me duele»: Ibid., p. 169.
236 «Podía haber venido»: Entrevista con Jaime Vilató.
236 «Centro de un vacío inifinito»: Gasman, *Mystery, Magic and Love in Picasso, 1925-1938,* p. 141.

236 «Vomita sus alas»: Ibid., p. 447.
236 «Como un dios de irreverencia»: Lhote, «Picasso», *La Nouvelle Revue Française,* marzo 1939, p. 531.
236 «Franco... hizo la guerra»: Johnson, *Modern Times,* p. 338.
237 «Está tan sucia»: Entrevista con Pierrette Gargallo.
237 «Amor mío: Acabo de recibir tu carta»: Daix, *Picasso Créateur,* p. 272.
238 «Desde luego, si no quieres»: Sabartés, *Picasso: An Intimate Portrait,* p. 176.
238-39 «De ahora en adelante»: Ibid.
239 «Un pacto con Satanás»: Johnson, *Modern Times,* p. 358.
239 «El inesperado descubrimiento»: Ibid., p. 360.
239 «Si hacen la guerra para molestarme»: Sabartés, *Picasso: An Intimate Portrait,* p. 184.
240 «Era un hombre preocupado»: Brassï, *Picasso and Company,* p. 40.
240 «Brassaï dijo de la tarea»: Ibid.
241 «Cementerio de souvenirs domésticos»: Sabartés, *Picasso: An Intimate Portrait,* p. 193.
241 «No puedes imaginarte»: Ibid., p. 194.
242 «Nunca ví subir a nadie»: Rolland, *Picasso et Royan,* p. 21.
242 «¿Sabe usted quién puso esta paleta aquí?»: Ibid., p. 20.
243 «Esto sería ideal»: Sabartés, *Picasso: An Intimate Portrait,* p. 203.
243 «¿A dónde vas así?»: Penrose, *Picasso: His Life and Work,* p. 327.
244 «Acudían cada vez que Picasso les silbaba»: Gedo, *Picasso: Art as Autobiography,* p. 193.
244 «El sexo y la comida»: Johnson, *Modern Times,* p. 365.
244 «Lanzó una triste mirada»: Rolland, *Picasso et Royan,* p. 33.
244 «Estoy aquí por causa de mi niña»: Ibid., p. 34.
245 «Sabe cuándo telefoneo a Dora»: Brassaï, *Picasso and Company,* p. 106.
245 «¿Es usted quién ha pintado eso?» Cassou, *Une vie pour la liberté,* p. 162.
245 «¿Hizo usted eso?»: Signoret, *La nostalgie n'est plus ce qu'elle était,* p. 58.
246 «Es increíble»: Ibid.
246 «Alquila el del boulevard»: Cabanne, *Le Siècle de Picasso,* vol. 3, p. 90.
246 «Al descubrir que le había desobedecido»: Gasman. Mystery, *Magic and Love in Picasso, 1925-1938*, p. 213.
246 «Somos felices»: Cabanne,«Picasso et les joies de la paternité», *L'Oeil,* núm. 226, mayo 1974, p. 9.
247 «Si algo me sucede»: Ibid.
247 «Tú me salvaste la vida»: Ibid.

247 «Tú eres la mejor de las mujeres»: Ibid.
247 «Sabes, encontré al Amor»: Picasso, *Le Désir attrapé par la queue,* acto VI, escena I, líneas 87-91.
247 «Enciende todas las luces»: Ibid., línea 138.
248 «Un español nunca tiene frío»: Bresson, «Carta a Pierre Betz». *Le Point,* vol. 7, núm. 42, octubre de 1952, p. 37.
248 «El sol en el vientre»: Breton, *Anthologie de l'humour noir»:* p. 319.
248 «Se escondió bajo una mesa»: Gasman, *Mystery, Magic and Love in picasso, 1925-1938*, p. 39.
249 «Desdeñaba a la gente»: Entrevista con Pierre Nerés.
250 «Si me escupes»: Entrevista con Françoise Gilot.
250 «Soy yo quien le ha matado»: Gedo, *Picasso: Art as Autobiography,* p. 198.
250 «Yo soy Dios»: Richardson, «Picasso and Marie-Thérèse Walter» (sin paginar), en William Beadleston Fine Art, *Through the Eve of Picasso,* 1928-1934.
250 «No pinté la guerra»: Garaudy, *D'un réalisme sans rivages: Picasso, St. John Perse, Kafka,* p. 89.
250 «Una horrorosa y mareante»: Gedo, *Picasso: Art as Autobiography,* p. 197.
250 «Nuevos testimonios plásticos»: Daix, *Picasso créateur,* p. 281.
250 «El espectador, como Alicia»: Gedo, *Picasso: Art as Autobiography,* p. 197.
251 «El utiliza árboles»: Laporte, *Sunshine at Midnight,* p. 69.
251 «Para los que conocemos a Picasso»: Cabanne, *Le Siècle de Picasso,* vol. 3, p. 101.
251 «Después de todo, nunca se puede»: Malraux, *Picasso Mask,* p. 140.
251 «Cuando trabajo con Kazbek»: Ibid., p. 139.
251 «¿Quién es?»: Cabanne, *Le Siècle de Picasso,* vol. 3, p. 104.
251 «Hace ya mucho tiempo»: Ibid., pp. 104-105.
252 «Dora Maar, tú sabes»: Ibid., p. 105.
252 «Querida señorita Rolland»: Rolland, *Picasso et Royan,* pp. 43-44.
253 «Inventé totalmente la blusa»: Brassaï, *Picasso and Company,* p. 224.
253 «Para mí, Dora»: Malraux, *La Tête d'Obsedienne,* pp. 128-129.
254 «Los retratos, decía Picasso»: Janis, *Picasso: The Recent Years, 1939-1946,* p.27.
254 «Necesito absolutamente»: Malraux, *Picasso's Mask,* p. 97.
254 «De una cara en armonía»: Ibid.
254 «En armonía con lo que»: Ibid.
254 «Los escultores románicos»: Ibid., p. 98.
254 «Ha estado persuadiéndome»: Stein, *The Autobiography of Alice B. Toklas,* p. 77.

CAPÍTULO DÉCIMO

257 «Con sus ojos verdes»: Gilot, *Interface: The Painter and the Mask,* p. 13.
257 «Le dije a mi padre»: Entrevista con Françoise Gilot.
258 «Entró en mi clase»: Ibid.
258 «Hasta que tuve quince años»: Ibid.
258 «Era la clase de pasión sublimada»: Entrevista con Claude Bleynie.
259 «Cuando empecé a estudiar con Endre»: Entrevista con Françoise Gilot.
259 «¿Qué sucederá, Endre?»: Ibid.
259 «Bueno, Cuny»: Gilot and Lake, *Life with Picasso,* pp. 14-15.
260 «Bueno... Yo también soy pintor»: Ibid., p. 15.
260 «¿No es maravilloso? dijo Picasso»: Ibid., p. 18.
261 «Si queréis volver»: Ibid., pp. 18-19.
261 «Un minotauro, diría posteriormente»: Ibid., p. 50.
261 «Nadie trae nunca flores»: Entrevista con Françoise Gilot.
261 «He visto tu exposición»: Gilot and Lake, *Life with Picasso,* pp. 20-21.
261 «Pero mira a la pobre chica»: Ibid., p. 22.
262 «Es repugnante»: Ibid. p. 24.
262 «¡Ajá! Te he sorprendido»: Ibid., p. 25.
262 «¿Estás loco?»: Entrevista con Françoise Gilot.
262 «Eres más inglesa que francesa»: Gilot and Lake, *Life with Picasso,* p. 25.
262 «¡Caramba! Ese dibujo»: Ibid., p. 26.
263 «Recuerdo cada detalle»: Entrevista con Françoise Gilot.
263 «Cuando llegamos a Neuilly»: Ibid.
264 «El impacto de nuestro encuentro»: Ibid.
264 «¿No crees que es guapa?»: Brassaï, *Picasso and Company,* p. 102.
264 «No me gustan los gatos domésticos»: Ibid., p. 52.
265 «Mejor es que pares de empujar»: Gilot and Lake, *Life with Picasso,* p. 43.
265 «Mientras Brassaï se reía»: Entrevista con Françoise Gilot.
265 «Mi linterna pequeña ha desaparecido»: Brassaï, *Picasso and Company,* p. 66.
265 «Ha sido él, sin duda alguna»: Ibid.
266 «La encontré»: Ibid., p. 67.
266 «Tendré que volver allí»: Ibid., p. 97.
266 «¿Prometido?, gritó»: Ibid., p.98.
266 «El hecho de que Pablo»: Entrevista con Françoise Gilot.
266 «Como flotando»: Ibid.
266 «No entiendes nada»: Gilot and Lake, *Life with Picasso,* p. 46.
267 «Ofrece al hombre una imagen»: Beguin, «L'Androgyne», *Minotaure,* primavera de 1938, p. 66.

267 «Te llevaría comida»: Gilot and Lake, *Life with Picasso,* p. 47.
268 «¿Es esa la clase de vestido?»: Ibid., p. 48.
268 «Quería parecerte bonita»: Entrevista con Françoise Gilot.
268 «Haces todo lo posible para dificultarme»: Gilot and Lake, *Life with Picasso,* p. 48.
268 «Tienes razón realmente»: Ibid.
268 «Aquí estás. Esta eres tú»: Ibid., p. 49.
268 «La está estudiando»: Ibid., p. 50.
269 «Tú eres la única mujer»: Entrevista con Françoise Gilot.
269 «Adivino que moriré sin haber amado»: Gilot and Lake, *Life with Picasso,* p. 47.
269 «¿Qué es eso?»: Ibid., p. 51.
269 «Cualquier cosa que hubiera»: Ibid., p. 52.
269 «De repente, recordaba Françoise»: Entrevista con Françoise Gilot.
269 «Este instante era el verdadero»: Gilot and Lake, *Life with Picasso,* pp. 52-53.
269 «Todo existe en cantidad limitada»: Ibid., pp. 53-54.

CAPÍTULO UNDÉCIMO

271 «Querido Jean, te escribo»: Andreu, *Max Jacob, p. 77.*
271 «Salmon, Picasso, Moricand»: Ibid., p. 79.
271 «Max es católico»: Ibid.
272 «No es necesario hacer nada»: Ibid., p. 80.
272 «Si pone usted la mano sobre Picasso»: Breker, *París, Hitler et moi,* p. 235.
273 «Quedarme aquí, le contestó»: Entrevista con Françoise Gilot.
273 «Nos ha enseñado a tomar en serio»: Sartre, *What is Litterature?,* p. 217.
273 *«La negrura de la tinta envuelve»: Picasso: El deseo cogido por el rabo,* acto V, escena 1, línea 27.
274 «Toda la clase»: Entrevista con Maya Picasso.
275 «El frío enlosado español del dormitorio»: Pudney, «Picasso Glimpe in Sunligh», *The New Statesman and Nation,* 16 de septiembre de 1944, p. 182.
275 «Me pareció que tanto Picasso»: Entrevista con Françoise Gilot.
275 «Para el hombre creador»: Janis, *Picasso: The Recent Years, 1939-1946,* p. 4.
275 «El fíro enlosado español del dormitorio»: Pudney, «Picasso —A Glimpe in Sunlight», *The New Statesman and Nation,* 16 de septiembre de 1944, p. 183.
276 «Como un rechoncho diosecillo»: Gosling, «Picasso: The Greatest?» *Observer Review,* 15 de abril de 1973, p. 29.
276 «Con las manos...»: Gold and Fizdale, *Misia,* pp. 297-298.

276 «Tengo grandes noticias para usted»: Cabanne, *Le Siècle de Picasso,* vol. 3, p. 145.
276 «La profunda humanidad»: Cachin, «Picasso a aporté son adhésion au Parti de la Rénaissance Française». *L'Humanité,* 5 de octubre de 1944, p. 1.
277 «Si hoy se preguntase a los artistas»: Ibid.
277 «En toda expresión humana»: Entrevista con Françoise Gilot.
277 «Y ¿qué pasa con los pobres?»: Dubois, *Sous le signe de l'Amitié»,* p. 148.
277 «Mi ingreso en el partido comunista»: Gaillard, «Pourquoi j'ai adhéré au Parti Communiste» *L'Humanité,* 29-30 de octubre de 1944, p. 1.
279 «¡Entender!, gritó»: O'Brian, *Picasso,* p. 375.
279 «Los filósofos solamente han interpretado»: Marx, «Theses on Feuerbach», en *Collected Words: Marx and Engels, 1845-1847,* vol. 5, p. 5.
280 «Hice todo lo que pude»: Laporte, *Sunshine at Midnight,* p. 6.
280 «Mire, yo no soy francés»: Ibid., p. 7.
280 «Yo le había puesto el mote»: Entrevista con Françoise Gilot.
280 «En la cama, pero no en la mesa»: Ibid.
280 «Fui, recordaba Françoise»: Ibid.
281 «Algunos jóvenes mentecatos»: Daix, *La vie de peintre de Pablo Picasso,* p. 319.
281 «Después de la pesadilla de la ocupación»: Entrevista con Françoise Gilot.
281 «Los cuadros pintados por Picasso»: Limbour, «Picasso au Salon d'Automne», edición McCully, *A Picasso Anthology,* p. 222.
281 «Es como si hubieran colgado»: *Point de Vue,* 20 de abril de 1945, p. 4.
282 «Aquí empezó todo»: Gilot and Lake: *Life with Picasso,* p. 79.
282 «Todo lo que necesitamos»: Ibid., pp. 80-81.
282 «Era un tiempo de lucha»: Entrevista con Françoise Gilot.
282 «Quiero que aprendas lo que es la vida»: Gilot and Lake, *Life with Picasso,* p. 82.
282 «Lo más desesperado en la obra de Picasso»: Penrose, *Picasso: His Life and Work,* p. 356.
282 «Una "Pietá" sin dolor»: Barr, *Picasso: Fifty Years of His Art,* p. 250.
283 «Gran artista que halló»: Cabanne, *Pablo Picasso,* p. 372.
283 «Aunque no me quisieran, dijo»: Ibid., p. 373.
283 «La verdad de la cuestión»: Otero, *Forever Picasso,* p. 119.
283 «Si los alemanes volvieran»: Cabanne, *Pablo Picasso,* p. 373.
283 «Prohibido hablar al conductor»: Ibid., p. 133.
283 «Créame»: Seckler, «Picasso explains», *New Masses,* 13 de marzo de 1945, p. 5.
283 «Yo soy comunista»: Ibid., p. 7.

283 «Que él no era un hombre fuera de la realidad»: Ibid., p. 5.
283 «Una pareja enamorada»: Ibid., p. 6.
283 «La única conclusión»: Ibid., p. 4.
284 «¿Pero qué cree usted que es un artista?»: Cabanne, *Pablo Picasso,* p. 371.
284 «Era una invasión»: Brassaï, *Picasso and Company,* p. 150.
284 «Me pareció como si le hubiera conocido»: Seckler, «Picasso explains», *New Masses,* 13 de marzo de 1945, p. 6.
284 «Es curioso, dijo»: Brassaï, *Picasso and Company,* p. 189.
284 «Sólo hay monstruos»: Ibid., p. 181.
284 «Pero si esos cuadros que usted pinta»: Ibid., p. 82.
285 «Pero usted es muy guapa»: Ibid., p. 183.
285 «La gente siempre me pide»: Ibid., p. 188.
286 «Cada vez que le veía»: Ibid.
286 «¡No más mechón!»: Ibid., p. 150.
287 «¿Pero, a dónde vas?»: Gilot and Lake, *Life with Picasso,* p. 86.
287 «Nada se parece tanto a un caniche»: Ibid., p. 84.
287 «No sé por qué te digo»: Ibid.
287 «Nadie es importante para mí»: Ibid.
288 «Como artista, le dijo Dora»: Ibid. p. 88.
288 «Tú conseguirás salvarte»: Ibid.
288 «Vosotros debéis arrodillaros»: Ibid., pp. 88-89.
288 «Picasso no puede tolerar»: Daix, *Picasso Créateur,* p. 298.
289 «El presente siempre tiene preferencia»: Gilot and Lake, *Life with Picasso,* p. 89.
289 «Deja correr ese asunto»: Ibid., p. 90.
289 «Esa clase de caridad»: Ibid.
289 «El amor es el peligro»: Barret, *Irrational Man,* p. 200.
289 «Comencé a ver»: Entrevista con Françoise Gilot.
289 «No cuentes conmigo»: Ibid.
290 «Aparte de un ligero fruncimiento»: Brassaï, *Picasso and Company,* p. 179.
290 «Por favor, ven en seguida»: Gilot and Lake, *Life with Picasso,* p. 90.
290 «Me estoy riendo de tu consejo»: Carta de Françoise Gilot a Madeleine Gilot, septiembre de 1944. Propiedad de Françoise Gilot.
291 «La fijeza de su cara»: Gilot, «Mano a mano», *Art and Antiques,* octubre de 1985, p. 77.
291 «La vida sin Picasso»: Entrevista con Françoise Gilot.
292 «Sé que irme a vivir con él»: Ibid.
293 «Bien, entonces»: Gilot and Lake, *Life with Picasso,* p. 94.
293 «Ya sé, desde luego»: Ibid.
293 «Picasso miraba»: Cabanne, *Pablo Picasso,* p. 380.
293 «¿Ves lo famosa que eres?»: Ibid., p. 371.
293 «Lo importante»: Ibid.
293 «Una ordalía empeorada»: Entrevista con Françoise Gilot.

293 «Y bien, Gertrude»: Gilot and Lake, *Life with Picasso,* p. 70.
293 «Es tan gorda como una cerda»: Lord, *Où étaient les tableaux...* p. 33.
294 «Vino a verme después de la liberación»: Ibid., p. 34.
294 «Había algo satánico»: Entrevista con James Lord.
295 «Pablo», recordaba Françoise: Entrevista con Françoise Gilot.
295 «Por aquel entonces», dijo Françoise»: Ibid.
295 «Era lo último que esperaba»: Ibid.
296 «Fue un momento extraño»: Ibid.
296 «Geneviève, dijo»: Ibid.
297 «¿Cómo es posible tener ganas?»: Ibid.
297 «Voy a aprovecharme»: Ibid.
297 «Tienes la noche para elegir»: Entrevista con Françoise Gilot.
298 «Alguna clase de relaciones antinaturales»: Gilot and Lake, *Life with Picasso,* p. 98.
298 «Dejase de despilfarrar sus trucos»: Entrevista con Françoise Gilot.
298 «Cualquier trocito de felicidad»: Gilot and Lake, *Life with picasso,* p. 98.
298 «Yo era casi insoportablemente orgullosa»: Entrevista con Françoise Gilot.
298 «Vas sonámbula»: Ibid.

CAPÍTULO DUODÉCIMO

299 «Realmente, esto está yendo»: Gilot and Lake, *Life with Picasso*, p. 100.
300 «En lo que respecta a los sentimientos»: Ibid.
300 «No hay una total y absoluta pureza»: Ibid.
301 «Estamos siempre en medio»: Ibid., p. 101.
301 «No quería matarla, repetía Raskolnikov»: Dostoievski, *Crimen y castigo*, adaptada por Liubimov y Kariakin: acto I, escena 1, línea 10.
302 «¿No es maravillosa?»: Gilot and Lake, *Life with Picasso*, p. 104.
302 «Eres muy gracioso»: Ibid., p. 106.
303 «Nunca has amado a nadie»: Ibid.
303 «Sentir intensamente algo»: Ibid., p. 107.
303 «Picasso era como un conquistador»: Entrevista con Françoise Gilot.
304 «Como Juana de Arco»: Daix, *Picasso Créateur*, p. 298.
304 «Estaba jugando al escondite»: Entrevista con Françoise Gilot.
305 «La necesidad de un osito de peluche»: Ibid.
305 «No —contestó él»: Gilot and Lake, *Life with Picasso*, p. 116.
305 «Todos somos animales»: Ibid., p. 119.
306 «Ni Pablo ni yo»: Gilot, «Mano a mano», *Art and Antiques*, octubre de 1985, p. 78.

306 «Le hice entregarnos la casa»: Entrevista con Françoise Gilot.
306 «Todo era una trampa»: Ibid.
306 «Como ves —añadió»: Gilot and Lake, *Life with Picasso*, p. 126.
306 «Esa es la clase de corona»: Ibid., p. 129.
306 «Era casi una celebración para machos»: Entrevista con Françoise Gilot.
307 «De ningún modo te veo escribiéndome»: Gilot and Lake, *Life with Picasso*, p. 130.
307 «Llenas de te amo»: Entrevista con Maya Picasso.
307 «Debes estar fuera de ti»: Gilot and Lake, *Life with Picasso*, pp. 130-31.
308 «No sabrás lo que significa»: Ibid., p. 132.
308 «Antes de irme a vivir con él»: Entrevista con Françoise Gilot.
308 «Françoise —dijo— se ofreció»: Entrevista con Dominique Desanti.
309 «Si hay una libertad individual»: Parmelin, *Picasso: Intimate Secrets of a Studio at Notre-Dame-de-Vie*, p. 67.
309 «Una misteriosa e inescrutable»: Melville, *Pierre: or, the Ambiguities*, p. 357.
309 «Vas a jurar aquí»: Gilot and Lake, *Life with Picasso*, p. 134.
310 «No al azar, sino porque sabía»: Entrevista con Lionel Prejger.
310 «Françoise está esperando»: Brassaï, *Picasso and Company*, p. 191.
310 «No podía soportar estar solo»: Entrevista con Françoise Gilot.
311 «Después de Picasso, sólo Dios»: Ibid.
311 «Nunca tuvo la más leve noción»: Brassaï, *Picasso and Company*, p. 229.
312 «Inauguramos la exposición»: Kootz, *The Reality Gap, Picasso*, p. 3.
312 «Picasso solía ser»: Lord, *Giacometti*, p. 322.
312 «No me gusta ya Reverdy»: Gilot and Lake, *Life with Picasso*, pp. 143-144.
313 «Si realmente me quisieran»: Ibid., p. 144.
314 «Es mejor —le había dicho a Françoise»: Entrevista con Françoise Gilot.
314 «Fue bastante traumático»: Ibid.
315 «Ya ves, conseguir que una mujer»: Laporte, *Sunshine at Midnight*, p. 36.
315 «Un sobreviviente de una viejísima»: Entrevista con Françoise Gilot.
315 «Mis fidelidades se dividían»: Ibid.
315 «El siempre la había querido»: Entrevista con Dominique Desanti.
316 «Max Jacob me preguntó»: Gilot and Lake, *Life with Picasso*, p. 182.

316 «Pero, *maître*, nunca le vemos»: Jahan, «Ma premiére rencontre avec Picasso», *Gazette des Beaux Arts*, octubre de 1973, p. 234.
317 «Es realmente divertido»: Entrevista con Françoise Gilot.
317 «Eran un poco como sus obras»: Ibid.
317 «Ser injusto —dijo Picasso»: Ibid.
318 «Tu hijo es un inútil»: Ibid.
318 «Si fueras como él»: Gilot and Lake, *Life with Picasso*, p. 154.
319 «Más aún —continuó»: Ibid., p. 199.
320 «Ese bastardo —le dijo a Françoise»: Ibid., p. 203.
320 «Picasso aceptaba las críticas»: Lord, *Giacometti*, p. 206.
320 «Un nuevo espíritu en escultura»: Gilot and Lake, *Life with Picasso*, p. 207.
320 «Me asombra —dijo una vez»: Lord, *Giacometti*, p. 486.
321 «No sé por qué»: Gilot and Lake, *Life with Picasso*, p. 210.
321 «Yo arrojaría gustosamente»: Entrevista con Françoise Gilot.
322 «Aprendí mucho de él»: Ibid.
322 «A ti es a la única»: Gold and Fizdale, *Misia*, p. 307.
322 «¿Cómo está?»: Ibid., pp. 307-308.
323 «Estás loco haciendo una capilla»: Gilot and Lake, *Life with Picasso*, p. 263.
323 «¿Por qué no construyes un mercado?»: Couturier, *Se garder libre*, p. 50.
323 «Nada podría importarme menos»: Ibid.
323 «En lo que a mí respecta»: Gilot and Lake, *Life with Picasso*, p. 263.
323 «Sí, rezo»: Couturier, *Se garder libre*, p. 71.
323 «A sentirse purificados»: Chutkov, «Looking at the Painter's Provence», *The New York Times*, 24 de agosto de 1986, p. 14.
323 «Al final —le dijo»: Couturier, *Se garder libre*, p. 111.
324 «Esta capilla es para mí»: Chutkov, «Looking at the Painter's Provence», *The New York Times*, 24 de agosto de 1986, p. 14.
324 «Uno traga algo»: Dor de la Souchére, *Picasso in Antibes*, p. 56.
324 «Me debería confesar»: Couturier, *La Vérite blessée*, p. 170.
324 «Preferiría discutir de arte»: Entrevista con Françoise Gilot.
324 «Muchos amigos»: Ibid.
324 «Pignon intentaba explicarle»: Penrose, *Pablo Picasso: His Life and Work*, p. 413.
325 «¿Qué es la verdad?»: Parmelin, *Picasso: The Artist and His Model, and Other Recent Works*, p. 110.
325 «Me costó bastante tiempo»: Entrevista con Françoise Gilot.
325 «Las palabras no pueden expresar»: Carta de Hadjilazaros a Gilot, 18 de mayo de 1948. Propiedad de Françoise Gilot.
325 «No vivían en nuestra casa»: Entrevista con Françoise Gilot.
326 «Prefiero Heráclito a Platón»: Ibid.
326 «El arte de Picasso»: Entrevista con Kostas Axelos.

326 «Básicamente, tú siempre»: Guttuso, «Journals», en la edición Ashton de *Picasso on Art*, p. 74.
326 «Eramos los dos bastantes excepcionales»: Entrevista con Françoise Gilot.
327 «Sé lo que tú necesitas»: Gilot and Lake, *Life with Picasso,* p. 212.

CAPÍTULO DÉCIMOTERCERO

330 «No cesaba de hablar de sus experiencias»: Entrevista con Françoise Gilot.
330 «Chacal armado de una pluma»: Ibid.
330 «Todo lo que soy»: Lord, *Giacometti*, p. 251.
331 «El tono de su voz»: Entrevista con Dominique Desanti.
331 «Si quiere que vivamos bajo sus normas»: Entrevista con Françoise Gilot.
332 «Esto es por tus "bons baisers"»: Ibid.
332 «El precursor del papel social»: Moussinac, «Tous les Arts», *Les Lettres Françaises*, 25 de noviembre de 1948, p. 7.
332 «Esperan ser espantados»: Gilot and Lake, *Life with Picasso*, p. 219.
332 «Hasta cuando trabajaba»: Entrevista con Françoise Gilot.
333 «Creo que no hubo comprensión»: Ibid.
333 «Si necesitas un auto»: Gilot and Lake, *Life with Picasso*, p. 222.
334 «Estaba preocupado o pretendía estarlo»: Parmelin, *Picasso Plain*, p. 179.
334 «A Picasso le gustan»: Ehrenburg, *People and Life, 1891-1921*, p. 220.
334 «Pobre Aragon —dijo»: Laporte, *Sunshine at Midnight*, pp. 7-8.
335 «Este famoso Picasso»: Parmelin, *Picasso Plain*, p. 179.
337 «Hijo de la rusa blanca»: Entrevista con Françoise Gilot.
337 «Que no intentase escurrir el bulto»: Gilot and Lake, *Life with Picasso*. p. 249.
337 «Bicho despreciable»: Ibid.
337 «El hijo más repugnante»: Ibid., p. 250.
337 «Es el mejor sistema»: Entrevista con Françoise Gilot.
338 «Con un poco de suerte»: Ibid.
338 «El siempre puso a todos»: Ibid.
338 «Ella cultivaba su odio»: Entrevista con Maya Picasso.
338 «Crea usted lo que crea»: Entrevista con Françoise Gilot.
338 «Una verdad no anula»: Ibid.
338 «Cuando vio a los niños»: Ibid.
338 «¿Sabes? Los primeros niños»: Entrevista con Maya Picasso.
339 «No del color del cielo»: Ibid.
339 «He hecho todos esos nuevos amigos»: Ibid.

339 «En mi cuento de Caperucita»: Ibid.
339 «Claude era muy posesivo»: Entrevista con Françoise Gilot.
340 «Pablo tenía unas tremendas exigencias»: Ibid.
340 «El doctor Lamaze, que es muy amable»: Carta de Françoise Gilot a Madeleine Gilot, octubre de 1949. Propiedad de Françoise Gilot.
341 «Deduzco de tus telegramas»: Carta de Françoise Gilot a Madeleine Gilot, octubre de 1949. Propiedad de Françoise Gilot.
341 «No me gustan las mujeres enfermas»: Entrevista con Françoise Gilot.
341 «Nunca había supuesto»: Ibid.
342 «Ya estarás contenta»: Ibid.
342 «No sabía yo entonces»: Ibid.
342 «La respuesta era una norma»: Ibid.
342 «La pobre niña es realmente»: Carta de Françoise Gilot a Madeleine Gilot, octubre de 1949. Propiedad de Françoise.
343 «Mi mamá fue a un mal hotel»: Entrevista con Françoise Gilot.
343 «Claude sabe de todo»: Carta de Françoise Gilot a Madeleine Gilot y Anna Renoult, 30 de octubre de 1949. Propiedad de Françoise Gilot.
343 «Pero ellas debieran rezar»: Gilot and Lake, *Life with Picasso*, p. 231.
343 «El gran director de orquesta alemán»: Entrevista con Françoise Gilot.
343 «Como un trozo de mármol pulido»: Ibid.
343 «¿A dónde quiere que la lleve a cenar?»: Ibid.
344 «Nunca fui pobre»: Ibid.
344 «Quizá, decía»: Ibid.
344 «Le molestaban los niños»: Ibid.
345 «Juguemos a hacernos daño»: Picasso, *Les quatre petites filles*, acto I, escena I, línea 33.
345 «¡Qué suerte tiene usted!»: Entrevista con Pierrette Gargallo.
345 «Si no fuésemos desdichados»: Couturier, *La Verité Blessée*, p. 166.
345 «¿No es estúpida?»: Picasso, *La cuatro niñas*, acto I, escena I, línea 33.
346 «Era un salvavidas»: Entrevista con Françoise Gilot.
346 «En cuanto a lo más hermoso»: Carta de Françoise Gilot a Madeleine Gilot, febrero de 1950. Propiedad de Françoise Gilot.
346 «Si sólo le hubiesen vacunado»: Carta de Françoise Gilot a Madeleine Gilot, marzo de 1950. Propiedad de Françoise Gilot.
346 «Producir bebés a mi edad»: Cabanne, *Le Siècle de Picasso*, vol. 4, p. 242.
347 «Eso le ponía fuera de sí»: Entrevista con Françoise Gilot.
347 «Tienes que llamarla madame»: Ibid.
347 «Le malheureux fils pére»: Ibid.

347 «Su hijo, su nuera»: Ibid.
347 «Una vida de pintor»: Parmelin, *Picasso Plain*, p. 24.
347 «Todos éramos comunistas»: Ibid.
348 «Cada noche la cabra»: Ibid., p. 16.
348 «¡Abajo el estilo!»: Malraux, *Picasso Mask*, p. 18.
348 «Pero estás saltando»: Ibid.
348 «Los ojos del artista»: Dor de la Souchére, *Picasso in Antibes*, p. 23.
348 «Nosotros debemos ser capaces»: Parmelin, *Picasso Says*, p. 32.
349 «¡Saludad a Picasso!»: Cabanne, *Pablo Picasso*, p. 372.
349 «El arte religioso ya no es la fuente»: Casanova, *Le Partie Communiste, les intellectuels et la Nation*, p. 24.
349 «Tienes que ser capaz de permitirte»: Vallentin, *Pablo Picasso*, p. 391.
349 «Nunca me gustó pedir nada»: Entrevista con Françoise Gilot.
349 «Absolutamente no»: Ibid.
350 «¿Qué puedo haber hecho?»: Penrose, *Picasso: His Life and Work*, p. 367.
350 «Estoy a favor de la vida»: Ibid., p. 368.
350 «Un débil balido en el pandemonium»: Lord, *Giacometti*, p. 322.
350 «Como producción formal»: Ibid.
350 «¡Eso es lo terrible!»: Centro Georges Pompidou, *Donation Louise et Michael Leiris*, p. 174.
351 «Siento un constante impulso»: Laporte, *Sunshine at Midnight*, p. 80.
351 «¿Tenía Picasso miedo a su felicidad?»: Ibid., pp. 80-81.
351 «Helada por el creciente reconocimiento»: Entrevista con Françoise Gilot.
351 «Cuando te conocí eras una Venus»: Gilot and Lake, *Life with Picasso*, p. 337.
352 «Desde luego que a mí, no»: Entrevista con Françoise Gilot.
352 «No veía por qué»: Ibid.
352 «Eres el hijo de la mujer»: Ibid.
352 «Sin ningún género de dudas»: Entrevista con Dominique Eluard.
352 «Si Paul piensa»: Entrevista con Françoise Gilot.
352 «Una mujer como ésa»: Gilot and Lak 300.
353 «Una cosa que encuentro insufrible»: Entrevista con Dominique Eluard.
353 «No hay amor»: Gilot and Lake, *Life with Picasso*, p. 301.
353 «Eluard estaba fascinado»: Entrevista con Dominique Eluard.
353 «Yo soy una mujer»: Laporte, *Sunshine at Midnight*, p. 69.
353 «Picasso estuvo en nuestra casa»: Entrevista con Dominique Eluard.

354 «Aunque seas enteramente libre»: Laporte, *Si tard le soir*, p. 153.
354 «Nunca he sido capaz de pensar»: Laporte *Sunshine at Midnight*, p. 25.
354 «Picasso sólo ha hecho»: Ibid.
354 «Sabes, o no»: Ibid., p. 81.
354 «El quiere alabar»: The Catalogue Aria from Mazart's, *Don Giovanni*.
354 «Mujeres de todos los rangos»: Ibid.
355 «Me sentí como si me hubiesen envenenado»: Entrevista con Françoise Gilot.
355 «¿Es eso cierto?»: Ibid.
355 «Debes estar loca»: Ibid.
355 «La abuela de Françoise Gilot ha muerto»: Ibid.
355 «Al principio fue embarazoso»: Ibid.
356 «Cuando yo era todavía una niña»: Ibid.
356 «No hay duda de que cuando decidí»: Ibid.
356 «Te pido que tengas el valor»: Ibid.
356 «En lugar de preguntarme»: Ibid.
357 «Aquél, precisa Françoise»: Ibid.
357 «Era la pérdida de la inocencia»: Ibid.
357 «Es irónico»: Ibid.

CAPÍTULO DÉCIMOCUARTO

359 «No puedes despedir a un hombre»: Entrevista con Françoise Gilot.
360 «Ya no te gusto tanto como antes»: Lord, *Giacometti*, p. 234.
360 «Entonces —escribió James Lord»: Ibid., pp-324-325.
360 «No puedo aguantar a la gente»: Entrevista con Françoise Gilot.
361 «Picasso es en conjunto malo»: Lord, *Giacometti,* p. 325.
361 «Soy como un mosquito zumbando»: Haggard, *My Life with Chagall*, p. 19.
361 «¿Y el día que te obliguen?»: Couturier, *La Vérite Blessée*, p. 217.
361 «¡Qué genio, ese Picasso!»: Gilot and Lake, *Life with Picasso*, p. 282.
361 «Papá está muy disgustado»: Ibid.
362 «Mi sensación era la de que éramos»: Entrevista con Françoise Gilot.
362 «Ella seguía pensando»: Ibid.
362 «Era una enorme mansión»: Ibid.
363 «Cualquier chica de 18 años»: Ibid.
363 «Fue como una mutilación»: Ibid.
363 «Te callas conmigo»: Gilot and Lake, *Life with Picasso*, pp. 339-340.

363 «Seguimos estando fuertemente impresionados»: Carta de Eluard a Gilot, 2 de junio de 1952. Propiedad de Françoise Gilot.
364 «Será una mujer perfecta»: Gilot and Lake, *Life with Picasso*, p. 256.
364 «¿Sí?»: Ibid., p. 257.
364 «Ahora existe un *verdadero* pintor»: Mcknight, *Bitter Legacy*, p. 162.
364 «Cuando yo tenía su edad»: Penrose, *Picasso: His Life and Works*, p. 307.
364 «Unas cuantas nociones básicas»: Dominguín, *Toros y toreros*, p. 8.
365 «Basta de arte»: Parmelin, *Picasso: Women, Cannes and Mougins, 1954-1963*, p. 30.
365 «A pesar de la práctica»: Raynal, «Panorama de l'oeuvre de Picasso», *Le Point*, vol. 7, núm. 42, octubre de 1952, p. 21.
365 «Ninguna de mis pinturas»: Roy, *L'Amour de la peinture*, en Ashton, *Picasso on Art*, pp- 157-158.
365 «Lo que primero se impuso»: Ibid., p. 157.
365 «Un torero nunca puede ver»: Hemingway, *The Dangerous Summer*, p. 198.
365 «Una cosa es»: Ibid., p. 195.
366 «El primer matador»: Carta de Françoise Gilot a Madeleine Gilot, octubre de 1952. Propiedad de Françoise Gilot.
366 «Era muy guapa»: Ibid.
366 «Que dejara de discutir»: Entrevista con Françoise Gilot.
366 «Un hombre me dijo»: Ibid.
366 «Vais a pensar que tengo gustos sanguinarios»: Carta de Françoise Gilot a Madeleine Gilot, octubre de 1952. Propiedad de Françoise Gilot.
367 «Ves, dijo él»: Entrevista con Françoise Gilot.
367 «Estaba furioso»: Ibid.
368 «Nadie deja a un hombre como yo»: Ibid.
368 «De repente —dijo ella»: Ibid.
368 «De hecho —dijo Dominique»: Entrevista con Dominique Eluard.
368 «Todo el mundo estaba allí»: Eluard, «Je parle de ce qui est bien», *Cahiers d'Art*, núms. 7-10, 1935, p. 168.
368 «Significado profundo»: Entrevista con Françoise Gilot.
369 «Empecé a aborrecerle»: Ibid.
369 «Nuestra relación había perdido»: Ibid.
369 «Pero nunca pude hacer eso»: Ibid.
370 «Estaba muy tranquila»: Ibid.
371 «Lo que has escrito en esta carta»: Ibid.
371 «Nunca lloro por una mujer»: Laporte, *Sunshine at Midnight*, p. 26.
371 «Picasso era todo un sol»: Ibid., p. 25.

372 «¿Cómo puedo encontrar el valor?»: Ibid., p. 26.
372 «Esa sería ciertamente»: Entrevista con Françoise Gilot.
372 «Tú, que eras tan dulce»: Gilot and Lake, *Life with Picasso*, p. 348.
372 «La impotencia del perro»: Gedo, *Picasso: Art as Autobiography*, p. 217.
373 «Quizá si intento»: Gilot and Lake, *Life with Picasso*, p. 278.
373 «El Secretariado del Partido Comunista»: *L'Humanité*, 18 de marzo de 1953, p. 1.
374 «No encontramos en el retrato»: *Les Lettres Françaises*, 19 de marzo de 1953, p. 9.
374 «Quiero dar gracias al Secretario»: Ibid.
374 «Un gobierno que castiga a un pintor»: Cocteau, *The Journals of Jean Cocteau*, p. 82.
375 «¿Cómo puede Aragon, un poeta?»: Daix, *Picasso Créateur*, p. 330.
375 «Siempre hay peleas dentro»: Ehrenburg, *People and Life, 1891-1921*, p. 221.
375 «Supongo que el Partido»: Gilot and Lake, *Life with Picasso*, p. 278.
375 «No apruebo tu afiliación»: Ibid., p. 138
375 «Estaba tan sola entonces»: Entrevista con Françoise Gilot.
375 «Luchó contra mí centímetro»: Ibid.
376 «Los ballets siempre me traen»: Ibid.
376 «Las pequeñas mulas negras»: Picasso, poema fechado el 5 de mayo de 1953. De los archivos de la Harry Ransom Humanities Research Center, Universidad de Tejas en Austin.
376 «Hubo de repente un vuelco total»: Entrevista con Françoise Gilot.
377 «Había llegado finalmente a la conclusión»: Ibid.
377 «Espera y verás»: Ibid.
377 «Le gustaba subir por los senderos»: Entrevista con Paule de Lazerme.
377 «Todo lo que tocaba»: Ibid.
378 «El cotilleo sobre ella»: Entrevista con Dominique Desanti.
378 «Nadie ama ya a nadie»: Entrevista con Françoise Gilot.
378 «Su cita favorita —decía Françoise»: Ibid.
378 «El no podía soportar»: Ibid.
379 «Un diario visual de una temporada odiosa»: Leymarie, *Picasso: The Artist of the Century*, p. 269.
379 «Suave contra su carne blanda»: West, Introduction, en la Marlborough Fine Arts Gallery, *Picasso: 63 Drawings, 1953-1954, 10 Bronzes, 1945-1953*, p. 5.
379 «Su sitio en el festín»: Ibid., p. 6.
380 «Nunca Picasso se parecerá»: Piot, *Décrire Picasso*, p. 235.

380 «Lo profundo del pozo»: Gasman, *Mystery, Magic and Love in Picasso, 1925-1938*, p. 157.
380 «Como un criptograma»: Breton, *Nadja*, p. 150.
380 «Sabía... que no serías capaz»: Gilot and Lake, *Life with Picasso*, p. 359.
380 «Te voy a hablar ahora»: Ibid.
381 «Es terrible que tengas que irte»: Ibid., p. 360.
382 «No pareces triste en absoluto»: Ibid., p. 352.
382 «Me dijo —recordaba Françoise»: Entrevista con Françoise Gilot.
382 «La recompensa del amor es la amistad»: Ibid.
382 «Bueno, ¿estáis casados?»: Entrevista con James Lord.
383 «Su comportamiento en general»: Ibid.
383 «Cuando llegaron allí»: Ibid.
384 «Esta vez vamos a divertirnos»: Entrevista con Françoise Gilot.
384 «Un último favor»: Gilot and Lake, *Life with Picasso*, p. 362.
384 «Es tan humillante»: Entrevista con Françoise Gilot.
385 «Estuviste maravillosa»: Gilot and Lake, *Life with Picasso*, p. 363.

CAPÍTULO DECIMOQUINTO

387 «Picasso estaba triste»: Entrevista con Hélène Parmelin.
387 «Era inimaginable»: Entrevista con Dominique Eluard.
387 «El pintor no dice nada»: «Picasso change de modéle», *Radar*, 12 de diciembre de 1953, p. 7.
387 «Acepté a todas ellas»: Entrevista con Maya Picasso.
387 «Prostitutas para papá»: Daix, *Picasso créateur*, p. 239.
388 «Vigilándole como un zorro»: Entrevista con Paule de Lazerme.
388 «Amenaza con suicidarse»: O'Brian, *Picasso*, p. 424.
388 «Me dijiste que hiciera»: Ibid.
388 «Françoise, explicó Dominique»: Entrevista con Dominique Eluard.
389 «Me lo dijo delante de Inés»: Carta de Jacques de Lazerme a Totote y Rosita Hugué, 15 de diciembre de 1951. Del archivo de la Biblioteca de Cataluña.
389 «No tenemos absolutamente ninguna»: Carta de Jacques de Lazerme a Totote y Rosita Hugué, 20 de abril de 1956. Del archivo de la Biblioteca de Cataluña.
389 «He elegido, había dicho Matisse»: Diehl, *Henri Matisse*, p.75.
389 «En fin, sólo hay un Matisse»: Daix, *La vie de peintre de Pablo Picasso*, p. 359.
389 «Cuando murió Matisse»: Penrose, *Picasso, His Life and Work*, p. 396.
389 «Una cierta dilución»: Blunt, *Picasso's «Guernica»*, p. 5.
389 «Me pregunto qué diría Delacroix»: Kahnweiler, «Entretiens

avec Picasso au sujet des *Femmes d'Alger. Aujourd'hui,* núm. 4, septiembre de 1955, p. 12.

390 «A veces pienso que quizá»: Ibid., traducido en la edición McCully, *A Picasso Anthology,* p. 252.

390 «Pero si están mucho mejor: Bernier, «48, Paseo de Gracia», *L'Oeil*, núm. 4, abril de 1955, p. 10.

390 «Antes de venirme»: Ibid., p. 12.

391 «Había una exposición de fotografías»: Entrevista con Luc Simon.

391 «Quedó claro inmediatamente»: Entrevista con Françoise Gilot.

391 «Es monstruoso»: Gilot and Lake, *Life with Picasso*, p. 365.

391 «Luc quiere ayudar»: Entrevista con Françoise Gilot.

392 «Más tarde descubrí»: Ibid.

392 «Tú me debes mucho»: Gilot and Lake, *Life with Picasso*, p. 342.

392 «El "Rey de los traperos"»: Cocteau, «Pablo Picasso. A Composite Interview», *The Paris Review,* primavera-verano 1964, p. 64.

393 «Su mirada, vigorosa como su cuerpo»: Ibid.

393 «Se parecía a veces»: Verdet, *Les Grands Peintres: Pablo Picasso,* p. 3.

393 «¿Te gusta lo que hiciste?»: Ibid.

393 «Pero eso es lo que me gusta»: Ibid.

394 «Mi intención es hacer»: F.K., «Picasso devant la caméra». *Jardin des Arts,* núm. 15, enero 1956, pp. 178-179.

394 «El análisis de los dibujos»: Klady, «Return of the Centaur», *Film Comment,* vol. 22, núm. 2, marzo-abril de 1986, p. 20.

394 «Picasso, escribió Hélène»: Parmelin, *Picasso Plain,* p. 135.

394 «¿Yo? Soy la nueva Egeria»: Ibid., p. 58.

394 «Por lo que a mí respecta»: Entrevista con Inés Sassier.

395 «Con el aplomo de un niño»: Duncan, *Viva Picasso,* p. 1.

395 «Para vivir cerca de él»: Entrevista con Inés Sassier.

395 «Afirmar que cuando se quiere»: Gilot and Lake, *Life with Picasso,* p. 351.

395 «Todo eso era tuyo»: Entrevista con Françoise Gilot.

395 «No consiento que nadie»: Ibid.

396 «No podía creer que hubiese organizado»: Ibid.

396 «Me pareció siniestro»: Ibid.

396 «Por favor, no se lo digas»: Ibid.

396 «Merecía que le abofetearan»: Ibid.

396 «Y tú debías haber prohibido»: Ibid.

396 «¡Traidor!»: Ibid.

396 «Cocteau es la cola de mi cometa»: Steegmuller, *Cocteau*, p. 490.

396 «Pasaba poco tiempo con Paloma»: Entrevista con Françoise Gilot.

397 «Lo hice sobre todo por razones legales»: Ibid.

397 «No te devolveré los niños»: Ibid.
397 «Comencé a sentirme como si»: Ibid.
397 «El pegajoso engrudo»: Cocteau, *La Machine infernale,* acto I, p. 45.
398 «No deseaba que me devorase»: Entrevista con Maya Picasso.
398 «Mira, le dijo»: McKnight, *Bitter Legacy,* p. 139.
398 «Venía siempre a mi habitación»: Entrevista con Maya Picasso.
399 «Cuando todo va equivocado»: Parmelin, *Picasso Plain,* p. 107.
399 «No es solamente que él pueda»: Ibid., p. 90.
399 «Uno tiene que estar en La Californie»: Ibid.
399 «¿Qué puede estar haciendo?»: Ibid., p. 167.
399 «Cuando se tiene la suerte de estar»: Crespelle, *Picasso and His Women,* p. 199.
400 «Bajo una capa de disfraz de ópera»: Cabanne, *Pablo Picasso,* p. 473.
400 «Picasso estaba conversando»: Ibid.
400 «Ella no estaba en contra»: Laporte, *Sunshine at Midnight,* p. 77.
400 «Ya es suficiente»: Dalí, *Comment on devient Dali,* p. 270.
400 «Solamente está haciendo bosquejos»: Cabanne, *Pablo Picasso,* p. 474.
400 «Condenado sea»: Dalí, *Comment on devient Dali,* p. 270.
401 «Una faceta de Picasso»: Laporte, *Sunshine at Midnight,* p. 4.
401 «Mon maître Picasso»: Penrose, *Picasso, His Life and Work,* p. 412.
401 «Picasso está haciendo experimentos»: Ibid.
401 «El futuro es la única trascendencia»: Garaudy, *D'un réalisme sans rivages,* p. 57.
401 «Estaba almorzando»: Parmelin, *Picasso Plain,* p. 84.
402 «Daría cualquier cosa»: Gilot and Lake, *Life with Picasso,* p. 348.
402 «Prodigio geriátrico»: Gedo, *Picasso: Art as Autobiography,* p. 225.
402 «A él le gustaba la gente»: Parmelin, *Picasso Plain,* p. 84.
402 «A él le gustaba hacer engordar»: Entrevista con Maya Picasso.
402-3 «Hacía todo lo posible»: Parmelin, *Picasso Plain,* p. 106.
403 «El rey de La Californie»: Ibid., p. 74.
403 «Deseo enseñar el mundo»: Ehrenburg, *People an Life, 1981-1921,* p. 218.
403 «Las supercherías del Departamento de Estado»: Parmelin, *Picasso Plain,* p. 85.
403 «Somos comunistas»: Ibid., p. 188.
403 «Después de todo, añadió»: Ibid., pp. 74-75.
404 «Un congreso especial»: Daix, *La vie de peintre de Pablo Picasso,* p. 362.

404 «Se han obstinado»: Penrose, *Picasso: His Life and Work*, p. 411.
404 «Mire, dijo Picasso»: Ibid.
404 «Una nueva teología sin Dios»: Popper, *Conjectures and Refutations,* p. 363.
404 «En la expresión de Picasso aparecieron»: Parmelin, *Picasso Plain,* p. 229.
405 «Desde el día en que nació su idea»: Ibid.
405 «Su convalecencia fue anormalmente»: Ibid., p. 230.
405 «Su estómago abierto»: Ibid., p. 232.
405 «¿No es curioso?»: Richardson, «Understanding the Paintings of Pablo Picasso», *The Age,* 22 de diciembre de 1962, p. 22.
406 «A uno le recuerda, escribió»: Berger, *The Success and Failure of Picasso,* p. 185.
406 «Picasso realmente quería establecer un récord»: Malraux, *Picasso's Mask,* p. 45.
406 «¡Qué cosa más espantosa!»: Parmelin, *Picasso Plain,* p. 235.
406 «Estar condenado a pintar»: Berger, *The Success and Failure of Picasso,* p. 185.
406 «Fue horrible todo el tiempo»: Entrevista con Hélène Parmelin.
406 «La corrida de Cannes»: Parmelin, *Picasso Plain,* p. 210.
406 «¿Bien»?: Ibid., p. 242.
406 «El entusiasmo de un clan»: Ibid. p. 237.
407 «Picasso no era un hombre de certidumbres»: Entrevista con Hélène Parmelin.
407 «Picasso, escribió Parmelin »: Parmelin, *Picasso Plain,* p. 210.
407 «Un Icaro disecado»: Boggs, «The Last Thirty Years», en la edición de Penrose y Golding, *Picasso in Retrospect,* p. 140.
408 «Los ardientes rojos y amarillos»: Penrose, *Picasso: His Life and Work,* p. 425.
408 «Pinté esto con palabrotas»: Ibid.
408 «Prácticamente en la fecha»: Entrevista con Pierre Daix.
408 «El gran peligro que vio Picasso»: Ibid.
408 «Picasso estaba de un humor sombrío»: Parmelin, *Picasso Plain,* pp. 214-215.
409 «Cuando le conocí»: De un debate en mesa redonda entre Eugenio Arias, Maya Picasso y Josep Palau i Fabre, en Barcelona, en diciembre de 1984.
409 «Vamos a los toros»: Ibid.
409 «Usted trabaja para mí»: Cabanne, *Pablo Picasso,* p. 475.
409 «Me ha costado mucho trabajo»: Parmelin, *Voyage en Picasso,* p. 39.
410 «Había un fotógrafo allí»: Cabanne, «Picasso et les joies de la paternité», *L'Oeil,* núm. 226, mayo de 1974, p. 10.
410 «Soy uno de los monumentos»: Daix, *Picasso Créateur,* p. 348.
410 «El castillo de Vauvenargues»: Parmelin, *Picasso Plain,* p. 245.

410 «Las coincidencias no existen»: Ibid., p. 130.
410 «Si yo fuera solamente»: Ibid., p. 246.
411 «He comprado el Sainte Victoire»: Daix, *La vie de peintre de Pablo Picasso,* p. 372.
411 «Los hombres que no aman la gloria»: Vauvenargues, *Maximes et pensées,* p. 40.
411 «Cezanne pintó estas montañas»: Kootz, *The Reality Gap: Picasso*, p. 22.
411 «Tú sabes dónde vives»: Cabanne, *Pablo Picasso*, pp. 492-493.

CAPÍTULO DECIMOSEXTO

413 «Una estatua de la nada»: Apollinaire, *Le Poète assassiné,* pp. 115-116.
414 «Esa clase de humor insoportable»: Parmelin, *Voyage en Picasso,* pp. 31-32.
414 «¡Y qué atmósfera!»: Ibid., p. 32.
414 «No pareces saber que estos cuadros»: Ibid.
414 «Abro la máquina»: Ibid., pp. 33-34.
414 «Ser Picasso —dijo Parmelin»: Ibid., p. 35.
415 «Pero ¿qué es lo que he hecho?»: Ibid.
415 «Un lugar magnífico, pero»: Brassaï, *Picasso and Company,* p. 271.
415 «El regocijo cesó»: Penrose, Picasso: *His Life and Work,* p. 30.
415 «Estoy un poco aburrido»: Entrevista con Lionel Prejger.
416 «Esta imagen contiene la rapidez»: Piot, *Décrire Picasso*, p. 113.
416 «Abrir la carne del "Déjeuner"» : Cooper, «Les Déjeuners: Un changement á vue», en Galérie Louise Leiris, *Picasso: Le Déjeuner sur l'herbe,* 1960-1961, sin paginar.
416 «Redujese en el óleo final»: Boggs, «The Last Thirty Years», en la edición de Penrose y Golding, *Picasso in Retrospect,* p. 151.
416 «Con todo aquello»: Parmelin, *Voyage en Picasso,* p. 104.
417 «El siempre se había preocupado»: Brassaï, *Picasso and Company,* p. 270.
417 «¿Por qué tendría que ir?»: Penrose, *Picasso: His Life and Work,* p. 434.
417 «El artista más grande de este siglo»: Ibid., p. 433.
417 «Nacido de un entendimiento»: Penrose, Introduction, en la Tate Gallery, *Picasso,* p. 8.
417 «¿Consideraría la posibilidad...?»: Entrevista con Françoise Gilot.
418 «Mamá, tienes que hacerlo»: Ibid.
418 «Nos comportábamos muy bien»: Ibid.
419 «Françoise puede que sea mi esposa»: Ibid.
420 «Había jurado conseguir casarme»: *L'Aurore,* 14 de marzo de 1961, p. 1.

421 «Os he traído aquí —les dijo»: Entrevista con Françoise Gilot.
421 «Una fiesta sacra del tiempo del Renacimiento»: Penrose, *Picasso: His Life and Work,* p. 436.
421 «Fueron escoltados por motoristas»: Ibid.
422 «Ven aquí para que yo pueda»: Marion, «Per ses 80 ans Picasso m'a dit», *France-Soir,* 19 de octubre de 1961, p. 2D.
422 «Todo el mundo tiene un precio»: Dupont, «Quand la vie se fait trop noire», *Paris-Match,* 31 de octubre de 1986, p. 82.
422 «Habría sido igualmente feliz con una simple»: Ibid.
422 «Ella era terriblemente celosa»: Entrevista con Miguel Bosé, *Epoca,* diciembre de 1986, p. 40.
423 «Al final, nadie puede ver»: Kahnweiler, «Gespräche mit Picasso», en la edición Ashton *Picasso on Art,* p. 82.
423 «Picasso se iba a echar la siesta»: Entrevista con Maurici Torra-Ballari.
424 «Los cuatro *guerreros»:* Schiff, «The *Sabines* Sketchbook», en The Pace Gallery, *Je suis le Cahier: The Sketchbooks of Picasso,* p. 185.
424 «Proyectó con distorsiones faciales»: Ibid., p. 186.
424 «En cuanto a ellos, ino dicen»: Parmelin, *Picasso Says,* p. 81.
424 «¿Sabe uno alguna vez?»: Ibid., p. 80.
424 «Todo ha cambiado»: Ibid., p. 84.
424 «Fue durante ese período»: Ibid.
425 «Tenemos que buscar —dijo él»: Ibid.
425 «Delante de Picasso»: Crespelle, *Picasso: Les femmes, les amis, l'oeuvre,* p. 213.
425 «Algunas veces sueño»: Trutsman, «Ordeal of Picasso's Heirs», *The New York Times Magazine,* 20 de abril de 1980, p. 43.
425 «¿Habéis hecho las paces?»: Parmelin, *Voyage en Picasso,* p. 31.
426 «Soy viejo, y tú»: Entrevista con Françoise Gilot.
426 «No, no puedes verle»: McKnight, *Bitter Legacy,* p. 102.
426 «Cuando la puerta se cerró de golpe»: Ibid., p. 157.
426 «Que como ejercicio hiciera un balance»: Entrevista con Françoise Gilot.
426 «Quizá pude ver demasiado»: McKnight, *Bitter Legacy,* pp. 157-158.
427 «Después de su matrimonio»: Ibid., p. 75.
427 «Lo que uno opina de Picasso»: Cocteau, «Picasso 1964, enquête», *Jardin des Arts,* marzo de 1964, p. 7.
428 «Este abuso de confianza»: Richardson, «Trompe l'Oeil», *The New York Review of Books,* 28 de enero de 1964, p. 3.
428 «Ahora el hecho es»: Lord, carta al editor de *The New York Review of Books,* 28 de enero de 1965, pp. 20-21.
428 «Cuando empecé a trabajar»: Entrevista con Françoise Gilot.
428 «Mi llegada a él, dijo Pablo»: Gilot and lake, *Life with Picasso,* p. 367.

429 «Una intromisión intolerable»: De los documentos del litigio, obtenidos por Calmann-Lévy, el editor en Francia de *Life with Picasso.*
429 «Lo que me salvó»: Entrevista con Françoise Gilot.
429 «Tengo la suerte de conocer el original»: «Quarante Peintres déclarent: Françoise Gilot a trahi Picasso», *Arts,* núm. 1003, del 28 de abril de 1965, p. 28.
429 «Françoise Gilot intenta»: Ibid.
430 «Una mujer que ha pasado diez años»: Ibid.
430 «No he leído el libro»: Ibid.
430 «No podemos prestar oídos»: «Les communistes de Vallauris écrivent à Picasso», *Le Patriote de Nice,* 27 de junio de 1965, p. 5.
430 «Mi querida amiga»: Carta de Parinaud a Gilot, del 15 de mayo de 1965. Propiedad de Françoise Gilot.
430 «Giacometti era uno de los amigos»: Entrevista con Françoise Gilot.
430 «Nuestro cliente —dijo De Sariac»: Lacroix: «Picasso, ni Barbe-Bleue ni saint de vitrail», *L'Intransigeant,* 24 de junio de 1965, p. 1.
431 «En un caso como el que»: De los documentos del litigio, obtenidos por Calmann-Lévy, editor en Francia de *Life with Picasso.*
431 «Expuesto a menudo a la curiosidad pública»: Ibid.
431 «Una vez más tu ganas»: Entrevista con Françoise Gilot.

CAPÍTULO DECIMOSÉPTIMO

433 «Tenía una mentalidad de guerrero»: Entrevista con Manuel Blasco.
433 «Cuando un hombre sabe cómo: Cabanne, *Pablo Picasso,* p. 561.
433 «Me dieron una buena cornada»: Olano, *Picasso íntimo,* p. 88.
433 «Me cortaron como si fuese un pollo»: Cabanne, *Pablo Picasso,* p. 527.
434 «Cuando te veo —le dijo a Brassaï»: Brassaï, «The Master at 90», *The New York Times Magazine,* 24 de octubre de 1971, p. 96.
434 «Sólo puede flotar»: Otero, *Forever Picasso,* p. 160.
434 «Han pasado nueve meses»: Ibid., p. 159.
435 «Picasso, triste es decirlo»: Breton, *Self Portrait with Friends,* p. 376.
435 «Al final —dijo»: Breton, *Anthologie de l'humour noir,* p. 319.
435 «Un día te das cuenta»: Entrevista con Hélène Parmelin.
435 «Pintando cara a cara»: Malraux, *Picasso's Mask,* p. 78.
435 «Lo malo era que se consideraban»: Cabanne, *Pablo Picasso,* p. 532.

435 «Está usted loco»: Ibid., p. 533.
435 «Tomábamos las decisiones importantes»: Malraux, *Picasso's Mask,* p. 3.
435 «Habría sido mejor para usted»: Cabanne, *Pablo Picasso,* p. 533.
435 «Eran constantes las idas»: Otero, *Forever Picasso,* p. 75.
436 «Porque el Gobierno francés»: Ibid., p. 81.
436 «En cualquier caso»: Ibid., pp. 81-82.
436 «Qué loco estoy»: Ibid., p. 99.
436 «La exposición retrospectiva»: Malraux, *La Tête d'Obsidienne,* p. 9.
436 «Picasso domina este siglo»: Leymairie, Prólogo, en Grand Palais-Petit Palais, *Hommage à Pablo Picasso,* p. 1.
437 «¿Ha ido usted?»: Entrevista con Josep Palau i Fabre.
437 «Desarrollado hasta el límite»: Grenier, «Picasso et le mouvement surréaliste», en la edición de Fermigier, *Picasso,* p. 161.
437 «Verdaderamente, no sé por qué»: Otero, *Forever Picasso,* p. 99.
437 «Lo peor de todo —dijo»: Parmelin, *Picasso: Intimate Secrets of a Studio at Notre-Dame-de-Vie,* pp. 67-68.
437 «Cuando las cosas iban bien»: Malraux, *Picasso's Mask,* p. 76.
437 «Podría pensarse»: Whitman, *Come to Judgement,* p. 224.
437 «La casa está llena de cuadros»: Otero, *Forever Picasso,* p. 113.
438 «Es como ir al cine»: Ibid., p. 124.
438 «Cuanto más tiempo pasaba»: Entrevista con Hélène Parmelin.
438 «Picasso estaba pintando»: Otero, *Forever Picasso,* p. 135.
438 «¿Qué podía hacer»: Ibid., p. 91.
438 «Solamente tengo un pensamiento»: Galerie Beyeler, *Picasso: Works from 1932 to 1965.* Sin paginar.
438 «El infierno son los demás»: Sartre, *No Exit,* p. 47.
438 «Me molesta la presencia de la gente»: Gilot and Lake, *Life with Picasso,* p. 301.
438 «Odio gastar mi tiempo»: Otero, *Forever Picasso,* p. 157.
438 «Lo extraordinario sería»: Parmelin, *Voyage en Picasso,* p. 82.
438 «Sueño —decía»: Otero, *Forever Picasso,* p. 157.
439 «¿Qué le debes a Inés?»: Entrevista con Inés Sassier.
439 «¿Has oído la triste noticia?»: Brassaï, «Picasso aura cent ans dans dix ans»: *Le Figaro,* 8 de octubre de 1971, p. 31.
439 «Era, escribió Brassaï»: Ibid.
439 «Es triste, ¿verdad?»: Ibid.
439-40 «Es como si hubiesen desahuciado»: Ibid.
440 «Lo que uno va a hacer»: Malraux, *Picasso's Mask,* p. 70.
440 «El orgulloso mosquetero»: Schiff, *Picasso: The Last Years, 1963-1973,* p. 55.
441 «El señor Picasso no está»: Perls, «The Last Time I Saw Pablo», *Arts News,* vol. 73, abril de 1974, p. 40.
441 «¿Quién es usted?»: McKnight, *Bitter Legacy,* p. 98.

441 «La alegría está en todas las cosas»: Carta de Walter a Picasso. De los ficheros de Georges Langlois.
441 «La vida no es más que la lucha»: Ibid.
441 «Digo que la mano es terrible»: Ibid.
442 «Era una carta triste»: Perls, «The Last Time I Saw Pablo», *Arts News,* vol. 73, abril de 1974, p. 37.
442 «Maya me había dicho»: Ibid.
442 «¿Cuándo le vio?»: Ibid., p. 38.
443 «Bueno, ¿dónde están los cien cuadros?»: Ibid., p. 41.
443 «Sí, claro»: Ibid.
443 «¿Qué demonio es eso?»: Ibid.
443 «Bueno, ¿qué puedo hacer?: Ibid.
443 «No importa, dijo»: Ibid.
443 «Empecé todo eso»: Ibid.
444 «Querido Langlois»: Entrevista con Georges Langlois.
444 «Cometí un error terrible»: Ibid.
444 «Sin eso», explicaba Langlois»: Ibid.
444 «Después de todo, dijo Langlois»: Ibid.
445 «Sus obras eran más sus hijos»: Ibid.
445 «Llevan mi apellido»: McKnight, *Bitter Legacy,* p. 79.
445 «Fue extraordinario»: Entrevista con Françoise Gilot.
445 «Fue muy triste perderlo»: Ibid.
445 «Françoise se preocupaba enormemente»: Entrevista con Bernard Baqué de Sariac.
445 «Había mirado largamente»: Cabanne, *Pablo Picasso*, p. 569.
446 «Si escupo»: Entrevista con Matta.
446 «Maravillas, maravillas»: Alberti, *Picasso, le rayon interrompu,* p. 23-24.
446 «Habladme respetuosamente»: Parmelin, *Voyage en Picasso,* p. 62.
446 «¿Qué quieren?»: Ibid., p. 63.
446 «Se sabe, y hay que decirlo»: Brassaï, «Picasso aura cent ans dans dix ans», *Le Figaro,* 8 de octubre de 1971, p. 31.
447 «Tranquila, serena, entregada»: Ibid.
447 «Ella las hace muy bellas»: Ibid.
447 «Pero Brassaï»: Ibid.
447 «Estoy agobiado de trabajo»: Cabanne, *Pablo Picasso,* p. 558.
447 «Es un viejo»: Parmelin, *Voyage en Picasso,* p. 142.
447 «Ya sabes. Nunca»: Ibid.
447 «Me equivoco todos los días»: Cabbane, *Le Siècle de Picasso,* vol. 4, p. 243.
448 «Las mujeres vestían solamente»: Brassaï, «The Master at 90», *The New York Times Magazine,* 24 de octubre de 1971, p. 31.
448 «Degas me habría dado de patadas»: Daix, *La Vie de Peintre de Pablo Picasso,* p. 308.
449 «¿Por qué imponerle?»: Ibid.

449 «Jacqueline está fuera»: Ibid.
449 «Ya le es difícil estar sola»: Ibid., p. 171.
450 «El Picasso que entra»: Ibid.
450 «La mirada vigilante»: Schiff, *Picasso: The Last Years, 1963-1973*, p. 36.
450 «¡Adelante, no los escatimes!»: Parmelin, *Voyage en Picasso,* p. 36.
450 «¿Cuándo vendrá a verme?: Bernal, «Alors Jacqueline l'enveloppa dans la grande cape noire», *Paris-Match,* 21 de abril de 1973, p. 75.
451 «¡Una responsabilidad»: McKnight, *Bitter Legacy,* p. 9.
451 «En el mismo minuto en que entré»: Bernal, «Alors Jacqueline l'enveloppa dans la grande cape noire», *Paris-Match,* 21 de abril de 1973, p. 75.
451 «¿Dónde estás, Jacqueline?»: Ibid.
451 «Usted se equivoca al no casarse»: Ibid.
452 «No puede convencerle»: Ibid., p. 117.

EPÍLOGO

454 «Escribí a su secretario»: «Picasso et les joies de la paternité», *L'Oeil*, núm. 226, mayo de 1974, p. 10.
454 «Cuando yo muera»: Entrevista con Françoise Gilot.
455 «Será peor»: Cabanne, *Pablo Picasso,* p. 567.
455 «No las he abierto»: Trustman, «Ordeal of Picasso Heirs», *The New York Times Magazine,* 20 de abril de 1980, p. 66.
455 «Matislav Rostropovich»: Ibid., p. 64.
456 «Nunca verás dos»: MacKnight, *Bitter Legacy,* p. 138.
456 «Impulso irresistible»: Ibid., p. 139.
457 «Era sin duda alguna»: Daix, *Picasso Créateur,* p. 387.
457 «No fue de una época», Jonson, «To the Memory of my Beloved, the Author Mr. William Shakespeare: and What He Has Left Us», en *The Complete Poetry of Ben Jonson,* p. 373.
457 «La dimensión de lo infinito»: Tugendhold, «French Pictures in the Schchukin Collections», en edición de McCully, *A Picasso Anthology,* pp. 109-110.
457 «Estaré obstinadamente»: Ayrton, *Golden Sections,* p. 99.
458 «¡Qué difícil es!»: Leymairie, *Picasso: The Artist of the Century,* p. IX.
458 «Ningún sol sin sombra»: Camus, *Le Mythe de Sisyphe,* pp. 167-168.
458 «A pesar de tantos sufrimientos»: Ibid., pp. 166-167.
458 «No necesitaba el estilo»: Malraux, *Picasso's Mask,* p. 258.

458 «Los artistas modernos»: Schapiro, *Modern Art: 19th and 20th Centuries,* p. 134.

458 «Dos o tres días despúes»: Leiris, *La Régle du jeu,* vol. 4, *Frêle Bruit,* p. 314.

BIBLIOGRAFIA

LIBROS—CATALOGOS—CONFERENCIAS

Alberti, Rafael. *A Year of Picasso Paintings, 1969.* New York: Harry N. Abrams, 1971.
———. *Lo que canté y dije de Picasso.* Barcelona: Editorial Bruguera, 1981.
———. *Picasso: Le rayon ininterrompu.* Paris: Cercle d'Art, 1974.
Andreu, Pierre. *Max Jacob.* Paris: Wesmael-Charlier, 1962.
Apollinaire, Guillaume. *Apollinaire on Art: Essays and Reviews, 1902-1918.* New York: Viking, 1972.
———. *Calligrammes: Poems of Peace and War, 1913-1916.* Berkeley: University of California Press, 1980.
———. *Chroniques d'Art, 1902-1918.* Editado por L. C. Breunig. Paris: Gallimard, 1960.
———. *The Cubist Painters: Aesthetic Meditations.* New York: George Wittenborn, 1962.
———. *L'Oeuvre du Marquis de Sade.* Paris: Bibliothèque des Curieux, 1909.
———. *Oeuvres complètes de G. Apollinaire.* Editado por P. M. Adéma y M. Decaudin. 4 vols. Paris: Balland et Lecat, 1966.
———. *Oeuvres poétiques.* Paris: Gallimard, 1965.
———. *Les Peintres cubistes.* Paris: Hermann, 1965.
———. *The Poet Assassinated and Other Stories.* San Francisco: North Point Press, 1984.
———. *Le Poète assassiné.* Paris: Au Sans Pareil, 1927.
———. *Selected Writings of Guillaume Apollinaire.* London: Harvill Press, 1950.

Aragon, Louis. *Anicet ou le panorama, roman.* Paris: Gallimard, 1972.
———. *Aragon, Poet of the French Resistance.* Editado por Hannah Josephson and Malcolm Cowley. New York: Duell, Sloan and Pearce, 1945.
Archer, W. G. *The Loves of Krishna.* London: Allen and Unwin, 1957.
Artcurial, Paris (mayo-julio 1985). *Les Noces Catalanes: Barcelona-Paris, 1870-1970.* Introducción de Henri-François Rey.
Ashton, Dore, ed. *Picasso on Art: A Selection of Views.* New York: Viking, 1972.
Auric, Georges. *Eluard, j'étais là.* Paris: Bernard Grasset, 1979.
Axelos, Kostas. *Systématique ouverte.* Paris: Editions de Minuit, 1984.
Ayrton, Michael. *Golden Sections.* London: Methuen and Co., 1957.
Azéma, Jean-Pierre. *From Munich to the Liberation, 1938-1944.* New York: Cambridge University Press, 1984.
Baker, William E. *Jacques Prévert.* New York: Twayne Publishing, 1967.
De Balzac, Honoré. *Le Chef-d'oeuvre inconnu.* Paris: Garnier-Flammarion, 1981.
Baron, Jacques. *L'An I du surréalisme.* Paris: Denoël, 1967.
Barr, Alfred H., Jr. *Picasso: Forty Years of His Art.* New York: The Museum of Modern Art, 1939.
———. *Picasso: Fifty Years of His Art.* New York: Arno Press, 1980.
Barrett, William. *Irrational Man: A Study in Existential Philosophy.* New York: Doubleday & Co., 1958.
Barzun, Jacques. *The Energies of Art.* New York: Harper & Brothers, 1956.
Bataille, Georges. *Death and Sensuality: A Study of Eroticism and the Taboo.* New York: Walker and Co., 1962.
———. *Documents.* Paris: Gallimard, 1968.
———. *Visions of Excess: Selected Writings, 1927-1939.* Minneapolis: University of Minnesota Press, 1985.
Beaton, Cecil. *Self Portrait with Friends: The Selected Diaries of Cecil Beaton, 1926-1974.* Editado por Richard Buckle. New York: Times Books, 1979.
De Beauvoir, Simone. *La Force de l'âge.* Paris: Gallimard, 1960.
Becker, Lucille F. *Louis Aragon.* New York: Twayne Publishers, 1971.
Bell, Clive. *Civilization and Old Friends.* Chicago: University of Chicago Press, 1973.
———. *Since Cézanne.* London: Chatto and Windus, 1922.
Benjamin, Roger. *Matisse's «Notes of a Painter»: Criticism, Theory, and Context, 1891-1908.* Ann Arbor: University of Michigan Research Press, 1987.
Berger, John. *The Success and Failure of Picasso.* New York: Pantheon, 1980.
Berlin, Isaiah. *Against the Current: Essays in the History of Ideas.* New York: Viking, 1980.

Besnard-Bernadac, Marie-Laure, Michèle Richet y Hélène Seckel. *The Picasso Museum, Paris.* New York: Harry N. Abrams, 1986.
Besson, Georges. *La Peinture française au XXe siècle.* Paris: Braun & Cie., 1949.
Billy, André. *Avec Apollinaire: Souvenirs inédits.* Paris y Ginebra: La Palatine, 1966.
Blunt, Anthony. *Picasso's «Guernica».* New York: Oxford University Press, 1969.
———, y Phoebe Pool. *Picasso: The Formative Years.* Greenwich, Conn.: New York Graphic Society, 1962.
Boeck, Wilhelm, y Jaime Sabartés. *Picasso.* Paris: Flammarion, 1955.
Boix, Esther, y Richard Creus. *El Siglo de Picasso.* Barcelona: Ayuntamiento de Barcelona, 1981.
Brassaï: *Picasso and Company.* New York: Doubleday & Co., 1966.
Breker, Arno. *Paris, Hitler et moi.* Paris: Presses de la Cité, 1970.
Brenan, Gerald. *The Spanish Labyrinth: An Account of the Social and Political Background of the Civil War.* Cambridge: Cambridge University Press, 1950.
Breton, André. *Anthologie de l'humour noir.* Paris: Jean-Jacques Pauvert, 1966.
———. *Nadja.* Paris: Gallimard, 1928.
———. *Point du jour.* Paris: Gallimard, 1970.
———. *Le Surréalisme et la peinture.* New York: Brentano's, 1945.
———. *What is Surrealism? Selected Writings.* Editado por Franklin Rosemont. New York: Monad, 1978.
Brinnin, John Malcolm. *The Third Rose: Gertrude Stein and Her World.* Reading, Mass.: Addison-Wesley Publishing Co., 1987.
Broude, Norma, and Mary D. Garrard, eds. *Feminism and Art History: Questioning the Litany.* New York: Harper & Row, 1982.
Buckle, Richard. *In the Wake of Diaghilev.* New York: Holt, Rinehart & Winston, 1982.
Cabanne, Pierre. *Pablo Picasso: His Life and Times.* New York: William Morrow & Co., 1977.
———. *Le Siècle de Picasso.* 4 vols. Paris: Denoël, 1975.
Camus, Albert. *Le Mythe de Sisyphe.* Paris: Gallimard, 1942.
Cannavo, Richard. *La Ballade de Charles Trenet.* Paris: Robert Laffont, 1984.
Carandell, José María. *Nueva guía secreta de Barcelona.* Barcelona: Sedmay Ediciones, 1978.
Carco, Francis. *L'Ami des peintres.* Ginebra: Du Milieu du Monde, 1944.
Casanova, Laurent. *Le Parti communiste, les intellectuels et la nation.* Paris: Editions Sociales, 1951.
Cassou, Jean. *Picasso.* Paris: Braun & Cie., 1940.
———. *Une Vie pour la liberté.* Paris: Robert Laffont, 1981.

Centre Georges Pompidou, Paris (22 noviembre 1984-28 enero 1985). *Daniel Henry Kahnweiler: Marchand, éditeur, écrivain.*
———. (22 noviembre 1984-28 enero 1985). *Donation Louise et Michel Leiris: Collection Kahnweiler-Leiris.*
——— (4 noviembre 1982-17 enero 1983). *Paul Eluard et ses amis peintres: 1895-1952.*
Césaire, Aimé. *Lost Body.* Ilustrado por Pablo Picasso. New York: George Braziller, 1986.
Charles-Roux, Edmonde. *L'Irrégulière.* Paris: Bernard Grasset, 1974.
Chevalier, Denys. *Picasso: Epoques bleue et rose.* Paris: Flammarion, 1978.
Cirici-Pellicer, Alexandre. *Picasso avant Picasso.* Ginebra. Pierre Cailler, 1950.
Cirlot, Juan-Eduardo. *Picasso: Birth of a Genius.* New York: Praeger, 1972.
Cocteau, Jean. *Correspondance avec Jean-Marie Magnan.* Paris: Pierre Belfond, 1981,
———. *Entre Picasso et Radiguet.* Paris: Hermann, 1967.
———. *Entretiens avec André Fraigneau.* Paris: Union Générale d'Editions, 1965.
———. *The Journals of Jean Cocteau.* Editado por Wallace Fowlie. New York: Criterion Books, 1956.
———. *La Machine infernale.* París: Bernard Grasset, 1934.
———. *Oedipe-Roi: Roméo et Juliette.* Paris: Plon, 1928.
———. *Le Passé défini.* Paris: Gallimard, 1983.
———. *Le Rappel à l'ordre.* París: Librairie Stock, 1926.
Cooper, Douglas. *Picasso and the Theatre.* Paris: Cercle d'Art, 1967.
Coquiot, Gustave. *Cubistes, futuristes, passéistes.* París: Librairie Ollendorff, 1923.
Couturier, Marie-Alain. *Se garder libre.* París: Editions du Cerf, 1962.
———. *La Vérité blessée.* París: Plon, 1984.
Crespelle, Jean-Paul. *Picasso and His Women.* New York: Coward-McCann, 1969.
———. *Picasso: Les femmes, les amis, l'oeuvre.* París: Presses de la Cité, 1967.
———. *La Vie quotidienne à Montmartre au temps de Picasso, 1900-1910.* París: Hachette, 1978.
Crossman, Richard, ed. *The Gold That Failed.* Chicago: Regnery Gateway, 1983.
Daedalus, ed. *Casagemas i el seu temps.* Barcelona, 1979.
Daix, Pierre. *Picasso Créateur: La vie intime et l'oeuvre.* París: Editions du Seuil, 1987.
———. *La Vie de peintre de Pablo Picasso.* París: Editions du Seuil, 1977.
———, and Georges Boudaille. *Picasso, 1900-1906: Catalogue raisonné de l'oeuvre peint.* París: La Bibliothèque des Arts, 1966.

Dalí, Salvador. *Comment on devient Dalí.* París: Robert Laffont, 1973.
Dallas Museum of Art (11 septiembre-30 octubre 1983). *Picasso the Printmaker: Graphics from the Marina Picasso Collection.* Catalogue by Brigitte Baer.
Danz, Louis. *Personal Revolution and Picasso.* New York and Toronto: Longmans, Green and Co., 1941.
Deharme, Lise. *Les Années perdues.* París: Plon, 1961.
Descargues, Pierre. *Picasso.* New York: Felicie, 1974.
Dielh, Gaston. *Derain.* New York: Crown Publishers, 1977.
———. *Henri Matisse.* París: Editions Pierre Tisné, 1958.
———. *Picasso.* New York: Crown Publishers, 1987.
Dominguín, Luis Miguel. *Toros y Toreros.* Paris: Cercle d'Art, 1961.
Dor de la Souchère, Romuald. *Picasso in Antibes.* New York: Pantheon, 1960.
Dorgelès, Roland. *Bouquet de Bohème.* París: Albin Michel, 1947.
Dostoievsky, Fyodor. *Crime and Punishment.* Adaptado por Yuri Lyubimov y Yuri Kariakin. Washington: Arena Stage, 1986.
Dubois, Andrés-Louis. *Sous le signe de l'amitié.* París: Plon, 1972.
Dufour, Pierre. *Picasso, 1950-1968.* Ginebra. Skira, 1969.
Duncan, David Douglas. *Goodbye Picasso.* New York: Grosset & Dunlap, 1974.
———. *The Silent Studio.* New York: Norton, 1976.
———. *Viva Picasso: A Centennial Celebration, 1881-1981.* New York: Viking, 1980.
Elgar, Frank, y Robert Maillard. *Picasso.* New York: Praeger, 1957.
Eluard, Paul. *A Pablo Picasso.* Ginebra: Trois Collines, 1944.
———. *Lettres à Gala, 1924-1948.* París: Gallimard, 1984.
———. *Pablo Picasso.* New York: Philosophical Library, 1947.
Ehrenburg, Ilya. *People and Life, 1891-1921.* New York: Alfred A. Knopf, 1962.
Fairweather, Sally. *Picasso's Concrete Sculptures.* New York: Hudson Hills Press, 1982.
Fargue, León-Paul. *Le Piéton de Paris.* París: Gallimard, 1939.
Felman, Shoshana. *Jacques Lacan and the Adventure of Insight: Psychoanalysis in Contemporary Culture.* Cambridge: Harvard University Press, 1987.
Fermigier, André, ed. *Picasso.* París: Hachette, 1967.
Flanner, Janet. *Men and Monuments.* New York: Harper & Brothers, 1947.
Fondation Pierre-Gianadda, Martigny (1981). *Picasso: Estampes, 1904-1972.* Catálogo por André Quenzi.
Foster, Joseph K., ed. *Posters of Picasso.* New York: Crown Publishers, 1957.
Fundació Picasso-Reventós, ed. *Homenatge de Catalunya a Picasso.* Barcelona: Fundació, 1982.
Galerie Beyeler, Basilea (noviembre 1966-enero 1967). *Picasso.*

———. (Febrero-abril 1967). *Picasso: Works from 1932 to 1965.*
Galerie Louise Leiris, París (6 junio-13 julio 1962). *Picasso: Le Déjeuner sur l'herbe, 1960-1061.*
Gallwitz, Klaus. *Picasso: The Heroic Years.* New York: Abbeville Press, 1985.
Galtier-Boissière, Jean. *Mon Journal depuis la libération.* París: La Jeune Parque, 1945.
Garaudy, Roger. *D'un réalisme sans rivages: Picasso, St. John Perse, Kafka.* París: Plon, 1963.
García Lorca, Federico. *Deep Song and Other Prose.* New York: New Directions, 1980.
———. *Lament for the Death of a Bullfighter.* London: William Heinemann, 1953.
———. *Selected Letters.* New York: Marion Boyars, 1984.
Gasman, Lydia. «Mystery, Magic and Love in Picasso, 1925-1938: Picasso and the Surrealist Poets». Tesis doctoral, Columbia University, 1981.
Gedo, Mary Mathews. *Picasso: Art as Autobiography.* Chicago: The University of Chicago Press, 1980.
Geiser, Bernard. *Picasso: 55 Years of His Graphic Work.* New York: Harry N. Abrams, 1955.
George, Waldemar. *Pablo Picasso.* Roma: Editions de Valori Plastici, 1924.
Georges-Michel, Michel. *De Renoir à Picasso: Les peintres que j'ai connus.* París: Arthème Fayard, 1954.
Gère, Charlotte. *Marie Laurencin.* París: Flammarion, 1977.
De Gibon, Yves. *Témoignages d'un rendez-vous manqué.* París: Paul Mari, 1980.
Gide, André. *Journal.* 2 vols. París: Gallimard, 1961.
Gilleminault, Gilbert, and Philippe Bernet. *Les Princes des années folles.* París: Plon, 1970.
Gilot, Françoise. *An Artist's Journey.* New York: Atlantic Monthly Press, 1987.
———. *The Fugitive Eye: Poems and Drawings.* San Diego: Aeolian Press, 1976.
———. *Interface: The Painter and the Mask.* Fresno: California State University, 1983.
———. *Paloma Sphinx.* París: Françoise Gilot, 1975.
———, and Carlton Lake. *Life with Picasso.* New York: McGraw-Hill, 1964.
Gimpel, René. *Journal d'un collectionneur, marchand de tableaux.* París: Calmann-Lévy, 1963.
Giraudy, Danièle. *Picasso: La mémoire du regard.* París: Cercle d'Art, 1986.
Gleizes, Albert. *Puissance du cubisme.* París: Présence, 1969.
Goethe, J. W. *Faust.* Basilea: Zbinden, 1982.

Gold, Arthur, and Robert Fizdale. *Misia: The Life of Misia Sert.* New York: Alfred A. Knopf, 1980.

Grand Palais, París (22 febrero-15 abril 1985). *Edouard Pignon.* París: Centre National des Arts Plastiques, 1985.

———. (11 octubre-7 enero 1980). *Picasso: Oeuvres reçues en paiement des droits de succession.*

Grand Palais-Petit Palais, París (noviembre 1966-febrero 1967). *Hommage à Pablo Picasso.*

Grohmann, Will. *Paul Klee.* London: Lund Humphries, 1954.

Habasque, Guy. *Le Cubisme.* Ginebra: Skira, 1959.

Haessly, Gaile Ann. «Picasso on Androgyny: From Symbolism through Surrealism». Tesis doctoral, Syracuse University, 1983.

Haggard, Virginia. *My Life with Chagall.* New York: D. I. Fine, 1986.

Hanoteau, Guillaume. *Ces Nuits qui ont fait París.* Paris: Arhème Fayard, 1971.

Hemingway, Ernest. *The Dangerous Summer.* New York: Charles Scribner's Sons, 1985.

Hilton, Timothy. *Picasso.* London: Oxford University Press, 1975.

Hirschl & Adler Galleries, New York (16 enero- 27 febrero 1988). *Picasso: The Late Drawings.* Ensayo por Jeffrey Hoffeld. New York: Harry N. Abrams, 1988.

Hong Kong Museum of Art (12 diciembre 1982-19 enero 1983). *Picasso Intime: Collection Maya Ruiz-Picasso: The Centenary of the Birth of Picasso.* Hong Kong: Urban Council, 1982.

Horodisch, Abraham. *Picasso as a Book Artist.* Cleveland: World Publishing Co., 1962.

Hugo, Jean. *Avant d'oublier, 1918-1931.* París: Arthème Fayard, 1976.

Institute of Contemporary Arts. *Homage to Picasso on his 70th Birthday: Drawings and Watercolours since 1893.* London: Lund Humphries, 1951.

Jacob, Max. *Choix de lettres de Max Jacob à Jean Cocteau, 1919-1944.* París: Paul Morihien, 1949.

———. *Chronique des temps héroïques.* París: Louis Broder, 1956.

———. *Correspondance.* Editada por François Garnier. 2 vols. París: Editions de París, 1953.

———. *Lettres, 1920-1941.* Edited by S. J. Collier. Oxford: Brasil Blackwell. 1966.

———. *Lettres à Marcel Béalu.* Lyon: Editions Emmanuel Vitte, 1959.

———. *Lettres à Marcel Jouhandeau.* Editadas por Anne S. Kimball. Ginebra: Librairie Droz, 1979.

———. *Lettres à Michel Levanti.* Editadas por Lawrence A. Joseph. Limoges: Rougerie, 1975.

———. *Lettres à Michel Manoll.* Editadas por Maria Green. Mortemart: Rougerie, 1985.

———. *Lettres mystiques, 1934-1944, à Clotilde Bauguion.* París: Calligrammes, 1984.

———. *Morceaux choisis*. París: Gallimard, 1936.
James, Henry. *The Ambassadors*. New York: Heritage Press, 1963.
Janis, Harriet y Sidney. *Picasso: The Recent Years, 1939-1946*. New York: Doubleday & Co., 1946.
Jarry, Alfred. *Gestes et opinions du Docteur Faustroll*. París: Bibliothèque Charpentier, 1911.
———. *Oeuvres complètes*. 8 vols. París: Gallimard, 1972.
———. *The Supermale*. New York: New Directions, 1964.
Johnson, Paul. *Modern Times: The World from the Twenties to the Eighties*. New York: Harper & Row, 1983.
Jonson, Ben. *The Complete Poetry of Ben Jonson*. Editada por William B. Hunter. New York: New York University Press, 1963.
Josephson, Matthew. *Life among the Surrealists*. New York: Holt, Rinehart & Winston, 1962.
Jouffroy, Jean-Pierre, y Edouard Ruiz. *Picasso: De l'image à la lettre*. París: Messidor/Temps Actuels, 1981.
Jung, C. G. *The Collected Works of C. G. Jung*. Bollingen Series. Edit. por William McGuire, vol. 15. Princenton: Princenton University Press, 1966.
Kahnweiler, Daniel-Henry. *Confessions esthétiques*. París: Gallimard, 1963.
———. *The Rise of Cubism*. New York: Wittenborn, Schultz, 1949.
———, y Francis Crémieux. *My Galleries and Painters*. New York: Viking, 1961.
Kamber, Gerald. *Max Jacob and the Poetics of Cubism*. Baltimore: Johns Hopkins University Press, 1971.
Kay, Helen. *Picasso's World of Children*. New York: Doubleday & Co., 1965.
Kiki. *The Education of a French Model*. New York: Bridgehead Books, 1954.
Kootz, Sam. «The Reality Gap: Picasso». Memorias inéditas sacadas de los manuscritos de Mrs. Sam Kootz.
Krasovskaya, Vera. *Nijinsky*. New York: Schirmer Books, 1979.
Lacan, Jacques. *The Four Fundamental Concepts of Psychoanalysis*. New York: Norton, 1978.
Laffranche, Jean. *Louis Marcoussis*. Paris: Editions du Temps, 1961.
Langston, Linda Frank. «Disguised Double Portraits in Picasso's Work, 1925-1962.» Tesis doctoral, Stanford University, 1977.
Laporte, Geneviève. *Si tard le soir, le soleil brille*. París: Plon, 1973.
———. *Sunshine at Midnight: Memories of Picasso and Cocteau*. London: Weidenfeld and Nicolson, 1975.
Lautréamont, Comte de (Isidore Ducasse). *Chants de Maldoror*. London: Allison and Busey, 1970.
Léautaud, Paul. *Journal littéraire*. Vol. 16. Paris: Mercure de France, 1964.

Lee, Thomas Louis. «The Passion and Picasso». Tesis doctoral, University of Louisville, 1969.

Leighten, Patricia Dee. «Picasso: Anarchism and Art, 1897-1914.» Tesis doctoral, Rutgers University, 1983.

Leiris, Michel. *Manhood: A Journey from Childhood into the Fierce Order of Virility.* San Francisco: North Point Press, 1984.

———. *La Règle du jeu.* Vol. 3, *Fibrilles.* París: Gallimard, 1966.

———. *La Règle du jeu.* Vol. 4, *Frêle Bruit.* París: Gallimard, 1976.

Lemaire, Anika. *Jacques Lacan.* Bruselas: Pierre Mardaga, 1977.

Leymarie, Jean. *Picasso: The Artist of the Century.* New York: Viking, 1972.

———. *Picasso: Blue and Rose Periods.* New York: Harry N. Abrams, 1954.

Lippard, Lucy R., ed. *Dadas on Art.* Englewood Cliffs, N. J.: Prentice-Hall, 1971.

———. *Surrealists on Art.* Englewood Cliffs, N. J.: Prentice-Hall, 1970.

Lipton, Eunice. «Picasso Criticism, 1901-1939: The Making of an Artist-Hero». Tesis doctoral, New York University, 1975.

Loeb, Pierre. *Voyages à travers la peinture.* París: Bordas, 1946.

Lord, James. *Giacometti.* New York: Farrar, Straus & Giroux, 1985.

———. *Où étaient les tableaux...* París: Mazarine, 1982.

Los Angeles County Museum of Art. *The Spiritual in Art: Abstract Painting, 1890-1985.* New York: Abbeville Press, 1986.

Lottman, Herbert R. *The Purge.* New York: William Morrow & Co., 1986.

———. *La Rive gauche.* París: Editions du Seuil, 1981.

Mackworth, Cecily. *Guillaume Apollinaire and the Cubist Life.* London: J. Murray, 1961.

Mac Orlan, Pierre. *La Vénus internationale.* París: Gallimard Folio, 1966.

Malraux, André. *Picasso's Mask.* New York: Holt, Rinehart & Winston, 1976.

———. *La Tête d'obsidienne.* París: Gallimard, 1974.

Marais, Jean. *Histoires de ma vie.* París: Albin Michel, 1975.

Maritain, Jacques. *Creative Intuition in Art and Poetry.* New York: Meridian Books, 1955.

Marlborough Fine Arts Gallery, London (mayo-junio 1955). *Picasso: 63 Drawings, 1953-54; 10 Bronzes, 1945-53.* Introduccion de Rebecca West.

Marx, Karl, and Frederick Engels. *Collected Works: Marx and Engels, 1845-47.* Vol. 5. London: Lawrence & Wishart, 1976.

Matisse, Henri. *Ecrits et propos sur l'Art.* París: Hermann, 1972.

———. *Matisse on Art.* Editado por Jack D. Flam. New York: E. P. Dutton, 1978.

Mauriac, François. *Bloc Notes.* 5 vols. París: Flammarion, 1958-1971.

Mayer, Susan. «Ancient Mediterranean Sources in the Works of Picasso, 1892-1937.» Tesis doctoral, New York University, 1980.

McCully, Marilyn, ed. *A Picasso Anthology: Documents, Criticism, Reminiscences.* Princeton: Princeton University Press, 1982.

McKnight, Gerald. *Bitter Legacy: Picasso's Disputed Millions.* London: Bantam Press, 1987.

Mellow, James R. *Charmed Circle: Gertrude Stein and Company.* New York: Praeger, 1974.

Melville, Herman. *Pierre: or, the Ambiguities.* New York: New American Library, 1964.

Melville, Robert. *Picasso: Master of the Phantom.* London: Oxford University Press, 1939.

Metropolitan Museum of Art, New York (7 marzo-12 mayo 1985). *Picasso Linoleum Cuts: The Mr. and Mrs. Charles Kramer Collection in the Metropolitan Museum of Art.* New York: Random House, 1985.

Minotaure. 4 vols. Reimpresión. New York: Arno Press, 1986.

Montreal Museum of Fine Arts (22 junio-10 noviembre 1985). *Pablo Picasso: Meeting in Montreal.*

Mourlot, Fernand. *Picasso Lithographs.* Boston: Book and Art, 1970.

Mugnier, L'Abbé Arthur. *Journal de l'Abbé Mugnier.* París: Mercure de France, 1985.

Murdoch, Iris. *The Fire and the Sun: Why Plato Banished the Artists.* Oxford: Clarendon Press, 1977.

Musée Cantini, Marsella (11 mayo-31 julio 1959). *Picasso.* Catálogo por Douglas Cooper.

Museo Rufino Tamayo, México D. F. (noviembre 1982-enero 1983). *Los Picassos de Picasso en México: Una exposición retrospectiva.* Introducción por William S. Lieberman.

Museum Het Kruithuis, Hertogenbosch (22 junio-11 agosto 1985). *Picasso Ceramics.*

Museum of Modern Art, New York (22 mayo-16 septiembre 1980). *Pablo Picasso: A Retrospective.* Catálogo por William Rubin.

———. (3 febrero-2 abril 1972). *Picasso in the Collection of the Museum of Modern Art.* Catálogo por William Rubin, Elaine L. Johnson, y Riva Castleman.

———. *«Primitivism» in 20th Century Art: Affinity of the Tribal and the Modern.* 2 vols. Editado por William Rubin. Boston: New York Graphic Society Books-Little, Brown & Co., 1984.

———. (24 enero-19 marzo 1950). *The Sculptor's Studio: Etchings by Picasso.* New York: The Museum of Modern Art, 1952.

National Gallery of Art, Washington, D. C. (2 noviembre 1986-29 marzo 1987). *Henri Matisse: The Early Years in Nice, 1916-1930.* Catálogo por Jack Cowart y Dominique Fourcade. New York: Harry N. Abrams, 1986.

Neruda, Pablo. *Memoirs.* New York: Farrar, Straus & Giroux, 1976.

Nietzsche, Friedrich. *Thus Spoke Zarathustra.* New York: Penguin Books, 1978.
Nijinsky, Vaslav. *The Diary of Vaslav Nijinsky.* Editado por Romola Nijinsky. New York: Simon and Schuster, 1936.
Nochlin, Linda. *Impressionism and Post-Impressionism, 1874-1904: Sources and Documents.* Englewood Cliffs, N. J.: Prentice-Hall, 1966.
O'Brian, Patrick. *Picasso: Pablo Ruiz Picasso.* New York: G. P. Putnam's Sons, 1976.
Odajmyk, Volodymyn Walter. *Jung and Politics.* New York: New York University Press, 1976.
Olano, Antonio D. *Picasso íntimo.* Madrid: Editorial Dagur, 1971,
Olivier, Fernande. *Picasso and His Friends.* New York: Appleton-Century, 1965.
———. *Picasso et ses amis.* Paris: Librairie Stock, 1933.
Ory, Pascal. *Les Collaborateurs, 1940-1945.* París: Editions du Seuil, 1976.
Otero, Roberto. *Forever Picasso: An Intimate Look at His Last Years.* New York: Harry N. Abrams, 1974.
Otto, Walter F. *Dionysyus: Myth and Cult.* Dallas: Spring Publications, 1981.
Oxenhandler, Neal. *Max Jacob and Les Feux de Paris.* Berkekey: University of California Press, 1964.
Ozenfant, Amédée, y Charles Jeanneret. *La Peinture moderne.* París: G. Crès et Cie., 1927.
The Place Gallery, New York (2 mayo-1 agosto 1986). *Je Suis le Cahier: The Sketchbooks of Picasso.* Editado por Arnold Glimcher and Marc Glimber. New York: Atlantic Monthly Press, 1986.
———. (30 enero-14 marzo 1981). *Picasso: The Avignon Paintings.*
Padrta, Jirí. *Picasso: The Early Years.* New York: Tudor, 1960.
Palau i Fabre, Josep. *Picasso en Catalunya.* Barcelona: Polígrafa, 1966.
———. *Picasso: The Early Years, 1881-1907.* New York: Rizzoli, 1981.
———. *Picasso vivent, 1881-1907.* Barcelona: Polígrafa, 1979.
———. *El Secret de «Las Meninas» de Picasso.* Barcelona: Polígrafa, 1981.
Parmelin, Hélène. *Aujourd'hui.* París: René Julliard, 1963.
———. *Picasso: Intimate Secrets of a Studio at Notre Dame de Vie.* New York: Harry N. Abrams, 1966.
———. *Picasso Plain.* New York: St. Martin's Press, 1963.
———. *Picasso Says.* South Brunswick, N. J.: Barnes and Co., 1969.
———. *Picasso: «The Artist and His Model», and Other Recent Works.* New York: Harry N. Abrams, 1965.
———. *Picasso: Women, Cannes, and Mougins, 1954-63.* London: Weidenfeld and Nicolson, 1965.
———. *Voyage en Picasso.* París: Robert Laffont-Opera Mundi, 1980.
Penrose, Roland. *Picasso: His Life and Work.* Berkeley: University of California Press, 1981.

———. *Portrait of Picasso.* London: Thames and Hudson, 1981.
———. *Scrap Book, 1900-1981.* New York: Rizzoli, 1981.
———, y John Golding, eds. *Picasso in Retrospect.* London: Granada, 1973.
Peyre, André. *Max Jacob quotidien.* París: José Millas-Martín, 1976.
Picasso e a Coruña. Conoce a tua Cidade, n.º 1. Coruña: Axuntamento da Coruña, 1982.
Picasso, Pablo. *The Artist by Himself: Self-Portrait from Youth to Old Age.* New York: St. Martin's Press, 1980.
———. *Carnet Catalan.* Introduction by Douglas Cooper. Paris: Berggruen, 1958.
———. *Le Carnet des carnets.* Paris: Les Ateliers de Daniel Jacomet, 1965.
———. *Carnet Picasso La Coruña, 1894-1895.* Introducción por Juan Ainaud de Lasarte. Barcelona: Gustavo Gili, 1971.
———. *Carnet Picasso Madrid, 1898.* Introducción por Xavier de Salas. Barcelona: Gustavo Gili, 1976.
———. *Carnet Picasso Paris, 1900.* Introducción por Roa M. Subirana. Barcelona: Gustavo Gili, 1972.
———. *Le Désir attrapé par la queue.* Paris: Gallimard, 1945.
———. *Desire Caught by the Tail.* London: Calder and Boyars, 1970.
———. *Drawings.* New York: Harry N. Abrams, 1959.
———. *Forty-nine Lithographs, Together with Honoré de Balzac's The Hidden Masterpiece, in the Form of an Allegory.* New York: Lear, 1947.
———. *The Four Little Girls.* London: Calder and Boyars, 1970
———. *Góngora.* New York: George Braziller, 1985.
———. *Oeuvres.* 33 vols. By Christian Zervos. París: Cahiers d'Art, 1932-1978.
———. *Picasso's Vollard Suite.* Introduction by Hans Bolliger. New York: Thames and Hudson, 1985.
———. *Les Quatre Petites Filles.* Paris: Gallimard, 1968.
Piot, Christine. «Décrire Picasso.» Tesis doctoral, Unversité de Paris I, Panthéon-Sorbonne, 1981.
Poore, Charles. *Goya.* New York: Charles Scribner's Sons, 1938.
Popper, Karl. *Conjectures and Refutations.* New York: Basic Books, 1963.
Porel, Jacques. *Fils de Regane.* París: Plon, 1951.
Porzio, Domenico, and Marco Valsecchi. *Understanding Picasso.* New York: Newsweek Books, 1974.
Poulenc, Francis. *Moi et mes amis.* París: La Palatine, 1963.
Prabhupada, A. C. B. *Krishna.* Boston: Iskcon Press, 1970.
Prado, Museo del. *Guernica-Legado Picasso.* Madrid: Ministerio de Cultura, 1981.
Prévert, Jacques. *Paroles.* Paris: Gallimard Folio, 1972.
Queneau, Raymond. *Bâtons, chiffres et lettres.* Paris: Gallimard, 1965.

Quinn, Edward. *Picasso: Photos, 1951-1972.* Woodbury, N. Y.: Barron's Educational Series, 1980.

———. *The Private Picasso.* Boston: Little, Brown & Co., 1987.

Radiguet, Raymond. *Count d'Orgel.* New York: Grove Press, 1953.

Ramié, Georges. *Picasso's Ceramics.* New York: Viking, 1976.

Raphael, Max. *Proudhon, Marx, Picasso: Three Studies in the Sociology of Art.* Editado por John Tagg. Atlantic Highlands, New Jersey: Humanities Press, 1980.

Raynal, Maurice. *Picasso.* París: G. Crès et Cie., 1922.

Reese, Lawrence L. Ruiz. «Scientific Analogies in Cubism, 3 Parts.» Tesis doctoral, University of California, Los Angeles, 1981.

Reverdy, Pierre. *Note éternelle du présent: Ecrits sur l'Art, 1923-1960.* París: Flammarion, 1973.

———. *Pablo Picasso.* París: Nouvelle Revue Française, 1924.

Rilke, Rainer Maria. *The Selected Poetry of Rainer Maria Rilke.* Editado por Stephen Mitchell. New York: Vintage Books, 1984.

Rolland, Andrée. *Picasso et Royan aux jours de la guerre et de l'occupation.* Royan: Andrée Rolland, 1967.

Roy, Claude. *L'Amour de la peinture: Goya, Picasso et autres peintres.* París: Gallimard, 1956.

———. *«Moi je.»* París: Gallimard, 1978.

———. *Picasso: La guerre et la paix.* Paris: Cercle d'Art, 1954.

Rubin, William. *Dada and Surrealist Art.* New York: Harry N. Abrams, 1968.

———. *Dada, Surrealism and Their Heritage.* New York: Museum of Modern Art, 1968.

Sabartés, Jaime. *Picasso: An Intimate Portrait.* New York: Prentice-Hall, 1948.

———. *Picasso: Documents iconographiques.* Ginebra: Pierre Cailler, 1959.

———. *Picasso: Portraits et souvenirs.* París: L. Carré, 1946.

Sachs, Maurice. *Au temps du boeuf sur le toit.* París: Editions de la Nouvelle Revue Critique, 1939.

———. *La Décade de l'illusion.* París: Gallimard, 1950.

Salmon, André. *La Jeune Peinture française.* París: Société des Trente, 1912.

———. *Modigliani: A Memoir.* New York: G. P. Puntman's Sons, 1961.

———. *Montparnasse.* París: André Bonne, 1950.

———. *Propos d'atelier.* París: G. Crès et Cie., 1922.

———. *Souvenirs sans fin.* 3 vols. París: Gallimard, 1955-1961.

San Francisco Museum of Art (14 septiembre-17 octubre 1948). *Picasso-Gris-Miro: The Spanish Masters of Twentieth Centry Painting.*

Sanouillet, Michel. *Francis Picabia et 391.* Vol. 2. París: Eric Losfeld, 1966.

Sartre, Jean-Paul. *No Exit and Three Other Plays.* New York: Vintage Books, 1955.

———. *What Is Literature?* New York: Philosophical Library, 1949.

Scarpetta, Guy. *L'Impureté.* París: Bernard Grasset, 1985.

Schapiro, Meyer. *Modern Art: 19th & 20th Centuries: Selected Papers.* New York: George Braziller, 1979.

Schiff, Gert. *Picasso: The Last Years, 1963-1973.* New York: George Braziller-Grey Art Gallery, 1983.

Scheneede, Uwe M. *Surrealism: The Movement and the Masters.* New York: Harry N. Abrams, 1973.

Shapiro, Theda. *Painters and Politics: The European Avant-Garde and Society.* New York: Elsevier, 1976.

Signoret, Simone. *La Nostalgie n'est plus ce qu'elle était.* París: Editions du Seuil, 1976.

Silver, Kenneth Eric: «Esprit de Corps: The Great War and French Art, 1914-1925.» Tesis doctoral, Yale University, 1981.

Sorlier, Charles. *Mémoires d'un homme de couleurs.* París: Le Pré aux Clercs, 1985.

Soupault, Philippe. *Ecrits sur la peinture.* París: Lachenal & Ritter, 1980.

Spies, Werner. *Les Sculptures de Picasso.* Lausana: Clairefontaine, 1971.

Stambaugh, Joan. *Nietzsche's Thought of Eternal Return.* Baltimore: Johns Hopkings University Press, 1972.

Steegmuller, Francis. *Apollinaire: Poet among the Painters.* London: Rupert Hart-Davis, 1963.

———. *Cocteau.* Boston: Little, Brown & Co., 1970.

Stein, Gertrude. *The Autobiography of Alice B. Toklas.* New York: Vintage Books, 1961.

———. *Everybody's Autobiography.* New York: Random House, 1937.

———. *Matisse, Picasso and Gertrude Stein with Two Shorter Poems.* Millerton, N. Y.: Something Else Press, 1972.

———. *Picasso.* Boston: Beacon Press, 1959.

Stravinsky, Igor. *Autobiography.* New York: Simon and Schuster, 1936.

———. *Selected Correspondence of Igor Stravinsky.* Editado por Robert Craft. New York: Alfred A. Knopf, 1982.

———, y Robert Craft. *Expositions and Developments.* New York: Doubleday & Co., 1962.

Subirana Torrent, Rosa María. *El Museo Picasso de Barcelona.* León: Editorial Everest, 1975.

Sutton, Denys. *André Derain.* London: Phaidon Press, 1959.

The Tate Gallery, London (27 abril-10 julio 1983). *The Essential Cubism: Braque, Picasso and Their Friends, 1907-1920.*

———. (6 julio-18 septiembre 1960). *Picasso.* London: Arts Council of Great Britain, 1960.

Taurines-Méry, Blanche-Jean. *Des Influences subies par Picasso.* París: Triquet-Robert, 1950.

Thirion, André. *Revolutionaries Without Revolution.* London: Cassell, 1976.

Thomas, Denis. *Picasso and His Art.* Northbrook: Book Value International, 1981.

Tierney, Neil. *The Unknown Country: A Life of Igor Stravinsky.* London: Robert Hale, 1977.

Trend, John Brande. *A Picture of Modern Spain: Men & Music.* Boston y New York: Houghton Mifflin Co., 1921.

Tuchman, Barbara W. *The Proud Tower: A Portrait of the World Before the War, 1890-1914.* New York: Macmillan, 1966.

Turkle, Sherry. *Psychoanalytic Politics: Freud's French Revolution.* New York: Basic Books, 1978.

Tzara, Tristan. *Picasso et les chemins de la connaissance.* Ginebra: Skira, 1948.

Uhde, Wilhelm. *Picasso and the French Tradition.* New York: Weyhe, 1929.

Vallentin, Antonina. *Pablo Picasso.* París: Albin Michel, 1957.

———. *Picasso.* Garden City, N. Y.: Doubleday & Co., 1963.

———. *This I Saw: The Life and Times of Goya.* New York: Random House, 1949.

Van Gogh, Vincent. *Van Gogh: A Self-Portrait.* Editado por W. H. Auden. London: Thames and Hudson, 1961.

Vauvenargues, Marquis de. *Maximes et pensées.* París: Editions André Silvaire, 1961.

Verdet, André. *Les Grands Peintres: Pablo Picasso.* Ginebra: René Kister, 1956.

Verlaine, Paul. *Pablo Picasso au Musée d'Antibes.* París: Falaize, 1951.

———. *The Sky Above the Roof.* London: Rupert Hart-Davis, 1957.

Vian, Boris. *Manuel de Saint Germain des Près.* París: Chêne, 1974.

Vitz, Paul C., y Arnold B. Glimcher. *Modern Art and Modern Science: The Parallel Analysis of Vision.* New York: Praeger, 1984.

Vlaminck, Maurice. *Paysages et personnages.* París: Flammarion, 1953.

———. *Portraits avant décès.* París: Flammarion, 1943.

Vollard, Ambroise. *Souvenirs d'un marchand de tableaux.* París: Albin Michel, 1937.

Warnod, Janine. *Washboat Days.* New York: Grossman Publishers, 1972.

Webb, Peter. *The Erotic Arts.* Boston: New York Graphic Society, 1976.

Weill, Berthe. *Pan dans l'oeil!* París: Librairie Lipschutz, 1933.

Wertenbaker, Lael. *The World of Picasso, 1881.* New York: Time-Life Books, 1967.

Whelpton, Barbara. *Painter's Provence.* London: Johnson Publications, 1970.

Whitman, Alden. *Come to Judgment.* New York: Viking, 1980.

William Beadleston Fine Art, New York (31 octubre-14 diciembre 1985). *Through the Eye of Picasso, 1928-1934: The Dinard Sketchbook and Related Paintings and Sculpture.* Ensayo por John Richardson.

Wiser, William. *The Crazy Years: Paris in the Twenties.* New York: Atheneum, 1983.

ARTICULOS

Acoca, Miguel. «Picasso-Super Compadre». *Washington Post,* 24 octubre 1971.

Alberti, Rafael. «Picasso et le peuple espagnol.» *Europe,* núms. 492-93 (abril-mayo 1970).

Allard, Roger. «Picasso». *Le Nouveau Spectateur,* 25 junio 1919.

Apollinaire, Guillaume. «Les Jeunes: Picasso, peintre». *La Plume,* núm. 372 (15 mayo 1905).

———. «Lettre inédite d'Apollinaire adressée à Picasso.» *Cahiers d'Art,* año XXII, 1947.

Arnoux, Alexandre, et al.: «Picasso 1964, enquête.» *Jardin des Arts,* núm. 112 (marzo 1964).

Ashton, Dore. «Sculpture: Pour faire une colombe il faut d'abord lui tordre le cou.» *XXème Siècle,* núm. 30 (junio 1968).

Bauret, Gabriel. *«Les Demoiselles d'Avignon:* Manifeste du cubisme?» *Europe,* núm. 638-39 (junio-julio 1982).

Beguin, Albert. «L'Androgyne.» *Minotaure,* Primavera 1938.

Bernal, Pierre. «Alors Jacqueline l'enveloppa dans la grande cape noire.» *Paris-Match,* 21 abril 1973.

Bernier, Rosamond. «48, Paseo de Gracia.» *L'Oeil,* núm. 4 (15 abril 1955).

Besson, Georges. «Lettre à Pierre Betz.» *Le Point,* vol. 7, núm. 42 (octubre 1952).

Blumenkranz-Onimus, Noemi. «Picasso Ecrivain ou la revanche de la couleur.» *Europe,* núms. 492-93 (abril-mayo 1970).

Blunt, Anthony. «Picasso in Rome and at Lyons.» *Burlington Magazine,* núm. 95 (octubre 1953).

Bouvier-Ajam, Maurice. «Picasso et les jeunes générations.» *Europe,* núms. 492-493 (abril-mayo 1970).

Brassaï. «The Master at 90: Picasso's Great Age Seems Only to Stir Up Demons Within.» *The New York Times Magazine,* 24 octubre 1971.

———. «Picasso aura cent ans dans dix ans.» *Le Figaro,* 8 octubre 1971.

Breton, André. «Picasso Poéte.» *Cahiers d'Art,* núms. 7-10, 1935.

———. «Le Surréalisme et la peinture.» *La Révolution Surréaliste,* 15 julio 1925.

Breunig, L. C., Jr. «Studies on Picasso, 1902-1905.» *Art Journal,* invierno 1958.

Cabanne, Pierre. «Picasso et les joies de la paternité.» *L'Oeil,* núm. 226 (mayo 1974).

Cachin, Marcel. «Picasso a apporté son adhésion au Parti de la Renaissance Française.» *L'Humanité,* 5 octubre 1944.

Carter, Huntly. «The Plato-Picasso Idea.» *The New Age,* vol. 10, núm. 4 (23 noviembre 1911).

Cassou, Jean. «Le Rideau de *Parade* de Picasso au Musée d'Art Moderne.» *La Revue des Arts,* enero-febrero 1957.

Chalon Jean. «Françoise Gilot passe du murmure au cri.» *Le Figaro,* 18 mayo 1963.

Charles, François. «Les Arts.» *L'Ermitage,* núm. 9 (septiembre 1901).

Chutkow, Paul. «Looking at the Painter's Provence.» *The New York Times,* 24 agosto 1986.

Cocteau, Jean: «Pablo Picasso: A Composite Interview.» *The Paris Review,* verano-otoño 1964.

Cohen, Ronny. «Picasso's Late Work: Swan Song or Apotheosis?» *Artforum.* vol. 22 (marzo 1984).

«Les Communistes de Vallauris écrivent à Picasso.» *Le Patriote de Nice,* 27 junio 1965.

Dadaule, Jacques. «Les Colombes.» *Europe,* nos. 492-93 (abril-mayo 1970).

Daix, Pierre. «Picasso et la morale.» *Les Lettres Françaises,* 17 junio 1965.

Dalí Salvador. «Les Pantoufles de Picasso.» *Cahiers d'Art,* núms. 7-10, 1935.

Dupont, Pepita. «Quand la vie se fait trop noire.» *Paris-Match,* 31 octubre 1986.

Eluard, Paul. «Je parle de ce qui est bien.» *Cahiers d'Art,* núms. 7-10, 1935.

«Entretien sans complexe.» *Plexus,* vol. 3 (agosto-septiembre 1966).

Everling, Germaine. «C'était hier: Dada...» *Les Oeuvres Libres,* núm. 109 (junio 1955).

Fagus, Félicien. «L'Invasion espagnole: Picasso.» *La Revue Blanche,* 15 julio 1901.

Farrell, Barry. «His Women: The Wonder Is That He Found So Much Time to Paint.» *Life,* 27 diciembre 1968.

Fermigier, André. «La Prodigieuse Aventure de Picasso.» *Le Nouvel Observateur,* núm. 105 (16 noviembre 1966).

Fifield, William. «Pablo Picasso—A Composite Interview.» *The Paris Review,* vol. 8, núm. 32 (verano-otoño 1964).

F. K. «Picasso devant la caméra.» *Jardin des Arts,* núm. 15 (enero 1956).

Fournier, Albert. «Ateliers et demeures de Picasso.» *Europe,* núms. 492-93 (abril-mayo 1970).

Gagnebin, Murielle. «Erotique de Picasso.» *Esprit,* enero 1982.

———. «Picasso, iconoclaste.» *L'Arc,* núm. 82 (1981).

Gaillard, P. «Pourquoi j'ai adhéré au Parti Communiste.» *L'Humanité,* 29-30 octubre 1944.

Gay, Paul. «Lettre à une amie.» *Le Point,* vol. 7, núm. 42 (octubre 1952).

George, Waldemar. «Les Cinquante Ans de Picasso et la mort de la nature-morte.» *Formes,* abril, 1931.

———. «L'Exposition Picasso.» *L'Amour de L'Art,* vol. 7 (1926).

———. «Fair Play: The Passion of Picasso.» *Formes,* abril 1930.

———. «Grandeur et décadence de Pablo Picasso.» *L'Art Vivant,* núm. 135 (agosto 1930).

———. «Picasso et la crise actuelle de la conscience artistique.» *Chronique du Jour,* núm. 2 (junio 1929).

———. «The Picasso Exhibition.» *Formes,* mayo 1932.

———. «Picasso par Maurice Raynal.» *L'Amour de l'Art,* vol. 2 (1921).

Gilot, Françoise. «Henri Matisse at Peace.» *Art and Antiques,* octubre 1986.

———. «Mano a Mano.» *Art and Antiques,* octubre 1985.

Gómez de la Serna, Ramón. «Le Toréador de la peinture.» *Cahiers d'Art,* núms. 3-5, 1932.

González, Julio. «Picasso Sculpteur.» *Cahiers d'Art,* núms. 6-7, 1936.

Gosling, Nigel. «Picasso: The Greatest?» *Observer Review,* 15 abril 1973.

Granville, Pierre. «Marcoussis, poète du cubisme.» *La Galerie des Arts,* núm. 18 (julio-septiembre 1964).

Henderson, Linda D. «A New Facet of Cubism: The "Fourth Dimension" and Non-Euclidean Geometry Reinterpreted.» *The Art Quarterly,* vol. 34 (invierno 1971).

Henry, Hélène. «Max Jacob et Picasso: Jalons chronologiques pour une amitié: 1901-44.» *Europe,* núms. 492-93 (abril-mayo 1970).

Jacob, Max. «Souvenirs sur Picasso contés par Max Jacob.» *Cahiers d'Art,* núm. 6, 1927.

«Jacqueline et Pablo, les mariés de l'au-delà.» *Paris-Match,* 31 octubre 1986.

Jahan, Pierre. «Ma Première Rencontre avec Picasso.» *Gazette des Beaux Arts,* octubre 1973.

Johnson, Ron. «The *Demoiselles d'Avignon* and Dionysian Destruction.» *Arts Magazine,* vol. 55, núm. 2 (octubre 1980).

———. «Picasso's *Demoiselles d'Avignon* and the Theatre of the Absurd.» *Arts Magazine*, vol. 55, núm. 2 (octubre 1980).

Junoy, Josep. «L'Art d'en Picasso.» *Vell i Nou,* vol. 3, núm. 46 (1 junio 1917).

Kahnweiler, Daniel-Henry. «Entretiens avec Picasso.» *Quadrum,* noviembre, 1956.

———. «Entretiens avec Picasso au sujet des *Femmes d'Alger.*» *Aujourd'hui,* núm. 4 (septiembre 1955).

———. «Huit Entretiens avec Picasso.» *Le Point,* vol. 7, núm. 42 (octubre 1952).

———. «Le Sujet chez Picasso.» *Verve,* vol. 7, núms. 25-26 (1951).

Kauffman, Ruth. «Picasso's Crucifixion of 1930.» *Burlington Magazine,* vol. 3 (septiembre 1969).

Klady, Leonard. «Return of the Centaur.» *Film Comment,* vol. 22, núm. 2 (marzo-abril 1986).

Lacroix, Jean-Paul. «Picasso: Ni Barbe-Bleue ni saint de vitrail.» *L'Intransigeant,* 24 junio 1965.

Lapouge, Gilles. «Les Maisons de Picasso.» *L'Arc,* núm. 82 (1981).

Lefévre, Frédéric. «Une heure avec M. Jean Cocteau.» *Nouvelles Littératures,* 24 marzo 1923.

Leiries, Michel. «Faire-part.» *Cahiers d'Art,* núms. 4-5, 1937.

Lhote, André. «Chronique des Art.» *La Nouvelle Revue Française,* agosto 1932.

———. «Picasso.» *La Nouvelle Revue Française,* marzo 1939.

Lieberman, William S. «Picasso and the Ballet, 1917-1945.» *Dance Index,* vol. 5, núms. 11-12 (noviembre-diciembre 1946).

Lord, James. «Giacometti and Picasso: Chronicle of a Friendship.» *The New Criterion,* junio 1983.

Mac Orlan, Pierre. «Rencontre avec Picasso.» *Annales Politiques et Littéraires,* 15 julio 1929.

Madaule, Jacques. «Les Colombes.» *Europe,* núms. 492-93 (abril-mayo 1970).

Marion, Sylvie. «Pour ses 80 ans Picasso m'a dit.» *France-Soir,* 19 octubre 1961.

Mellow, James R. «Picasso's Working Autobiography.» *Art News,* vol. 85 (verano 1986).

Milhau, Denis. «Picasso, la réalité et le théâtre.» *Europe,* núms. 492-93 (abril-mayo 1970).

Misfeldt, Willard E. «The Theme of the Cock in Picasso's Oeuvre.» *Art Journal,* vol. 28, núm. 2 (invierno 1968-69).

Morice, Charles, «Exposition de MM. Picasso, Launay, Pichot et Girieud.» *Mercure de France,* vol. 45, núm. 156 (octubre-diciembre 1902).

Moussinac, Léon. «Tous les Arts.» *Les Lettres Françaises,* 25 noviembre 1948.

Murry, John Middleton. «The Art of Pablo Picasso.» *The New Age,* vol. 10, núm. 5 (30 noviembre 1911).

Newhouse, John. «An Air of Mystery.» *New Yorker,* 30 diciembre 1985.

Nietzsche, Friedrich. «I Myself Am Fate.» *The London Times Literary Supplement,* 2 marzo 1973.

Parrot, Louis. «Hommage à Pablo Picasso.» *Les Lettres Françaises,* septiembre 1944.

———. «Picasso au Salon.» *Les Lettres Françaises,* octubre 1944.

Peignot, Jérome. «Les Premiers Picassos de Gertrude Stein.» *Connaissance des Arts,* núm. 213 (noviembre 1969).

Penrose, Roland, y Timothy Hilton. «Miró.» *Art Monthly,* núm. 68 (julio-agosto 1983).

Perls, Frank. «The Last Time I saw Pablo.» *Art News,* vol. 73 (abril 1974).

Pernord, Pierre-Arnold. «Le Chef-d'oeuvre inconnu.» *Europe,* núms. 492-93 (abril-mayo 1970).

———. «Picasso 1964, enquête.» *Jardin des Arts,* núm. 112 (marzo 1964).

Picasso, Pablo. «Lettre sur l'Art.» *Formes,* febrero 1930.

———. «Pourquoi je suis Communiste,» *L'Humanité,* 29-30 octubre 1944.

«Picasso change de modèle.» *Radar,* 12 diciembre 1953.

Pierre-Quint, Léon. «Doute et révélation dans l'oeuvre de Picasso.» *Documents,* núm. 3 (1930).

Pignon, Edouard. «Chez Picasso.» *Le Point,* vol. 7, núm. 42 (octubre 1952).

Piscopo, Ugo. «Un taureau est un taureau.» *Europe,* núms. 492-93 (abril-mayo 1970).

Prejger, Lionel. «Picasso découpe le feu.» *L'Oeil,* núm. 82 (octubre 1961).

«Propos sur l'Art.» *Le Monde,* 13 abril 1973.

Pudney, John. «Picasso —A Glimpse in Sunlight.» *The New Statesman and Nation,* 16 septiembre 1944.

«Quarante Peintres déclarent: Françoise Gilot a trahi Picasso.» *Arts,* núm. 1003 (28 abril 1965).

Radcliff, Carter. «Art: Setting the Stage.» *Architectural Digest,* mayo 1984.

Ramié, Georges. «Céramiques.» *Verve,* vol. 7, núms. 25-26 (1951).

———. «The Contents of Picasso's Art.» *Verve,* vol. 7, núms. 25-26 (1951).

Raynal, Maurice. «Panorama de l'oeuvre de Picasso.» *Le Point,* vol. 7, núm. 42 (octubre 1952).

———. «Picasso.» *L'Art d'Aujourd'hui,* núm. 1 (primavera-verano 1924).

Read, Herbert. «Picasso's Guernica.» *London Bulletin,* núm. 6 (octubre 1938).

«Retouches pour un portrait.» *Le Crapouillot,* núm. 25 (mayo-junio 1973).

Reverdy, Pierre. «Solidarity of the Genius and the Dwarf.» *Art News Annual,* núm. 25 (1957).

———. «Un Oeil de lumière et de nuit.» *Le Point,* vol. 7, núm. 42 (octubre 1952).

«The Revolutionary Artists.» *The Crafstman,* vol. 20, núm. 2 (mayo 1911).

Richardson, John. «The Catch in the Late Picasso.» *The New York Review of Books,* 19 julio 1964.

———. «Picasso's Secret Love.» *House and Garden,* octubre 1987.

———. «Trompe l'Oeil.» *The New York Review of Books,* 3 diciembre 1964.

———. «Understanding the Paintings of Pablo Picasso.» *The Age,* 22 diciembre 1962.

———. «Your Show of Shows.» *The New York Reviews of Books,* 17 julio 1980.

Sabartés, Jaime. «Couleur de Picasso: Peintures et dessins de Picasso.» *Verve,* vol. 5, núms. 19-20 (1948).

———. «La Literatura de Picasso.» *Cahiers d'Art,* núms. 7-10, 1935

Saint-John, Jeffrey. «Judging the Art of Picasso.» *Chicago Tribune,* 16 abril 1973.

Salmon, André. «Picasso.» *L'Esprit Nouveau,* núm. 1 (mayo 1920).

Seckler, Jerome. «Picasso Explains.» *New Masses,* 13 mayo 1945.

«Shafts from Apollo's Bow: A Blast from the North.» *Apollo,* octubre 1947.

Sollers, Philippe. «De la virilité considérée comme un des beaux-arts.» *Art Press,* verano 1981.

Taylor, Brandon, Douglas Cooper, y Gary Tinterow. «The Essential Cubism.» *Art Monthly,* junio 1983.

«Testimony against Gertrude Stein.» *Transition,* núm. 23 (febrero 1935).

Tilman, Pierre. «Le Style c'est une infirmité.» *Opus International*, núm. 81 (verano 1981).

Trustman, Deborah. «Ordeal of Picasso's Heirs.» *The New York Times Magazine,* 20 abril 1980.

Tzara, Tristan. «Picasso et la peinture de circonstance.» *Le Point,* vol. 7, núm. 42 (octubre 1952).

Vallier, Dora. «Braque, la peinture et nous.» *Cahiers d'Art,* núm. 1 (1954).

Wildenstein, Daniel. «Hommages à Picasso: Le peintre qui a eu le plus d'influence sur son siècle.» *Gazette des Beaux-Arts,* octubre 1973.

Zayas, Marius de. «Picasso Speaks.» *The Arts,* vol. 3, núm. 5 (mayo 1923).

Zervos, Christian. «Conversation avec Picasso.» *Cahiers d'Art,* núms. 7-10, 1935.

———. «Les Dernières Oeuvres de Picasso.» *Cahiers d'Art,* núm. 6, 1927.

———. «Les Derniéres Oeuvres de Picasso.» *Cahiers d'Art,* núm. 6, 1929.

———. «Picasso à Dinard.» *Cahiers d'Art,* núm. 1, 1929.

———. «Projets de Picasso pour un monument.» *Cahiers d'Art,* núms. 7-10, 1929.

TESTIMONIO DE GRATITUD

En octubre de 1981, Mort Janklow me invitó a almorzar y me preguntó si estaría interesada en escribir una biografía de Picasso. David McCulloch —me explicó— acababa de decidir que no continuaría la biografía de Picasso que estaba escribiendo para Simon and Schuster. Desde entonces he oído muchas razones por las que McCulloch adoptó su decisión, pero hasta después de que este libro estuviera listo para su impresión no le pregunté directamente por esos motivos. «En los mitos encontramos monstruos» —me contestó—, «pero no quiero tener uno en mi vida». Finalmente, no quise tener a Picasso como compañero de cuarto durante cinco años.

Siempre agradeceré a Mort Janklow por haberme puesto en lo que ha demostrado ser un viaje extraordinario, y a David McCulloch por su decisión de cambiar a Picasso por Truman, aunque hubo momentos horribles durante cinco años en los que le envidié. Durante ese tiempo me sostuvo la devoción de mis dos principales ayudantes en la investigación, Marcy Rudo y Guillaume Israel.

En la nochevieja de 1987, Guil falleció, a los 27 años, en París, víctima de un paro cardíaco, y cuando escribo esto, un mes más tarde, una parte de mí se niega a creerlo. Guil era un factor importante en este libro y por lo tanto en mi vida. En su tarea de investigación se empeñó en rebasar todos los obstáculos que encontró en el camino de conseguir el material que buscaba, y puso a plena contribución su talento para desenterrar importantes informaciones que hasta entonces eran desconocidas y su contagioso sentido del humor. A la pena por la pérdida de haber perdido un amigo y un fiel colega, se añade la de saber cuántas promesas truncó su muerte.

Viviendo en Barcelona y hablando fluidamente tanto el catalán como el castellano, Marcy Rudo hizo su segundo hogar de la biblioteca del Museo Picasso de la calle Moncada de Barcelona, y convirtió en buenos amigos suyos al personal del centro. Ella y yo agradecemos muchísimo la ayuda de todos ellos. Cuando no estaba en los sótanos del Museo, Marcy viajaba por toda España buscando y entrevistando a gente relacionada con Picasso, amigos, hijos de amigos y amigos de amigos. Unas veces en bibliotecas y otras en conversaciones, descubrió hechos importantes e historias maravillosas, valiosísimas para construir el libro. Por todo eso, así como para haberme hecho conocer la Barcelona de Picasso y por haber sido la más deliciosa compañera durante nuestro viaje durante nuestro recorrido por el sur de Francia para entrevistar a gentes relacionadas con Picasso, estoy profundamente agradecida a Marcy.

Vaya mi gratitud también a todos los que en entrevistas para este libro, me ofrecieron generosamente su ayuda. Entre ellos, Monique Agard, Eugenio Arias, Kostas Axelos, Brigitte Baer, Jacques Baron, Jacques Barra, Laurence Bataille, Madelein Baudouin, François Bellet, Pierre Beres, Georges Bernier, Rosamond Bernier, Manuel Blasco, Claude Bleynie, Janot Bongiovani, Henri Cartier Bresson, Henri Colpi, Aldo Crommelynck, Pierre Daix, Lydia Delektroskaya, Diane Deriaz, Jean Derval, Dominique Desanti, Gaston Diehl, Luis Miguel Dominguín, Roland Dumas, Favid Douglas Duncan, Dominique Eluard, Luciano Emmer, Fenosa, Francesco Fontbona, Pierrette Gargallo, Joan Gaspar, Miquel Gaspar, Bernard Gheerbrant, Gustavo Gili, Françoise Gilot, Henriette Gomés, Ramón Noguera de Guzmán, Jany Holt, Maurice Jardot, Joyce Kootz, Georges Langlois, Sarah Schultz Lanver, Geneviève Laporte, Paule de Lazerme, Louise Leiris, Michel Leiris, William Liberman, Raimon Llort, Florence Loeb, James Lord, Matta, Joan Merli, Jacques Mourlot, André Ostier, Alain Oulman, René Pallarés, Hélène Parmelin, Josep Palau i Fabre, Christine Piot, Wladimir e Ida Pozner, Lionel Preijger, Claude Renoir, Jacint Reventós, Alex y Carole Rosenberg, Mario Ruspoli, Bernard Bacqué de Sariac, Luc Simon, Gerard Sassier, Inés Sassier, Pilar Solano, Antonio Tamburro, Maurici Torra-Bailari, Gilbert y Lilette Valentin,

André Verdet, Dina Vierny, Jaime Vilató, André Villers y Maya Picasso Widmaier.

Este libro fue objeto de investigaciones y escrito en varias ciudades en dos continentes, y en cada ciudad hubo personas que trabajaron duramente para que el libro fuese una realidad. En París he de agradecérselo a Phillipe Guéguen, Katherine Adamov y Pascale Breton; en Barcelona, a Juan Espinach, que fue nuestro experto oficial en historia de Cataluña y en el idioma catalán. En Los Angeles, Danielle Israel y Karen Davidson supervisaron mi transición de la estilográfica Mont Blanc a mi ordenador Kaypro. Christine Richards, mi ayudante personal, nos supervisó a todos, y cuando viajé a Houston, y de allí a Washington, me proporcionó una valiosísima continuidad para mi existencia peripatética. En Washington se enamoró y regresó a Los Angeles, pero no antes de arreglárselas para dejarnos al libro en proyecto y a mí en las maravillosamente capaces manos de Amy Davis, que montó con todos, inmediatamente, un nuevo equipo, incluyendo a Cleve Camp, que se encargó de nuestro ordenador e incluso consiguió que nuestra componedora de rayo láser cooperase con el Kaypro para reproducir los acentos españoles y franceses que exige la ortografía de ambos idiomas.

Cuando llegó el momento de viajar a Houston en compañía de los cientos de libros y de fichas sobre Picasso, Amy Davis me acompañó, y por eso y por su trabajo en el libro, le doy las gracias de todo corazón. En Houston el libro fue concluido, y por tanto, fue en Houston donde las fechas que parecían cómodamente lejanas resultaron amenazadoramente próximas; los fines de semana pasaron a ser solamente días de la semana y los días se continuaban en las noches. Nunca agradeceré bastante la ayuda a los que me ayudaron a alcanzar cada una de esas fechas. Sonja Walsh y Billie Redden estuvieron trabajando una noche hasta las 3,45 de la madrugada para que el original pudiese ser enviado a Nueva York a primera hora de la mañana. Gracias también a Martha Braddy, Ana Mestre Brown, Charles Gibson, Kenn Kubasik, Maria Murphy, Vickie Rylander y Dolores Vázquez, que se arremangaron y se lanzaron al trabajo, pese a lo mecánico de su tarea, y a Emily Baleww, Billie Fitzpatrick, Karen Haigler, Shannon Halwes, Karen Kossie, Allison Leach, Lynn Weekes y Cornelia Williams por su ayuda en la preparación final de las notas sobre las fuentes del texto.

También debo hacer constar mi gratitud a Bill Lieberman, presidente del Arte del Siglo XX en el Museo Metropolitano de Arte de Nueva York, por haber sido mi guía; a Peter Marzio, director del Museo de Bellas Artes de Houston, y a su esposa Frances, por la ayuda de ellos y del equipo del Museo; a Janis Ekdahl, de la biblioteca del Museo de Arte Moderno en Nueva York y a Jacqueline Koenig, que me ayudó a crear mi biblioteca propia sobre Picasso.

Durante los últimos meses mi madre alimentó a todo el equipo que trabajó en el libro y nos sorprendió con nuevos platos exquisitos. Mi hermana Agapi continuó, pese a los miles de millas que en ocasiones nos separaron, siendo una preciosa fuente de sabiduría y de entusiasmo. Ambas tienen, como siempre, mi amor y mi gratitud.

Es difícil describir qué privilegio y qué bendición es tener como editor un hombre que no solamente es un magnífico editor sino también un gran amigo con el que a lo largo de años se han creado las bases de una confianza que puede sostener cualquier cantidad de idas y venidas en la edición. Mi gratitud a Fred Hills por su magistral guía y por los incontables medios por los que mejoró este libro; sólo es comparable con el absoluto placer de trabajar con él. Fred y yo trabajamos juntos en *Callas,* y por ello yo estaba inquieta cuando me presentó a Burton Beals y convirtió nuestro confortable «dúo» editorial de un trío. Pero sólo hizo falta un almuerzo con Burton para que se disiparan nuestras prevenciones. Después de sesiones maratonianas al teléfono y en varios salones de conferencias en Simon and Schuster, el perfeccionismo de Burton y su decisión de dedicar horas a descifrar un párrafo difícil o cualquier frase complicada, me inspiraron y alimentaron mi carácter impulsivo. Al final supe que había ganado, además de un nuevo editor, un nuevo amigo.

Fue un gran placer trabajar otra vez después de varios años, con Alex McCormick, mi editor en Weidenfeld y Nicolson en Londres. Esta vez, el asesoramiento editorial me fue ofrecido mediante el correo, el teléfono, el telefax, más bien que personalmente, pero no por ello fue menos valioso ni menos importante. Muchas gracias también a Angela Dyer, cuyas útiles sugestiones fueron incorporadas al texto final, y a Leslie Ellen, Lynn Chalmers, Eileen Caughlin y Kim Ruhe por su trabajo en la obtención de pruebas y correción de las mismas, y a Jenny Cox, inteligente ayudante editorial de Fred Hill, por todo lo que ayudó a que este libro viese la luz; y a Vincent Virga, por crear una sección de producción de ilustraciones que dio poderosa expresión a los temas que representan el corazón de este libro, y por las sugestiones que nos brindó después de leer el original. Mis más rendidas gracias también a Marcella Berger, Marie Florio, Helen Niemirow y Karen Weitzman, del Departamento de Derechos Subsidiarios de Simon y Schuster, que presentaron el manuscrito en forma tan convincente, en todo el mundo, y a Frank Metz y Fred Marcellino, por convertir el diseño de la portada en una tarea cariñosa, a Eve Metz por su diseño del libro; a Julia Knickerbocker y Ellen Archer, por asumir el penoso trabajo de promoción del libro; a David Wolper, por adquirir los derechos para televisión del libro en el curso de una conversación, y antes de haber visto ni una sola página de él, y a Dick Snyder, por su constante entusiasmo, guía y apoyo. Quiero también expresar mi gratitud a Peter Matson, en Nueva York, y a Michael Sissons, en Londres, por su ayuda y por lo que me animaron, y a Pat Kavanagh, Jane Brewster, Mitchell lee Brozinsky y Rick Edelstein.

El primer borrador del libro lo leyó Mort Zuckerman, y le agradezco todos sus consejos y las muchas veces, durante los años en que trabajé en el libro, en que mis ideas se concretaron gracias a nuestras conversaciones. La penúltima versión la leyó James Lord, a quien le agradezco profundamente no sólo sus sugerencias y su generosidad, sino también su propio trabajo sobre Giacometti y nuestra conversación en París, poco después de haber empezado a trabajar en este libro: tesoros de información y de comprensión hacia lo que había hecho.

No hay medida para valorar adecuadamente la inmensa deuda que he contraído con Bernard Levin. Leyó cada capítulo del primer borrador y discutió conmigo cada borrador sucesivo, sostuvo mi valor; estaba siempre allí donde yo necesitaba discutir una idea o una frase, arguyó, asintió, animó, y llevó a sus tareas su pasión por las ideas y por el idioma inglés.

Este libro lo dedico a mi esposo. Durante los últimos años Michael ha compartido tanto mi vida como mi trabajo. Pasó noches sin fin trabajando en una mesa mientras yo escribía en la otra, llenando el aislamiento que cualquier tarea de escribir necesita, con una cariñosa intimidad que me nutría y me daba fuerzas. Prestaba oído a las páginas recién escritas, leía y volvía a leer el original, y, como un maduro corredor de maratón, me ayudaba a pasar la «muralla» cuando parecía una tortura enfrentarse a otra página en blanco o llena de comentarios de Fred en tinta azul o de Burton en tinta verde. Y aunque deseaba fervientemente continuar su vida sin Picasso, nunca dejó de exhortarme a volver a leer, revisar o retocar el texto hasta el último momento, e incluso un poquito después.

CREDITOS DE LAS ILUSTRACIONES

3. Museo Picasso, París.
4. Pablo Picasso, *Cara de Conchita,* 1984. Dibujo de un carnet de bosquejos. Museo Picasso. Barcelona/ARS.
5. Manuel Blasco.
6. Manuel Blasco.
7. Archivos Lee Miller.
8. Picasso: *Jaume Sabartés sentado,* 1900, carbón y acuarela sobre papel. Museo Picasso, Barcelona. Donación Sabartés, 1960/ARS.
9. Pablo Picasso: *Picasso desconcertado,* 1988. Lápiz Conté, sobre papel. Herederos del artista/ARS.
10. Archivos Lee Miller.
12. Pablo Picasso: *Pedro Mañach,* 1901. Oleo sobre lienzo. National Gallery of Art. Washington, Chester Dale Collection, 1962/ARS.
14. Museo Picasso. París.
15. Pablo Picasso: *Los amantes,* agosto de 1904. Pluma y tinta, tinta china, lápiz y acuarela, sobre papel. Museo Picasso. París/ARS.
16. Museo Picasso. París.
17. Pablo Picasso: *El abrevadero,* 1906. Gouache. The Metropolitan Museum of Art. New York, Legado Scofield Thayer, 1982/ARS.
18. Pablo Picasso: *Desnudo con manos entrelazadas,* 1905-1906. Gouache sobre lienzo. Art Gallery of Ontario. Ontario, Toronto. Donación de Sam y Ayala Zacks, 1970/ARS.
19. Pictorial Parade.
20. Pablo Picasso: *Les Demoiselles d'Avignon,* 1907. Oleo sobre lienzo. The Museum of Modern Art, New York. Adquirido con cargo al legado Lillie P. Blist/ARS.
22. Archivo Bettmann.
23. Museo Picasso. París.
24. Archivos Lee Miller.
25. Museo Picasso. París.
26. G. D. Hackett.
27. G. D. Hackett.
28. Archivo Bettmann.
29. Archivos Lee Miller.
30. G. D. Hackett.
31. Museo Picasso. París.
32. © Juliet Man Ray, 1986/Archivos Lee Miller.
33. Archivos Lee Miller.
34. Pictorial Parade.
35. Archivos Lee Miller.

36. Pablo Picasso: *Desnudo en un sillón,* 9 de marzo de 1932. Oleo sobre lienzo. Colección privada/ARS.
37. Luc Joubet. © ARS N. Y./SPADEM, 1988.
38. Pablo Picasso: *El Minotauro llevándose a una mujer,* 1937. Tinta china y ripolín mate sobre cartulina/ARS.
39. Archivos Lee Miller.
40. Man Ray © ARS. N. Y./ SPADEM, 1988.
41. Pablo Picasso: *Mujer llorando,* 26 de octubre de 1937. Oleo sobre lienzo. Colección privada/Archivos Lee Miller/ARS.
42. Archivos Lee Miller.
43. Françoise Gilot.
44. Françoise Gilot.
45. Museo del Louvre. París.
46. Françoise Gilot: *Retrato de Pablo Picaso,* 1945. Témpera en papel Arches, colección de Claude Picasso.
47. Inés Sassier.
48. Archivos Lee Miller.
49. Wide World Photos.
50. Wide World Photos.
51. Pablo Picasso: *Mujer sentada* (Françoise Gilot con un abrigo polaco), 1 de noviembre de 1948. Oleo sobre lienzo. Colección de Mr. y Mrs. Sam Goldwy, Jr./ARS.
52. Rapho/Photo Researchers.
53. Paule de Lazerme.
54. Paule de Lazerme.
55. Françoise Gilot.
56. Gjon Mili, *Life Magazine.* © Time Inc.
57. Françoise Gilot.
58. Françoise Gilot.
59. Brian Brake/Photo Researchers.
60. Pictorial Parade.
61. Dibujo a lápiz de Pablo Picasso, coloreado con crayón, de un bloc en espiral, número 165, página 36, 2 de agosto de 1962. Reproducido de *Je suis le Cahier: The Sketchbooks of Picasso,* publicado por The Atlantic Monthly Press/Pace Gallery © 1986. The Pace Gallery.
62. Pictorial Parade.
63. UPI.
64. Inge Morath/Magnum.
65. Wide World Photos.
66. Pablo Picasso: *Mujer orinando,* 16 de abril de 1965. Musée National d'Art Moderne, Centre Georges Pompidou. París/ARS.
67. Pictorial Parade.
68. Doisieau-Rapho/Photo Researchers.
69. Horst Tappe/Pictorial Parade.
70. Pablo Picasso: *Autorretrato,* 30 de junio de 1972, lápiz y lápices de colores. Tokio, Fuji Television Co. Gallery, Ltd./ARS.

INDICE ONOMASTICO